Der erste Teil der «Suite française», Sturm im Juni, beginnt im Sommer 1940, als die deutsche Armee vor Paris steht: In Windeseile und voller Panik packen die Menschen ihre letzten Habseligkeiten zusammen – die große Flucht setzt ein. Angesichts der existentiellen Bedrohung zeigen die Menschen plötzlich ihren wahren Charakter. Da sind diejenigen, die nur ihre eigene Haut retten wollen, und andere, die sich jenseits aller sozialen Klassen mit wildfremden Menschen verbünden. Ganz Frankreich ist in Aufruhr, und das Tragische mischt sich bisweilen mit dem Grotesken. Dolce, der zweite Teil, spielt ein Jahr später in einem besetzten Dorf. Jedem Haus wird ein deutscher Soldat zugewiesen. Doch die anfangs überaus feindselige Atmosphäre beginnt sich nach und nach zu lockern. Manche Bewohner entwickeln sogar eine heimliche Sympathie für die jungen Deutschen, sehen sie als Menschen, die genauso wie sie auf ein schnelles Ende des Kriegs hoffen und sich nach ihren Angehörigen sehnen.

IRÈNE NÉMIROVSKY wird als Tochter eines reichen russischen Bankiers 1903 in Kiew geboren. Vor der Oktoberrevolution flieht die Familie nach Paris. Irène heiratet den weißrussischen Bankier Michel Epstein, bekommt zwei Töchter und veröffentlicht ihren Roman «David Golder», der sie schlagartig berühmt und zum Star der Pariser Literaturszene macht. Viele weitere Veröffentlichungen folgen. Als der Zweite Weltkrieg ausbricht und die Deutschen auf Paris marschieren, flieht sie mit ihrem Mann und den Töchtern in die Provinz. Am 13. Juli 1942 wird sie verhaftet, keine vier Wochen später stirbt sie in Auschwitz.
2004 entzifferte Némirovskys Tochter Denise Epstein das Manuskript, das als «Suite française» veröffentlicht wurde.

Irène Némirovsky

Suite française

Roman

Aus dem Französischen
von Eva Moldenhauer

btb

Die französische Originalausgabe erschien 2004 unter dem Titel
Suite française bei Denoël, Paris.

Unstimmigkeiten u. a. bei Namen finden sich im Original-
manuskript und wurden vom Verlag bewußt beibehalten.

Sollte diese Publikation Links auf Webseiten Dritter enthalten,
so übernehmen wir für deren Inhalte keine Haftung,
da wir uns diese nicht zu eigen machen, sondern lediglich auf
deren Stand zum Zeitpunkt der Erstveröffentlichung verweisen.

MIX
Papier aus verantwor-
tungsvollen Quellen
FSC® C014496

Verlagsgruppe Random House FSC® N001967

14. Auflage
Genehmigte Taschenbuchausgabe Mai 2007,
btb Verlag in der Verlagsgruppe Random House GmbH,
Neumarkter Str. 28, 81673 München
Copyright © der Originalausgabe 2004 by Éditions Denoël, Paris
Copyright © der deutschsprachigen Ausgabe 2005
by Knaus Verlag, München,
in der Verlagsgruppe Random House GmbH
Umschlaggestaltung: Design Team München
Umschlagfoto: Willy Rouis /Rapho/Agentur Focus
Satz: Filmsatz Schröter, München
Druck und Einband: GGP Media GmbH, Pößneck
MK · Herstellung: BB
Printed in Germany
ISBN 978-3-442-73644-7

www.btb-verlag.de
www.facebook.com/btbverlag

Auf den Spuren meiner Mutter und meines Vaters, für meine Schwester Élisabeth Gille, für meine Kinder und Enkel und für alle, die das Drama der Intoleranz erlebt haben und noch heute erleben.

DENISE EPSTEIN
Tochter von Irène Némirovsky

STURM IM JUNI

1

Der Krieg

Warm, dachten die Pariser. Frühlingsluft. Es war Nacht im Krieg, Alarm. Aber die Nacht vergeht, der Krieg ist weit. Alle, die nicht schliefen, die Kranken in ihrem Bett, die Mütter, deren Söhne an der Front waren, die liebenden Frauen mit ihren tränenwelken Augen hörten den ersten Atemzug der Sirene. Noch war es erst ein tiefes Einatmen gleich dem Seufzer, der einer beklommenen Brust entweicht. Einige Augenblicke würden vergehen, ehe der ganze Himmel sich mit Geheul füllte. Es kam aus der Ferne, aus der Weite des Horizonts, ohne Hast, hätte man meinen können! Die Schlafenden träumten vom Meer, das seine Wellen und seine Kiesel vor sich herschiebt, vom Sturm, der im März den Wald schüttelt, von einer Rinderherde, die schwerfällig rennt und den Boden mit ihren Hufen erschüttert, bis endlich der Schlaf zurückwich und der Mann, kaum die Augen öffnend, murmelte:

«Alarm?»

Nervöser, flinker, waren die Frauen schon auf den Beinen. Einige legten sich wieder hin, nachdem sie Fenster und Läden geschlossen hatten. Tags zuvor, am Montag, dem 3. Juni, waren zum ersten Mal seit Beginn dieses Krieges in Paris Bomben gefallen; aber die Bevölkerung blieb ruhig. Dabei waren die Nachrichten schlecht. Man glaubte nicht daran. Ebensowenig hätte man der Ankündigung eines Sieges geglaubt. «Davon verstehen wir nichts», sagten die Leute. Im Licht einer Taschenlampe zog man die Kinder an. Mit beiden Armen hoben die Mütter die schweren und warmen kleinen Körper hoch: «Nicht doch, hab keine Angst, weine nicht.» Es war Alarm. Alle Lampen erloschen, aber unter diesem goldenen, durchsichtigen Junihimmel war jedes

Haus, jede Straße zu sehen. Und die Seine schien alle verstreuten Lichter in sich zu vereinen und sie wie ein Facettenspiegel hundertfach zu reflektieren. Die unzureichend abgedunkelten Fenster, die im leichten Dunkel schimmernden Dächer, die Eisenbeschläge der Türen, von denen jede einzelne Wölbung schwach glänzte, einige Rotlichter, die wer weiß warum länger brannten als die anderen – die Seine zog sie an, fing sie ein und ließ sie in ihren Fluten tanzen. Von oben sah man sie sicher weiß wie ein Fluß aus Milch dahinfließen. Sie lenkte die feindlichen Flugzeuge, dachten einige. Andere behaupteten, das sei unmöglich. In Wirklichkeit wußte man nichts. «Ich bleibe im Bett», murmelten schläfrige Stimmen, «ich habe keine Angst.» – «Trotzdem, einmal ist genug», antworteten die vernünftigen Leute.

Durch die Glasscheiben, die in den neuen Wohnhäusern die Hintertreppen schützten, sah man ein, zwei, drei kleine Flammen hinabsteigen: Die Bewohner des sechsten Stocks flohen diese großen Höhen; ungeachtet der Vorschriften hatten sie ihre Taschenlampen angemacht. «Ich will mir auf der Treppe lieber nicht den Hals brechen, kommst du, Emile?» Instinktiv senkte man die Stimme, als wäre der Raum voll feindlicher Blicke und Ohren. Man hörte nacheinander die Türen zuschlagen. In den stark bevölkerten Vierteln wimmelte es in den Metros, in den übelriechenden Schutzräumen immer von Menschen, während die Reichen sich damit begnügten, bei ihren Pförtnern zu bleiben, auf die Einschläge und die Explosionen horchend, die das Fallen der Bomben verkünden würden, aufmerksam, die Körper aufgerichtet wie unruhige Tiere in den Wäldern, wenn die Nacht der Jagd naht. Die Armen waren nicht furchtsamer als die Reichen; sie hingen nicht stärker am Leben, aber sie folgten dem Herdentrieb in größerem Maße als sie, sie brauchten einander, hatten das Bedürfnis, einander beizustehen, gemeinsam zu stöhnen oder zu lachen. Bald würde es Tag werden; ein silbergrüner Schimmer legte sich auf die Pflastersteine, auf die Brüstungen der Kaimauern, auf die Türme von Notre-Dame. Sandsäcke umschlossen die wichtigsten Gebäude bis zur halben Höhe, verhüllten die Tänzerinnen von Carpeaux auf der Fassade der Oper, erstickten den Schrei der *Marseillaise* auf dem Arc de Triomphe.

Noch ziemlich weit entfernt dröhnten Kanonenschüsse, dann rückten sie näher, und jede Fensterscheibe erbebte als Antwort. Kinder kamen in warmen Zimmern zur Welt, deren Fenster man abgedunkelt hatte, damit kein Licht nach außen drang, und ihr Weinen ließ die Frauen den Lärm der Sirenen und den Krieg vergessen. In den Ohren der Sterbenden klang der Kanonendonner schwach und schien keinerlei Bedeutung zu haben, ein Geräusch mehr in jenem schaurigen, vagen Rauschen, das den Sterbenden empfängt wie eine Flut. Die an die warme Hüfte ihrer Mutter geschmiegten Kleinen schliefen friedlich und schnalzten leicht mit den Lippen wie ein saugendes Lamm. Während des Alarms im Stich gelassen, blieben die Karren der fliegenden Händler mit ihrer Fracht frischer Blumen auf der Straße stehen.

Die Sonne ging noch hochrot an einem wolkenlosen Himmel auf. Ein Kanonenschuß wurde abgefeuert, jetzt so nahe bei Paris, daß von jedem Denkmal die Vögel aufflogen. Hoch oben schwebten große schwarze Vögel, die in der übrigen Zeit unsichtbar sind, und breiteten unter der Sonne ihre rosa glasierten Flügel aus, dann kamen die fetten und gurrenden schönen Tauben und die Schwalben, die Spatzen hüpften in aller Ruhe in den menschenleeren Straßen. Am Ufer der Seine trug jede Pappel eine Traube kleiner brauner Vögel, die aus Leibeskräften zwitscherten. In der Tiefe der Keller vernahm man schließlich einen sehr fernen, durch die Distanz gedämpften Ruf, eine Art Fanfarenstoß mit drei Tönen. Der Alarm war vorüber.

2

Bei den Péricands hatte man im Radio in bestürztem Schweigen die Abendnachrichten gehört, sich jedoch enthalten, sie zu kommentieren. Die Péricands waren fromme Leute; ihre Traditionen, ihre Geisteshaltung, ein bürgerliches und katholisches Erbe, ihre Beziehungen zur Kirche (ihr ältester Sohn, Philippe Péricand, war Priester), alles trug dazu bei, daß sie die Regierung der Republik mit Argwohn betrachteten. Andererseits verband sie die Position von Monsieur Péricand, Konservator eines der staatlichen Museen, mit einem Regime, das seinen Dienern Ehren und Vorteile bescherte.

Eine Katze hielt behutsam ein Stück Fisch voller Gräten zwischen ihren spitzen Zähnen: es zu fressen machte ihr angst, und es auszuspucken würde ihr leid tun.

Schließlich meinte Charlotte Péricand, daß nur der männliche Geist derart befremdliche und ernste Ereignisse gelassen beurteilen könne. Doch weder ihr Mann noch ihr ältester Sohn waren zu Hause; ersterer speiste bei Freunden, letzterer weilte zur Zeit nicht in Paris. Madame Péricand, die mit eiserner Hand alles bewältigte, was den Alltag betraf – ob nun die Führung des Haushalts, die Erziehung ihrer Kinder oder die Karriere ihres Mannes –, Madame Péricand zog nie jemanden zu Rate. Doch dies hier war ein anderer Bereich. Zuerst mußte eine autorisierte Stimme ihr sagen, was zu glauben sich ziemte. Einmal auf den richtigen Weg gebracht, rannte sie los und kannte keine Hindernisse. Wies man ihr eindeutig nach, daß ihre Meinung irrig sei, antwortete sie mit kaltem, überheblichem Lächeln: «Das hat mir mein Vater gesagt. Mein Mann ist wohlunterrichtet.» Und mit ihrer behandschuhten Hand machte sie eine kurze, abschneidende Bewegung.

Die Stellung ihres Mannes schmeichelte ihr (sie selbst hätte ein häuslicheres Leben vorgezogen, aber nach dem Beispiel unseres Süßen Heilands muß ein jeder hienieden sein Kreuz tragen!). Zwischen ihren Besuchen kam sie zwar stets kurz nach Hause, um die Schulaufgaben der Kinder, die Fläschchen des Kleinsten, die Arbeiten der Dienstboten zu überwachen, aber sie hatte keine Zeit, ihren Aufputz abzulegen. In der Erinnerung der jungen Péricands war ihre Mutter immer ausgehbereit, mit Hut und weißen Handschuhen. (Da sie sparsam war, hatten ihre gesäuberten Handschuhe einen schwachen Benzingeruch, Nachwehen ihres Aufenthalts in der Reinigung.)

Auch an diesem Abend war sie gerade nach Hause gekommen und stand im Salon vor dem Rundfunkgerät. Sie war schwarz gekleidet und trug einen entzückenden kleinen Hut nach der neusten Mode, geschmückt mit drei Blumen und einer über der Stirn aufragenden seidenen Quaste. Ihr Gesicht darunter war blaß und verängstigt; es verriet deutlich die Spuren des Alters und der Erschöpfung. Sie war siebenundvierzig Jahre alt und hatte fünf Kinder. Es war eine Frau, die Gott offenkundig dazu bestimmt hatte, rothaarig zu sein. Ihre Haut war ungemein zart und von den Jahren welk geworden. Sommersprossen übersäten die kräftige, majestätische Nase. Der Blick ihrer grünen Augen war so scharf wie der einer Katze. Doch in letzter Minute hatte die Vorsehung vermutlich gezögert oder gemeint, daß glänzendes Haar weder Madame Péricands untadeliger Moral noch ihrem Rang anstünde, und sie hatte ihr stumpfes braunes Haar verliehen, das seit der Geburt ihres letzten Kindes büschelweise ausfiel. Monsieur Péricand war ein strenger Mann: Seine religiösen Skrupel untersagten ihm zahlreiche Gelüste, und die Sorge um seinen guten Ruf hielt ihn von übelbeleumdeten Orten fern. Und so war der kleinste Péricand erst zwei Jahre alt, und zwischen dem Abbé Philippe und dem Letztgeborenen verteilten sich drei weitere Kinder, die alle am Leben waren, sowie das, was Madame Péricand schamhaft «drei Vorkommnisse» nannte, bei denen das fast bis zum Ende der Schwangerschaft ausgetragene Kind nicht gelebt hatte und die die Mutter dreimal an den Rand des Grabes gebracht hatten.

Der Salon, in dem gerade das Radio tönte, war ein weitläufiger, wohlproportionierter Raum, dessen vier Fenster auf den Boulevard Delessert gingen. Er war auf herkömmliche Art mit großen Sesseln und goldgelb bezogenen Kanapees möbliert. In der Nähe des Balkons stand der Rollstuhl des gebrechlichen alten Monsieur Péricand, der infolge seines hohen Alters bisweilen kindisch wurde. Seine ganze Hellsichtigkeit erlangte er nur dann wieder, wenn von seinem beträchtlichen Vermögen die Rede war (er war ein Péricand-Maltête, Erbe der Lyoner Maltêtes). Der Krieg und seine Wechselfälle jedoch berührten ihn nicht mehr. Er hörte gleichgültig zu, wobei er rhythmisch seinen schönen silbergrauen Bart schüttelte. Hinter der Hausmutter standen im Halbkreis die Kinder, bis auf den Jüngsten, den seine Kinderfrau auf dem Arm trug. Diese, deren drei Söhne an der Front waren, hatte gerade den Kleinen gebracht, damit er der Familie gute Nacht sage, und nutzte die Gelegenheit, daß sie vorübergehend Zutritt zum Salon hatte, um mit ängstlicher Aufmerksamkeit den Worten des Sprechers zu lauschen.

Hinter der halb geöffneten Tür erriet Madame Péricand die Anwesenheit weiterer Dienstboten: Das Zimmermädchen Madeleine, von Unruhe getrieben, wagte sich sogar bis zur Türschwelle, und dieser Verstoß gegen die Gepflogenheiten schien Madame Péricand ein unheilvolles Zeichen zu sein. So finden sich bei einem Schiffbruch alle Klassen auf dem Deck ein. Aber das Volk besaß keine Nervenstärke. ‹Wie sie sich gehen lassen›, dachte sie mißbilligend. Madame Péricand gehörte zu jenen Bürgerlichen, die dem Volk vertrauen. «Nicht bösartig, wenn man sie zu nehmen weiß», sagte sie in dem nachsichtigen und ein wenig betrübten Ton, den sie angeschlagen hätte, um über ein Tier im Käfig zu sprechen. Sie schmeichelte sich, ihre Dienstboten sehr lange zu behalten. Sie legte Wert darauf, sie eigenhändig zu pflegen, wenn sie krank waren. Als Madeleine eine Angina gehabt

14

hatte, hatte Madame Péricand das Gurgelwasser persönlich zubereitet. Da sie tagsüber keine Zeit hatte, tat sie es abends, wenn sie vom Theater kam. Aus dem Schlaf gerissen, zeigte Madeleine ihre Dankbarkeit erst nachträglich und zudem mit recht kühlen Worten, dachte Madame Péricand. So war das Volk eben, nie zufrieden, und je mehr Mühe man sich mit ihm gibt, desto launischer und undankbarer erweist es sich. Aber eine Belohnung erwartete Madame Péricand ohnehin nur vom Himmel.

Sie wandte sich an das Dunkel des Vestibüls und sagte mit großer Güte:

«Ihr könnt die Nachrichten hören, wenn ihr wollt.»

«Danke, Madame», murmelten ehrerbietige Stimmen, und die Dienstboten schlichen sich auf Zehenspitzen in den Salon.

Madeleine, der Kammerdiener Auguste und die Köchin Maria, die als letzte kam, weil sie sich ihrer nach Fisch riechenden Hände schämte. Im übrigen waren die Nachrichten beendet. Jetzt vernahm man die Kommentare zu der «zwar ernsten, aber nicht beunruhigenden» Lage, wie der Sprecher versicherte. Er sprach mit so aufrichtiger, so gelassener, so großväterlicher Stimme, die jedesmal ein wenig schmetterte, wenn er die Wörter «Frankreich», «Vaterland» und «Armee» aussprach, daß er in den Herzen seiner Zuhörer Optimismus verbreitete. Er hatte eine ganz besondere Art, das Kommuniqué zu erwähnen, in dem es hieß, daß «der Feind weiterhin mit Verbissenheit unsere Stellungen angegriffen hat, jedoch auf den kraftvollen Widerstand unserer Truppen stieß». Er las den ersten Teil des Satzes in einem leichten, ironischen und verächtlichen Ton, als wollte er sagen: ‹Zumindest versuchen sie, uns das glauben zu machen.› Dagegen betonte er jede einzelne Silbe des zweiten Teils, wobei er das Adjektiv «kraftvoll» und die Wörter «unserer Truppen» mit solcher Zuversicht hervorhob, daß die Leute unweigerlich denken mußten: ‹Bestimmt machen wir uns ganz umsonst solche Sorgen!›

Madame Péricand sah die auf sie gerichteten fragenden und hoffnungsvollen Blicke und verkündete entschlossen:

«Mir scheint das nicht absolut schlecht zu sein!»

Nicht, daß sie es glaubte, aber es war ihre Pflicht, die Menschen in ihrer Umgebung aufzumuntern.

Maria und Madeleine seufzten:

«Madame glaubt das?»

Nur Hubert, der zweite der Péricand-Söhne, ein pausbäckiger, rotwangiger Junge von achtzehn Jahren, schien bestürzt und verzweifelt zu sein. Nervös betupfte er seinen Hals mit seinem zerknüllten Taschentuch und rief mit durchdringender, bisweilen heiserer Stimme:

«Es ist nicht möglich! Es ist nicht möglich, daß es soweit mit uns gekommen ist! Sagen Sie, Mama, worauf warten sie denn, bis sie alle Männer zu den Waffen rufen? Alle Männer zwischen sechzehn und sechzig, sofort! Das müßten sie doch tun, meinen Sie nicht, Mama?»

Er rannte ins Arbeitszimmer, kam mit einer großen Landkarte zurück, die er auf dem Tisch ausbreitete, und maß fieberhaft die Entfernungen.

«Wir sind verloren, unweigerlich verloren, es sei denn ...»

Er schöpfte wieder Hoffnung.

«Ich verstehe, was man tun wird», verkündete er schließlich mit breitem, all seine weißen Zähne entblößendem jugendlichen Lächeln. «Ich verstehe es genau. Man läßt sie vorrücken, immer weiter vorrücken, und dann erwartet man sie dort und dort, sehen Sie, Mama! Oder auch ...»

«Ja, ja», sagte seine Mutter. «Geh dir die Hände waschen, und kümmere dich um diese Strähne, die dir in die Augen fällt. Schau nur, wie du aussiehst.»

Wütend faltete Hubert seine Landkarte wieder zusammen. Nur Philippe nahm ihn ernst, nur Philippe sprach mit ihm wie mit seinesgleichen. «Familien, ich hasse euch», deklamierte er innerlich, und als er den Salon verließ, verstreute er aus Rache mit einem heftigen Fußtritt das Spielzeug seines kleinen Bruders Bernard, der zu brüllen begann. Das wird ihm beibringen, wie das

Leben ist, dachte Hubert. Eilig brachte die Amme Bernard und Jacqueline weg, das Baby Emmanuel schlief bereits auf ihrer Schulter. Sie ging mit großen Schritten, Bernard an der Hand, um ihre drei Söhne trauernd, die sie im Geiste alle tot sah. «Trübsal und Unglück, Trübsal und Unglück!» wiederholte sie leise und schüttelte ihr graues Haupt. Sie drehte die Wasserhähne der Badewanne auf, wärmte die Bademäntel der Kinder, murmelte unaufhörlich dieselben Wörter, die ihr nicht nur die politische Lage, sondern vor allem ihr eigenes Leben zu verkörpern schienen: die Feldarbeit in ihrer Jugend, ihr Witwenstand, der schlechte Charakter ihrer Schwiegertöchter und ihr Leben bei anderen, seit ihrem sechzehnten Lebensjahr.

Auguste, der Kammerdiener, ging auf leisen Sohlen in die Küche zurück. Auf seinem feierlichen, törichten Gesicht spiegelte sich ein Ausdruck tiefer Verachtung, die vielerlei Dingen galt. Madame Péricand, diese ungemein tatkräftige Frau, verwandte die freie Viertelstunde zwischen dem Bad der Kinder und dem Abendessen darauf, Jacqueline und Bernard die Schulaufgaben abzuhören. Frische Stimmen erhoben sich: «Die Erde ist eine Kugel, die auf nichts ruht.» Im Salon blieben der alte Péricand und der Kater Albert allein zurück. Es war ein wunderbarer Tag. Das Abendlicht beleuchtete sanft die dichtbelaubten Kastanienbäume. Der Kater Albert, ein kleiner grauer Kater, der den Kindern gehörte, schien von einem Freudentaumel gepackt zu sein: er wälzte sich auf dem Rücken, auf dem Teppich. Er sprang auf den Kamin, knabberte an einer Pfingstrose in der großen nachtblauen Vase, versetzte dem aus Bronze gemeißelten Wolfsmaul an der Ecke einer Konsole einen vorsichtigen Hieb mit der Tatze, sprang dann mit einem Satz auf den Sessel des Alten und miaute in sein Ohr. Der alte Péricand streckte seine stets eiskalte, violette, zitternde Hand nach ihm aus. Der Kater bekam Angst und nahm Reißaus. Bald würde das Abendessen serviert werden. Auguste erschien, rollte den Sessel des Kranken ins Eßzimmer. Man hatte sich gerade zu Tisch gesetzt, als die Hausherrin plötzlich innehielt, den Löffel mit Jacquelines Stärkungssaft in der Hand.

«Das ist euer Vater, Kinder», sagte sie beim Geräusch des sich im Schloß drehenden Schlüssels.

Es war tatsächlich Monsieur Péricand, ein kleiner rundlicher Mann von sanftem, ein wenig linkischem Wesen. Sein gewöhnlich rosiges, ausgeruhtes, wohlgenährtes Gesicht war sehr blaß und wirkte nicht erschrocken oder besorgt, sondern außerordentlich erstaunt. Auf den Gesichtern von Menschen, die bei einem Unfall innerhalb weniger Sekunden den Tod gefunden haben, ohne daß sie Zeit hatten, zu leiden oder Angst zu haben, sieht man einen ähnlichen Ausdruck. Sie lasen gerade ein Buch, sahen aus dem Wagenfenster, dachten an ihre Geschäfte, gingen in den Speisewagen, und mit einem Mal befanden sie sich in der Hölle.

Madame Péricand erhob sich ein wenig von ihrem Stuhl.

«Adrien?» rief sie in ängstlichem Ton.

«Nichts, nichts», murmelte er rasch mit Blick auf die Gesichter der Kinder, seines Vaters und der Dienstboten.

Madame Péricand verstand. Sie gab ein Zeichen, weiter aufzutragen. Sie zwang sich, das vor ihr stehende Essen hinunterzuschlucken, aber jeder Bissen schien fade und hart zu sein wie Stein und ihr in der Kehle steckenzubleiben. Dennoch sprach sie die Worte, die seit dreißig Jahren das Ritual jedes ihrer Abendessen bildeten. Sie sagte zu den Kindern:

«Trink nicht, bevor du mit deiner Suppe angefangen hast. Mein Kleiner, dein Messer ...»

Sie zerkleinerte das Seezungenfilet des alten Monsieur Péricand. Diesem bereitete man ein höchst feines, kompliziertes Essen, und Madame Péricand bediente ihn immer selbst, indem sie ihm sein Wasser einschenkte, sein Butterbrot strich, ihm die Serviette um den Hals band, denn er pflegte zu sabbern, sobald er etwas, was ihm schmeckte, auf den Tisch kommen sah. «Ich glaube», sagte sie zu ihren Freunden, «diese armen kranken Greise leiden, wenn sie von den Händen der Dienstboten berührt werden.»

«Wir müssen Großpapa unbedingt unsere Zuneigung beweisen, meine Kleinen», schärfte sie ihren Kindern noch ein, wobei sie den Greis mit erschreckender Zärtlichkeit ansah.

Monsieur Péricand hatte in seinem reifen Alter philanthropische Stiftungen ins Leben gerufen, von denen eine ihm besonders am Herzen lag: die der Kleinen Büßer des 16. Arrondissements, jene wunderbare Einrichtung, deren Ziel es ist, in Sittlichkeitsaffären verstrickte Minderjährige moralisch aufzurichten. Es war immer klar gewesen, daß der alte Péricand bei seinem Tod dieser Organisation eine bestimmte Summe hinterlassen würde, doch ärgerlicherweise hatte er nie deren genaue Höhe genannt. Wenn ein Gericht ihm nicht schmeckte oder die Kinder zuviel Lärm machten, erwachte er plötzlich aus seiner Apathie und sagte mit schwacher, aber deutlicher Stimme:

«Ich werde der Stiftung fünf Millionen vermachen.»

Worauf peinliches Schweigen eintrat.

Wenn er dagegen gut gegessen und in seinem Sessel vor dem Fenster in der Sonne gut geschlafen hatte, sah er seine Schwiegertochter mit seinen hellen Augen an, die verschwommen und trübe waren wie die Augen ganz kleiner Kinder oder neugeborener Hunde.

Charlotte war sehr taktvoll. Sie schrie nicht auf, wie eine andere es vielleicht getan hätte: «Wie recht Sie haben, Vater», sondern antwortete mit sanfter Stimme: «Mein Gott, Sie haben noch viel Zeit, darüber nachzudenken!»

Das Vermögen der Péricands war beträchtlich, und man hätte sie durchaus beschuldigen können, auf das Erbe des alten Péricand erpicht zu sein. Sie hingen nicht am Geld, nein, aber das Geld hing an ihnen, gewissermaßen! Es gab einige Dinge, die ihnen zustanden, unter anderem die «Millionen der Maltêtes-Lyonnais», die sie nicht ausgeben, sondern für die Kinder ihrer Kinder zurücklegen würden. Und was die Stiftung der Kleinen Büßer betraf, so interessierten sie sich so sehr dafür, daß Madame Péricand zweimal im Jahr für diese Unglücklichen klassische

Konzerte organisierte; sie selbst spielte dabei die Harfe und behauptete, daß ihr an manchen Stellen im Dunkel des Saals ein Schluchzen antwortete.

Aufmerksam folgte der alte Péricand mit dem Blick den Händen seiner Schwiegertochter. Sie war so zerstreut und verwirrt, daß sie die Soße vergaß. Sein weißer Bart bewegte sich auf beunruhigende Weise. In die Wirklichkeit zurückgekehrt, beeilte sich Madame Péricand, die geschmolzene, mit Petersilie bestreute frische Butter über das elfenbeinfarbene Fischfleisch zu gießen, aber erst nachdem sie eine Zitronenscheibe auf den Tellerrand gelegt hatte, fand der Greis seine Heiterkeit wieder.

Hubert beugte sich zu seinem Bruder und murmelte:

«Geht's schlecht?»

«Ja», gab der andere mit Gebärden und Blicken zu verstehen.

Hubert ließ seine zitternden Hände auf seine Knie fallen. Seine Phantasie ging mit ihm durch, malte ihm lebhaft Schlacht- und Siegesszenen aus. Er war Pfadfinder. Er und seine Gefährten würden einen Trupp Freischärler bilden, die das Land bis zum Ende verteidigen würden. Innerhalb einer Sekunde durchmaß er im Geist Zeit und Raum. Er und seine Kameraden, eine unter dem Banner der Ehre und der Treue vereinte kleine Gruppe. Sie würden kämpfen, in der Nacht kämpfen; sie würden das bombardierte, brennende Paris retten. Was für ein aufregendes, herrliches Leben! Ihm hüpfte das Herz im Leibe. Dennoch war der Krieg etwas Schreckliches und Wildes. Er berauschte sich an diesen Visionen. Er drückte das Messer in seiner Hand so heftig, daß das Roastbeef, das er gerade schnitt, auf den Fußboden sprang.

«Tolpatsch», hauchte Bernard, sein Tischnachbar, und zeigte ihm unter dem Tischtuch einen Vogel.

Er und Jacqueline waren acht beziehungsweise neun Jahre alt, zwei magere Blondschöpfe mit Stupsnasen. Gleich nach dem Nachtisch wurden die beiden zu Bett geschickt, und der alte Monsieur Péricand schlief auf seinem üblichen Platz am offenen Fenster ein. Der laue Junitag verströmte sich und wollte nicht enden.

Jede Zuckung des Lichts war schwächer und köstlicher als die vorherige, als wäre jede einzelne ein wehmütiger, liebevoller Abschiedsgruß an die Erde. Der auf dem Fensterbrett sitzende Kater betrachtete mit sehnsüchtiger Miene den kristallgrünen Horizont. Monsieur Péricand ging im Zimmer auf und ab.

«Übermorgen, vielleicht schon morgen stehen die Deutschen vor den Toren von Paris. Das Oberkommando ist entschlossen, so heißt es, vor Paris, in Paris und hinter Paris zu kämpfen. Glücklicherweise weiß das noch niemand, denn morgen werden alle Bahnhöfe und Straßen hoffnungslos überfüllt sein. Charlotte, Sie müssen morgen in aller Frühe zu Ihrer Mutter nach Burgund fahren. Was mich angeht», sagte Monsieur Péricand nicht ohne Würde, «so teile ich das Los der Schätze, die mir anvertraut sind.»

«Ich dachte, die Museen seien im September evakuiert worden», sagte Hubert.

«Ja, aber der in der Bretagne ausgesuchte provisorische Unterschlupf war ungeeignet, denn es hat sich herausgestellt, daß er feucht ist wie ein Keller. Ich begreife das nicht. Es wurde ein Komitee zur Rettung der Staatsschätze organisiert mit drei Abteilungen und sieben Unterabteilungen, von denen jede eine Expertenkommission ernennen sollte mit dem Auftrag, die Kunstwerke während des Krieges auszulagern, und da hat uns nun im letzten Monat ein Aufseher des Museums darauf hingewiesen, daß sich auf den Gemälden verdächtige Flecken zeigten. Ja, auf einem wundervollen Porträt von Mignard waren die Hände von einer Art grünem Aussatz befallen. Die kostbaren Kisten wurden eilends nach Paris zurückgeschickt, und jetzt warte ich jeden Augenblick auf eine Anordnung, sie weiterzuleiten.»

«Und wie sollen wir dann reisen? Allein?»

«Sie werden morgen früh in aller Ruhe mit den Kindern und den beiden Wagen fahren und natürlich an Möbeln und Gepäck mitnehmen, soviel Sie können, denn wir dürfen uns nicht verhehlen, daß Paris schon Ende dieser Woche zerstört, abgebrannt und überdies geplündert sein kann.»

«Sie sind unglaublich», rief Charlotte aus, «wie ruhig Sie das sagen!»

Monsieur Péricand wandte seiner Frau ein Gesicht zu, das allmählich wieder seine rosa Färbung annahm, allerdings ein mattes Rosa wie das von frisch geschlachteten Schweinen.

«Weil ich es nicht glauben kann», erklärte er sanft. «Ich spreche mit Ihnen, ich höre Sie, wir beschließen, unser Haus zu verlassen, auf den Landstraßen zu entfliehen, und ich kann nicht glauben, daß es REAL ist, verstehen Sie? Bereiten Sie sich nun vor, Charlotte, damit morgen alles bereit ist, Sie können morgen bei Ihrer Mutter zum Abendessen eintreffen. Ich komme nach, sobald ich kann.»

Madame Péricand hatte jene resignierte säuerliche Miene aufgesetzt, die sie zusammen mit ihrem Krankenschwesternkittel zur Schau trug, wenn die Kinder krank waren; im allgemeinen sorgten sie dafür, alle zur selben Zeit zu erkranken, wenn auch an verschiedenen Krankheiten. An solchen Tagen verließ Madame Péricand die Kinderzimmer mit dem Thermometer in der Hand, so wie sie die Märtyrerkrone geschwenkt hätte, und ihre ganze Person war nur ein einziger Schrei: ‹Süßer Jesus, am Jüngsten Tag wirst du die Deinen erkennen!› Sie fragte lediglich:

«Und Philippe?»

«Philippe kann Paris nicht verlassen.»

Hoch erhobenen Hauptes verließ Madame Péricand den Raum. Sie würde nicht unter der Bürde zusammenbrechen. Sie würde dafür sorgen, daß morgen alles für die Abreise bereit wäre: der sieche Greis, vier Kinder, die Dienstboten, der Kater, das Tafelsilber, die kostbarsten Teile des Eßgeschirrs, die Pelze, alle Sachen der Kinder, Proviant, für alle Fälle die Hausapotheke. Ihr schauderte.

Im Salon flehte Hubert seinen Vater an.

«Erlauben Sie mir, nicht wegzufahren. Ich werde mit Philippe hierbleiben. Und … lachen Sie mich nicht aus! Meinen Sie nicht, wenn ich meine Kameraden hole, die jung, kräftig, zu allem bereit sind, daß wir eine Kompanie von Freischärlern bilden könnten … Wir könnten …»

Monsieur Péricand sah ihn an und sagte nur:

«Mein armer Kleiner!»

«Ist es aus? Ist der Krieg verloren?» stammelte Hubert. «Das ist … doch nicht wahr?»

Und plötzlich spürte er zu seinem Entsetzen, daß er in Tränen ausbrach. Er weinte wie in Kind, wie Bernard hätte weinen können, sein großer Mund verzerrte sich, Tränen strömten über seine Wangen. Sanft und ruhig brach die Nacht herein. Eine Schwalbe flog vorbei, in der schon dunklen Luft fast den Balkon streifend. Der Kater stieß einen begehrlichen kleinen Schrei aus.

3

Der Schriftsteller Gabriel Corte arbeitete auf seiner Terrasse zwischen dem rauschenden, dunklen Wald und dem über der Seine erlöschenden grüngoldenen Schimmer des Sonnenuntergangs. Welche Ruhe ringsum! In seiner Nähe lagen gut abgerichtete Hausfreunde, große weiße Hunde, die nicht schliefen, sondern mit halb geschlossenen Augen bewegungslos verharrten, die Nase auf den kühlen Fliesen. Zu seinen Füßen hob seine Geliebte schweigend die Seiten auf, die er fallen ließ. Seine Dienstboten sowie die Sekretärin waren unsichtbar hinter den spiegelnden Fensterscheiben irgendwo im Hintergrund des Hauses verborgen, in den Kulissen eines Lebens, das er sich so glänzend, prunkvoll und diszipliniert wünschte wie ein Ballett. Er war fünfzig Jahre alt und hatte seine eigenen Spiele. Je nach den Tagen war er ein Herr des Himmels oder ein armer Autor, der von harter, vergeblicher Mühsal erdrückt wurde. Auf seinen Schreibtisch hatte er die Worte gravieren lassen: «Um eine so schwere Last zu heben, bedarf es deines Mutes, Sisyphos.» Seine Kollegen beneideten ihn, weil er reich war. Er selbst erzählte voll Bitterkeit, daß bei seiner ersten Kandidatur für die Académie française einer der Wahlmänner auf die Bitte, für ihn zu stimmen, schroff geantwortet habe: «Er hat drei Telefonanschlüsse!»

Er war schön und hatte das schläfrige, grausame Betragen einer Katze, sanfte, ausdrucksvolle Hände und ein etwas fettes Cäsarengesicht. Nur Florence, seine offizielle Geliebte, die er bis zum Morgen in seinem Bett zuließ (die anderen schliefen niemals an seiner Seite), hätte zu sagen vermocht, wie vielen Masken er ähneln konnte, eine alte Kokotte mit seinen bleichen Tränensäcken und den spitzen, zu dünnen Augenbrauen einer Frau.

An jenem Abend arbeitete er wie gewohnt halbnackt. Sein Haus in Saint-Cloud war so gebaut, daß es sich bis hin zu der großen, wunderbaren, mit blauen Zinerarien bepflanzten Terrasse indiskreten Blicken entzog. Blau war Gabriel Cortes Lieblingsfarbe. Er konnte nur schreiben, wenn ein kleiner Kelch aus tiefblauem Lapislazuli neben ihm stand. Manchmal betrachtete er ihn und liebkoste ihn wie eine Geliebte. Und was er an Florence am meisten schätzte, waren, wie er ihr oft gesagt hatte, ihre blauen Augen, die ihm das gleiche Gefühl von Frische vermittelten wie sein Kelch. «Deine Augen erquicken mich», flüsterte er. Sie hatte ein weiches, ein wenig molliges Kinn, eine noch schöne Altstimme und im Blick etwas von einer Kuh, wie Corte seinen Freunden gestand. Ich mag das. Eine Frau muß einer Färse gleichen, sanft, vertrauensvoll und freizügig, mit einem Körper so weiß wie Sahne, ihr wißt schon, mit jener Haut alter Schauspielerinnen, die durch Massagen geschmeidig geworden und von Schminke und Puder durchdrungen ist. Er streckte seine schmalen Finger aus und ließ sie wie Kastagnetten klacken. Florence reichte ihm eine Zitrone, und er biß hinein, aß dann eine Orange und ein paar glasierte Erdbeeren; er verzehrte Unmengen von Obst. Sie schaute ihn an, fast vor ihm kniend auf einem Samtkissen, in der anbetenden Haltung, die ihm so gefiel (im übrigen hätte er sich eine andere gar nicht vorstellen können!). Er fühlte sich matt, aber von jener gesunden Müdigkeit nach erfolgreicher Arbeit, die viel besser war als die der Liebe, wie er sich häufig ausdrückte. Wohlwollend betrachtete er seine Geliebte.

«Nun, es ist recht gut gelaufen, glaube ich. Und weißt du, die Mitte» (er zeichnete ein Dreieck in die Luft und deutet auf die Spitze) «habe ich hinter mir.»

Sie wußte, was das hieß. Die Inspiration ließ in der Mitte des Romans nach. Dann rackerte Corte sich ab wie ein Pferd, dem es nicht gelingt, den Karren aus dem Dreck zu ziehen. Mit einer anmutigen Geste der Bewunderung und Überraschung legte sie die Hände zusammen.

«Schon! Ich beglückwünsche dich, Liebling! Jetzt wird alles ganz von selbst gehen, ganz bestimmt.»

Er murmelte mit besorgter Miene:

«Dein Wort in Gottes Ohr! Aber Lucienne macht mir Sorgen.»

«Lucienne?»

Er sah sie prüfend an, und in seinen Augen erschien ein harter, kalter, unangenehmer Blick. Wenn er gutgelaunt war, sagte Florence: «Du hattest wieder deinen Basiliskenblick», worüber er geschmeichelt lachte, doch in der Hitze der Inspiration verabscheute er Scherze.

Sie erinnerte sich nicht an eine Lucienne. Sie log:

«Aber ja, natürlich! Ich weiß gar nicht, wo ich meinen Kopf hatte!»

«Das frage ich mich auch», sagte er in bitterem, verletztem Ton.

Aber sie wirkte so traurig und demütig, daß er Mitleid mit ihr hatte. Er besänftigte sich.

«Ich habe es dir schon immer gesagt, du mißt den Komparsen zu wenig Bedeutung bei. Ein Roman muß einer Straße voll Unbekannter gleichen, auf der sich nur zwei oder drei Menschen befinden, die man von Grund auf kennt. Schau dir andere an wie Proust, sie wußten, wie man Komparsen verwendet. Sie bedienen sich ihrer, um ihre Hauptpersonen zu demütigen, herabzusetzen. Nichts ist heilsamer in einem Roman als diese den Helden erteilte Lektion in Demut. Erinnere dich an die kleinen Bäuerinnen in *Krieg und Frieden*, die lachend vor dem Wagen von Fürst Andrej über die Straße gehen und ihn erst sehen, wenn er zu ihnen, für ihre Ohren spricht, und sofort ändert sich die Sicht des Lesers, es ist nur noch ein einziges Gesicht, eine einzige Seele. Er entdeckt die Vielfalt der Formen. Warte, ich lese dir die Stelle vor, sie ist bemerkenswert. Mach Licht», sagte er, denn es war dunkel geworden.

«Flugzeuge», antwortete Florence und zeigte auf den Himmel.

«Werden sie mich also nicht in Frieden lassen?» knurrte er.

Er haßte den Krieg, denn er bedrohte weit mehr als sein Leben oder sein Wohlbefinden; er zerstörte in jedem Augenblick die Welt der Fiktion, die einzige, in der er sich glücklich fühlte, so wie der Klang einer schrecklichen, schrillen Trompete, der die zerbrechlichen, mit soviel Mühe zwischen ihm und der Außenwelt errichteten Kristallmauern zum Einsturz brachte.

«Mein Gott!» seufzte er. «Welch ein Ärger, welch ein Alptraum!»

Aber er war auf die Erde zurückgekehrt. Er fragte:

«Hast du die Zeitungen?»

Sie brachte sie ihm, ohne etwas zu sagen. Sie verließen die Terrasse. Er überflog die Blätter mit düsterer Miene.

«Also nichts Neues», sagte er.

Er wollte nichts sehen. Er verscheuchte die Wirklichkeit mit der erschreckten, verärgerten Geste eines mitten im Traum aufgewachten Schläfers. Er hob sogar die Hand vor die Augen, wie um sich vor einem zu grellen Licht zu schützen.

Florence näherte sich dem Rundfunkgerät. Er hielt sie zurück.

«Nein, laß das.»

«Aber, Gabriel …»

Er erbleichte vor Wut.

«Ich will nichts hören. Morgen ist noch Zeit genug. Jetzt werden schlechte Nachrichten (und bei diesen Idioten an der Regierung können sie nur schlecht sein) mir meinen Schwung nehmen, meine Inspiration untergraben, mir heute nacht womöglich einen Angstanfall bescheren. Am besten rufst du Mademoiselle Sudre an. Ich glaube, ich werde ihr ein paar Seiten diktieren.»

Eilends gehorchte sie. Als sie, nachdem sie die Sekretärin benachrichtigt hatte, in den Salon zurückkehrte, läutete das Telefon.

«Monsieur Jules Blanc vom Präsidium des Ministerrats wünscht Monsieur Corte zu sprechen», sagte der Kammerdiener.

Sorgfältig schloß sie alle Türen, damit kein Ton in den Raum drang, in dem Gabriel und die Sekretärin arbeiteten. Unterdessen bereitete der Kammerdiener wie gewohnt nach dem Willen des

Meisters ein kaltes Abendessen zu. Gabriel aß wenig zu den Mahlzeiten, hatte jedoch nachts häufig Hunger. Es gab einen Rest kaltes Rebhuhn, Pfirsiche und köstliche kleine Käsepasteten, die Florence persönlich in einem Geschäft an der Rive gauche bestellte, sowie eine Flasche Pommery. Nach vielen Jahren des Nachdenkens und Suchens war er zu dem Schluß gekommen, daß seinem Leberleiden nur Champagner zuträglich war. Florence lauschte der Stimme Jules Blancs am Telefon, einer erschöpften, fast tonlosen Stimme, und vernahm gleichzeitig all die vertrauten Geräusche des Hauses, das leise Klirren der Teller und Gläser, Gabriels müde, rauhe, tiefe Stimme, und ihr war, als erlebte sie einen wirren Traum. Sie legte den Hörer auf und rief den Kammerdiener. Er stand schon seit langem in ihren Diensten und war zur «Mechanik des Hauses», wie er es nannte, abgerichtet. Diese unbewußte Nachahmung des Großen Jahrhunderts entzückte Gabriel.

«Was sollen wir tun, Marcel? Gerade hat uns Monsieur Jules Blanc geraten abzureisen ...»

«Abzureisen? Und wohin, Madame?»

«Irgendwohin. In die Bretagne. In den Süden. Die Deutschen sollen die Seine überquert haben. Was sollen wir tun?» wiederholte sie.

«Ich weiß es nicht, Madame», sagte Marcel mit eisiger Stimme.

Es war höchste Zeit, daß man ihn nach seiner Meinung fragte. Und er dachte: ‹Man hätte schon gestern abreisen sollen. Welch ein Jammer, daß reiche und berühmte Leute nicht mehr Verstand haben als Tiere! Sogar die Tiere wittern die Gefahr!› Er selbst hatte keine Angst vor den Deutschen. Er hatte sie 1914 erlebt. Er war nicht mehr wehrpflichtig, und man würde ihn in Ruhe lassen. Aber es empörte ihn, daß man sich nicht rechtzeitig um das Haus, das Mobiliar und das Silber gekümmert hatte. Er gestattete sich einen kaum hörbaren Seufzer. Er selbst hätte schon vor langem alles eingepackt, alles in Kisten verstaut und in Sicherheit gebracht. Er empfand für seine Dienstherren eine Art liebevolle

Verachtung, wie er sie für die schönen, aber geistlosen weißen Windhunde hegte.

«Madame täte gut daran, Monsieur zu unterrichten», sagte er.

Florence ging zum Salon, doch kaum hatte sie die Tür ein wenig geöffnet, vernahm sie Gabriels Stimme: Es war die Stimme, die er an seinen schlimmen Tagen, den Momenten der Beklemmung hatte, eine langsame, heisere (bisweilen von nervösem Husten unterbrochene) Stimme.

Sie gab Marcel und dem Zimmermädchen Anweisungen, dachte an die kostbaren Gegenstände, diejenigen, die man auf der Flucht und in der Gefahr mit sich nimmt. Sie ließ einen leichten, aber festen Koffer auf ihr Bett stellen. Zuerst verstaute sie die Juwelen, die sie vorsorglich aus dem Schmuckkästchen genommen hatte. Darüber legte sie ein wenig Unterwäsche, ihre Toilettensachen, zwei Blusen zum Wechseln, ein kleines Abendkleid, damit sie bei der Ankunft gleich etwas zum Anziehen hätte, einen Morgenrock und Pantoffeln, ihren Schminkkasten (er nahm viel Platz weg) und natürlich Gabriels Manuskripte. Vergeblich versuchte sie, den Koffer zu schließen. Sie legte den Schmuckkasten an eine andere Stelle und versuchte es noch einmal. Nein, irgend etwas müßte herausgenommen werden. Aber was? Alles war unerläßlich. Sie drückte ein Knie auf den Koffer, preßte kräftig, aber er ließ sich nicht schließen. Entnervt rief sie schließlich das Zimmermädchen.

«Vielleicht gelingt es Ihnen, ihn zuzumachen, Julie?»

«Er ist zu voll, Madame. Es geht nicht.»

Einen Augenblick schwankte Florence zwischen dem Schminkkasten und dem Manuskript, dann entschied sie sich für die Schminke und schloß den Koffer.

Wir stecken das Manuskript in die Hutschachteln, dachte sie. Nein! Ich kenne ihn, seine Wutausbrüche, seine Angstanfälle, Digitalis für sein Herz. Morgen werden wir weitersehen. Besser, ich bereite heute nacht alles für die Abreise vor, ohne daß er etwas merkt. Dann sehen wir weiter …

4

Die Maltêtes-Lyonnais hatten den Péricands nicht nur ihr Vermögen vermacht, sondern auch eine Veranlagung zur Tuberkulose. Diese Krankheit hatte schon in zartem Alter zwei Schwestern von Adrien Péricand hinweggerafft. Einige Jahre zuvor war auch Abbé Philippe erkrankt, doch schien ihn ein zweijähriger Aufenthalt in den Bergen genau in dem Moment geheilt zu haben, als er endlich die Priesterweihe erhielt. Aber die Lunge blieb anfällig, und bei der Kriegserklärung wurde er ausgemustert. Dennoch wirkte er äußerlich sehr kräftig: er hatte eine frische Gesichtsfarbe, dichte schwarze Augenbrauen und ein gesundes, bäuerliches Aussehen. Er war Pfarrer in einem Dorf in der Auvergne. Madame Péricand hatte ihn dem Herrn überlassen, als seine Berufung sich bestätigt hatte. Als Gegenleistung hätte sie sich ein wenig weltlichen Ruhm gewünscht und daß er zu Höherem bestimmt gewesen wäre, statt Bauernkinder aus dem Puy-de-Dôme den Katechismus zu lehren. Und wenn ihm schon keine großen kirchlichen Aufgaben übertragen wurden, dann hätte sie ihn lieber in einem Kloster gesehen als in dieser armen Gemeinde. Das ist reine Verschwendung, sagte sie ihm laut und deutlich. Du verschwendest die Gaben, die Gott dir verliehen hat. Aber sie tröstete sich mit dem Gedanken, daß das rauhe Klima ihm guttat. Die Höhenluft, die er zwei Jahre lang in der Schweiz geatmet hatte, schien ihm zur Notwendigkeit geworden zu sein. In Paris durchmaß er die wiedergefundenen Straßen mit weit ausholenden geschmeidigen Schritten, was die Passanten zum Lächeln brachte, da die Soutane nicht zu dieser Gangart paßte.

Dann blieb er vor einem grauen Bauwerk stehen, betrat einen Hof, der nach Kohl roch: Die Stiftung der Kleinen Büßer des 16. Arrondissements befand sich in einem kleinen Gebäude hinter einem hohen Mietshaus. Wie Madame Péricand in dem jährlichen Brief an die Freunde der Stiftung (Gründungsmitglied jährlich 500 Francs, Wohltäter 100 Francs, einfaches Mitglied 20 Francs) zu schreiben pflegte, lebten die Kinder hier unter den besten materiellen und geistigen Bedingungen, erhielten eine Ausbildung in verschiedenen Berufen und gingen einer gesunden körperlichen Tätigkeit nach. Neben dem Haus war ein kleiner verglaster Schuppen errichtet worden, in dem sich eine Schreiner- und eine Schusterwerkstatt befanden. Durch die Scheiben sah Abbé Péricand die runden Köpfe der Zöglinge, die sich beim Geräusch seiner Schritte kurz hoben. In einem Stück Garten zwischen der Freitreppe und dem Schuppen arbeiteten zwei Knaben zwischen fünfzehn und sechzehn Jahren unter den Augen eines Aufsehers. Sie trugen keine Uniform. Man wollte die Erinnerung an die Besserungsanstalten, mit denen einige schon Bekanntschaft gemacht hatten, nicht wachhalten. Die Kleider, die sie trugen, waren von barmherzigen Menschen angefertigt worden, die dafür Wollreste verwendeten. Einer der Knaben trug einen grünen Pullover, aus dem lange magere, behaarte Handgelenke ragten. Stumm und äußerst diszipliniert gruben sie die Erde um, rissen Unkraut aus, topften Blumen um. Sie grüßten Abbé Péricand, der ihnen zulächelte. Das Gesicht des Priesters war ruhig und hatte einen strengen, etwas traurigen Ausdruck. Sein Lächeln jedoch war von großer Sanftmut, ein wenig schüchtern und leicht vorwurfsvoll: ‹Ich liebe euch, warum liebt ihr mich nicht?› schien es zu sagen. Die Kinder sahen ihn an und schwiegen.

«Welch schönes Wetter», murmelte er.

«Ja, Herr Pfarrer», antworteten sie mit kalter, gezwungener Stimme.

Philippe richtete noch ein paar Worte an sie und betrat dann das Vestibül. Das Haus war grau und sauber, der Raum, in dem er sich befand, fast kahl. Nur zwei Rohrstühle standen darin. Es war das Sprechzimmer, in dem die Zöglinge Besuch erhielten, was zwar geduldet, aber nicht gefördert wurde! Im übrigen waren sie fast alle Waisen. Hin und wieder erinnerte sich eine Nachbarin, die ihre verstorbenen Eltern gekannt hatte, oder eine in der Provinz untergebrachte ältere Schwester an sie und wurde zu ihnen vorgelassen. Aber noch nie hatte Abbé Péricand in diesem Sprechzimmer ein menschliches Wesen angetroffen. Das Arbeitszimmer des Direktors lag auf demselben Flur.

Der Direktor war ein kleiner blasser Mann mit rosa Augenlidern und spitzer Nase, die bebte wie eine Nahrung schnuppernde Schnauze. Seine Zöglinge nannten ihn «die Ratte» oder «der Tapir». Er streckte Philippe beide Arme entgegen, seine Hände waren kalt und klamm.

«Ich weiß gar nicht, wie ich Ihnen für Ihr Entgegenkommen danken soll, Herr Pfarrer! Sie wollen sich also tatsächlich um unsere Zöglinge kümmern.»

Die Kinder sollten am nächsten Tag evakuiert werden. Er selbst war dringend zu seiner kranken Frau in den Süden gerufen worden …

«Der Aufseher fürchtet, daß er überfordert ist, daß er mit unseren dreißig Knaben nicht fertig wird.»

«Sie scheinen recht folgsam zu sein», meinte Philippe.

«O ja, es sind brave Kinder. Wir machen sie gefügig, wir zähmen auch die widerspenstigsten. Aber ohne mich brüsten zu wollen, ich allein bringe hier alles in Gang. Die Aufseher sind ängstlich. Im übrigen hat uns der Krieg des einen oder anderen beraubt …»

Er verzog das Gesicht.

«Sie arbeiten hervorragend, wenn man sie nicht aus ihrem gewohnten Trott reißt, sind jedoch unfähig zur geringsten Initiative. Sie gehören zu den Leuten, die in einem Glas Wasser ertrinken würden. Nun ja, ich wußte nicht aus noch ein, um diese Evakuierung zu bewerkstelligen, als Ihr Herr Vater mir sagte, daß Sie vorübergehend hier seien, morgen wieder in Ihre Berge führen und bereit wären, uns zu helfen.»

«Das will ich gerne tun. Auf welche Weise sollen die Kinder weggebracht werden?»

«Wir konnten zwei Lastwagen besorgen und haben genügend Benzin. Wie Sie wissen, liegt der Zufluchtsort etwa fünfzig Kilometer von Ihrer Gemeinde entfernt. Der Umweg wird also nicht allzu groß sein.»

«Ich bin bis Donnerstag frei», sagte Philippe. «Einer meiner Kollegen vertritt mich.»

«Oh, so lange wird die Reise nicht dauern. Wie Ihr Vater mir sagte, kennen Sie das Haus, das eine der wohltätigen Damen uns zur Verfügung stellt? Es ist ein großes Bauwerk mitten im Wald. Die Eigentümerin hat es letztes Jahr geerbt, und das Mobiliar, das sehr schön war, ist kurz vor dem Krieg verkauft worden. Die Kinder werden im Park kampieren können. Welche Freude für sie in dieser warmen Jahreszeit! Zu Beginn des Kriegs haben sie drei Monate in einem anderen Schloß im Corrèze verbracht, das eine der Damen uns liebenswürdigerweise angeboten hatte. Dort hatten wir keinerlei Heizungsmöglichkeit. Morgens mußte man das Eis in den Krügen aufbrechen. Nie sind die Kinder so gesund gewesen. Die Zeit der kleinen Annehmlichkeiten des Friedens ist vorbei», sagte der Direktor.

Der Abbé sah auf die Uhr.

«Würden Sie mir die Freude machen, mit uns zu Mittag zu essen, Herr Pfarrer?»

Philippe lehnte ab. Er war erst am Morgen in Paris angekommen; er war die ganze Nacht gereist. Er hatte befürchtet, daß Hubert irgendeine Dummheit machte, und war gekommen, ihn zu holen, aber die Familie brach schon heute ins Departement Nièvre auf. Philippe wollte bei der Abreise dabeisein: Zusätzliche Hilfe konnte nicht schaden, dachte er lächelnd.

«Ich werde unseren Zöglingen mitteilen, daß Sie mich vertreten werden», sagte der Direktor. «Vielleicht möchten Sie ihnen ein paar Worte sagen, um gewissermaßen Kontakt mit diesen jungen Menschen aufzunehmen. Eigentlich wollte ich selber zu ihnen sprechen, um ihnen die Kriege, die das Vaterland durchgemacht hat, zu Bewußtsein zu bringen, aber ich reise um vier Uhr ab und ...»

«Ich werde zu ihnen sprechen», sagte Abbé Péricand.

Er senkte die Augen, legte die Spitzen seiner gefalteten Finger an die Lippen. Ein Ausdruck von Strenge und Traurigkeit erschien auf seinem Gesicht, beide gegen ihn selbst, gegen sein eigenes Herz gerichtet. Er liebte diese unglücklichen Kinder nicht. Er näherte sich ihnen sanft und mit all dem guten Willen, dessen er fähig war, doch empfand er in ihrer Gegenwart nichts als Kälte und Abneigung, kein Aufwallen von Liebe, nichts von jener göttlichen Erregung, die auch die elendsten um Gnade flehenden Sünder hervorriefen. In den Prahlereien irgendeines alten Atheisten, irgendeines eingefleischten Gotteslästerers lag mehr Demut als in den Worten oder Blicken dieser Kinder. Ihr scheinbarer Gehorsam war furchtbar. Trotz der Taufe, trotz den Sakramenten der Kommunion und der Buße drang kein rettender Strahl zu ihnen durch. Als Kinder der Finsternis hatten sie nicht einmal genug geistige Kraft, sich zum Wunsch nach Licht emporzuschwingen; sie fühlten es nicht, sie ersehnten es nicht, sie vermißten es nicht. Abbé Péricand dachte voll Zärtlichkeit an seine lieben kleinen Katechismus-Schüler. Oh, er gab sich keiner Illusion über sie hin. Er wußte bereits, daß das Böse in diesen jungen Seelen feste, harte Wurzeln geschlagen hatte, doch welche Zärtlichkeit, welch unschuldige Anmut blühte bisweilen auf, welch Schauer des Mitleids und Schreckens überkam sie, wenn er von den Leiden Christi sprach. Es drängte ihn, sie wiederzusehen. Er dachte an die für nächsten Sonntag vorgesehene Feier der Erstkommunion.

Dennoch folgte er dem Direktor in den Saal, wo die Zöglinge versammelt worden waren. Die Fensterläden waren geschlossen. In der Dunkelheit verfehlte er eine Stufe auf der Schwelle, strauchelte und mußte sich am Arm des Direktors festhalten, um nicht zu fallen. Er sah die wartenden Kinder an, hoffte auf irgendein ersticktes Lachen. Manchmal genügte solch ein lächerlicher Zwischenfall, um das Eis zwischen Lehrern und Schülern zu brechen. Aber nein! Keines von ihnen rührte sich. Mit bleichen Gesichtern, zusammengepreßten Lippen, gesenkten Lidern standen sie im Halbkreis, mit dem Rücken an die Wand gelehnt, die jüngsten vorne. Diese waren zwischen elf und fünfzehn und fast zu klein und schmächtig für ihr Alter. Dahinter standen die Fünfzehn- bis Siebzehnjährigen. Einige hatten eine niedrige Stirn, plumpe Totschlägerhände. Wieder überkam Abbé Péricand in ihrer Gegenwart ein sonderbares Gefühl des Widerwillens, fast der Angst. Er müßte es unbedingt überwinden. Er ging auf sie zu, und sie wichen unmerklich zurück, als wollten sie sich in die Wand hineindrängen.

«Liebe Kinder, ab morgen werde ich bis zum Ende unserer Reise den Herrn Direktor bei euch vertreten», sagte er. «Wie ihr wißt, werdet ihr morgen Paris verlassen. Gott allein kennt das Los, das unseren Soldaten und unserem geliebten Vaterland beschieden ist. Er allein, in seiner unendlichen Weisheit, kennt das Los, das jedem von uns in den kommenden Tagen beschieden ist. Leider ist es sehr wahrscheinlich, daß wir alle in unserem Herzen leiden werden, denn das Unglück der Allgemeinheit setzt sich aus einer Vielzahl privater Unglücksfälle zusammen, und dies ist der einzige Fall, wo wir uns, undankbar, arm und blind, wie wir sind, der Solidarität bewußt sind, die uns als Glieder ein und desselben Körpers verbindet. Und ich möchte erreichen, daß ihr Gott vertraut. Widerstrebend sagen wir: ‹Dein Wille geschehe›, aber in unserm Innern rufen wir: ‹Mein Wille geschehe.› Warum suchen wir gleichwohl Gott? Weil wir auf das Glück hoffen: Der Mensch ist so beschaffen, daß er das Glück herbeisehnt, und dieses Glück kann Gott uns augenblicklich bescheren, ohne daß wir auf den Tod und die Auferstehung warten müssen, wenn wir uns seinem Willen beugen, wenn wir diesen Willen zu dem unseren machen. Liebe Kinder, möge jeder von euch sich Gott anvertrauen. Möge er sich an Ihn wenden wie an einen Vater, möge er sein Leben in

Seine Hände legen, und sogleich wird der göttliche Friede in ihn einkehren.»

Er wartete einen Augenblick und sah sie an.

«Laßt uns ein kleines Gebet sprechen.»

Dreißig schrille, gleichgültige Stimmen sagten das Vaterunser auf, dreißig magere Gesichter umgaben den Priester; die Stirnen senkten sich in einer ruckartigen, mechanischen Bewegung, als er ihnen den Segen gab. Nur ein Knabe mit bitterem großen Mund schaute zum Fenster, und der Sonnenstrahl, der durch die geschlossenen Läden drang, erhellte eine zarte Wange voller Sommersprossen und eine schmale, spitze Nase.

Keiner von ihnen rührte sich, keiner antwortete. Beim Pfiff des Aufsehers stellten sie sich in Reihen auf und verließen den Saal.

5

Die Straßen waren leer. Die eisernen Vorhänge der Geschäfte wurden heruntergelassen. In der Stille war nur ihr metallisches Rasseln zu hören, jenes Geräusch, das an Tagen des Aufstands oder des Kriegs in den bedrohten Städten frühmorgens so schrill ans Ohr dringt. Später sahen die Michauds auf ihrem Weg vollbeladene Lastwagen, die vor den Toren der Ministerien warteten. Sie schüttelten den Kopf. Wie gewohnt faßten sie einander am Arm, um die Avenue de l'Opéra gegenüber dem Büro zu überqueren, obwohl die Fahrbahn an diesem Morgen wie ausgestorben war. Beide waren Bankangestellte und arbeiteten im selben Unternehmen, doch war der Ehemann seit fünfzehn Jahren als Buchhalter beschäftigt, während seine Frau erst vor ein paar Monaten «vorläufig für die Dauer des Krieges» eingestellt worden war. Als Gesangslehrerin hatte sie im vergangenen September alle ihre Schüler verloren, Kinder aus gutem Hause, die nach den Ferien aus Angst vor den Bombenangriffen auf dem Land gelassen worden waren. Das Gehalt des Ehemanns hatte noch nie für ihren Lebensunterhalt ausgereicht, und ihr einziger Sohn war eingezogen worden. Dank dieser Sekretärinnenstelle waren sie bis jetzt über die Runden gekommen, und sie pflegte zu sagen: «Man darf nichts Unmögliches verlangen!» Ihr Leben war nie leicht gewesen seit dem Tag, an dem sie von zu Hause weggelaufen waren, um gegen den Willen ihrer Eltern zu heiraten. Das war lange her. Das magere Gesicht der Frau trug noch Spuren ihrer einstigen Schönheit. Ihr Haar war grau. Der Mann war von kleinem Wuchs, sah müde und ungepflegt aus, doch mitunter, wenn er sich ihr zuwandte, sie ansah, ihr zulächelte, leuchtete eine zarte, spöttische Flamme in seinen Augen auf – sie ist noch immer dieselbe, dachte er, ja wirklich, fast dieselbe wie früher. Er half ihr aufs Trottoir und hob den Handschuh auf, den sie hatte fallen lassen. Sie dankte ihm mit einem leichten Druck ihrer Finger auf die Hand, die er ihr reichte. Andere Angestellte hasteten auf die offene Tür der Bank zu. Einer von ihnen fragte, als er an den Michauds vorbeikam:

«Reisen wir jetzt endlich ab?»

Die Michauds wußten von nichts. Es war der 10. Juni, ein Montag. Sie hatten ihr Büro vor zwei Tagen verlassen, und da schien alles ruhig zu sein. Die Wertpapiere wurden in die Provinz ausgelagert, aber für die Angestellten war nichts beschlossen worden. Ihr Schicksal entschied sich im ersten Stock, wo sich die Räume der Direktoren befanden, Zimmer mit zwei grüngestrichenen, gepolsterten großen Türen, an denen die Michauds schnell und leise vorbeigingen. Am Ende des Flurs trennten sie sich, er stieg hinauf in die Buchhaltung, und sie blieb in den privilegierten Regionen: Sie war die Sekretärin eines der Direktoren, Monsieur Corbin, des wirklichen Chefs des Hauses. Dem zweiten Direktor, dem Comte de Furières (mit einer Salomon-Worms verheiratet), oblagen insbesondere die Außenbeziehungen der Bank, die eine zwar kleine, aber höchst erlesene Kundschaft besaß. Es wurden nur Großgrundbesitzer und die größten Namen der Industrie, vorzugsweise der Metallindustrie, aufgenommen. Monsieur Corbin hoffte, daß sein Kollege, der Comte de Furières, ihm die Aufnahme in den Jockey-Club erleichtern würde. Schon seit einigen Jahren hegte er diese Erwartung. Der Graf war der Meinung, daß Vergünstigungen wie Einladungen zu den Diners und den Jagdgesellschaften der Furières bei weitem einige Zahlungserleichterungen aufwogen. Abends ahmte Madame Michaud für ihren Mann die Unterhaltungen ihrer beiden Direktoren nach, ihr süßsaures Lächeln, Corbins Grimassen, die Blicke des Grafen, was der Eintönigkeit der täglichen Arbeit ein wenig Würze verlieh. Doch seit einiger Zeit fiel auch diese Zerstreuung weg: Monsieur de Furières war an die Front der Alpen gerufen worden, und Corbin leitete das Haus allein.

Madame Michaud betrat mit der Post in der Hand einen kleinen Raum neben dem Direktorzimmer. Ein leichtes Parfum schwebte in der Luft. Daran erkannte sie, daß Corbin beschäftigt war! Er protegierte eine Tänzerin: Mademoiselle Arlette Corail. Immer waren seine Mätressen Tänzerinnen gewesen. Für Frauen anderer Berufe schien er sich nicht zu interessieren. Keine Stenotypistin, so hübsch oder jung sie auch war, hatte ihn je von dieser Vorliebe abzubringen vermocht. Allen seinen weiblichen Angestellten gegenüber, schönen oder häßlichen, jungen oder alten, verhielt er sich gleichermaßen mürrisch, flegelhaft und knauserig. Er sprach mit einer merkwürdigen schwachen Kopfstimme, die aus einem dicken, schweren, wohlgenährten Körper kam; wenn er in Zorn geriet, wurde seine Stimme so schrill wie die einer Frau.

Heute drang der scharfe Ton, den Madame Michaud so gut kannte, durch die geschlossenen Türen. Einer der Angestellten kam herein und sagte leise:

«Wir reisen ab.»

«Wann?»

«Morgen.»

Flüsternde Schatten huschten durch den Flur. Sie versammelten sich in den Fensternischen und auf der Schwelle der Büros. Schließlich öffnete Corbin seine Tür und ließ die Tänzerin hinaus. Sie trug ein bonbonrosa Leinenkostüm und einen großen Strohhut auf ihrem gefärbten Haar. Sie war schlank und gut gewachsen, ihr Gesicht unter der Schminke hart und müde. Rote Flecken erschienen auf ihren Wangen und ihrer Stirn. Sie war sichtlich wütend. Madame Michaud vernahm:

«Soll ich etwa zu Fuß reisen?»

«Gehen Sie augenblicklich zur Garage zurück, nie wollen Sie auf mich hören. Seien Sie nicht knauserig, und versprechen Sie ihnen, was immer sie wollen, und der Wagen wird repariert werden.»

«Wenn ich Ihnen doch sage, daß es unmöglich ist! Unmöglich! Verstehen Sie Französisch?»

«Also, meine Liebe, was soll ich Ihnen denn noch sagen? Die Deutschen stehen vor den Toren von Paris. Und Sie wollen die Straße nach Versailles nehmen? Und warum fahren Sie überhaupt dahin? Nehmen Sie den Zug.»

«Wissen Sie, was auf den Bahnhöfen los ist?»

«Auf den Landstraßen wird es nicht besser sein.»

«Sie sind ... Sie sind schlichtweg verantwortungslos. Sie reisen einfach ab, Sie haben Ihre beiden Wagen ...»

«Ich transportiere die Akten und einen Teil des Personals. Wo soll ich denn mit dem verdammten Personal hin?»

«Oh, ich muß doch bitten, werden Sie nicht vulgär! Sie haben den Wagen Ihrer Frau!»

«Sie wollen sich in den Wagen meiner Frau setzen? Großartige Idee!»

Die Tänzerin kehrte ihm den Rücken und pfiff ihrem Hund, der herbeisprang. Mit vor Entrüstung zitternden Fingern legte sie ihm das Halsband an.

«Meine ganze Jugend habe ich geopfert, für einen ...»

«Na, na! Bloß keine Szene. Ich rufe Sie heute abend an, ich werde sehen, was sich machen läßt ...»

«Nein, nein. Ich sehe schon, daß mir nichts anderes übrigbleibt, als in einem Straßengraben zu enden ... Ach, schweigen Sie! Sie machen mich rasend ...»

Schließlich bemerkten sie, daß die Sekretärin ihnen zuhörte. Sie senkten die Stimme, und Corbin nahm den Arm seiner Mätresse und brachte sie zur Tür. Er kam zurück und warf Madame Michaud, die die ersten Blitze seiner schlechten Laune zu spüren bekam, einen bösen Blick zu.

«Rufen Sie die Abteilungsleiter in den Konferenzsaal. Sofort, bitte!»

Madame Michaud ging hinaus, um die entsprechenden Anweisungen zu erteilen. Einige Augenblicke später betraten die Angestellten einen großen Raum, in dem das Porträt in ganzer Gestalt des derzeitigen Präsidenten, Monsieur Auguste-Jean, der seit einiger Zeit an einer seinem hohen Alter geschuldeten Gehirnerweichung litt, und eine Marmorbüste des Gründers der Bank einander gegenüberstanden.

Monsieur Corbin empfing sie hinter dem ovalen Tisch stehend, auf dem neun Schreibunterlagen die Plätze des Verwaltungsrats kenntlich machten.

«Meine Herren, wir reisen morgen früh um acht Uhr ab, um uns in unsere Filiale in Tours zu begeben. In meinem Wagen befördere ich die Akten des Aufsichtsrats. Madame Michaud, Sie und Ihr Mann werden mich begleiten. Und wer von Ihnen einen Wagen hat, der soll Personal mitnehmen und sich morgen um sechs Uhr vor der Bank einfinden, das heißt alle diejenigen, die gemäß meinen Anordnungen abreisen werden. Was die anderen betrifft, so werde ich etwas zu organisieren versuchen, sonst müssen sie den Zug nehmen. Meine Herren, ich danke Ihnen.»

Er verschwand, und alsbald schwirrte der Saal von besorgten Stimmen. Noch vor zwei Tagen hatte Corbin erklärt, daß er keinerlei Abreise in Betracht ziehe, daß die beunruhigenden Gerüchte das Werk von Verrätern seien, daß die Bank auf ihrem Posten bleibe, daß sie jedenfalls ihre Pflicht erfüllen werde, auch wenn andere ihr nicht nachkommen sollten. Da der «Ruckzug», wie man schamhaft sagte, derart abrupt beschlossen worden war, war vermutlich alles verloren! Frauen wischten sich die Tränen aus den Augen. Durch die verschiedenen Grüppchen hindurch fanden die Michauds zueinander. Beide dachten an ihren Sohn Jean-Marie. Sein letzter Brief datierte vom 2. Juni. Nur acht Tage. Mein Gott, was mochte seitdem nicht alles geschehen sein! Der einzige Trost in ihrer Angst war ihr Beisammensein.

«Welch ein Glück, daß wir nicht getrennt sind», flüsterte sie ihm zu.

6

Die Nacht war nicht mehr fern, aber der Wagen der Péricands wartete noch immer vor der Tür. Auf sein Dach hatten sie die weiche, tiefe Matratze gebunden, die seit achtundzwanzig Jahren das Ehebett zierte. Auf dem Kofferraum waren ein Kinderwagen und ein Fahrrad befestigt. Vergeblich versuchten sie im Innern alle Taschen und Koffer der Familie sowie die Körbe, die die Sandwichs und die Thermoskanne für die Vesper, die Milchflaschen für die Kinder, kaltes Huhn, Schinken, Brot und die Dosen mit dem Milchpulver für den alten Péricand enthielten, und schließlich noch den Katzenkorb zu verstauen. Sie hatten sich vor allem deshalb verspätet, weil die Wäscherei die Wäsche nicht gebracht hatte und man sie telefonisch nicht erreichen konnte. Es schien ausgeschlossen zu sein, diese großen bestickten Laken zurückzulassen, die ebenso zum unwandelbaren Erbe der Péricands-Maltêtes gehörten wie der Schmuck, das Tafelsilber und die Bibliothek. Der ganze Vormittag war mit Suchen vertrödelt worden; auch der Besitzer der Wäscherei fuhr weg. Schließlich hatte er Madame Péricand ihre Sachen als zerknitterte, feuchte Ballen zurückgegeben. Madame Péricand hatte auf das Mittagessen verzichtet, um das Einpacken der Wäsche selber zu beaufsichtigen. Es war vereinbart worden, daß die Dienstboten sowie Hubert und Bernard mit dem Zug fahren sollten. Aber schon waren in sämtlichen Bahnhöfen die Gittertüren geschlossen worden und wurden von der Truppe bewacht. Die Menge klammerte sich an die Stäbe, rüttelte daran und strömte dann kreuz und quer in die Seitenstraßen zurück. Weinend rannten Frauen umher, ihre Kinder auf den Armen. Man hielt die letzten Taxis an: Es wurden bis zu zwei- oder dreitausend Francs geboten, um Paris zu verlassen. «Nur bis Orléans …» Aber die Fahrer lehnten ab, sie hatten kein

Benzin mehr. Die Péricands mußten umkehren. Endlich gelang es ihnen, einen Kleinlastwagen zu besorgen, der Madeleine, Maria und Auguste sowie Bernard mit seinem kleinen Bruder auf den Knien befördern würde. Und Hubert sollte der Karawane mit dem Fahrrad folgen.

Hier und da sah man auf dem Boulevard Delessert eine gestikulierende Gruppe von Frauen, Greisen und Kindern auf der Schwelle eines Hauses auftauchen, die sich zuerst ruhig, dann fieberhaft, denn mit krankhafter Hektik bemühten, Familien und Gepäck in einem Renault, einem Personenwagen, einem Roadster unterzubringen. In den Fenstern war kein einziges Licht zu sehen. Allmählich erschienen die Sterne, die silbrig glänzenden Sterne des Frühlings. Paris verströmte seinen süßesten Duft, den Duft der blühenden Kastanien und Essenzen, vermischt mit ein paar Staubkörnern, die wie Pfeffer zwischen den Zähnen knirschten. Im Dunkeln wuchs die Gefahr. Man atmete die Angst in der Luft, im Schweigen, auch die üblicherweise kaltblütigsten, ruhigsten Leute konnten sich dieses unheimlichen, tödlichen Grauens nicht erwehren. Ein jeder betrachtete beklommenen Herzens sein Haus und dachte: «Morgen wird es in Trümmern liegen, morgen werde ich nichts mehr besitzen. Wir haben doch keinem etwas Böses getan. Warum?», und auch eine gewisse Gleichgültigkeit erfaßte ihre Seele: «Was macht das schon! Es sind doch nur Steine, Holz, leblose Dinge! Hauptsache, wir retten unser Leben!» Wer dachte an die Mißgeschicke des Vaterlands? Nicht diese Leute, nicht diejenigen, die an diesem Abend wegfuhren. Die Panik löschte alles aus, was nicht Instinkt war, animalisches Erschauern des Fleisches. An sich nehmen, was einem das Kostbarste im Leben war! … Und in jener Nacht hatte allein das, was lebte, atmete, weinte, liebte, einen Wert! Nur wenige Menschen trauerten ihren Reichtümern nach; man schloß eine Frau oder ein Kind fest in seine Arme, alles andere zählte nicht; es mochte in Flammen aufgehen.

Wenn man genau hinhörte, vernahm man das Brummen der

Flugzeuge am Himmel. Franzosen oder Feinde? Keiner wußte es. «Schneller, schneller», sagte Monsieur Péricand. Aber dann gewahrte man, daß man bald das Kästchen mit den Spitzen, bald das Bügelbrett vergessen hatte. Unmöglich, die Dienstboten zur Vernunft zu bringen. Sie zitterten vor Angst. Zwar wollten sie weg, aber die Routine war stärker als der Schrecken, und sie legten Wert darauf, daß alles nach den Ritualen verlief, die üblich waren, wenn man zur Zeit der Ferien aufs Land aufbrach. Alles mußte in den Koffern am gewohnten Platz sein. Sie hatten nicht wirklich begriffen, was vor sich ging. Sie lebten in zwei verschiedenen Zeiten, hätte man meinen können, halb in der Gegenwart und halb in der Vergangenheit, als wären die Ereignisse nur zu einem kleinen, oberflächlichen Teil in ihr Bewußtsein gedrungen, während eine ganze Region noch in tiefer Ruhe lag. Mit ihrem wirren grauen Haar, ihren zusammengepreßten Lippen, ihren von den Tränen entzündeten Augen faltete Nounou, die Amme, erstaunlich schnell und präzise Jacquelines frisch gebügelte Taschentücher. Madame Péricand, die schon im Auto saß, rief sie, aber die alte Frau antwortete nicht, hörte sie nicht einmal. Schließlich mußte Philippe hinaufgehen, um sie zu holen.

«Komm, Nounou, was hast du? Wir müssen fahren. Was hast du?» wiederholte er sanft und nahm sie an der Hand.

«Ach, laß mich, mein armer Kleiner», stöhnte sie, wobei sie plötzlich vergaß, daß sie ihn sonst nur «Monsieur Philippe» oder «Herr Pfarrer» nannte, und instinktiv zu dem vorherigen Duzen zurückfand: «Laß mich. Du meinst es gut, aber wir sind verloren!»

«Aber nein, gräm dich nicht so. Laß die Taschentücher liegen, zieh dich an und komm schnell runter, Mama wartet auf dich.»

«Ich werde meine Buben nicht wiedersehen, Philippe!»

«Doch, doch», sagte er, und eigenhändig brachte er das Haar der alten Frau in Ordnung und setzte ihr einen schwarzen Strohhut auf den Kopf.

«Wirst du auch wirklich für meine Buben zur Heiligen Jungfrau beten?»

Er küßte sie leicht auf die Wange.

«Ja, ja, ich verspreche es dir. Komm jetzt.»

Auf der Treppe begegneten sie dem Chauffeur und dem Pförtner, die den alten Péricand holen kamen. Man hatte ihn bis zum letzten Augenblick vom Tumult ferngehalten. Auguste und der Krankenpfleger kleideten ihn fertig an. Der Greis war vor einiger Zeit operiert worden. Er trug einen komplizierten Verband und in Erwartung der kühlen Nächte einen Flanellgürtel, der so breit und lang war, daß er seinen Körper wie den einer Mumie umwickelte. Auguste knöpfte ihm die Stiefeletten zu und zog ihm einen warmen, leichten Pullover und dann seine Jacke an. Der alte Péricand, der bis jetzt wortlos alles über sich hatte ergehen lassen wie eine steife alte Puppe, schien aus einem Traum zu erwachen und murmelte:

«Wollweste …!»

«Dem gnädigen Herrn wird zu warm sein», bemerkte Auguste und wollte sich darüber hinwegsetzen.

Aber der Notar richtete seinen blassen, glasigen Blick auf ihn und wiederholte etwas lauter:

«Wollweste …!»

Er bekam sie. Man zog ihm seinen langen Mantel an, legte ihm seinen Schal um, den man zweimal um seinen Hals schlang und hinten mit einer Sicherheitsnadel befestigte. Man setzte ihn in seinen Rollstuhl und trug diesen die fünf Stockwerke hinunter, da er nicht in den Aufzug paßte. Der Krankenpfleger, ein rothaariger kräftiger Elsässer, ging rückwärts die Treppe hinunter und trug seine Last, die Auguste respektvoll am hinteren Ende hielt, mit ausgestreckten Armen. Die beiden Männer blieben auf jedem Absatz stehen, um sich den Schweiß von der Stirn zu wischen, während der alte Péricand heiter die Decke betrachtete und sachte seinen schönen Bart schüttelte. Was er von dieser überstürzten Abreise hielt, war nicht zu erahnen. Doch anders, als man hätte meinen können, war ihm nichts von den jüngsten Ereignissen entgangen. Während er angezogen wurde, hatte er gemurmelt:

«Eine schöne klare Nacht ... Es würde mich nicht wundern ...»

Dann war er scheinbar eingeschlafen und hatte seinen Satz erst einige Augenblicke später auf der Türschwelle beendet.

«Es würde mich nicht wundern, wenn sie uns unterwegs bombardieren!»

«Was für ein Gedanke, Monsieur Péricand!» hatte der Krankenpfleger mit dem seinem Berufsstand innewohnenden Optimismus ausgerufen.

Aber schon hatte der Alte wieder die Miene tiefer Gleichgültigkeit aufgesetzt. Endlich gelang es, den Rollstuhl aus dem Haus zu schaffen. Man setzte den alten Péricand in die vor der Zugluft geschützte rechte Ecke. Seine Schwiegertochter wickelte ihn eigenhändig mit vor Ungeduld zitternden Händen in einen schottischen Schal, aus dessen langen Fransen er so gerne Zöpfchen flocht.

«Ist alles in Ordnung?» fragte Philippe. «Dann fahrt jetzt schnell los.»

Wenn sie vor morgen früh durch die Tore von Paris kommen, haben sie Glück, dachte er.

«Meine Handschuhe», sagte der alte Mann.

Sie zog ihm seine Handschuhe an, die sich nur mit Mühe über den durch die Wollsachen dicker gewordenen Handgelenken zumachen ließen. Der alte Péricand ersparte ihr keinen einzigen Haken. Endlich war alles fertig. Emmanuel schrie in den Armen seiner Amme. Madame Péricand küßte ihren Mann und ihren Sohn. Sie drückte sie an sich, ohne zu weinen, aber beide spürten an ihrer Brust, wie schnell ihr Herz schlug. Der Chauffeur startete den Wagen. Hubert schwang sich auf sein Fahrrad. Der alte Péricand hob die Hand.

«Einen Augenblick», sagte er mit ruhiger, schwacher Stimme.

«Was ist, Vater?»

Aber er gab zu verstehen, daß er es seiner Schwiegertochter nicht sagen könne.

«Haben Sie etwas vergessen?»

Er neigte den Kopf. Das Auto hielt an. Blaß vor Gereiztheit beugte sich Madame Péricand aus dem Wagenfenster.

«Ich glaube, Papa hat etwas vergessen», rief sie der auf dem Trottoir zurückgebliebenen kleinen Gruppe zu, die aus ihrem Mann, Philippe und dem Krankenpfleger bestand.

Nachdem der Wagen umgekehrt war und vor der Tür angehalten hatte, winkte der Greis mit einer diskreten Handbewegung den Krankenpfleger herbei und flüsterte ihm etwas ins Ohr.

«Aber was ist denn? Das ist doch Irrsinn! Wir werden noch morgen hier sein», rief Madame Péricand aus. «Was wünschen Sie, Vater? Was will er denn?» fragte sie.

Der Krankenpfleger senkte die Augen.

«Der gnädige Herr möchte, daß man ihn hinaufbringt … für sein kleines Geschäft …»

7

Charles Langelet lag auf dem Parkett seines ausgeräumten Salons auf den Knien und packte eigenhändig sein Porzellan ein. Er war fett und litt an einer Herzkrankheit; der Seufzer, der seiner beklommenen Brust entwich, ähnelte einem Röcheln. Er war allein in der leeren Wohnung. Die Hausangestellten, die seit sieben Jahren in seinem Dienst standen, waren genau an dem Morgen in Panik geraten, an dem die Pariser in einem künstlichen Nebel erwacht waren, der wie feiner Regen auf sie niederfiel. Sie waren frühzeitig einkaufen gegangen und nicht zurückgekehrt. Voll Bitterkeit dachte Monsieur Langelet an die Gehälter und die großzügigen Neujahrsgeschenke, mit denen er sie bedacht hatte, seit sie bei ihm waren, und die es ihnen ohne Zweifel ermöglicht hatten, irgendein ruhiges Haus, irgendeinen abgelegenen kleinen Bauernhof in ihrer Heimat zu kaufen.

Schon seit langem hätte Monsieur Langelet abreisen sollen. Das gestand er sich jetzt ein, aber er hing nun einmal an seinen alten Gewohnheiten. Kälteempfindlich und hochmütig, wie er war, liebte er nichts anderes auf der Welt als seine Wohnung und die zu seinen Füßen auf dem Boden verstreuten Dinge. Die Teppiche waren eingemottet und im Keller versteckt worden. Alle Fenster waren mit langen rosafarbenen und hellblauen Klebestreifen verziert. Monsieur Langelet selbst hatte sie mit seinen dicken bleichen Händen zu Sternen, Schiffen, Einhörnern angeordnet! Sie erregten die Bewunderung seiner Freunde, aber er konnte in einem farblosen, vulgären Dekor einfach nicht leben. In seinem Haus bestand alles, was seine Lebensweise ausmachte, aus mitunter bescheidenen, mitunter kostbaren Schönheitsinseln, die ein ganz besonderes, sanftes, helles Klima schufen, im Grunde das einzige, das eines kultivierten Menschen würdig ist, wie er meinte. Mit zwanzig Jahren hatte er einen Ring getragen, in dessen Innenseite eingraviert war: *This thing of Beauty is a guilt for ever.* Es war eine Kinderei, und er hatte dieses Schmuckstück abgelegt (Monsieur Langelet sprach gern Englisch mit sich selbst: In ihrer Poesie, ihrer Kraft paßte diese Sprache zu einigen seiner Gemütszustände), aber der Wahlspruch war ihm geblieben und hatte ihm die Treue bewahrt.

Er erhob sich auf seine Knie und warf einen tiefbetrübten Blick um sich, der alle Dinge umfaßte: die Seine unter seinen Fenstern, die anmutige Achse, die die beiden Salons trennte, den Kamin mit seinen alten Feuerböcken und die hohen Decken, wo ein klares Licht schwebte, das grün und durchsichtig war wie Wasser, da es auf dem Balkon durch mandelfarbene Stoffvorhänge gedämpft wurde.

Hin und wieder läutete das Telefon. Noch immer gab es in Paris Unentschlossene, Verrückte, die die Abreise scheuten und auf irgendein Wunder warteten. Langsam und seufzend nahm Monsieur Langelet den Hörer an sein Ohr. Er sprach mit näselnder, ruhiger Stimme, mit jener Teilnahmslosigkeit, jener Ironie, die seine Freunde – ein sehr geschlossener, sehr pariserischer kleiner Kreis – einen «unnachahmlichen Ton» nannten. Ja, er hatte sich entschlossen wegzufahren. Nein, er fürchtete nichts. Man würde Paris nicht verteidigen. Anderswo wären die Dinge kaum anders. Die Gefahr war überall, aber nicht vor der Gefahr floh er. «Ich habe zwei Kriege erlebt», sagte er. Tatsächlich hatte er den von 1914 auf seinem Anwesen in der Normandie verbracht, denn er war herzkrank und vom Militärdienst befreit.

«Liebe Freundin, ich bin sechzig Jahre alt, und ich fürchte sicher nicht den Tod!»

«Warum fahren Sie dann weg?»

«Ich kann diese Unordnung nicht ertragen, diese Haßausbrüche, das abstoßende Schauspiel des Krieges. Ich werde mich in eine ruhige Ecke auf dem Land begeben und von den mir verbleibenden wenigen Sous leben, bis die Menschen wieder zur Vernunft kommen.»

Ein leises Kichern antwortete ihm: Er stand im Ruf, geizig und umsichtig zu sein. Man sagte über ihn: «Charlie? Der näht Goldstücke in seine alten Kleider.» Er lächelte säuerlich und frostig. Er wußte genau, daß man ihn um sein erfülltes, allzu bequemes Leben beneidete. Seine Freundin rief aus:

«Oh, Sie werden nicht unglücklich sein. Doch leider besitzen nicht alle Ihr Vermögen!»

Charlie runzelte die Stirn: Er fand sie taktlos.

«Wohin fahren Sie?» fuhr die Stimme fort.

«In ein Häuschen, das ich in Ciboure besitze.»

«In der Nähe der Grenze?» sagte die Freundin, die entschieden jedes Maß verlor.

Sie trennten sich kühl. Von neuem kniete sich Charlie neben die halbvolle Kiste und liebkoste durch Stroh und Seidenpapier hindurch sein Porzellan, seine Nanking-Tassen, seinen Wedgwood-Tafelaufsatz, seine Sèvres-Vasen. Von diesen würde er sich nie im Leben trennen. Doch sein Herz blutete; er würde einen Meißener Toilettentisch nicht mitnehmen können, ein wahres Museumsstück mit seinem rosenverzierten Wandspiegel, das in seinem Schlafzimmer stand. Eine Perle, die vor die Säue geworfen wurde! Einen Augenblick blieb er regungslos auf dem Boden sitzen, wobei sein Monokel an der schwarzen Schnur bis zur Erde herabhing. Er war groß und stark; auf der zarten Haut seines Schädels waren mit unendlicher Sorgfalt einige dünne Haare angeordnet. Gewöhnlich hatte sein Gesicht einen süßlichen, argwöhnischen Ausdruck, wie ein in der Ecke des Ofens schnurrender alter Kater. Die Anstrengungen des vergangenen Tages hatten ihn schwer gezeichnet, und sein Kiefer hing mit einemmal herab wie bei einem Toten. Was hatte diese hochnäsige Person am Telefon gesagt? Sie hatte angedeutet, daß er aus Frankreich fliehen wollte! Arme Irre! Sie meinte wohl, ihn zu beleidigen, zu beschämen! Natürlich würde er wegfahren. Falls er wenigstens Hendaye erreichte, würde er es schon schaffen, über die Grenze zu kommen. Er würde sich kurz in Lissabon aufhalten und dann das abscheuliche, bluttriefende Europa verlassen. Im Geiste stellte er es sich als halbverwesten, von tausend Wunden durchlöcherten Leichnam vor. Ihn schauderte. Er war nicht dafür geschaffen. Er war nicht für die Welt geschaffen, die aus diesem Aas hervorkröche wie ein Wurm aus einem Grab. Eine brutale, grausame Welt, in der man sich ständiger Angriffe erwehren müßte. Er betrachtete seine schönen Hände, die nie gearbeitet, sondern nur Statuen, alte Goldschmiedearbeiten, Bucheinbände oder bisweilen ein elisabethanisches Möbelstück liebkost hatten. Was würde er, Charles Langelet, mit all seinem Raffinement, all seinen Skrupeln, mit seinem stolzen Wesen, das den Kern seines Charakters bildete, was würde er inmitten dieser wahnsinnigen Menge tun? Man würde ihn bestehlen, ausrauben, ermorden wie einen den Wölfen überlassenen armen Hund. Er lächelte schwach und bitter, sah sich in der Gestalt eines in irgendeinem Urwald verirrten Pekinesen mit goldenem Fell. Er glich keinem gemeinen Sterblichen. Dessen Ehrgeiz, dessen Ängste, Niederträchtigkeiten und Gezänk waren ihm fremd. Er lebte in einer Welt des Friedens und des Lichts. Er war dazu bestimmt, von allen gehaßt und betrogen zu werden. Hier erinnerte er sich an seine Dienstboten und lachte höhnisch. Es war der Anbruch einer neuen Zeit, eine Warnung und ein Vorzeichen! Mühsam, da seine Kniegelenke schmerzten, richtete er sich auf, strich sich mit den Händen über sein hohles Kreuz und ging Hammer und Nägel holen, um seine Kiste zu vernageln. Dann trug er sie eigenhändig hinunter ins Auto: Die Pförtner brauchten nicht zu wissen, was er mitnahm.

8

Die Michauds waren um fünf Uhr morgens aufgestanden, damit sie Zeit hatten, die Wohnung gründlich zu putzen, bevor sie sie verließen. Natürlich war es seltsam, soviel Sorgfalt auf wertlose Dinge zu verwenden, die aller Wahrscheinlichkeit nach verschwinden würden, sobald die ersten Bomben auf Paris fielen. Aber, so dachte Madame Michaud, man kleidet und schmückt ja auch die Toten, die dazu bestimmt sind, in der Erde zu verfaulen. Es ist eine letzte Huldigung, ein höchster Liebesbeweis für das, was einem teuer war. Und diese kleine Wohnung war ihnen lieb und teuer. Sie lebten seit sechzehn Jahren darin. Sie würden nicht alle ihre Erinnerungsstücke mitnehmen können. Wie immer sie es anstellen mochten, die besten würden hier zwischen diesen armseligen Mauern zurückbleiben. Sie verstauten ihre Bücher unten in einen Wandschrank, ebenso jene kleinen Amateurfotos, die in Alben zu kleben man sich immer wieder vornimmt, die aber dann doch, verschrumpelt und verblaßt, in der Ritze einer Schublade steckenbleiben. Das Bild von Jean-Marie als Kind lag schon tief im Koffer, zwischen den Falten eines Kleids zum Wechseln, auch wenn die Bank ihnen empfohlen hatte, nur das Allernotwendigste mitzunehmen: ein bißchen Wäsche und ein paar Toilettensachen. Endlich war alles fertig. Sie hatten gefrühstückt. Madame Michaud deckte das Bett mit einem großen Laken zu, das die ein wenig verblichene rosa Seide, mit der es verkleidet war, vor Staub schützen sollte.

«Es ist Zeit», sagte ihr Mann.

«Geh schon, ich komme gleich nach», sagte sie mit veränderter Stimme.

Er gehorchte und ließ sie allein. Sie betrat Jean-Maries Zimmer. Alles war still, dunkel und schaurig hinter den geschlossenen

Fensterläden. Sie kniete sich einen Augenblick neben sein Bett, sagte laut: «Lieber Gott, beschütze ihn», schloß dann die Tür und ging hinunter. Ihr Mann erwartete sie im Treppenhaus. Er zog sie an sich und umarmte sie wortlos, so fest, daß ihr ein kleiner Schmerzensschrei entfuhr.

«Oh, Maurice, du tust mir weh!»

«Das macht nichts», murmelte er mit heiserer Stimme.

In der Bank tauschten die Angestellten, die, jeder mit seiner kleinen Tasche auf den Knien, in der großen Halle saßen, mit leiser Stimme die letzten Nachrichten aus. Corbin war nicht da. Der Personalchef verteilte die Nummern: Jeder sollte, sobald seine aufgerufen wurde, in den für ihn bestimmten Wagen steigen. Bis Mittag verlief alles sehr geordnet und fast schweigend. Um Mittag trat eilig und mürrisch Corbin ein. Er ging in das Souterrain hinunter, in den Tresorraum, und kam mit einem Paket zurück, das er halb versteckt unter einem Mantel trug. Madame Michaud flüsterte ihrem Mann ins Ohr:

«Das ist der Schmuck von Arlette. Den seiner Frau hat er schon vorgestern geholt.»

«Hoffentlich vergißt er uns nicht», seufzte Maurice ironisch, aber auch besorgt.

Madame Michaud stellte sich Corbin resolut in den Weg.

«Es stimmt doch, daß wir mit Ihnen fahren, Herr Direktor?»

Er bejahte und hieß sie, ihm zu folgen. Monsieur Michaud nahm den Koffer, und alle drei gingen hinaus. Corbins Wagen war zwar da, aber als sie neben ihm standen, blinzelte Michaud mit seinen kurzsichtigen Augen und sagte mit seiner sanften, ein wenig schleppenden Stimme:

«Wie ich sehe, ist unser Platz belegt.»

Arlette Corail, ihr Hund und ihr Gepäck nahmen den Rücksitz des Autos ein. Wütend riß sie die Tür auf und schrie:

«Wollen Sie mich etwa auf die Straße werfen?»

Es begann ein privater Streit. Die Michauds, die sich ein paar Schritte entfernt hatten, hörten dennoch jedes Wort.

«Aber in Tours sollen wir zu meiner Frau stoßen», schrie Corbin endlich, wobei er dem Hund einen Tritt versetzte.

Dieser jaulte auf und flüchtete sich zwischen Arlettes Beine.

«Grobian!»

«Oh, schweigen Sie doch! Hätten Sie sich gestern nicht mit diesen englischen Fliegern herumgetrieben ... noch zwei, die ich gern auf dem Meeresgrund sähe ...»

Sie wiederholte mit immer schrillerer Stimme: «Grobian! Grobian!» Dann sagte sie plötzlich völlig gelassen:

«In Tours habe ich einen Freund. Ich werde Sie nicht mehr brauchen.»

Corbin warf ihr einen grimmigen Blick zu, schien jedoch ihre Partei ergriffen zu haben. Er wandte sich an die Michauds.

«Es tut mir leid, wie Sie sehen, habe ich keinen Platz für Sie. Der Wagen von Madame Corail hat einen Unfall gehabt, und sie bittet mich, sie nach Tours mitzunehmen. Ich kann es ihr nicht abschlagen. In einer Stunde geht ein Zug. Sie werden vielleicht ein wenig herumgeschubst, aber die Reise ist ja nur kurz ... Wie dem auch sei, sehen Sie zu, daß Sie so schnell wie möglich zu uns stoßen. Ich zähle auf Sie, Madame Michaud. Sie sind energischer als Ihr Mann, und nebenbei gesagt, Michaud, Sie werden sich dynamischer» (er betonte jede Silbe – dy-na-mi-scher) «zeigen müssen als in letzter Zeit. Ich werde keine Nachlässigkeit mehr dulden. Wenn Sie Ihren Arbeitsplatz behalten wollen, lassen Sie sich das gesagt sein. Seien Sie alle beide spätestens übermorgen in Tours. Ich brauche mein Personal vollzählig.»

Er entließ sie mit einer kleinen Handbewegung, setzte sich neben die Tänzerin, und der Wagen fuhr los. Auf dem Trottoir stehend, sahen die Michauds sich an.

«Das ist das richtige Rezept», sagte Michaud mit seiner lässigen Stimme, leicht die Achsel zuckend. «Die Leute anschnauzen, die sich über einen zu beklagen haben, das wirkt immer!»

Unfreiwillig mußten sie lachen.

«Und was machen wir jetzt?»

«Wir gehen nach Hause und essen zu Mittag», sagte seine Frau wütend.

Sie kehrten in ihre kühle Wohnung zurück, in die Küche mit den heruntergelassenen Rolläden, zu den mit Schonbezügen versehenen Möbeln. Alles wirkte geheimnisvoll, freundschaftlich und sanft, als ob im Dunkeln eine Stimme flüsterte: «Wir haben euch erwartet. Alles ist in Ordnung.»

«Bleiben wir doch in Paris», schlug Maurice vor.

Sie saßen auf dem Sofa im Wohnzimmer, und sie strich ihm mit ihren mageren, schmalen Händen liebevoll über die Schläfen.

«Mein armer Kleiner, das ist unmöglich, wir müssen von etwas leben, du weißt doch, daß wir seit meiner Operation keine Ersparnisse mehr haben. Mir bleiben noch hundertfünfundsiebzig Francs auf der Sparkasse. Wie du dir denken kannst, wird Corbin die Gelegenheit ergreifen und uns vor die Tür setzen. Und nach so einem Schlag werden alle Häuser ihr Personal reduzieren. Wir müssen unbedingt nach Tours gelangen.»

«Ich glaube, das ist unmöglich.»

«Es muß gehen», wiederholte sie.

Schon war sie auf den Beinen, setzte ihren Hut wieder auf, packte von neuem ihren Koffer. Sie verließen das Haus und gingen zum Bahnhof.

Niemals konnten sie in den abgeschlossenen großen Hof gelangen, der von der Truppe und der sich gegen die Gitterstäbe drängenden Menge abgeriegelt war. Vergeblich kämpften sie bis zum Abend. Um sie herum sagten die Leute:

«Dann gehen wir eben zu Fuß.»

Sie sagten es mit einer Art dumpfen Niedergeschlagenheit. Offensichtlich glaubten sie nicht daran. Sie schauten sich um und warteten auf ein Wunder: auf ein Auto, einen Lastwagen, irgend etwas, was sie mitnehmen würde. Aber nichts erschien. Also gingen sie zu den Toren von Paris und durch sie hindurch, schleiften Gepäck hinter sich durch den Staub, zogen weiter, erreichten die Vororte, dann das flache Land und dachten: ‹Ich träume!›

Wie die anderen hatten auch die Michauds die Landstraße genommen. Es war eine warme Juninacht. Vor ihnen stolperte eine Frau in Trauer über die Steine, auf deren weißem Haar schief ein schwarzumflorter Hut saß, und sprach mit irren Gesten vor sich hin:

«Betet, daß unsere Flucht nicht im Winter stattfindet ... Betet ... Betet!»

9

Die Nacht vom 11. auf den 12. Juni verbrachten Gabriel Corte und Florence in ihrem Wagen. Sie waren gegen sechs Uhr abends angekommen, und im Hotel gab es nur noch zwei kleine stickige Zimmer unter dem Dach. Gabriel durchmaß sie mit wütenden Schritten, riß die Fenster auf, beugte sich einen Moment über das beleuchtete Geländer, richtete sich wieder auf und sagte in scharfem Ton:

«Hier bleibe ich nicht.»

«Wir haben nichts anderes, Monsieur, es tut mir leid. Sie verstehen, bei den vielen Flüchtlingen ... Wir bringen die Leute schon auf den Billardtischen unter», sagte der Direktor leichenblaß und abgekämpft. «Nur um Ihnen gefällig zu sein!»

«Hier werde ich nicht bleiben», wiederholte Gabriel, wobei er die Wörter mit metallischer Stimme skandierte, jener Stimme, mit der er am Ende der Diskussionen den Verlegern auf der Türschwelle entgegenschleuderte: «Unter solchen Bedingungen werden wir uns unmöglich einigen, Monsieur!» Dann gab der Verleger nach und erhöhte sein Angebot von 80 auf 100 000 Francs.

Aber der Direktor schüttelte nur traurig den Kopf.

«Ich habe nichts anderes, nichts.»

«Wissen Sie, wer ich bin?» fragte Gabriel plötzlich gefährlich ruhig. «Ich bin Gabriel Corte, und ich versichere Ihnen, daß ich lieber in meinem Wagen schlafe als in diesem Rattenloch.»

«Wenn Sie hier hinausgehen, Monsieur Corte», erwiderte der Direktor verletzt, «werden Sie auf dem Treppenabsatz zehn Familien begegnen, die mich auf Knien anflehen, ihnen dieses Zimmer zu vermieten.»

Corte brach in ein theatralisches, eisiges, verächtliches Gelächter aus.

«Ich werde es ihnen bestimmt nicht streitig machen. Leben Sie wohl, Monsieur.»

Niemandem, nicht einmal Florence, die in der Halle wartete, würde er gestehen, warum er dieses Zimmer abgelehnt hatte. Als er ans Fenster getreten war, hatte er ganz in der Nähe des Hotels, in der milden Juninacht, einen Benzinbehälter gesehen und ein wenig weiter entfernt etwas, was er für abgestellte Panzer hielt.

‹Wir werden bombardiert werden!› dachte er, und es ergriff ihn ein so jähes und heftiges Zittern, daß er dachte: ‹Ich bin krank, ich habe Fieber.› War das Angst? Gabriel Corte? Nein, er konnte keine Angst haben! Er doch nicht! Er lächelte verächtlich und mitleidig, als antwortete er einem unsichtbaren Gegenüber. Gewiß hatte er keine Angst, doch als er sich noch einmal vorgebeugt hatte, hatte er diesen dunklen Himmel gesehen, von dem in jeder Sekunde Feuer und Tod auf ihn herabfallen konnten, und abermals hatte ihn jenes abscheuliche Gefühl erfaßt, zuerst dieses Zittern in den Knochen, dann diese Schwäche, dieses Würgen, dieses Verkrampfen der Eingeweide, das der Ohnmacht vorausgeht. Angst oder nicht, gleichviel! Jetzt floh er, gefolgt von Florence und der Zofe.

«Wir schlafen im Auto», sagte er, «eine Nacht ist schnell vorüber!»

Später dachte er, daß sie in ein anderes Hotel gehen könnten, aber während er noch zögerte, war es bereit zu spät: Auf der Landstraße aus Paris wälzte sich ein langsamer Strom von Autos, Lastwagen, Kutschen und Fahrrädern, unter den sich die Fuhrwerke der Bauern mischten, die ihre Höfe verließen und in den Süden aufbrachen, Kinder und Herden hinter sich herziehend. Um Mitternacht gab es in ganz Orléans kein freies Zimmer, kein einziges Bett mehr. Die Leute schliefen auf dem Boden in den Cafés, auf den Straßen, in den Bahnhöfen, den Kopf auf ihren Koffern. Die Stadt war so verstopft, daß man nicht aus ihr herauskam. Einige sagten, es sei eine Sperre errichtet worden, um die Straße für die Truppe frei zu lassen.

Geräuschlos, mit ausgeschalteten Scheinwerfern trafen die Autos hintereinander ein, zum Platzen voll, überladen mit Gepäck und Möbeln, Kinderwagen und Vogelkäfigen, Kisten und Wäschekörben, jeweils mit einer auf dem Dach befestigten Matratze; diese wackligen Gebilde schienen sich ohne die Hilfe des Motors fortzubewegen, von ihrem eigenen Gewicht auf den abschüssigen Straßen zum Platz getragen. Zur Zeit versperrten sie alle Ausfahrten; sie waren dicht aneinandergedrängt wie Fische in einer Reuse, und es schien, als könnte ein Netz sie alle auf einmal einfangen und an ein schreckliches Ufer werfen. Man hörte kein Weinen, keine Schreie, sogar die Kinder schwiegen. Alles war ruhig. Zuweilen zeigte sich ein Gesicht an einer heruntergelassenen Scheibe und hielt lange am Himmel Ausschau. Ein schwaches, dumpfes Rauschen aus schweren Atemzügen, Seufzern, leise gewechselten Worten, als fürchtete man, von einem lauernden Feind gehört zu werden, entstieg dieser Menschenmenge. Einige versuchten zu schlafen, wobei die Stirn an die Kante eines Koffers stieß, mit schmerzhaft auf der schmalen Bank gekrümmten Beinen oder einer an die Scheibe gepreßten heißen Wange. Junge Leute und Frauen riefen einander von einem Wagen zum andern zu und lachten mitunter fröhlich! Aber ein dunkler Fleck glitt über den Sternenhimmel, alle merkten es, das Gelächter erstarb. Es war nicht wirklich Besorgnis, sondern eine seltsame Traurigkeit, die nichts Menschliches mehr hatte, denn sie enthielt weder Tapferkeit noch Hoffnung. So warten Tiere auf den Tod. So sehen die im Netz gefangenen Fische den Schatten des Fischers vorbeiziehen.

Das Flugzeug war plötzlich über ihren Köpfen aufgetaucht, man hörte sein scharfes, durchdringendes Geräusch, das sich manchmal entfernte, sich verlor und dann von neuem die tausend Laute der Stadt übertönte, alle keuchenden Atemzüge unterbrach. Der Fluß, die Metallbrücke, die Eisenbahnschienen, der Bahnhof, die Schornsteine der Fabrik schimmerten sanft, für den Feind lauter «strategische Punkte», lauter zu treffende Ziele. Und lauter Gefahren für diese schweigende Menge! Die Optimisten sagten: «Ich glaube, es ist ein Franzose!» Ob Franzose oder Feind, niemand wußte es. Aber nun verschwand er. Manchmal ertönte eine ferne Explosion: ‹Es ist nicht für uns›, dachten die Leute mit einem Seufzer der Erleichterung: ‹Es ist nicht für uns, es ist für die anderen. Wir haben Glück!›

«Was für eine Nacht! Was für eine Nacht!» stöhnte Florence.

Mit kaum hörbarer Stimme, die ein wenig pfeifend aus seinen zusammengepreßten Lippen drang, zischte Gabriel ihr zu, so wie man einem Hund Knochen hinwirft:

«Schlafe *ich* etwa? Mach es wie ich.»

«Aber wo wir doch ein Zimmer hatten! Wo wir das unerhörte Glück hatten, ein Zimmer zu bekommen!»

«Das nennst du Glück? Diese Mansarde, die nach Wanzen und Ausguß stank. Hast du nicht bemerkt, daß sie direkt über den Küchen lag? Ich, da drin? Siehst du mich da drin?»

«Also wirklich, Gabriel, du machst eine Affäre der Selbstachtung daraus.»

«Ach, laß mich in Ruhe, ja? Ich dachte immer, es gebe Nuancen, es gebe …», er suchte nach Worten, «… gewisse Schamgefühle, die du aber nicht zu spüren scheinst.»

«Ich spüre, daß mir der Hintern wehtut», schrie Florence und vergaß mit einemmal die fünf letzten Jahre ihres Lebens; ihre mit Ringen bedeckte Hand schlug mit pöbelhafter Derbheit auf ihren Schenkel. «O la la! Jetzt reicht's mir aber!»

Gabriel wandte ihr sein Gesicht zu, weiß vor Wut, mit bebenden Nasenflügeln.

«Hau ab! Los, hau ab! Ich werfe dich raus!»

Genau in diesem Augenblick erleuchtete ein jähes grelles Licht den Platz. Es war eine aus einem Flugzeug abgeworfene Leuchtrakete. Die Worte erstarben auf Gabriels Lippen. Die Rakete erlosch, aber der Himmel schien sich mit Flugzeugen zu füllen. Unentwegt flogen sie über den Platz, ohne Hast, hätte man meinen können. Die Leute brummten:

«Und wo sind unsere?»

Zu Cortes Linken stand ein armseliger kleiner Wagen, der auf dem Dach neben der Matratze noch ein rundes Wohnzimmertischchen mit plumpen, vulgären Bronzeverzierungen trug. Im Innern saßen ein Mann mit Schirmmütze und zwei Frauen, von denen die eine ein Kind auf den Knien, die andere einen Vogelkäfig hielt. Wahrscheinlich hatten sie auf der Landstraße einen Unfall gehabt. Die Karosserie war zerkratzt, die Stoßstange zerbeult und der Kopf der dicken Frau, die den Vogelkäfig an ihre Brust drückte, mit Tüchern umwickelt.

Zu seiner Rechten sah Gabriel einen Kleinlastwagen voller Lattenkisten, in denen die Dorfleute an Markttagen Geflügel transportieren und die jetzt voller Klamotten waren, und an der Wagentür dicht neben der seinen gewahrte Gabriel das Gesicht einer alten Prostituierten mit aufgelöstem orangefarbenen Haar, niedriger harter Stirn und angemalten Augen. Sie betrachtete ihn eindringlich, an einer Brotkruste kauend. Ihn schauderte.

«Welche Häßlichkeit», murmelte er, «welch scheußliche Visagen!»

Niedergeschlagen wandte er sich ab und schloß die Lider.

«Ich habe Hunger», sagte Florence, «und du?»

Er schüttelte den Kopf.

Sie öffnete den Handkoffer und holte ein paar Sandwichs heraus.

«Du hast heute abend noch nichts gegessen. Hör zu. Sei vernünftig.»

«Ich kann nicht essen», sagte er. «Ich glaube, ich kriege nie wieder einen Bissen herunter. Hast du da drüben die widerliche alte Frau mit ihrem Vogelkäfig und ihren blutgetränkten Tüchern gesehen?»

Florence nahm ein Sandwich und verteilte die anderen an die Zofe und den Chauffeur. Gabriel legte beide Hände auf seine Ohren, um das Geräusch des zwischen den Zähnen der Dienstboten knackenden Brots nicht zu hören.

10

Die Péricands waren seit fast einer Woche unterwegs; sie hatten Pech gehabt. Zwei Tage waren sie wegen einer Panne in Gien aufgehalten worden. Später war das Auto bei all der Verwirrung und dem unvorstellbaren Gedränge gegen den Kleinlastwagen geprallt, der die Dienstboten und das Gepäck transportierte. Das passierte in der Gegend von Nevers. Glücklicherweise gab es in der Provinz kein einziges Fleckchen, in dem die Péricands nicht irgendeinen Freund oder Verwandten mit großem Haus, schönem Garten und vollem Kleiderschrank hatten. Ein Vetter vom Zweig der Maltêtes-Lyonnais hatte sie achtundvierzig Stunden beherbergt. Aber die Panik wuchs, griff gleich einem Feuer von einer Stadt auf die andere über. Schlecht und recht reparierte man das Auto, und die Péricands fuhren weiter. Leider stellte sich am Samstagmittag heraus, daß der Wagen nicht weiterfahren konnte, ohne abermals untersucht und instand gesetzt zu werden. Die Péricands hielten in einer kleinen Stadt, die etwas abseits von der Nationalstraße lag und in der sie ein freies Zimmer zu finden hofften. Aber die Straßen waren bereits mit Fahrzeugen aller Art überfüllt. Die Luft hallte wider vom Quietschen überforderter Bremsen; der Platz am Fluß ähnelte einem Zigeunerlager; erschöpfte Menschen schliefen auf der Erde, andere wuschen sich auf dem Rasen. Eine junge Frau hatte einen kleinen Spiegel an einen Baumstamm gehängt und schminkte und kämmte sich im Stehen. Eine andere wusch Wäsche am Brunnen. Die Bewohner waren vor die Tür getreten und betrachteten das Schauspiel mit einem Ausdruck tiefer Bestürzung.

«Die armen Leute! Was müssen sie alles mitmachen!» sagten sie mitleidsvoll und mit einem heimlichen Gefühl der Befriedigung: Diese Flüchtlinge kamen aus Paris, aus dem Norden, aus dem Osten, aus Provinzen, denen die Invasion und der Krieg drohten. Sie selbst dagegen hatten ihre Ruhe, die Tage würden vergehen und die Soldaten kämpfen, während der Eisenwarenhändler in der Hauptstraße und Mademoiselle Dubois, die Kurzwarenhändlerin, weiterhin ihre Töpfe und ihre Bänder verkaufen, in der Küche ihre warme Suppe essen, am Abend das kleine Holzgatter schließen würden, das ihren Garten vom Rest der Welt trennte.

Die Autos warteten auf den Tagesanbruch, um sich mit Benzin einzudecken. Es wurde bereits knapp. Man fragte die Flüchtlinge nach Neuigkeiten. Sie wußten nichts. Jemand erklärte, daß «wir die Deutschen auf den Bergen des Morvan erwarten». Diese Worte wurden mit Skepsis aufgenommen.

«Na, na, soweit sind sie 1914 nicht gekommen», sagte der dicke Apotheker kopfschüttelnd, und alle pflichteten ihm bei, als hätte das 1914 vergossene Blut für alle Ewigkeit eine mystische Barriere gegen den Feind errichtet.

Es trafen immer mehr Wagen ein.

«Wie müde sie aussehen, wie erhitzt sie sind!» wiederholten die Leute, aber keiner kam auf den Gedanken, seine Tür zu öffnen, einen dieser Unglücklichen zu sich einzuladen, ihn in eines jener kleinen schattigen Paradiese zu bitten, die hinter dem Haus zu erahnen waren, mit einer Holzbank unter einer Laube, Johannisbeersträuchern und Rosen. Es gab zu viele Flüchtlinge. Es gab zu viele müde, fahle, schweißgebadete Gesichter, zu viele weinende Kinder, zu viele bebende Lippen, die fragten: «Wissen Sie vielleicht, wo man ein Zimmer, ein Bett finden kann?», «Könnten Sie uns nicht ein Restaurant nennen, Madame?» Das schreckte die Nächstenliebe ab. Diese jammervolle Menge hatte nichts Menschliches mehr; sie ähnelte einer fliehenden Herde; eine eigentümliche Einförmigkeit legte sich über sie. Ihre zerknitterten Kleider, ihre verwüsteten Gesichter, ihre heiseren Stimmen – das alles machte sie einander gleich. Alle machten die gleichen Gesten, sprachen die gleichen Worte. Wenn sie aus dem Wagen stiegen, strauchelten sie ein wenig wie trunken von Wein, und sie legten die Hände auf ihre Stirn, auf ihre schmerzenden Schläfen. Sie seufzten: «Mein Gott, was für eine Reise!» Sie spotteten: «Schön sehen wir aus, was?» Sie sagten: «Da unten scheint es immerhin besser zu sein» und deuteten über ihre Schulter hinweg auf einen unsichtbaren Punkt.

Madame Péricand hatte mit ihrer Reisegesellschaft in einem kleinen Café am Bahnhof haltgemacht. Man packte einen Vorratskorb aus. Man bestellte Bier. An einem Nebentisch aß ein sehr elegant gekleideter kleiner Junge, dessen grüner Mantel jedoch völlig zerknittert war, mit gelassener Miene eine Stulle. Auf einem Stuhl neben ihm weinte ein in einem Wäschekorb liegendes Baby. Mit ihrem geübten Blick erkannte Madame Péricand sofort, daß diese Kinder aus gutem Hause waren und daß man mit ihnen sprechen konnte. Daher wandte sie sich liebevoll an den kleinen Jungen und unterhielt sich dann mit der Mutter, als diese auftauchte; sie stammte aus Reims. Sie warf einen begehrlichen Blick auf die gehaltvolle Vesper der jungen Péricands.

«Ich möchte so gern Schokolade zu meinem Brot, Mama», sagte der kleine Junge in Grün.

«Mein armes Kleines!» sagte die junge Frau und nahm das Baby auf ihren Schoß, um es zu beruhigen. «Ich habe keine. Ich hatte keine Zeit, welche zu kaufen. Heute abend bei Großmama bekommst du einen guten Nachtisch.»

«Darf ich Ihnen ein paar Kekse anbieten?»

«Oh, Madame! Sie sind zu liebenswürdig!»

«Aber ich bitte Sie …»

Sie sprachen im vergnügtesten, artigsten Ton, mit den Gesten und dem Lächeln, mit denen sie in normalen Zeiten einen Petit Four und eine Tasse Tee akzeptiert oder abgelehnt hätten. Unterdessen schrie das Baby. Nacheinander kamen die anderen Flüchtlinge mit ihren Kindern, ihrem Gepäck und ihren Hunden in das Café. Einer der Hunde erschnupperte Alberts Geruch in seinem Korb und stürzte sich fröhlich bellend unter den Tisch der Péricands, an dem der kleine Junge in Grün phlegmatisch seine Kekse aß.

«Jacqueline, du hast doch Gerstenzuckerstücke in deiner Tasche», sagte Madame Péricand mit einer diskreten Handbewegung und einem Blick, der besagte: ‹Du weißt doch, daß man mit denen, die nichts haben, teilen und sich im Unglück gegenseitig helfen muß. Jetzt ist der Zeitpunkt, das, was du im Katechismusunterricht gelernt hast, in die Praxis umzusetzen.›

Sie empfand ein Gefühl der Befriedigung, so viele verschiedenartige Reichtümer zu besitzen und gleichzeitig so mildtätig zu sein! Das ehrte ihre Voraussicht und ihr gutes Herz. Sie bot nicht nur dem kleinen Jungen Gerstenzucker an, sondern auch einer belgischen Familie, die in einem Kleinlastwagen voller Hühnerkäfige angekommen war. Sie fügte Rosinenbrötchen für die Kinder hinzu. Sie ließ sich kochendes Wasser bringen und goß dem alten Péricand einen leichten Kräutertee auf. Hubert war weggegangen, um nach Zimmern zu suchen. Madame Péricand ging hinaus. Sie fragte nach dem Weg; sie suchte die Kirche, die sich im Stadtzentrum befand. Familien kampierten auf den Trottoirs und auf den breiten Steinstufen.

Die Kirche war weiß, vollständig renoviert; sie roch noch nach frischer Farbe. Im Innern lebte sie eine Art doppeltes Leben, den gewohnten Alltagstrott und eine andere, fiebrige, sonderbare Existenz. In einer Ecke tauschte eine Nonne die Blumen zu Füßen der Jungfrau aus. Ohne Hast, mit einem sanften, friedvollen Lächeln schnitt sie die verwelkten Stengel ab und band die frischen Rosen zu großen Sträußen. Man hörte das Klacken ihrer Gartenschere und ihren ruhigen Schritt auf den Steinplatten. Dann putzte sie die Kerzen. Ein alter Priester begab sich zum Beichtstuhl. Eine alte Frau schlief auf einem Stuhl, ihren Rosenkranz zwischen den Fingern. Vor der Statue der Jeanne d'Arc brannten viele Kerzen. Unter all dieser Sonne, im blendenden Weiß der Wände tanzten alle diese kleinen Flammen, bleich und durchsichtig. Auf einer Marmortafel zwischen zwei Fenstern blinkten die goldenen Lettern, die die Namen der Gefallenen von 1914 bildeten.

Unterdessen schlug eine wachsende Menschenmenge an die Mauern der Kirche wie eine Flut. Frauen und Kinder kamen, um Gott zu danken, daß sie es bis hierher geschafft hatten, oder um für die weitere Reise seinen Segen zu erflehen; einige weinten, andere waren verletzt, mit in Tücher gehülltem Kopf oder verbundenem Arm. Alle Gesichter hatten rote Flecken, die Kleider waren zerknautscht, zerrissen und verschmutzt, als hätten die Leute, die sie trugen, mehrere Nächte in ihnen geschlafen. Über einige bleiche, staubgraue Gesichter rannen dicke Schweißtropfen wie Tränen. Die Frauen stürzten mit Ungestüm in die Kirche wie in ein unantastbares Asyl. Ihre Überreiztheit, ihre Erregung war so stark, daß sie außerstande zu sein schienen stillzustehen. Sie gingen von einem Betstuhl zum andern, knieten nieder, standen wieder auf, manche stießen gegen die Stühle, furchtsam und verstört wie Nachtvögel in einem lichtdurchfluteten Zimmer. Doch nach und nach beruhigten sie sich, verbargen ihr Gesicht in den Händen und fanden vor dem großen Kruzifix aus schwarzem Holz, am Ende ihrer Kräfte und ihrer Tränen, endlich Frieden.

Nachdem Madame Péricand ihre Gebete gesprochen hatte, verließ sie die Kirche. Draußen wollte sie ihren Vorrat an Keksen auffüllen, der infolge ihrer Großzügigkeit stark geschrumpft war. Sie betrat ein großes Lebensmittelgeschäft.

«Wir haben nichts mehr, Madame», sagte die Verkäuferin.

«Wie? Keinen einzigen Keks, keinen Pfefferkuchen, nichts?»

«Überhaupt nichts, Madame. Alles ist ausverkauft.»

«Dann geben Sie mir bitte ein Pfund Ceylon-Tee.»

«Es gibt gar nichts mehr, Madame.»

Madame Péricand ließ sich andere Lebensmittelgeschäfte zeigen, aber nirgends konnte sie etwas kaufen. Die Flüchtlinge hatten die Stadt geplündert. In der Nähe des Cafés holte Hubert sie ein. Er hatte kein Zimmer gefunden.

Und sie rief aus:

«Es gibt nichts zu essen, die Läden sind leer!»

«Was mich betrifft», sagte Hubert, «so habe ich zwei gut gefüllte gefunden.»

«Ach, wirklich? Wo denn?»

Hubert lachte aus ganzem Herzen.

«In dem einen wurden Klaviere verkauft und im andern Bestattungsartikel!»

«Wie dumm du bist, mein armer Junge», sagte die Mutter.

«Ich glaubte, wenn das so weitergeht, werden bald auch Perlenkronen sehr gefragt sein. Man könnte sie horten, meinen Sie nicht, Mama?»

Madame Péricand begnügte sich damit, die Achseln zu zucken. Auf der Schwelle des Cafés erblickte sie Jacqueline und Bernard. Sie hatten die Hände voller Schokolade und Zuckerwürfel und verteilten sie ringsum. Madame Péricand stürzte sich auf sie.

«Wollt ihr wohl aufhören! Was macht ihr da? Ich verbiete euch, die Vorräte anzurühren. Jacqueline, du bekommst eine Strafe. Bernard, das wird dein Vater erfahren», wiederholte sie, packte die beiden verblüfften, aber unerschütterlichen Schuldigen bei der Hand und zog sie weg. Die christliche Nächstenliebe, die Mildtätigkeit von Jahrhunderten Zivilisation fiel wie eitler Zierat von ihr ab und enthüllte ihre ausgedörrte, nackte Seele. Sie waren allein in einer feindseligen Welt, sie und ihre Kinder. Und sie mußte ihre Jungen ernähren und schützen. Der Rest zählte nicht mehr.

11

Maurice und Jeanne Michaud gingen hintereinander auf der breiten, von Pappeln gesäumten Chaussee. Neben ihnen, vor ihnen und hinter ihnen waren Flüchtlinge. Wenn sie auf eine jener kleinen Anhöhen kamen, die hier und dort auf den Landstraßen auftauchten, sahen sie bis zum Horizont, soweit das Auge reichte, eine wirre, sich durch den Staub schleppende Menschenmenge. Die Glücklichsten besaßen einen Schubkarren, einen Kinderwagen, ein aus vier Brettern auf groben Rädern bestehendes kleines Wägelchen, die ihr Gepäck trugen; andere krümmten sich unter der Last von Säcken, alten Kleidern und schlafenden Kindern. Dies waren die Armen, die Pechvögel, die Schwachen, jene, die sich nicht zu helfen wissen, jene, die man überall in die hinterste Reihe stößt, und auch ein paar Ängstliche waren darunter, ein paar Geizhälse, die bis zur letzten Minute vor dem Preis der Fahrkarte, vor den Ausgaben und den Gefahren der Reise zurückgeschreckt waren. Aber plötzlich waren auch sie wie die anderen in Panik geraten. Sie wußten nicht, warum sie flohen: Ganz Frankreich stand in Flammen, die Gefahr lauerte überall. Bestimmt wußten sie nicht, wohin sie gingen. Wenn sie sich auf den Boden fallen ließen, dann sagten sie, sie würden nicht mehr aufstehen, sie würden hier krepieren, und wenn man ohnehin sterben müsse, dann könne man auch Ruhe bewahren. Sie waren als erste auf den Beinen, wenn ein Flugzeug nahte. Es gab unter ihnen Mitleid, Nächstenliebe, jene aktive, wachsame Sympathie, die die Leute aus dem Volk nur ihresgleichen gegenüber an den Tag legen, gegenüber den Armen, und auch nur in außergewöhnlichen Zeiten der Angst und des Elends. Schon zehnmal hatten dicke, starke Frauen Jeanne Michaud ihren Arm geliehen, um ihr beim Gehen zu helfen. Sie selbst hielt Kinder an der Hand, während ihr Mann bald einen Ballen Wäsche, bald einen Korb schulterte, in dem sich ein lebendes Karnickel und Kartoffeln befanden, die einzigen irdischen Güter einer kleinen alten Frau, die zu Fuß von Nanterre aufgebrochen war. Trotz Müdigkeit, Hunger und Sorge fühlte sich Maurice Michaud nicht allzu unglücklich. Er hatte eine besondere Geisteshaltung, denn er maß sich selbst keine große Bedeutung bei; in seinen Augen war er nicht jenes außerordentliche, unersetzbare Wesen, das jeder Mensch sieht, wenn er an sich selbst denkt. Gegenüber seinen Leidensgefährten empfand er Mitleid, aber es war hellsichtig und kalt. Schließlich schienen diese großen Wanderungen Naturgesetzen zu unterliegen, dachte er. Vermutlich waren periodische Massenverlagerungen für die Völker ebenso unerläßlich wie die Transhumanz für die Viehherden. Darin fand er einen seltsamen Trost. Die Leute um ihn herum glaubten, das Schicksal habe es ganz besonders auf sie, auf ihre armselige Generation abgesehen; er dagegen erinnerte sich daran, daß zu allen Zeiten Fluchtbewegungen stattgefunden hatten. Wie viele Menschen waren nicht schon mit blutigen Tränen auf diesem Erdboden (wie auf jedem Erdboden der Welt) gefallen, aus brennenden Städten vor dem Feind geflohen, ihre Kinder ans Herz drückend: Niemand hatte dieser zahllosen Toten je teilnahmsvoll gedacht. Für ihre Nachkommen hatten sie nicht mehr Bedeutung als geschlachtete Hühner. Er stellte sich ihre klagenden Schatten vor, die sich auf dem Weg erhoben, sich zu ihm beugten und ihm ins Ohr flüsterten:

«Wir haben das alles vor dir erlebt. Warum solltest du glücklicher sein als wir?»

Neben ihm stöhnte eine dicke Frau:

«Solche Greuel hat es noch nie gegeben!»

«O doch, Madame, o doch», antwortete er sanft.

Sie wanderten schon seit drei Tagen, als sie die ersten in Auflösung begriffenen Regimenter sahen. Das Vertrauen war in den Herzen der Franzosen so fest verankert, daß die Flüchtenden beim Anblick der Soldaten meinten, es werde einen Kampf geben, das

Oberkommando habe befohlen, die noch intakten Streitkräfte in kleinen Gruppen und auf Schleichwegen an die Front zu schikken. Diese Hoffnung hielt sie aufrecht. Die Soldaten zeigten sich nicht gesprächig. Fast alle waren düsterer, nachdenklicher Stimmung. Einige schliefen in den Lastwagen. Die Panzer krochen schwerfällig durch den Staub, mit leichtem Astwerk getarnt. Zwischen den von der glühenden Sonne verdorrten Blättern erschienen bleiche, müde Gesichter mit einem Ausdruck von Zorn und äußerster Erschöpfung.

Unter ihnen meinte Madame Michaud immer wieder ihren Sohn zu erkennen. Zwar sah sie an keinem Tag die Nummer seines Regiments, aber es hatte sie eine Art Halluzination ergriffen: Jedes unbekannte Gesicht, jeder Blick, jede an ihr Ohr dringende junge Stimme traf sie so sehr, daß sie abrupt stehenblieb, eine Hand auf ihr Herz legte und schwach murmelte:

«Oh, Maurice, ist das nicht …»

«Was denn?»

«Nein, nichts!»

Aber er ließ sich nicht täuschen. Er schüttelte den Kopf.

«Du siehst deinen Sohn überall, meine arme Jeanne!»

Sie seufzte nur.

«Er sieht ihm ähnlich, findest du nicht?»

Immerhin konnte das passieren. Plötzlich konnte er neben ihr auftauchen, ihr Sohn, ihr dem Tode entronnener Jean-Marie, und ihr mit seiner fröhlichen, zärtlichen Stimme, seiner männlichen und sanften Stimme, die sie noch zu hören meinte, zurufen: «Was macht ihr beiden denn hier?»

Oh, ihn nur sehen, ihn an sich drücken, seine frische rauhe Wange an ihren Lippen spüren, seine schönen Augen dicht bei den ihren glänzen sehen, diesen durchdringenden, lebhaften Blick! Er hatte nußbraune Augen mit langen, mädchenhaften Wimpern, und sie sahen so viele Dinge! Schon in seiner Kindheit hatte sie ihm beigebracht, die komische und anrührende Seite der Menschen zu sehen. Sie lachte gern und hatte Mitleid mit den Leuten, «deine Dickenssche Ader, kleine Mama», sagte er. Wie gut sie beide sich verstanden! Fröhlich, manchmal grausam verspotteten sie diejenigen, über die sie sich zu beklagen hatten; dann konnte ein Wort, eine Bewegung, ein Seufzer sie entwaffnen. Maurice war anders: er war abgeklärter und kühler. Sie liebte und bewunderte Maurice, aber Jean-Marie war … O mein Gott, alles, was sie gern gewesen wäre und was sie sich erträumt hatte und was das Beste an ihr war, ihre Freude, ihre Hoffnung … ‹Mein Sohn, mein kleiner Schatz, mein Jeannot›, dachte sie und nannte ihn wieder bei dem Spitznamen, den er mit fünf Jahren hatte, als sie ihn sanft an den Ohren packte, um ihn zu küssen, seinen Kopf zurückbog und ihn mit ihren Lippen kitzelte, während er in Lachen ausbrach.

Ihre Gedanken wurden immer fiebriger und wirrer, je weiter sie auf der Straße voranschritt. Sie war gut zu Fuß: Als Maurice und sie jünger waren, hatten sie, den Rucksack auf dem Rücken, während ihrer kurzen Ferien häufig Wanderungen aufs Land unternommen. Und wenn sie nicht genügend Geld hatten, um sich ein Hotel leisten zu können, brachen sie mit ein wenig Proviant und ihren Schlafsäcken zu Fuß auf. Daher litt sie weniger unter der Müdigkeit als ihre Weggefährten, doch dieses unaufhörliche Kaleidoskop, diese an ihr vorüberziehenden unbekannten Gesichter, die auftauchten, sich entfernten, verschwanden, weckten in ihr eine Empfindung, die weit schmerzhafter war als körperliche Erschöpfung. ‹Ein Karussell, in einer Falle›, dachte sie. Die Autos waren in der Menge gefangen wie jene Gräser, die sich an der Wasseroberfläche befinden und von unsichtbaren Fesseln festgehalten werden, während der Strom ringsum weiterfließt. Jeanne wandte sich ab, um die Autos nicht länger zu sehen. Sie verpesteten die Luft mit ihrem Benzingestank, sie betäubten die Fußgänger mit ihrem vergeblichen Gehupe, das einen Durchlaß forderte, den man ihnen nicht gewähren konnte. Die ohnmächtige Wut der Fahrer oder ihre trübsinnige Resignation war Balsam in den Herzen der Flüchtlinge. Sie sagten einander: «Sie kommen nicht schneller voran als wir!», und das Gefühl eines gemeinsamen Unglücks tat ihnen wohl.

Die Flüchtenden gingen in kleinen Gruppen. Man wußte nicht recht, welcher Zufall sie an den Toren von Paris zueinandergeführt hatte, und nun trennten sie sich nicht mehr, obwohl keiner den Namen seines Nachbarn kannte. Bei den Michauds befand sich eine große magere Frau, die einen abgetragenen Mantel trug und mit falschem Schmuck behängt war. Jeanne fragte sich dunkel, was jemanden wohl veranlassen mochte, in solch einer Aufmachung zu fliehen, mit dicken künstlichen, diamantbestäubten Perlen an den Ohren, grünen und roten Klunkern an den Fingern und einer mit kleinen Topasen verzierten Straßbrosche an der Bluse. Dann kam eine Hausmeisterin mit ihrer Tochter, die Mutter war klein und blaß, das Kind plump und kräftig, beide schwarzgekleidet und in ihrem Gepäck das Porträt eines dicken Mannes mit langem schwarzem Schnurrbart mitschleppend. «Mein Mann war Friedhofswärter», sagte die Frau. Ihre schwangere Schwester, die einen Wagen, in dem ein Kind lag, vor sich herschob, begleitete sie. Und sie war sehr jung! Auch sie erbebte bei jedem Militärkonvoi und suchte jemanden in der Menge. «Mein Mann ist da unten», sagte sie; da unten oder vielleicht hier … alles war möglich. Und Jeanne vertraute ihr wohl zum hundersten Mal an … aber sie wußte nicht mehr genau, was sie sagte: «Mein Sohn auch, meiner auch …»

Sie waren noch nicht beschossen worden. Als es passierte, begriffen sie zuerst nicht. Sie hörten das Geräusch einer Explosion und noch einer, dann Schreie: «Rette sich, wer kann! Auf die Erde! Hinlegen!» Augenblicklich warfen sie sich mit dem Gesicht auf den Boden, und Jeanne dachte undeutlich: ‹Wie grotesk müssen wir aussehen!› Sie hatte keine Angst, aber ihr Herz schlug so heftig, daß sie es keuchend mit beiden Händen zusammenpreßte und an einen Stein drückte. Sie spürte an ihrem Mund einen Grashalm mit einer kleinen rosa Glockenblüte. Später erinnerte sie sich, daß, während sie dort lagen, ein kleiner weißer Schmetterling gemächlich von einer Blume zur andern flatterte. Schließlich hörte sie eine Stimme ihr ins Ohr sagen: «Es ist vorbei, sie sind weg.» Sie stand auf und klopfte mechanisch den Staub aus ihrem Rock. Wie ihr schien, war niemand getroffen worden. Aber nach ein paar Schritten sahen sie die ersten Toten: zwei Männer und eine Frau. Ihre Körper waren zerfetzt, ihre Gesichter jedoch durch Zufall unversehrt, so düstere, so gewöhnliche Gesichter mit einem erstaunten, beflissenen, törichten Ausdruck, als versuchten sie vergeblich zu verstehen, was ihnen widerfuhr, so wenig für einen kriegerischen Tod bestimmt, mein Gott, so wenig für den Tod bestimmt. Die Frau hatte in ihrem ganzen Leben wohl nie etwas anderes gesagt als «der Lauch ist schon wieder teurer geworden» oder «was für ein Schwein hat meinen Fußboden dreckig gemacht?»

Aber was weiß ich schon? sagte sich Jeanne. Vielleicht hatten hinter dieser niedrigen Stirn, unter diesem glanzlosen, aufgelösten Haar Schätze an Intelligenz und Zärtlichkeit gelegen. Was sind wir, Maurice und ich, in den Augen der Leute denn anderes als ein altes Ehepaar kleiner, armer Angestellter? In gewissem Sinne stimmt das, und in einem andern sind wir kostbar und außerordentlich. Das weiß ich auch. ‹Welch scheußliche Verschwendung›, dachte sie noch.

Sie lehnte sich an die Schulter von Maurice, zitternd und mit tränenfeuchten Wangen.

«Gehen wir weiter», sagte sie, ihn sanft mitziehend.

Beide dachten: ‹Wozu?› Sie würden nie in Tours ankommen. Existierte die Bank noch? War Monsieur Corbin nicht unter den Trümmern begraben, samt seinen Akten, seinen Wertpapieren, seiner Tänzerin? Und dem Schmuck seiner Frau! ‹Aber das wäre zu schön›, dachte Jeanne mit einem Anflug von Ingrimm. Indessen setzten Maurice und sie humpelnd ihren Weg fort. Es blieb nichts anderes übrig, als weiterzugehen und auf Gott zu vertrauen.

12

Die kleine Schar der Michauds und ihrer Weggefährten wurde am Freitagabend aufgesammelt. Ein Militärlastwagen nahm sie mit. Sie fuhren den Rest der Nacht, zwischen Kisten liegend. Sie kamen in einer Stadt an, deren Namen sie nie erfahren sollten. Die Bahngleise seien unversehrt, verkündete man ihnen. Sie könnten direkt nach Tours fahren. Jeanne betrat das erste Haus, das sie auf ihrem Weg in die Vororte fand, und bat um die Erlaubnis, sich zu waschen. Die Küche war bereits voller Flüchtlinge, die ihre Wäsche im Spülstein wuschen, aber man führte Jeanne in den Garten, wo sie sich an der Pumpe frisch machte. Maurice hatte einen kleinen Spiegel mit einem Kettchen gekauft; er hängte ihn an den Ast eines Baums und rasierte sich. Danach fühlten sie sich besser, bereit, dem langen Warten vor dem Tor der Kaserne entgegenzusehen, wo Essen ausgegeben wurde, und dem noch längeren vor den Dritte-Klasse-Schaltern am Bahnhof. Sie hatten gegessen; sie überquerten gerade den Bahnhofsplatz, als der Bombenangriff begann. Seit drei Tagen flogen feindliche Flugzeuge ununterbrochen über die Stadt. Ständig gab es Alarm. Im übrigen diente ein alter Feuermelder als Sirene, und im Getöse von Autos, Kindergeschrei und dem Lärm der verstörten Menge war dieses schwache, lächerliche Geklingel kaum zu hören. Leute trafen ein, stiegen aus dem Zug und fragten: «He, ist das ein Alarm?» Man antwortete: «Aber nein, es ist das Ende», und fünf Minuten später ließ sich das schwache Läuten aufs neue vernehmen. Man lachte. Hier gab es noch offene Läden, kleine Mädchen, die auf dem Trottoir Murmeln spielten, Hunde, die bei der alten Kathedrale im Staub herumtollten. Man scherte sich nicht um die italienischen und deutschen Flugzeuge, die ruhig über der Stadt schwebten. Man hatte sich an sie gewöhnt.

Plötzlich löste sich eines vom Himmel und stieß auf die Menge herab. Jeanne dachte: ‹Es stürzt ab›, dann: ‹Aber es schießt, es wird schießen, wir sind verloren …› Instinktiv legte sie die Hände auf ihren Mund, um einen Schrei zu ersticken. Die Bomben waren auf den Bahnhof und etwas weiter entfernt auf die Gleise gefallen. Die Scheiben des Glasdachs zerbarsten und wurden auf den Platz geschleudert, wo sie alle, die sich dort befanden, verletzten oder töteten. Frauen in Panik warfen ihre Kinder wie sperrige Pakete weg und rannten davon. Andere drückten ihre so heftig an sich, als wollten sie sie zurück in ihren Schoß pressen, als wäre dies der einzig sichere Unterschlupf. Eine Unglückliche rollte Jeanne vor die Füße: Es war die Frau mit den falschen Steinen. Sie glitzerten an ihrem Hals und ihren Fingern, und aus ihrem zertrümmerten Kopf floß Blut. Dieses warme Blut war auf Jeannes Kleid, auf ihre Schuhe und Strümpfe gespritzt. Glücklicherweise hatte sie keine Zeit, die Toten um sich herum zu betrachten! Unter den Steinen und Splittern riefen Verwundete um Hilfe. Sie schloß sich Maurice und einigen anderen Männern an, die versuchten, die Trümmer zu beseitigen. Aber es war zu schwer für sie. Sie schaffte es nicht. Da dachte sie an die Kinder, die auf der Suche nach ihren Müttern jammervoll auf dem Platz umherirrten. Sie rief sie zu sich, nahm sie an der Hand, versammelte sie ein wenig abseits unter der Vorhalle der Kirche, kehrte dann zu der Menge zurück und rief, wenn sie eine verwirrte, schreiende, hin und her rennende Frau sah, mit ruhiger und lauter Stimme, so ruhig und so laut, daß sie sich selber wunderte:

«Die Kleinen sind am Kirchentor. Holt sie dort ab. Wer seine Kinder vermißt, soll sie bei der Kirche abholen.»

Die Frauen stürzten zur Kathedrale. Manchmal weinten sie, manchmal brachen sie in Lachen aus, manchmal stießen sie einen wilden, erstickten Schrei aus, der keinem andern glich. Die Kinder waren sehr viel ruhiger. Ihre Tränen trockneten schnell. Die Mütter trugen sie fort, an ihr Herz gedrückt. Keine dachte daran, Jeanne zu danken. Sie ging zum Platz zurück, wo man ihr sagte, die Stadt habe wenig gelitten, aber ein Sanitätskonvoi sei genau in dem Augenblick, als er in den Bahnhof einfuhr, von den Bomben getroffen worden; die Linie nach Tours jedoch sei unversehrt. Der Zug werde gerade jetzt zusammengestellt und würde in einer Viertelstunde abfahren. Schon hasteten die Leute, Tote und Verwundete vergessend, zum Bahnhof und klammerten sich an ihre Koffer und Kartons wie Schiffbrüchige an Rettungsbojen. Man schlug sich um einen Platz. Die Michauds sahen die ersten Bahren, auf denen die verwundeten Soldaten weggetragen wurden. Das Gedränge war so groß, daß sie nicht näher herankommen und ihre Gesichter nicht sehen konnten. Man lud sie auf eilends beschlagnahmte zivile und militärische Fahrzeuge. Jeanne sah einen Offizier in Begleitung eines Priesters auf einen Lastwagen voller Kinder zugehen. Sie hörte:

«Ich bedaure sehr, Herr Abbé, aber ich bin gezwungen, den Lastwagen zu beschlagnahmen. Wir müssen unsere Verwundeten nach Blois bringen.»

Der Priester gab den Kindern ein Zeichen, und sie begannen auszusteigen.

Der Offizier wiederholte:

«Ich bedaure sehr, Herr Abbé. Ist das eine Schulklasse?»

«Ein Waisenhaus.»

«Ich schicke Ihnen den Lastwagen zurück, falls ich Benzin finde.»

Die Kinder, Heranwachsende zwischen vierzehn und achtzehn Jahren, jeder mit seinem Köfferchen in der Hand, stiegen aus und scharten sich um den Priester. Maurice wandte sich seiner Frau zu.

«Kommst du?»

«Ja. Warte.»

«Was ist denn?»

Sie versuchte die Bahren zu erkennen, die eine nach der anderen durch die Menge getragen wurden. Aber es waren zu viele Menschen da: Sie sah nichts. Neben ihr stellte sich auch eine andere Frau auf die Zehenspitzen. Ihre Lippen bewegten sich, aber kein deutliches Wort kam hervor: Sie betete oder wiederholte einen Namen. Sie schaute Jeanne an.

«Man meint immer, man wird den eigenen sehen, nicht wahr?» sagte sie.

Sie seufzte schwach. In der Tat gab es keinen Grund, warum eher der eigene als der einer anderen plötzlich vor ihren Augen auftauchen sollte, der ihre, ihr Sohn, ihr Liebling. Vielleicht ist er an einem ruhigen Fleck? Auch die schrecklichsten Schlachten hinterlassen intakte Zonen, von Sperren aus Flammen geschützt.

Sie fragte ihre Nachbarin:

«Wissen Sie, woher dieser Zug kam?»

«Nein.»

«Gibt es viele Opfer?»

«Es heißt, zwei Waggons sind voll von Toten.»

Sie gab es auf, sich Maurice zu widersetzen, und ließ sich von ihm wegziehen. Mit Mühe bahnten sie sich einen Weg zum Bahnhof. Stellenweise stiegen sie über Steinblöcke und Haufen von Glasscherben hinweg. Endlich erreichten sie den unversehrten dritten Bahnsteig, wo der Zug nach Tours zusammengestellt wurde, ein regionaler Bummelzug, friedlich und schwarz, der Rauch spuckte.

13

Jean-Marie war zwei Tage zuvor verwundet worden, und er befand sich in dem bombardierten Zug. Zwar wurde er diesmal nicht getroffen, aber der Waggon fing Feuer. Im Bemühen, seinen Platz zu verlassen und zur Tür zu gelangen, platzte die Wunde wieder auf. Als man ihn aufhob und auf den Lastwagen hievte, war er halb bewußtlos. Er blieb auf seiner Bahre liegen, sein Kopf war weggerutscht und schlug bei jeder Erschütterung gegen eine leere Kiste. Drei Wagen voller Soldaten rückten langsam einer nach dem andern auf einem beschossenen und kaum noch befahrbaren Weg voran. Über den Konvoi flogen ständig feindliche Flugzeuge hinweg. Jean-Marie tauchte kurz aus seinem Fieberwahn auf und dachte: ‹So wie wir muß sich das Federvieh fühlen, wenn der Sperber kreist …›

Undeutlich sah er den Bauernhof seiner Amme wieder, auf den man ihn in den Osterferien schickte, als er klein war. Der Hof war voller Sonne: Die Hühner pickten die Körner und tummelten sich in dem Aschenhaufen, dann packte die große knochige Hand der Amme eines von ihnen, band ihm die Beine zusammen, trug es weg, und fünf Minuten später … jener Blutschwall, der mit einem leisen grotesken Glucksen hervorquoll. Es war der Tod … Und auch ich bin gepackt und weggetragen worden, dachte er … gepackt und weggetragen … und morgen, ganz mager und nackt, in die Erde geworfen, werde ich nicht anders aussehen als ein Huhn …

Seine Stirn schlug so heftig gegen die Kiste, daß er so etwas wie einen schwachen Protest von sich gab: Er hatte nicht mehr die Kraft zu schreien, aber es weckte die Aufmerksamkeit des Kameraden, der neben ihm lag und am Bein verwundet war, jedoch weniger schwer.

«Na was, Michaud? Michaud, geht's besser?»

Gib mir zu trinken, und lege meinen Kopf besser, und verscheuche diese Fliege von meinen Augen, wollte Jean-Marie sagen, aber er seufzte nur.

«Nein ...»

Er schloß die Lider.

«Sie fangen schon wieder an», knurrte der Kamerad.

Im selben Augenblick fielen Bomben rings um den Konvoi. Eine kleine Brücke wurde zerstört: Die Straße nach Blois war unterbrochen. Man mußte umkehren, sich einen Weg durch die Flüchtenden bahnen oder über Vendôme fahren, und dann würde man nicht vor Einbruch der Dunkelheit ankommen.

Die armen Kerle, dachte der Major, als er Michaud ansah, den am schwersten Verwundeten. Er gab ihm eine Spritze. Die Fahrt ging weiter. Die beiden Lastwagen mit den Leichtverletzten quälten sich nach Vendôme hinauf; der andere, in dem Jean-Marie lag, schlug einen Seitenweg ein, der die Landstraße um ein paar Kilometer abkürzen sollte. Bald ging ihm das Benzin aus, und er blieb stehen. Der Major machte sich auf die Suche nach einem Haus, in dem er seine Männer unterbringen könnte. Hier war man weit weg von dem Debakel, der Strom der Autos floß weiter unten. Von dem Hügel aus, den der Major erreichte, sah man an diesem zarten und friedlichen blaßblauen Juniabend eine schwarze Masse, aus der die schrillen, undeutlichen Töne der Hupen, der Schreie, der Rufe drangen, ein dumpfes, schauriges Getöse, bei dem einem ganz bang wurde.

Der Major erblickte einige eng aneinandergebaute Gehöfte. Sie waren bewohnt, aber nur Frauen und Kinder lebten darin. Die Männer waren an der Front. In einem von ihnen wurde Jean-Marie untergebracht. Die benachbarten Häuser mußten andere Soldaten aufnehmen, indes der Major, der ein Damenfahrrad entdeckt hatte, verkündete, er werde in die nächste Stadt fahren, um Hilfe zu holen, Benzin, Lastwagen aufzutreiben, alles, was er finden könne ...

‹Wenn er schon sterben muß›, dachte er, als er sich von Michaud verabschiedete, der noch immer in der großen Küche des Bauernhauses auf seiner Bahre lag, während die Frauen das Bett bezogen und anwärmten, ‹wenn er dran glauben muß, dann doch lieber in sauberen Laken als auf der Landstraße …›

Er radelte nach Vendôme. Nachdem er die ganze Nacht unterwegs gewesen war, wollte er gerade in die Stadt hineinfahren, als er den Deutschen in die Hände fiel, die ihn gefangennahmen. Doch als die Frauen ihn nicht zurückkehren sahen, rannten sie in die Ortschaft, um den Arzt und die Schwestern im Krankenhaus zu benachrichtigen. Das Krankenhaus selbst war voll, da man die Opfer des jüngsten Bombenangriffs hierhergebracht hatte. Die Soldaten blieben im Dorf. Die Frauen jammerten: Da die Männer weg waren, hatten sie mit den Feldarbeiten und der Versorgung des Viehs genug zu tun und konnten sich nicht auch noch um die Verwundeten kümmern, die man ihnen aufzwang! Jean-Marie, der mühsam seine fieberheißen Lider hob, sah eine alte Frau mit langer, gelber Nase vor seinem Bett sitzen, die strickte und seufzte, sobald sie ihn ansah: «Wenn ich bloß wüßte, ob der Alte dort, wo er ist, der arme Kerl, genauso gepflegt wird wie der hier, der mir nichts bedeutet …» In seinem wirren Traum vernahm er das Klappern der Stahlnadeln. Das Wollknäuel hüpfte auf seiner Bettdecke; in seinem Fieberwahn war ihm, als hätte es spitze Ohren und einen Schwanz, und er streckte die Hand aus, um es zu streicheln. Hin und wieder kam die Schwiegertochter der Bäuerin zu ihm; sie war jung, sie hatte ein frisches, rotes Gesicht mit etwas derben Zügen und lebhafte, klare braune Augen. Eines Tages brachte sie ihm ein Büschel Kirschen mit und legte sie neben ihn auf das Kopfkissen. Man hatte ihm untersagt, sie zu essen, aber er hielt sie an seine wie Feuer brennenden Wangen, und er fühlte sich besänftigt und fast glücklich.

14

Die Cortes hatten Orléans verlassen und setzten ihre Reise in Richtung Bordeaux fort. Was die Dinge erschwerte, war der Umstand, daß sie nicht wußten, wohin sie reisen sollten. Sie hatten sich zuerst für die Bretagne entschieden, dann aber beschlossen, in den Süden zu fahren. Jetzt erklärte Gabriel, er werde Frankreich verlassen.

«Lebend werden wir hier nicht rauskommen», sagte Florence.

Sie empfand nicht so sehr Müdigkeit und Angst, sondern vielmehr Zorn, eine blinde, irrsinnige Wut, die in ihr aufstieg und sie erstickte. Ihr schien, als hätte Gabriel den stillschweigenden Vertrag, der sie miteinander verband, aufgekündigt. Zwischen einem Mann und einer Frau in ihrer Lage und in ihrem Alter ist die Liebe alles in allem ein Tauschhandel. Sie hatte sich hingegeben, weil sie sich als Gegenleistung von ihm nicht nur materiellen, sondern auch seelischen Schutz erhoffte, und bisher hatte sie ihn in Form von Geld und Ansehen erhalten; er hatte sie bezahlt, wie es sich gehörte. Doch mit einemmal schien er ihr eine schwache, verachtenswerte Kreatur zu sein.

«Kannst du mir sagen, was wir im Ausland tun werden? Wovon wir leben sollen? Dein ganzes Geld ist hier, da du so dumm warst, es aus London zurückzuholen, warum, habe ich nie begriffen!»

«Weil ich glaubte, England sei bedrohter als wir. Ich hatte Vertrauen zu meinem Land, zur Armee meines Landes, das wirst du mir doch nicht vorwerfen, oder? Und worüber machst du dir eigentlich Sorgen? Gott sei Dank bin ich überall berühmt, will ich meinen!»

Er unterbrach sich plötzlich, sah aus dem Fenster und warf verärgert seinen Kopf zurück.

«Was ist denn nun schon wieder?» murmelte Florence und hob die Augen zum Himmel.

«Diese Leute …»

Er deutete auf den Wagen, der sie gerade überholt hatte. Florence betrachtete die Insassen: Sie hatten die Nacht mit ihnen auf dem Platz in Orléans verbracht: Ohne weiteres erkannte sie die ramponierte Karosserie, die Frau mit ihrem Kind auf den Knien, diejenige, deren Kopf mit Tüchern umwickelt war, den Vogelkäfig und den Mann mit der Schirmmütze.

«Ach, schau sie doch nicht an», sagte Florence aufgebracht.

Mehrmals schlug er heftig auf das kleine Reisenecessaire aus Gold und Elfenbein ein, auf das er sich mit dem Ellbogen stützte.

«Wenn so schmerzliche Episoden wie eine Niederlage und eine große Flucht nicht durch eine gewisse Noblesse, eine gewisse Größe erhöht werden, dann sind sie nichts wert! Ich kann nicht zulassen, daß diese Kleinkrämer, diese Hausmeister, dieses ungewaschene Gesindel mit seinem Geplärr, seinen Tratschereien, seiner Vulgarität eine Zeit der Tragödie herabwürdigen. So schau sie doch an! Schau sie an! Da sind sie wieder. Sie machen mich krank, das kannst du mir glauben …!»

Er rief dem Chauffeur zu:

«Henri, so fahren Sie doch ein bißchen schneller! Können Sie diesen Pöbel nicht abschütteln?»

Henri antwortete nicht einmal. Das Auto fuhr drei Meter, blieb stehen, steckte in einem unvorstellbaren Gewirr von Gefährten, Fahrrädern und Fußgängern. Abermals sah Gabriel, zwei Schritte von ihm entfernt, die Frau mit dem bandagierten Kopf. Sie hatte dichte, dunkle Augenbrauen, lange und glänzende, dicht beieinanderstehende weiße Zähne und Haare auf der Oberlippe. Die Bandage war blutbefleckt, schwarze Haare klebten auf der Watte und den Tüchern. Gabriel erschauerte vor Abscheu und wandte den Kopf ab, aber die Frau lächelte ihn doch tatsächlich an und versuchte, ein Gespräch anzuknüpfen.

«Wir kommen nicht schnell voran, wie?» sagte sie freundlich

durch das heruntergedrehte Fenster. «Was für ein Glück immerhin, daß wir hier entlanggefahren sind. Wie viele Bombenangriffe haben die auf der andern Seite abgekriegt! Alle Schlösser an der Loire sind zerstört worden, Monsieur …»

Endlich bemerkte sie Gabriels starren, eisigen Blick. Sie verstummte.

«Begreifst du denn nicht, daß ich sie mir nicht vom Hals schaffen kann?»

«Schau doch nicht mehr hin!»

«Wie einfach! Welch ein Alptraum! Oh, die Häßlichkeit, die Vulgarität, die schreckliche Nichtswürdigkeit dieser Menschenmenge!»

Sie näherten sich Tours. Schon seit geraumer Zeit gähnte Gabriel: Er hatte Hunger. Seit Orléans hatte er kaum etwas gegessen. Wie Byron, so sagte er, bevorzuge er einfache Kost, begnüge sich mit Gemüse, Obst und Mineralwasser, aber ein- oder zweimal pro Woche brauche er eine üppige, schwere Mahlzeit. Jetzt hatte er das Bedürfnis danach. Er saß regungslos da, schweigend, mit geschlossenen Augen und einem leidenden Ausdruck in seinem schönen bleichen Gesicht, wie in den Augenblicken, da er im Geiste die ersten dürren, reinen Sätze seiner Bücher formte (er liebte es, wenn sie leicht waren und zirpten wie Zikaden, später kam dann der gewichtige, leidenschaftliche Ton, das, was er «meine Geigen» nannte. – «Bringen wir meine Geigen zum Singen», sagte er dann). Doch heute abend beschäftigten ihn andere Gedanken. Mit außerordentlicher Intensität sah er die Sandwichs wieder vor sich, die Florence ihm in Orléans angeboten hatte: Da waren sie ihm wenig appetitlich erschienen, von der Hitze etwas aufgeweicht. Es waren mit Gänseleberpastete gefüllte kleine Brioches, andere bestanden aus einer mit einer Gurkenscheibe und einem Salatblatt belegten Scheibe Schwarzbrot, die sicher einen angenehm frischen, säuerlichen Geschmack hatten. Er gähnte abermals, öffnete den Handkoffer, fand darin eine fleckige Serviette und ein Glas Pickles.

«Was suchst du?» fragte Florence.

«Ein Sandwich.»

«Es sind keine mehr da.»

«Was? Vorhin gab es noch drei.»

«Die Mayonnaise war herausgelaufen, sie waren ungenießbar, ich habe sie weggeworfen. Wir können in Tours essen, hoffe ich», fügte sie hinzu.

Man sah die Vororte von Tours am Horizont, aber die Autos kamen nicht mehr weiter; an einer Kreuzung war eine Sperre errichtet worden. Man mußte warten, bis man an der Reihe war. So verging eine Stunde. Gabriel erbleichte. Jetzt träumte er nicht mehr von Sandwichs, sondern von einer leichten warmen Suppe, von in Butter gebackenen Pastetchen, wie er sie einmal in Tours gegessen hatte, als er aus Biarritz zurückkehrte (damals war er mit einer Frau zusammen. Seltsam, er erinnerte sich nicht mehr an den Namen, das Gesicht dieser Frau; nur diese in Butter gebackenen Trüffelpastetchen waren ihm im Gedächtnis geblieben). Dann dachte er an Fleisch: an eine große blutige Scheibe Roastbeef mit einem langsam auf dem zarten Fleisch schmelzenden Stück Butter, welche Köstlichkeit … Ja, genau das brauchte er jetzt … ein Roastbeef … ein Beefsteak … ein Chateaubriand … notfalls auch ein Schnitzel oder ein Lammkotelett. Er seufzte tief.

Es war ein milder, goldener Abend, ohne einen Windhauch, ohne übermäßige Hitze, das Ende eines göttlichen Tages, ein sanfter Schatten breitete sich über die Felder und Wege, wie ein Flügel … Ein schwacher Erdbeergeruch kam aus dem nahen Wäldchen. Man roch ihn mitunter in der von Benzindünsten und Rauch geschwängerten Luft. Die Autos rückten um zwei Radumdrehungen vor und befanden sich nun unter einer Brücke. Frauen wuschen in aller Ruhe ihre Wäsche im Fluß. Das Grauenhafte und Befremdliche der Ereignisse wurde durch diese Bilder des Friedens noch spürbarer. In weiter Ferne drehte sich das Rad einer Windmühle.

«Hier muß es viele Fische geben», sagte Gabriel träumerisch.

In Österreich hatte er vor zwei Jahren an einem schnellen, klaren Flüßchen Forellen blau gegessen! Unter der perlmutternen, azurblauen Haut war das Fleisch rosa wie bei einem Kleinkind. Und jene Dampfkartoffeln … so einfach, klassisch, mit ein wenig frischer Butter und gehackter Petersilie … Hoffnungsvoll betrachtete er die Mauern der Stadt. Endlich, endlich fuhren sie hinein. Doch kaum hatten sie den Kopf aus dem Wagenfenster gestreckt, sahen sie die Schlange der Flüchtlinge, die auf der Straße warteten. Eine Volksküche verteilte Essen an die Hungrigen, so hieß es, aber sonst gab es nirgendwo etwas zu essen.

Eine gut gekleidete Frau, die ein Kind an der Hand hielt, drehte sich zu Gabriel und Florence um.

«Wir sind seit vier Stunden hier», sagte sie, «das Kind schreit, es ist schrecklich …»

«Es ist schrecklich», wiederholte Florence.

Hinter ihnen tauchte die Frau mit dem bandagierten Kopf auf.

«Unnötig zu warten. Es wird geschlossen. Es gibt nichts mehr.» Sie machte eine wegwerfende Handbewegung.

«Nichts, nichts. Kein einziges Stück Brot. Meine Freundin, die bei mir ist und die vor drei Wochen niedergekommen ist, hat seit gestern nichts mehr zu sich genommen, und dabei stillt sie ihr Kind. Und da heißt es: Bringt Kinder zur Welt. So ein Elend! O ja, Kinder! Daß ich nicht lache!»

Ein trostloses Murmeln lief durch die Reihe.

«Nichts, nichts, sie haben nichts mehr. Sie sagen: ‹Kommen Sie morgen wieder.› Sie sagen, daß die Deutschen näherrücken, daß das Regiment heute nacht abzieht.»

«Haben Sie in der Stadt nachgeschaut, ob es nicht doch etwas gibt?»

«Wo denken Sie hin! Alle Welt fährt weg, man könnte meinen, es sei eine tote Stadt. Noch dazu gibt es welche, die schon hamstern, wie Sie sich denken können!»

«Es ist schrecklich», stöhnte Florence von neuem.

In ihrer Erregung wandte sie sich an die Insassen des demolierten Autos. Die Frau mit ihrem Kind auf den Knien war bleich wie eine Tote. Die andere schüttelte mit finsterer Miene den Kopf.

«Das? Das ist doch gar nichts. Das sind alles Reiche, der Arbeiter, der leidet am meisten.»

«Was sollen wir tun?» sagte Florence mit einer Geste der Verzweiflung zu Gabriel.

Er bedeutete ihr, sich zu entfernen. Er ging mit großen Schritten. Der Mond war aufgegangen, und in seinem Licht konnte man sich mühelos orientieren in dieser Stadt mit ihren geschlossenen Läden und verriegelten Türen, in der keine einzige Lampe brannte und niemand sich an den Fenstern zeigte.

«Verstehst du», sagte er leise, «das ist doch alles dummes Zeug ... Ausgeschlossen, daß man gegen Bezahlung nichts zu essen findet. Glaube mir, es gibt die Herde der Kopflosen, und es gibt die Schlauberger, die Vorräte an einem sicheren Ort verwahren. Es geht nur darum, diese Schlauberger zu finden.»

Er blieb stehen.

«Es ist Paray-le-Monial, nicht wahr? Schau, wonach ich suchte. Vor zwei Jahren habe ich in diesem Restaurant zu Abend gegessen. Bestimmt erinnert sich der Wirt an mich, warte.»

Wiederholt schlug er an die gepolsterte Tür und rief mit herrischer Stimme:

«Öffnen Sie, öffnen Sie, Alter! Hier ist ein Freund!»

Und das Wunder geschah! Man hörte Schritte; ein Schlüssel drehte sich im Schloß, eine ängstliche Nase zeigte sich.

«Sagen Sie, Sie erkennen mich doch wieder, nicht wahr? Ich bin Corte, Gabriel Corte. Ich sterbe vor Hunger, mein Lieber. Ja, ja, ich weiß, es gibt nichts, aber für mich ... wenn Sie gründlich nachsehen ... Haben Sie nicht noch irgendwas? Ah, ah, erinnern Sie sich jetzt?»

«Monsieur, es tut mir schrecklich leid, aber ich kann Sie nicht hereinbitten», flüsterte der Gastwirt, «man würde mich belagern! Gehen Sie runter bis zur Straßenecke, und warten Sie auf mich. Ich komme nach. Ich möchte Ihnen ja gefällig sein, Monsieur

Corte, aber wir sind so arm dran, so unglücklich. Nun ja, wenn man gründlich sucht ...»

«Ja, genau, wenn man gründlich sucht ...»

«Aber Sie werden es niemandem verraten? Sie können sich gar nicht vorstellen, was heute passiert ist. Wahnsinnsszenen, meine Frau ist ganz krank davon. Sie verschlingen alles und gehen, ohne zu zahlen!»

«Ich verlasse mich auf Sie», sagte Gabriel und steckte ihm Geld in die Hand.

Fünf Minuten später kehrten Florence und er zum Auto zurück, geheimnisvoll einen mit einer Serviette zugedeckten Korb tragend.

«Ich weiß überhaupt nicht, was drin ist», murmelte Gabriel mit dem teilnahmslosen, verträumten Ton, den er anschlug, wenn er mit Frauen sprach, mit den umworbenen, aber noch nicht eroberten Frauen. «Nein, überhaupt nicht ... Aber ich glaube einen Geruch nach Gänseleber wahrzunehmen ...»

Im selben Augenblick trat ein Schatten zwischen Gabriel und Florence, entriß ihnen den Korb, trennte sie mit einem Fausthieb. Verstört faßte sich Florence mit beiden Händen an den Hals und schrie: «Mein Collier, mein Collier!», aber das Collier war noch da, ebenso das Schmuckkästchen, das sie bei sich trugen. Die Diebe hatten nur die Vorräte genommen. Wohlbehalten stand sie neben Gabriel, der sich den schmerzenden Kiefer und die Nase betupfte, immer wieder sagend:

«Es ist ein Dschungel, wir stecken in einem Dschungel ...»

15

«Das hättest du nicht tun sollen», seufzte die Frau, die ein Neugeborenes im Arm hielt.

Ein wenig Farbe kehrte in ihre Wangen zurück. Der halb zerbeulte alte Citroën hatte sich ziemlich leicht aus dem Getümmel herausmanövrieren lassen, und seine Insassen ruhten sich auf dem Moos eines Wäldchens aus. Es schien ein runder, reiner Mond, und auch ohne Mond hätte die am Horizont lodernde Feuersbrunst ausgereicht, die Szene zu beleuchten: die hier und dort unter den Kiefern lagernden Gruppen, die stehenden Autos und neben der jungen Frau und dem Mann mit der Schirmmütze den offenen, halbleeren Proviantkorb und den vergoldeten Hals einer entkorkten Champagnerflasche.

«Nein, das hättest du nicht tun sollen … es stört mich. Wie furchtbar, zu so etwas gezwungen zu sein, Jules!»

Der schmächtige kleine Mann, dessen Gesicht fast nur aus Stirn und Augen bestand, mit einem kraftlosen Mund und dem kleinen Kinn eines Marders, protestierte:

«Was denn? Sollen wir etwa krepieren?»

«Laß ihn, Aline, er hat recht. O la la», sagte die Frau mit dem bandagierten Kopf. «Was sollen wir denn machen? Diese beiden da, die verdienen doch gar nicht, daß sie leben, glaub mir!»

Sie schwiegen. Sie selber war eine ehemalige Hausangestellte; sie hatte einen Arbeiter geheiratet, der bei Renault arbeitete. Es war gelungen, ihn in den ersten Kriegsmonaten in Paris zu behalten, aber im Februar war er dann schließlich eingezogen worden und kämpfte jetzt Gott weiß wo. Dabei war er schon im vorigen Krieg gewesen und war der älteste von vier Kindern, aber es hatte nichts geholfen! Die Privilegien, die Freistellungen, die Protektionen – das alles war nur für die Bourgeoisie da. Auf dem

Grund ihres Herzens gab es gleichsam mehrere Schichten von Haß, die einander überlagerten, ohne sich zu vermischen: den der Bäuerin, die instinktiv die Städter verabscheut; den der verbitterten Hausangestellten, die es leid ist, bei anderen zu wohnen; schließlich den der Arbeiterin, denn in den letzten Monaten hatte sie ihren Mann in der Fabrik vertreten; sie war diese Männerarbeit nicht gewohnt, die ihre Arme und ihre Seele hart gemacht hatte.

«Aber du hast sie schön drangekriegt, Jules», sagte sie zu ihrem Bruder, «wirklich, das hätte ich dir gar nicht zugetraut.»

«Als ich sah, daß Aline am Umkippen war, und dann diese Schweine, beladen mit Flaschen, Gänseleber und allem, da war ich außer mir.»

Aline, die schüchterner und sanfter zu sein schien, wagte einzuwenden:

«Man hätte sie doch bitten können, uns etwas davon abzugeben, meinst du nicht, Hortense?»

Ihr Mann und ihre Schwägerin riefen wie aus einem Munde aus:

«Von wegen! O la la! Nein, du kennst sie nicht! Sie würden uns schlimmer als Hunde krepieren lassen. Und wie! Ich kenne sie», sagte Hortense. «Die da sind die Schlimmsten. Ich habe ihn bei der Gräfin Barral du Jeu gesehen, einer alten Scharteke. Er schreibt Bücher und Theaterstücke. Ein Verrückter, nach dem, was der Chauffeur gesagt hat, und strohdumm.»

Hortense räumte die Reste des Essens weg, während sie sprach. Ihre dicken roten Hände bewegten sich ungemein leicht und geschickt. Dann nahm sie das Baby und wickelte es auf.

«Armes Herzchen, was für eine Reise! Ach, der lernt das Leben frühzeitig kennen! Vielleicht ist das besser. Manchmal bedauere ich nicht, daß ich hart erzogen worden bin: Zu wissen, wie man seine Hände gebraucht, das kann nicht jeder von sich sagen! Erinnerst du dich, Jules, als Mama gestorben ist, da war ich noch keine dreizehn. Bei jedem Wetter ging ich ins Waschhaus, schlug

im Winter das Eis auf und lud Wäscheballen auf meinen Rükken … Ich weinte hinter meinen aufgesprungenen Händen. Aber
es hat mir auch beigebracht, mich durchzubeißen und keine Angst
zu haben.»

«Ganz bestimmt kommst du nie in Verlegenheit», sagte Aline
voller Bewunderung.

Nachdem das Baby gewaschen, abgetrocknet, gewindelt war,
knöpfte Aline ihre Bluse auf und legte ihren Kleinen an die Brust;
die anderen sahen ihr lächelnd zu.

«Wenigstens kriegt er was zu futtern, mein armes Kerlchen!»

Der Champagner stieg ihnen zu Kopf; sie spürten eine sanfte,
unbestimmte Trunkenheit. In einer Art tiefem Stumpfsinn betrachteten sie die Flammen in der Ferne. Mitunter vergaßen sie,
warum sie sich an diesem seltsamen Ort befanden, warum sie
ihre kleine Wohnung an der Gare de Lyon verlassen hatten, über
die Landstraßen gefahren, durch den Wald von Fontainebleau ge-
irrt waren, die Cortes ausgeraubt hatten. Alles wurde dunkel und
nebelhaft, wie in einem Traum. Der Käfig hing an einem niedrigen Ast. Man fütterte die Vögel. Hortense hatte bei der Abreise
nicht vergessen, ein Paket Körner für sie mitzunehmen. Sie holte
ein paar Zuckerstücke aus ihrer Tasche und warf sie in eine Tasse
heißen Kaffee: Die Thermosflasche hatte den Unfall heil überstanden. Sie trank ihn geräuschvoll, indem sie ihre dicken Lippen
vorschob, eine Hand auf ihrer breiten Brust, um sie vor Flecken
zu schützen. Plötzlich machte ein Gerücht die Runde: «Heute
morgen sind die Deutschen in Paris einmarschiert.»

Hortense ließ ihre noch halb volle Tasse fallen, ihr dickes Gesicht war noch röter geworden. Sie senkte den Kopf und fing zu
weinen an.

«Das tut mir weh … das tut mir weh, da», sagte sie, auf ihr Herz
deutend.

Sie vergoß nur selten, aber dann heiße Tränen, die Tränen einer
harten Frau, die nicht oft Mitleid mit sich und den anderen hat.
Ein Gefühl des Zorns, des Kummers und der Scham überkam sie,

so stark, daß sie einen stechenden, körperlichen Schmerz in der Herzgegend empfand. Schließlich sagte sie:

«Du weißt, daß ich meinen Mann liebe ... Armer Louis, wir haben nur uns beide, und er arbeitet, er trinkt nicht, er treibt sich nicht rum, wir lieben uns, ich habe nur ihn, aber wenn man mir sagen würde: Du wirst ihn nicht wiedersehen, er ist tot, aber wir haben gesiegt ... Dann wäre mir das lieber, o ja! Wahrhaftig, das ist kein Witz, es wäre mir lieber!»

«Oh, ganz bestimmt», sagte Aline, vergeblich nach einem stärkeren Ausdruck suchend, «ganz bestimmt ärgern wir uns.»

Jules schwieg, dachte an seinen halbgelähmten Arm, der es ihm ermöglicht hatte, dem Militärdienst und dem Krieg zu entgehen. Er sagte sich: ‹Was für ein Glück hab ich gehabt›, und gleichzeitig verwirrte ihn etwas, aber er wußte nicht, was es war, fast ein Gefühl der Reue.

«So ist es nun mal, wir können nichts dran ändern», sagte er mit düsterer Miene.

Dann sprachen sie wieder über Corte. Mit Befriedigung dachten sie an das vorzügliche Abendessen, das sie an seiner Stelle eingenommen hatten. Immerhin urteilten sie jetzt ein wenig milder über ihn. Und sie lachten Tränen, als Hortense, die bei der Gräfin Barral du Jeu Schriftsteller, Akademiker und einmal sogar die Gräfin de Noailles gesehen hatte, ihnen erzählte, was sie über diese Menschen wußte.

«Nicht, daß sie boshaft sind. Sie kennen das Leben nicht», sagte Aline.

16

Die Péricands hatten in der Stadt keinen Platz mehr gefunden, jedoch in einer benachbarten Ortschaft, gegenüber der Kirche, in einem von zwei alten Damen bewohnten Haus noch ein großes freies Zimmer entdeckt. Man brachte die vor Müdigkeit umfallenden Kinder völlig angekleidet zu Bett. Jacqueline verlangte mit zitternder Stimme, man solle den Katzenkorb neben sie stellen. Sie wurde von dem Gedanken verfolgt, die Katze könnte entweichen, sich verlaufen, in Vergessenheit geraten, auf den Landstraßen verhungern. Sie steckte die Hand durch die Gitterstäbe des Korbes, die so etwas wie ein kleines Fenster bildeten, durch das man ein blitzendes grünes Auge erblickte und einen vor Zorn bebenden langen Schnurrbart, und erst da beruhigte sie sich. Emmanuel ängstigte sich vor diesem unbekannten, riesigen Zimmer und den beiden alten Jungfern, die wie verstörte Maikäfer hin und her rannten und stöhnten: «So was hat es noch nie gegeben ... Welch ein Jammer ... arme, unschuldige Wesen ... armer süßer Jesus ...» Bernard, der auf dem Rücken lag, betrachtete sie, ohne mit der Wimper zu zucken, mit stumpfsinniger, ernster Miene, wobei er ein Stück Zucker lutschte, das er seit drei Tagen in seiner Hosentasche aufbewahrt hatte, wo die Wärme es mit einer Bleistiftmine, einer abgestempelten Briefmarke und einem Stück Bindfaden verklebt hatte. Das andere Bett des Zimmers war vom alten Péricand belegt. Madame Péricand, Hubert und die Dienstboten würden die Nacht auf Stühlen im Eßzimmer verbringen.

Durch die offenen Fenster gewahrte man einen vom Mond erhellten kleinen Garten. Friedliches Licht ergoß sich auf die silbrigen Kieselsteine der Allee, über die geräuschlos eine Katze lief, und auf die duftenden Blütentrauben des weißen Flieders. Im

Eßzimmer hielten sich Flüchtlinge und Bewohner des Ortes auf, die gemeinsam Radio hörten. Die Frauen weinten. Die Männer senkten stumm den Kopf. Sie empfanden nicht eigentlich Verzweiflung; es war vielmehr eine Weigerung zu verstehen, eine Benommenheit ähnlich jener, die man im Traum in dem Augenblick verspürt, wenn die Finsternis des Schlafs allmählich schwindet, wenn der Tag naht, wenn man ihn fühlt, wenn das ganze Dasein sich dem Licht entgegenstreckt, wenn man denkt: ‹Es ist ein Alptraum, gleich wache ich auf.› Sie verharrten regungslos, wobei jeder sich abwandte, dem Blick der anderen auswich. Als Hubert den Radioapparat ausgeschaltet hatte, gingen die Männer wortlos hinaus. Nur die Gruppe der Frauen blieb im Zimmer. Man hörte ihr Gemurmel, ihre Seufzer; das Vaterland, dessen Unglück sie beweinten, trug für sie die geliebten Züge der Ehemänner, der Söhne, die noch kämpften. Ihr Schmerz war animalischer als der ihrer Gefährten, auch einfacher und gesprächiger; sie linderten ihn durch Klagen, durch Ausrufe: «Ach … War das der Mühe wert! … Daß es soweit kommen mußte … Was für ein Elend … wir sind verraten worden, Madame, das sage ich Ihnen … wir sind verkauft worden, und jetzt muß der arme Mann leiden …»

Hubert hörte ihnen zu, die Faust ballend, wutentbrannt. Was tat er hier? Ein Haufen alter Klatschbasen, dachte er. Ach, wäre er doch nur zwei Jahre älter! In seinem bisher zarten und beschwingten, trotz seines Alters noch knabenhaften Geist erwachten mit einemmal die Leidenschaften und Qualen eines reifen Mannes: die Angst um das Vaterland, der brennende Wunsch, sich aufzuopfern, Scham, Schmerz und Zorn. Schließlich brachte zum ersten Mal in seinem Leben ein schwerwiegendes Abenteuer seine eigene Verantwortung ins Spiel, dachte er. Es war in keiner Weise angemessen, zu weinen und Verrat zu schreien, er war ein Mann; zwar hatte er nicht das gesetzlich vorgeschriebene Alter, um in den Kampf zu ziehen, aber er wußte, daß er stärker, widerstandsfähiger, geschickter, gewitzter war als all diese fünfunddreißig-, vierzigjährigen alten Männer, die man in den Krieg geschickt hatte, und außerdem war er frei. Ihn hielt keine Familie, keine Liebe zurück!

«Oh, ich will weg», murmelte er, «ich will weg!»

Er lief zu seiner Mutter, nahm ihre Hand, zog sie mit sich.

«Mama, geben Sie mir Proviant, meinen roten Pullover, der in Ihrem Handkoffer ist, und … umarmen Sie mich. Ich gehe weg», sagte er.

Er erstickte. Tränen rannen über seine Wangen. Seine Mutter sah ihn an und verstand.

«Nicht doch, mein Kind, du bist verrückt …»

«Mama, ich gehe weg. Ich kann nicht hierbleiben … Ich werde sterben, ich werde mich umbringen, wenn ich hierbleiben muß, nutzlos, mit verschränkten Armen, während … und Sie begreifen nicht, daß die Deutschen kommen und alle jungen Männer mit Gewalt einziehen, sie zwingen werden, für sie zu kämpfen. Ich will nicht! Lassen Sie mich gehen.»

Unmerklich hatte er die Stimme erhoben, und jetzt schrie er, er konnte seine Schreie nicht unterdrücken. Er war von einem verschreckten Kreis zitternder alter Frauen umgeben: Ein junger Mann, kaum älter als er, der Neffe der Hausbesitzerinnen, rosig und blond, mit lockigem Haar und großen naiven blauen Augen, hatte sich ihm angeschlossen und wiederholte mit einem leichten südlichen Akzent (seine Eltern waren Beamte – er war in Tarascon geboren):

«Klar müssen wir weg, und zwar noch in dieser Nacht! Wißt ihr, nicht weit von hier, im Bois de la Sainte befindet sich die Truppe … Wir brauchen nur unsere Fahrräder zu nehmen und loszusausen …»

«René», stöhnten seine Tanten und klammerten sich an ihn, «René, mein Kind, denk an deine Mutter!»

«Lassen Sie mich, Tante, das ist keine Frauensache», antwortete er, sie von sich stoßend, und sein bezauberndes Gesicht rötete sich vor Vergnügen: Er war stolz, so gut gesprochen zu haben.

Er sah Hubert an, der seine Tränen getrocknet hatte und finster und entschlossen am Fenster stand. Er ging zu ihm und flüsterte ihm ins Ohr:

«Gehen wir?»

«Wir gehen, abgemacht», antwortete Hubert leise.

Er überlegte und fügte hinzu:

«Um Mitternacht, am Ortsausgang.»

Sie drückten sich verstohlen die Hand. Um sie herum redeten die Frauen alle auf einmal, beschworen sie, ihren Plan fallenzulassen, ihr kostbares Leben für die Zukunft zu bewahren, Mitleid mit ihren Eltern zu haben. In diesem Moment ertönten vom oberen Stock Jacquelines durchdringende Schreie.

«Mama, Mama, kommen Sie schnell! Albert ist ausgerissen!»

«Albert, Ihr zweiter Sohn? O mein Gott!» riefen die alten Damen aus.

«Nein, nein, der Kater», sagte Madame Péricand, die meinte, wahnsinnig zu werden.

Unterdessen erschütterten tiefe, dumpfe Schläge die Luft: Die Kanone donnerte in der Ferne, ringsum lauerten Gefahren! Madame Péricand sank auf einen Stuhl.

«Hubert, hör mir gut zu! In Abwesenheit deines Vaters bin ich es, die befiehlt! Du bist ein Kind, kaum siebzehn, es ist deine Pflicht, dich für die Zukunft aufzusparen ...»

«Für einen nächsten Krieg?»

«Für einen nächsten Krieg», wiederholte Madame Péricand mechanisch. «Bis dahin hast du zu schweigen und mir zu gehorchen. Du wirst nicht weggehen! Wenn du ein wenig Herz hättest, dann wäre dir ein so grausamer, so törichter Gedanke gar nicht in den Sinn gekommen! Meinst du vielleicht, ich sei nicht schon unglücklich genug? Bist du dir darüber im klaren, daß alles verloren ist? Daß die Deutschen kommen und daß man dich töten oder gefangennehmen wird, noch bevor du hundert Meter zurückgelegt hast? Schweig still! Ich will gar nicht erst mit dir diskutieren, nur über meine Leiche verläßt du dieses Zimmer!»

«Mama, Mama», schrie inzwischen Jacqueline. «Ich will Albert wiederhaben! Man soll Albert suchen! Die Deutschen werden ihn schnappen! Man wird ihn bombardieren, stehlen, umbringen! Albert! Albert! Albert!»

«Jacqueline, sei ruhig, du weckst noch deine Brüder auf!»

Alle schrien durcheinander. Hubert entfernte sich mit bebenden Lippen von dieser wirren, gestikulierenden, zügellosen Gruppe alter Frauen. Begriffen sie denn gar nichts? Das Leben war wie bei Shakespeare, wunderbar und tragisch, und sie würdigten es herab. Eine Welt brach zusammen, lag in Trümmern, aber sie änderten sich nicht. Minderwertige Kreaturen, die weder Heldenmut noch Größe besaßen, weder Glauben noch Opferbereitschaft. Alles, was sie anfaßten, mußten sie auf ihr Maß stutzen. O Gott, einen Mann sehen, einem Mann die Hand drücken! Sogar Papa, dachte er, vor allem aber dem lieben, guten, großen Philippe. Er hatte ein so starkes Bedürfnis nach der Gegenwart seines Bruders, daß ihm abermals Tränen in die Augen traten. Das unaufhörliche Donnern der Kanonen beunruhigte und erregte ihn: Schauer durchzuckten seinen Körper, und er wandte jählings den Kopf nach rechts und nach links wie ein erschrecktes junges Pferd. Aber er hatte keine Angst. O nein! Er hatte keine Angst! Er liebäugelte sogar mit der Idee des Todes. Es war ein schöner Tod, für diese verlorene Sache zu sterben. Besser, als wie 1914 in den Schützengräben zu vermodern. Jetzt kämpfte man unter freiem Himmel, unter der schönen Junisonne oder in diesem hellen Mondschein.

Seine Mutter war zu Jacqueline hinaufgegangen, aber sie hatte vorgesorgt: Als er in den Garten gehen wollte, stand er vor verriegelter Tür. Er schlug dagegen, rüttelte daran. Die Hausbesitzerinnen, die sich in ihre Zimmer zurückgezogen hatten, protestierten:

«Lassen Sie diese Tür in Ruhe, Monsieur! Es ist spät. Wir sind müde. Lassen Sie uns schlafen.»

Und eine von ihnen fügte hinzu:

«Legen Sie sich hin, mein kleiner Freund.»

Wütend zuckte er die Achseln.

«Ihr kleiner Freund … alte Eule!»

Seine Mutter trat ein.

«Jacqueline hatte einen Anfall», sagte sie. «Glücklicherweise hatte ich ein Fläschchen Orangenwasser in meiner Handtasche. Kau doch nicht an deinen Fingernägeln! Hubert, du gehst mir auf die Nerven. Da, setz dich in diesen Sessel und schlafe.»

«Ich bin nicht müde.»

«Das ist mir egal, schlafe», sagte sie mit gebieterischer, ungeduldiger Stimme, als würde sie mit Emmanuel sprechen.

Voller Empörung warf er sich in einen alten Kretonnesessel, der unter seinem Gewicht ächzte. Madame Péricand hob die Augen zum Himmel.

«Wie linkisch du bist, mein armes Kind! Du wirst diesen Sessel kaputtmachen! Bleib doch ruhig!»

«Ja, Mama», sagte er mit unterwürfiger Stimme.

«Hast du daran gedacht, deinen Regenmantel aus dem Wagen zu holen?»

«Nein, Mama.»

«Du denkst an nichts.»

«Ich werde ihn nicht brauchen. Das Wetter ist schön.»

«Morgen kann es regnen.»

Sie holte ihr Strickzeug aus ihrer Tasche. Die Nadeln klapperten. Als Hubert klein war, saß sie während seiner Klavierstunden neben ihm und strickte. Er schloß die Augen und stellte sich schlafend. Nach einer Weile schlief auch sie ein. Da sprang er aus dem offenen Fenster, rannte zum Schuppen, wo er sein Fahrrad untergestellt hatte, öffnete geräuschlos das Gittertor und glitt hinaus. Alle schliefen jetzt. Der Kanonendonner war verstummt. Katzen miauten auf den Dächern. Eine wundervolle Kirche mit mondblauen Fenstern erhob sich inmitten einer staubigen alten Promenade, wo die Flüchtlinge ihre Wagen geparkt hatten. Diejenigen, die keinen Platz in den Häusern gefunden hatten, schliefen in ihren Autos oder im Gras. Die bleichen, vor Angstschweiß feuchten Gesichter waren sogar in ihrem Schlaf noch verkrampft und furchtsam. Dennoch schliefen sie so fest, daß nichts sie vor Tagesanbruch aufwecken würde. Das war deutlich zu sehen. Sie hätten vom Schlaf zum Tod übergehen können, ohne es überhaupt zu merken.

Hubert ging zwischen ihnen hindurch, betrachtete sie voller Mitleid und Verwunderung. Er verspürte keine Müdigkeit. Sein überreizter Geist hielt ihn aufrecht und trieb ihn voran. Voll Kummer und Reue dachte er an seine zurückgelassene Familie. Aber gerade dieser Kummer und diese Reue steigerten noch seine Schwärmerei. Er stürzte sich nicht nackt und bloß ins Abenteuer; er opferte seinem Land nicht nur sein eigenes Leben, sondern auch das all seiner Angehörigen. Er schritt seinem Schicksal entgegen wie ein mit Geschenken beladener junger Gott. Wenigstens sah er sich so. Er verließ das Dorf, erreichte den Kirschbaum und warf sich unter dessen Zweigen zu Boden. Eine überaus sanfte Erregung ließ plötzlich sein Herz höher schlagen: Er dachte an diesen neuen Kameraden, der Ruhm und Gefahren mit ihm teilen würde. Dieser blonde Knabe war ihm fast unbekannt, aber er fühlte sich ihm mit außerordentlicher Leidenschaft und Zärtlichkeit verbunden. Er hatte gehört, bei der Überquerung einer Brücke, im Norden, sei ein deutsches Regiment über die Leichen der gefallenen Kameraden hinwegmarschiert und habe dabei gesungen: «Ich hatt' einen Kameraden ...» Er verstand das, dieses Gefühl reiner, fast wilder Liebe. Unbewußt suchte er Philippe zu ersetzen, den er so geliebt hatte und der sich mit unerbittlicher Sanftmut von ihm löste, zu streng, zu heilig, dachte Hubert, und der keine andere Zuneigung, keine andere Liebe mehr kannte als die zu Christus.

Hubert hatte sich in den letzten zwei Jahren wirklich sehr allein gefühlt, und wie mit Absicht waren seine Mitschüler allesamt Rüpel oder Snobs. Auch war er, fast ohne es zu wissen, für körperliche Schönheit empfänglich, und dieser René hatte das Gesicht eines Engels. Kurzum, er erwartete ihn. Er erbebte, hob bei jedem Geräusch den Kopf. Es war fünf vor Mitternacht. Ein Pferd kam vorbei, ohne Reiter. Es gab mitunter solch sonderbare Erscheinungen, die an das Unheil und den Krieg erinnerten, aber sonst war alles ruhig. Er riß einen langen Grashalm aus und kaute daran, dann untersuchte er den Inhalt seiner Taschen: eine Brotkruste, ein Apfel, Haselnüsse, ein wenig zerkrümelter Pfefferkuchen, ein Taschenmesser, ein Knäuel Bindfaden, sein kleines rotes Notizbuch. Auf die erste Seite schrieb er: «Sollte ich getötet werden, soll mein Vater benachrichtigt werden, Monsieur Péricand, 18, Boulevard Delessert in Paris, oder meine Mutter …» Er fügte die Adresse von Nîmes hinzu. Ihm fiel ein, daß er sein Abendgebet nicht gesprochen hatte. Er kniete im Gras nieder und sprach es mit einer besonderen Fürbitte für seine Familie. Tief seufzend erhob er sich. Er fühlte sich mit Gott und den Menschen im reinen. Während er betete, hatte es Mitternacht geschlagen. Jetzt galt es, abreisebereit zu sein. Der Mond erhellte die Straße. Er sah nichts. Geduldig wartete er eine halbe Stunde, dann wurde er unruhig. Er legte sein Fahrrad in den Straßengraben, ging auf das Dorf zu, René entgegen, aber dieser tauchte nicht auf. Er machte kehrt, ging zu dem Kirschbaum zurück, wartete wieder und untersuchte den Inhalt seiner zweiten Hosentasche: leicht zerknitterte Zigaretten, Geld. Lustlos rauchte er eine Zigarette. Er hatte sich noch nicht an den Geschmack des Tabaks gewöhnt. Seine Hände zitterten vor Nervosität. Er riß Blumen aus und warf sie weg. Es war nach ein Uhr, sollte es möglich sein, daß René …? Nein, nein … ausgeschlossen, sein Wort in dieser Weise zu brechen … Er war aufgehalten, vielleicht von seinen Tanten eingesperrt worden, aber ihn, Hubert, hatten die Vorkehrungen seiner Mutter nicht daran gehindert wegzulaufen. Seine Mutter. Sie schlief wohl noch, bald würde sie aufwachen, und was würde sie tun? Man würde ihn überall suchen. Hier konnte er nicht bleiben, so nahe am Ort. Aber wenn René nun doch noch käme? … Er würde bis Tagesanbruch auf ihn warten, er würde bei Sonnenaufgang weggehen.

Die ersten Sonnenstrahlen beleuchteten den Weg, als Hubert endlich seinen Platz verließ. Er begab sich in den Bois de la Sainte, der auf einem Hügel lag. Er erklomm ihn behutsam, sein Fahrrad an der Hand haltend, sich die Worte zurechtlegend, die er an die Soldaten richten würde. Er hörte Stimmen, Lachen, ein Pferd wieherte. Jemand rief. Hubert blieb stehen, sein Atem setzte aus: Man hatte deutsch gesprochen. Er warf sich hinter einen Baum, sah eine resedafarbene Uniform wenige Schritte von ihm entfernt, und sein Fahrrad zurücklassend, nahm er wie ein Hase Reißaus. Am Fuß des Abhangs irrte er sich in der Richtung, lief geradeaus weiter und erreichte das Dorf, das er nicht wiedererkannte. Dann stand er wieder auf der Hauptverkehrsstraße und geriet zwischen die Autos der Flüchtlinge. Sie fuhren mit irrsinniger Geschwindigkeit. Er sah eines (einen dicken grauen Torpedo), das gerade einen Kleinlastwagen in den Graben gestoßen hatte und weiterfuhr, ohne daß der Fahrer auch nur einen Augenblick langsamer geworden wäre. Je weiter er ging, desto schneller floß der Strom der Autos wie in einem falsch eingestellten Film, dachte er. Er erblickte einen Lastwagen voller Soldaten. Verzweifelt winkte er ihm zu. Ohne anzuhalten streckte ihm jemand die Hand hin und hievte ihn zwischen noch mit Laubwerk getarnte Kanonenrohre und Kästen mit Planen.

«Ich wollte euch warnen», sagte Hubert keuchend. «Ich habe in einem Wald ganz in der Nähe Deutsche gesehen.»

«Die sind überall, Kleiner», antwortete der Soldat.

«Darf ich mit Ihnen kommen?» fragte Hubert schüchtern. «Ich möchte» (seine Stimme überschlug sich vor Aufregung), «ich möchte gern kämpfen.»

Der Soldat sah ihn an und antwortete nicht. Es schien, als könnten kein Wort und kein Anblick mehr diese Männer erstaunen oder erschüttern. Hubert erfuhr, daß man unterwegs eine schwangere Frau, ein bei einem Bombenangriff verwundetes und liegengelassenes oder verlorenes Kind, einen Hund mit gebrochenem Bein aufgelesen habe. Er verstand noch, daß man beabsichtigte, den feindlichen Vorstoß hinauszuzögern und, wenn möglich, die Überquerung des Flusses zu verhindern.

‹Ich verlasse sie nicht mehr›, dachte Hubert. ‹Jetzt ist es soweit, ich bin dabei.›

Der wachsende Flüchtlingsstrom umgab den Lastwagen und behinderte seine Fahrt. Manchmal war es den Soldaten unmöglich vorwärtszukommen. Dann verschränkten sie die Arme und warteten, bis man geruhte, sie durchzulassen. Hubert saß am Ende des Lastwagens, seine Beine baumelten im Leeren. Ein außerordentlicher Aufruhr, ein Wust von Gedanken und Leidenschaften tobte in ihm, aber vorherrschend in seinem Herzen war die Verachtung, die er für die ganze Menschheit empfand. Es war ein fast körperliches Gefühl: Zum ersten Mal in seinem Leben hatten ihn vor ein paar Monaten einige Kameraden zum Trinken animiert – und diesen entsetzlichen Geschmack von Galle und Asche, wie schlechter Wein ihn im Mund hinterläßt, den fand er nun wieder. Er war ein so braves Kind gewesen! In seinen Augen war die Welt einfach und schön, die Menschen achtenswert. Die Menschen ... eine Herde wilder, feiger Tiere. Dieser René, der ihn zur Flucht angestiftet hatte, dann aber doch lieber unter dem kuscheligen Federbett geblieben war, während Frankreich unterging ... Diese Leute, die den Flüchtlingen ein Glas Wasser, ein Bett verweigerten, diejenigen, die für die Eier horrende Preise verlangten, diejenigen, die ihre Wagen mit Gepäck, Bündeln, Vorräten, sogar Möbeln vollstopften und die der todmüden Frau, Kindern, die zu Fuß aus Paris gekommen waren, zur Antwort gaben: «Sie können nicht einsteigen ... Sie sehen doch, daß kein Platz ist ...» Diese Wildlederkoffer und diese angemalten Frauen auf einem Lastwagen voller Offiziere – soviel Egoismus, Feigheit, sinnlose Grausamkeit widerte ihn an. Und das Schrecklichste war, daß er weder die Opfer noch den Heldenmut, noch die Güte einiger Menschen übersehen konnte. Philippe zum Beispiel war ein Heiliger, und diese Soldaten, die weder gegessen noch getrunken hatten (der für die Verpflegung zuständige Offizier, der am Morgen aufgebrochen war, war nicht rechtzeitig zurückgekommen) und die sich auf dem Weg befanden, für eine hoffnungslose Sache zu kämpfen, waren Helden. Ja, es gab Tapferkeit, Selbstverleugnung, Liebe unter den Menschen, aber gerade das war erschreckend: Die Guten schienen prädestiniert zu sein, Philippe erklärte es auf seine Weise. Wenn er sprach, schien er zu leuchten und gleichzeitig zu brennen, wie von einer sehr reinen Glut erhellt, doch Hubert machte eine religiöse Krise durch, und Philippe war weit weg. Die zusammenhanglose, scheußliche Außenwelt trug die Farben der Hölle, einer Hölle, in die Jesus niemals hinabsteigen würde, ‹denn sie würden ihn in Stücke reißen›, dachte Hubert.

Der Konvoi wurde beschossen. Der Tod schwebte am Himmel und stürzte jählings von der Höhe des Firmaments, mit ausgebreiteten Flügeln und herabstoßendem stählernen Schnabel, auf diese lange zitternde Reihe schwarzer Insekten herab, die die Landstraße entlangkrochen. Alle warfen sich zu Boden, Frauen legten sich auf ihre Kinder, um sie mit ihrem Körper zu schützen. Als das Feuer eingestellt wurde, blieben tiefe Spuren in der Menge zurück, so wie von einem Gewitter niedergemähte Ähren oder gefällte Bäume schmale, tiefe Schneisen bilden. Erst nach einer Weile der Stille erhoben sich Wehklagen und Rufe, Wehklagen, denen niemand zuhörte, Rufe, auf die keiner antwortete …

Man bestieg wieder die am Straßenrand stehenden Autos und fuhr weiter, doch einige blieben verlassen so stehen, mit offenen Türen und ihrem noch auf dem Dach befestigten Gepäck, manchmal mit einem Rad im Straßengraben, so eilig hatte der Fahrer es gehabt, zu fliehen und Schutz zu suchen. Aber er würde nicht wiederkommen. Unter den zurückgebliebenen Bündeln fand man bisweilen einen Hund, der jaulend an seiner Leine zerrte, oder eine wütend in ihrem geschlossenen Korb maunzende Katze.

17

Reflexe aus einer anderen Zeit trieben noch immer ihr Spiel mit Gabriel Corte: Hatte man ihm wehgetan, dann war seine erste Regung, sich zu beklagen, erst die zweite, sich zu wehren. Eilig suchte er, Florence im Schlepptau, in Paray-le-Monial den Bürgermeister, die Gendarmen, einen Abgeordneten, irgendeinen Repräsentanten der Obrigkeit, der ihm sein abhanden gekommenes Abendessen erstatten könnte. Aber wie sonderbar … die Straßen waren leer, die Häuser stumm. An einer Kreuzung stieß er auf eine kleine Gruppe von Frauen, die ziellos umherzuirren schienen und auf seine Fragen antworteten.

«Das wissen wir nicht, wir sind nicht von hier. Wir sind Flüchtlinge wie Sie», setzte eine von ihnen hinzu.

Ein sehr schwacher Rauchgeruch gelangte zu ihnen, von dem milden Juniwind herangeweht.

Nach einer Weile fragten sie sich, wo ihr Wagen stand. Florence meinte ihn am Bahnhof gelassen zu haben. Gabriel erinnerte sich an eine Brücke, die ihnen einen Anhaltspunkt hätte geben können; der herrliche, friedliche Mond leuchtete ihnen, doch alle Straßen in dieser kleinen alten Stadt glichen einander. Allenthalben Giebel, ehemalige Grenzsteine, schiefe Balkone, dunkle Sackgassen.

«Eine schlechte Operndekoration», stöhnte Corte.

Sogar der Geruch war wie in den Kulissen, fade und staubig, mit einem entfernten Latrinengestank. Es war heiß, und der Schweiß rann von seiner Stirn. Er hörte die Rufe von Florence, die hinter ihm herhinkte: «Warte auf mich! So bleib doch stehen, Feigling, Dreckskerl! Wo bist du, Gabriel? Wo bist du? Ich kann dich nicht sehen, Gabriel. Schweinehund!» Ihr Gezeter prallte gegen die alten Mauern, und das Echo warf sie wie Kugeln zurück: «Schweinehund, alter Dreckskerl, Feigling!»

In der Nähe des Bahnhofs holte sie ihn endlich ein. Sie stürzte sich auf ihn und schlug ihn, kratzte ihn, spuckte ihm ins Gesicht, während er sich mit schrillen Schmähungen zur Wehr setzte. Nie hätte man sich vorstellen können, daß Gabriel Cortes leise, matte Stimme so gellende und spitze, so weibliche und wilde Töne in sich barg. Der Hunger, die Angst, die Erschöpfung machten sie beide verrückt. Mit einem Blick hatte sie gesehen, daß die Bahnhofsstraße verlassen dalag, und begriffen, daß der Befehl ergangen war, die Stadt zu evakuieren.

Die anderen waren weit weg auf der vom Mond beschienenen Brücke. Einige erschöpfte Soldaten saßen in kleinen Gruppen auf dem Pflaster. Einer von ihnen, ein blutjunger blasser Knabe mit dicker Brille, stand mühsam auf und trennte Florence und Corte.

«Was soll das, Monsieur … Madame, schämen Sie sich nicht?»

«Wo sind die Wagen?» schrie Corte.

«Weg, es wurde ein Befehl erteilt.»

«Aber von wem? Warum? Unser Gepäck! Meine Manuskripte! Ich bin Gabriel Corte!»

«Mein Gott, Sie werden sie schon wiederfinden, Ihre Manuskripte! Und lassen Sie sich sagen, daß andere weit mehr verloren haben!»

«Banause!»

«Gewiß, Monsieur, aber …»

«Wer hat diesen idiotischen Befehl erteilt?»

«Also das, Monsieur … Es wurden schon viele erteilt, die nicht viel intelligenter waren, wie ich zugeben muß. Sie werden Ihr Auto und Ihre Papiere wiederfinden, ganz bestimmt. Aber jetzt sollten Sie nicht hierbleiben. In jedem Moment werden die Deutschen hiersein. Wir haben Befehl, den Bahnhof zu sprengen.»

«Wo sollen wir denn hin?» stöhnte Florence.

«Gehen Sie in die Stadt zurück.»

«Und wo sollen wir übernachten?»

«An Platz fehlt es nicht. Alle hauen doch ab», sagte einer der

Soldaten, der herangetreten war und ein paar Schritte von Corte entfernt stand.

Der Mondschein verbreitete ein mattes blaues Licht. Der Mann hatte ein strenges, klobiges Gesicht: Zwei senkrechte Falten höhlten seine dicken Wangen. Er berührte Gabriels Schulter und drehte ihn ohne sichtbare Anstrengung herum.

«Los, hopp! Wir haben Sie lange genug gesehen, kapiert?»

Einen Augenblick meinte Gabriel, er werde sich auf den Soldaten stürzen, doch unter dem Druck dieser harten Hand auf seiner Schulter gab er nach und wich zwei Schritte zurück.

«Wir sind seit Montag unterwegs ... und wir haben Hunger ...»

«Wir haben Hunger», echote Florence seufzend.

«Warten Sie bis morgen. Wenn wir noch da sind, bekommen Sie Suppe.»

Der Soldat mit der dicken Brille wiederholte mit seiner leisen, müden Stimme:

«Sie dürfen nicht hierbleiben, Monsieur ... Nun gehen Sie schon», wiederholte er, wobei er Corte an der Hand nahm und ihn sachte wegstieß, so wie man die Kinder aus dem Salon vertreibt, um sie ins Bett zu schicken.

Wieder überquerten sie den Platz, aber diesmal schlurften sie müde nebeneinanderher; ihr Zorn war verraucht, und mit ihm war ihre Nervenkraft verschwunden, die sie bisher aufrechterhalten hatte. Sie waren so entmutigt, daß sie nicht die Kraft hatten, noch einmal nach einem Restaurant zu suchen. Sie klopften an Türen, die sich nicht öffneten. Schließlich strandeten sie auf einer Bank bei einer Kirche. Mit schmerzverzerrtem Gesicht zog Florence ihre Schuhe aus.

Die Nacht verstrich. Es geschah nichts. Der Bahnhof stand noch immer an seinem Platz. Mitunter hörte man den Schritt der Soldaten in der Seitenstraße. Ein- oder zweimal kamen Männer an der Bank vorbei, ohne einen Blick auf Florence und Corte zu werfen, die sich in der stillen Dunkelheit zusammenkauerten und ihre schweren Köpfe aneinanderlehnten. Ein Geruch von verdorbenem Fleisch stieg zu ihnen auf: In den Vororten waren Schlachthöfe von einer Bombe in Brand gesetzt worden. Sie nickten ein. Als sie erwachten, sahen sie Soldaten mit Eßgeschirr vorbeigehen. Florence stieß einen leisen begehrlichen Schrei aus, und die Soldaten gaben ihr eine Schale Bouillon und ein Stück Brot. Mit dem wiedergekehrten Licht fand Gabriel etwas Achtung vor den Menschen wieder: Er wagte nicht, seiner Geliebten das bißchen Suppe und diesen Kanten Brot streitig zu machen! Florence trank langsam. Doch dann hielt sie inne und wandte sich Gabriel zu.

«Nimm den Rest», sagte sie zu ihrem Liebhaber.

Er wehrte ab.

«Aber nein, es reicht doch kaum für dich!»

Sie hielt ihm den mit einer lauwarmen, nach Kohl riechenden Flüssigkeit gefüllten Aluminiumbecher hin. Er ergriff ihn mit zitternden Händen, drückte seinen Mund an den Rand und schlürfte gierig die Suppe, wobei er kaum innehielt, um Atem zu holen, und als er fertig war, stieß er einen wohligen Seufzer aus.

«Geht's besser?» fragte der Soldat.

Sie erkannten denjenigen, der sie am Abend vom Bahnhof vertrieben hatte, aber die ersten Strahlen des Tages milderten sein wildwütiges Haudegengesicht. Gabriel erinnerte sich, daß er in seiner Tasche Zigaretten hatte, und bot sie ihm an. Die beiden Männer rauchten eine Weile, ohne zu sprechen, während Florence vergeblich versuchte, ihre Schuhe wieder anzuziehen.

«Wenn ich Sie wäre», sagte der Soldat schließlich, «würde ich schnellstens abhauen, denn ganz bestimmt werden gleich die Deutschen kommen. Es ist sogar verwunderlich, daß sie noch nicht da sind. Aber sie brauchen sich ja nicht mehr zu beeilen», fügte er bitter hinzu, «jetzt ist es ein Kinderspiel bis Bayonne ...»

«Meinen Sie, daß alles verloren ist?» fragte Florence zaghaft.

Der Soldat antwortete nicht und verließ sie abrupt. Auch sie machten sich humpelnd geradeaus auf den Weg zu den Vororten der Stadt. Und aus dieser Stadt, die wie ausgestorben gewirkt hatte, tauchten nun, in kleinen Gruppen, mit Gepäck beladene Flüchtlinge auf. Überall sahen sie sich wieder und drängten sich aneinander, so wie verirrte Tiere nach dem Gewitter einander suchen und wiederfinden. Sie gingen zu der von Soldaten bewachten Brücke, wo man sie passieren ließ. Auch die Cortes waren da. Über ihnen flimmerte der Himmel in strahlendem Azurblau, ohne eine Wolke, ohne ein Flugzeug. Zu ihren Füßen floß ein hübscher, schimmernder Fluß. Vor sich sahen sie die Straße nach Süden und einen jungen Wald mit frischem grünem Laub. Plötzlich schien sich der Wald zu bewegen und ihnen entgegenzukommen. Getarnte deutsche Lastwagen und Kanonen rollten auf sie zu. Corte sah, wie die Leute vor ihm die Arme hoben und zurückrannten. Im selben Augenblick schossen die Franzosen, die deutschen Maschinengewehre antworteten. Zwischen zwei Feuern gefangen, liefen die Flüchtlinge in alle Richtungen, andere drehten sich wie wahnsinnig geworden auf der Stelle; eine Frau kletterte über die Brüstung und sprang in den Fluß. Florence ergriff Cortes Arm, schlug ihre Fingernägel hinein, brüllte:

«Kehren wir um, komm!»

«Aber die Brücke fliegt gleich in die Luft», schrie Corte.

Er nahm sie an der Hand, zog sie vorwärts, und mit einemmal kam ihm der sonderbare, stechende, blitzartige Gedanke, daß sie dem Tod entgegenrannten. Er zog sie an sich, drückte gewaltsam ihren Kopf nach unten, verbarg ihn unter seinem Mantel, so wie man einem Verurteilten die Augen verbindet, und legte strauchelnd, keuchend, sie halb tragend, die wenigen Meter zurück, die sie vom gegenüberliegenden Ufer trennten. Obwohl ihm das Herz wie der Klöppel einer Glocke in der Brust zu schlagen schien, hatte er nicht wirklich Angst. Mit wilder Inbrunst wollte er Florence' Leben retten. Er setzte sein Vertrauen in irgend etwas Unsichtbares, in eine Hand, die sich schützend auf ihn legte, auf ihn, den schwachen, elenden, kleinen Menschen, so klein, daß er vom Schicksal verschont bliebe wie ein Strohhalm vom Sturm. Sie überquerten die Brücke, rannten dicht an den Deutschen, an den Maschinengewehren und den grünen Uniformen vorbei. Die Straße war frei, der Tod lag hinter ihnen, und mit einemmal erblickten sie – ja, sie täuschten sich nicht, sie hatten es wiedererkannt – dort, am Anfang eines kleinen Waldwegs, ihren Wagen mit ihren treuen Dienstboten, die auf sie warteten. Florence konnte nur stöhnen: «Julie, gelobt sei Gott. Julie!» Die Stimme des Chauffeurs und der Zofe erreichten Cortes Ohr gleich jenen rauhen, bizarren Tönen, die nur halb durch den Nebel einer Ohnmacht dringen. Florence weinte. Langsam, ungläubig, mit hin und wieder schwindendem Bewußtsein, mühsam, ganz allmählich begriff Corte, daß ihm sein Wagen zurückgegeben war, daß ihm seine Manuskripte zurückgegeben waren, daß er ins Leben zurückkehrte, daß er nie wieder ein gewöhnlicher, leidender, hungriger, mutiger und zugleich feiger Mensch wäre, sondern ein privilegiertes und vor allem Bösen bewahrtes Geschöpf – Gabriel Corte!!!

18

Endlich war Hubert, zusammen mit den Männern, die er auf der Straße getroffen hatte, am Ufer der Allier angekommen. Es war Montag, der 17. Juni, mittags. Unterwegs hatten sich Freiwillige den Soldaten angeschlossen – Mobilgarden, Senegalesen, Soldaten, deren geschlagene Kompanien vergeblich versuchten, sich neu zu bilden, und die sich mit dem Mut der Verzweiflung an jedes Widerstandsnest klammerten, Schuljungen wie Hubert Péricand, die von ihrer Familie auf der Flucht getrennt oder nachts von zu Hause weggelaufen waren, «um zur Truppe zu stoßen». Diese magischen Worte hatten sich von Dorf zu Dorf, von Gehöft zu Gehöft verbreitet. «Wir werden zur Truppe stoßen, den Deutschen entrinnen, uns hinter der Loire neu formieren», wiederholten sechzehnjährige Lippen. Diese Kinder trugen ein Bündel auf dem Rücken (Rest der Vesper vom Vortag, von einer in Tränen aufgelösten Mutter hastig in einen Pullover und ein Hemd gewickelt); sie hatten rosige, volle Gesichter, tintenfleckige Finger, Stimmen im Umbruch. Drei von ihnen wurden von ihren Vätern begleitet, Frontkämpfern von 1914, die ihr Alter, ihre früheren Verletzungen und ihr Familienstand seit September von der Front ferngehalten hatten. Die Befehlsstelle des Bataillonchefs wurde unter einer Steinbrücke nahe dem Bahnübergang eingerichtet. Hubert zählte an die zweihundert Mann auf dem Weg und am Ufer. In seiner Unerfahrenheit meinte er, daß nun eine mächtige Armee dem Feind gegenüberstehe. Er sah, wie Tonnen von Sprengstoff auf der Steinbrücke verteilt wurden; nur wußte er nicht, daß man keine Zündschnur hatte auftreiben können. Die Soldaten arbeiteten wortlos oder schliefen auf der Erde. Seit dem Vortag hatten sie nichts gegessen. Gegen Abend wurden Bierflaschen verteilt. Hubert hatte keinen Hunger, aber dieses helle Bier mit seinem bitteren Geschmack und seinem dahinschwindenden Schaum gab ihm ein Gefühl von Glück. Er benötigte das, um sich Mut zu machen. Denn niemand schien ihn zu brauchen. Er ging von einem zum andern, bot schüchtern seine Dienste an; man antwortete ihm nicht, schaute ihn nicht einmal an. Er sah, daß zwei Soldaten Stroh und Reisig zur Brücke schleiften, ein anderer schob ein Faß Teer vor sich her. Hubert ergriff ein riesiges Reisigbündel, jedoch so ungeschickt, daß die Dornen ihm die Hände zerkratzen, und er schrie vor Schmerz leise auf. Kurz darauf, als er dachte, daß niemand ihn gehört hätte, und er seine Last endlich vor der Brücke abgeworfen hatte, meinte er vor Scham zu sterben, als einer der Männer ihm zurief:

«Was treibst du denn da? Siehst du nicht, daß du störst? Nein?»

Tief verletzt entfernte sich Hubert. Regungslos auf der Straße nach Saint-Pourçain stehend, dem Fluß gegenüber, sah er, wie eine Arbeit verrichtet wurde, die ihm unverständlich erschien: Das Stroh und die mit Teer übergossenen Reisigbündel wurden auf der Brücke neben einen fünfzig Liter fassenden Benzinkanister gelegt; man verließ sich darauf, daß diese Sperre die feindlichen Kräfte aufhalten werde, während eine 75er Kanone den Sprengstoff zum Detonieren bringen sollte.

Der Rest des Tages verging, dann die Nacht und der nächste Vormittag: seltsame leere Stunden, zusammenhanglos wie Fieber. Noch immer nichts zu essen, nichts zu trinken. Sogar die jungen Bauern verloren ihre frische Farbe und wirkten, blaß vor Hunger, schwarz von Staub, mit wirrem Haar und brennenden Augen, plötzlich älter, größer, mit einem störrischen, schmerzhaften, harten Gesichtsausdruck.

Es war zwei Uhr, als auf dem gegenüberliegenden Ufer die Deutschen auftauchten. Es war die motorisierte Kolonne, die am selben Morgen Paray-le-Monial durchquert hatte. Mit offenem Mund sah Hubert sie mit unglaublicher Geschwindigkeit auf die Brücke zurasen, wie ein wilder, kriegerischer Blitz, der durch die friedliche Landschaft zuckt. Es dauerte nur einen Augenblick: Ein Kanonenschuß brachte Tonnen Sprengstoff zur Explosion, aus denen die Sperre bestand. Trümmer der Brücke, Fahrzeuge, Menschen, die sie bestiegen, fielen in den Fluß. Vor sich sah Hubert Soldaten rennen.

‹Es ist soweit! Wir gehen zum Angriff über›, dachte er, und seine Haut wurde kalt, seine Kehle trocken wie damals, als er klein war und die ersten Klänge der Militärmusik auf der Straße hörte. Er stürmte voran und stolperte über das Stroh und die Reisigbündel, die gerade angezündet wurden. Der schwarze Rauch des Teers drang ihm in Mund und Nase. Hinter diesem schützenden Vorhang hielten die Maschinengewehre die deutschen Panzer auf. Erstickend, hustend, niesend kroch Hubert ein paar Schritte zurück. Er war verzweifelt. Er hatte keine Waffe. Er tat nichts. Es wurde gekämpft, und er verharrte mit verschränkten Armen, untätig, unnütz. Er tröstete sich ein wenig bei dem Gedanken, daß man sich rings um ihn damit begnügte, das feindliche Feuer zu erdulden, ohne zu antworten. Er schrieb dies höheren taktischen Erwägungen zu, bis zu dem Augenblick, wo er begriff, daß die Männer fast keine Munition hatten. Doch wenn man uns hierbleiben läßt, so sagte er sich, dann heißt das, daß wir nützlich sind, daß wir, wer weiß, das Gros der französischen Armee schützen. In jedem Moment war er darauf gefaßt, frische Truppen auftauchen zu sehen, die auf dem Weg von Saint-Pourçain mit dem Ruf auf sie zustürmen und rufen: «Da sind wir, Kinder, bloß keine Bange, wir kriegen sie!» oder andere kriegerische Worte. Aber niemand kam. Neben sich erblickte er einen Mann mit blutendem Kopf, der wie betrunken torkelte und schließlich in einen Graben fiel, wo er zwischen den Zweigen in einer sonderbaren, unbequemen Haltung sitzenblieb, das Kinn auf der Brust und die Knie unter sich gekrümmt. Er hörte einen Offizier zornig ausrufen:

«Kein Arzt, kein Krankenpfleger, kein Sanitäter! Was sollen wir da machen?»

Jemand antwortete ihm:

«Da drüben liegt ein Verletzter.»

«Und was soll ich machen, mein Gott?» wiederholte der Offizier. «Lassen Sie ihn.»

Granaten hatten einen Teil der Stadt in Brand gesetzt. In dem herrlichen Junilicht hatten die Flammen eine durchsichtige rosa Farbe, und eine hohe Rauchsäule stieg zum Himmel auf, von den Sonnenstrahlen golddurchwirkt, mit Reflexen von Schwefel und Asche.

«Die Jungs hauen ab», sagte ein Soldat zu Hubert, auf die Maschinengewehrschützen deutend, die die metallene Brücke verließen.

«Warum», schrie Hubert bestürzt, «sie kämpfen also nicht mehr?»

«Womit denn?»

‹Es ist eine Katastrophe›, seufzte Hubert. ‹Das ist die Niederlage! Ich bin Zeuge einer großen Niederlage, schlimmer als Waterloo. Wir sind alle verloren, ich werde weder Mama noch jemand von meinen Angehörigen wiedersehen. Ich werde sterben.› Er fühlte sich verloren, gleichgültig gegen alles, in einem furchtbaren Zustand der Müdigkeit und der Verzweiflung. Er hörte nicht, daß der Befehl zum Rückzug erteilt wurde. Er sah die Männer unter den Maschinengewehrkugeln rennen, er stürmte los, kletterte über den Zaun eines Gartens, in dem noch ein Kinderwagen herumstand. Dennoch hatte die Schlacht nicht aufgehört. Ohne Panzer, ohne Artillerie, ohne Munition verteidigte man noch ein paar Quadratmeter Boden, einen Brückenkopf, während sich von allen Seiten die siegreichen Deutschen über Frankreich wälzten. Plötzlich bekam Hubert einen Anfall von verzweifeltem Mut, der dem Wahnsinn glich. Er glaubte, daß er floh, daß es seine Pflicht war, zur Front zurückzukehren, zu diesen Maschinengewehren, die er noch immer hartnäckig den deutschen Maschinenpistolen antworten hörte, und mit ihnen zu sterben. Abermals, in jeder Sekunde den Tod riskierend, durchquerte er den kleinen

Garten, verstreutes Spielzeug zertrampelnd. Wo waren die Bewohner des Häuschens? Waren sie geflohen? Unter einem Kugelhagel kletterte er auf den Metallzaun, sprang unversehrt auf die Straße und begann mit blutenden Händen und Knien zum Fluß zurückzukriechen. Nie sollte er dort ankommen. Er befand sich auf halbem Weg, als alles verstummte. Da bemerkte er, daß es dunkel war, und er begriff, daß er vor Erschöpfung in Ohnmacht gefallen sein mußte. Und diese plötzliche, unerhörte Stille hatte ihn wieder zu sich kommen lassen. Er setzte sich auf. Sein leerer Kopf dröhnte wie eine Glocke. Ein herrlicher Mondschein erhellte die Straße, aber er befand sich im Schutz eines Schattenstreifens, den ein Baum warf. Das Villars-Viertel brannte noch immer, alle Waffen schwiegen.

Hubert verließ die Straße, auf der er Deutschen zu begegnen fürchtete, und durchquerte ein Wäldchen. Hin und wieder blieb er stehen und fragte sich, wohin er ging. Die motorisierten Kolonnen, die innerhalb von fünf Tagen halb Frankreich überrollt hatten, stünden morgen wahrscheinlich an den Grenzen von Italien, der Schweiz, Spanien. Er würde ihnen nicht entkommen. Er hatte vergessen, daß er keine Uniform trug, daß nichts darauf hinwies, daß er gekämpft hatte. Er war sicher, in Gefangenschaft zu geraten. Er floh mit dem gleichen Instinkt, der ihn zu den Kampfstätten geführt hatte und der ihn jetzt von dieser Feuersbrunst fortzog, weg von diesen zerstörten Brücken, von diesen Träumen, in denen er zum ersten Mal in seinem Leben Tote gesehen hatte. Fieberhaft berechnete er die Strecke, die die Deutschen bis zum Morgen zurücklegen könnten. Er stellte sich die Städte vor, die eine nach der andern gefallen waren, die besiegten Soldaten, die weggeworfenen Waffen, die aus Benzinmangel auf der Landstraße zurückgelassenen Lastwagen, die Panzer, die Panzerabwehrkanonen, deren Abbildungen er so bewundert hatte, diese ganze dem Feind in die Hände gefallene Beute! Er zitterte, er weinte, als er auf Händen und Knien in diesem vom Mond beschienenen Acker vorwärtskroch, und dennoch glaubte er noch immer nicht an die

Niederlage. So wie ein kerngesunder junger Mensch die Idee des Todes von sich weist. Die Soldaten würden etwas weiter entfernt wieder aufeinandertreffen, sich neu formieren, aufs neue kämpfen, und er mit ihnen. Und er ... mit ihnen ... ‹Aber was habe ich denn geleistet?› dachte er mit einemmal. ‹Ich habe doch keinen einzigen Schuß abgegeben!› Er schämte sich so vor sich selbst, daß er abermals heiße, schmerzliche Tränen vergoß. ‹Es ist nicht meine Schuld, ich hatte keine Waffe, ich hatte nur meine Hände.› Und er sah sich plötzlich wieder, wie er vergeblich versuchte, jenes Reisigbündel zum Fluß zu ziehen. Ja, sogar dazu war er unfähig gewesen, er, der sich gewünscht hätte, zur Brücke zu rennen, die Soldaten hinter sich herzuziehen, sich auf die feindlichen Panzer zu stürzen und mit dem Ruf «Es lebe Frankreich!» zu sterben. Er war trunken vor Müdigkeit und Verzweiflung. Manchmal schossen ihm seltsam reife Gedanken durch den Kopf: Er dachte an die Katastrophe, an ihre tiefen Ursachen, an die Zukunft, an den Tod. Dann stellte er sich Fragen über sich selbst, was aus ihm werden sollte, und nach und nach kehrte sein Realitätssinn zurück: «O verflixt, was werde ich von Mama zu hören kriegen!» murmelte er, und in seinem bleichen, verkrampften Gesicht, das in zwei Tagen alt und mager geworden zu sein schien, leuchtete kurz ein naives, breites Kinderlächeln auf.

Zwischen zwei Feldern fand er einen schmalen Pfad, der aufs Land hinausführte. Hier sprach nichts von Krieg. Quellen sprudelten, eine Nachtigall sang, eine Glocke schlug die Stunden, Blüten prangten auf allen Hecken und frisches Grün auf den Bäumen. Seit er seine Hände und seinen Mund in einen Bach getaucht und aus seinen zu einem Kelch geformten Händen getrunken hatte, fühlte er sich besser. Verzweifelt suchte er an den Zweigen nach Früchten. Er wußte, daß es nicht die Jahreszeit dafür war, doch er befand sich in dem Alter, in dem man an Wunder glaubt. Am Ende des Pfads traf er wieder auf die Landstraße. Er las auf einem Flurstein: Cressange, zweiundzwanzig Kilometer, er blieb ratlos stehen, dann sah er ein Gehöft und klopfte schließlich, nachdem er lange gezögert hatte, an den Fensterladen. Im Innern des Hauses vernahm er Schritte. Jemand fragte ihn, wer er sei. Auf seine Antwort, er habe sich verlaufen und sei hungrig, bat man ihn herein. Dort fand er drei schlafende französische Soldaten. Er erkannte sie wieder. Sie hatten die Brücke von Moulins verteidigt. Jetzt lagen sie auf Bänken und schnarchten, ihre eingefallenen, verdreckten Gesichter waren nach hinten geworfen wie die von Toten. Eine Frau wachte strickend bei ihnen, ihr Wollknäuel rollte auf den Boden, wo die Katze es verfolgte. Nach allem, was Hubert seit acht Tagen gesehen hatte, war ihm das Ganze so vertraut und gleichzeitig so fremd, daß seine Knie weich wurden und er sich setzen mußte. Auf dem Tisch sah er die Helme der Soldaten, sie hatten sie mit Laub bedeckt, damit sie im Mondschein weniger glänzten.

Einer der Männer wachte auf, stützte sich auf den Ellbogen.

«Hast du welche gesehen, Kleiner?» fragte er mit dumpfer, heiserer Stimme.

Hubert verstand, daß er die Deutschen meinte.

«Nein, nein», beeilte er sich zu sagen. «Keinen einzigen seit Moulins.»

«Anscheinend», sagte der Soldat, «machen sie nicht mal mehr Gefangene. Es sind zu viele. Sie nehmen ihnen die Waffen ab und schicken sie dann zum Teufel.»

«Scheint so», sagte die Frau.

Ein Schweigen trat zwischen ihnen ein. Hubert aß: Man hatte ihm einen Teller Suppe und Käse hingestellt. Als er fertig war, fragte er den Soldaten:

«Was macht ihr jetzt?»

Sein Gefährte hatte die Augen aufgemacht. Sie diskutierten. Einer wollte weiter nach Cressange, der andere antwortete:

«Wozu? Sie sind überall, überall …», und warf mit niedergeschlagener Miene schmerzliche, entsetzte Blicke um sich wie ein vor Schreck erstarrter Vogel.

Er schien sie wirklich rings um sich zu sehen, diese Deutschen, bereit, ihn zu schnappen. Von Zeit zu Zeit entwich ihm eine Art krampfhaftes, bitteres Lachen.

«Herrgott! Daß wir '14 geschafft haben, und jetzt das ...!»

Die Frau strickte still und gelassen. Sie war sehr alt. Sie trug eine gefältelte weiße Haube.

«Ich hab '70 erlebt. Also ...», murmelte sie.

Hubert hörte ihnen zu und betrachtete sie verstört. Sie schienen ihm kaum real zu sein, Phantomen gleich, stöhnenden Schatten, den Seiten seines Lehrbuchs der Geschichte Frankreichs entsprungen. Mein Gott! Die Gegenwart und ihre Schrecken waren erträglicher als dieser tote Ruhm und dieser Blutgeruch, der aus der Vergangenheit aufstieg. Hubert trank eine Tasse sehr schwarzen, sehr heißen Kaffee, ein wenig Tresterschnaps, dankte der Frau, verabschiedete sich von den Soldaten und machte sich auf den Weg, fest entschlossen, im Laufe des Vormittags Cressange zu erreichen. Von dort aus konnte er vielleicht mit den Seinen Verbindung aufnehmen und sie über sein Schicksal beruhigen. Er marschierte bis acht Uhr und stand wenige Kilometer von Cressange entfernt in einem kleinen Dorf vor einem Hotel, aus dem ein köstlicher Geruch nach Kaffee und frischem Brot drang. Und da spürte Hubert, daß er nicht weitergehen konnte, daß seine Füße ihn nicht mehr trugen. Er betrat einen Gasthaussaal voller Flüchtlinge. Er fragte, ob er wohl irgendwo ein Zimmer fände. Niemand konnte ihm Auskunft geben. Man sagte ihm, die Wirtin sei gerade fortgegangen, um für diese ganze Schar Hungriger nach Eßbarem zu suchen, und werde bald zurückkommen. Er trat hinaus auf die Straße und sah an einem Fenster im ersten Stock eine Frau, die sich gerade schminkte. Der Lippenstift fiel ihr aus der Hand und Hubert vor die Füße; rasch hob er ihn auf. Die Frau beugte sich vor, erblickte ihn, lächelte ihm zu.

«Wie kann ich ihn jetzt wiederbekommen?» fragte sie.

Und sie ließ ihren nackten Arm, ihre blasse Hand aus dem Fenster baumeln. Ihre lackierten Fingernägel blinkten in der

Sonne, kleine Blitze zuckten vor Huberts Augen. Dieses milchige Fleisch, dieses rote Haar blendeten ihn wie ein zu helles Licht.

Schnell senkte er die Augen und stammelte:

«Ich … ich kann ihn Ihnen bringen, Madame.»

«Ja, wenn Sie möchten», sagte sie.

Und wieder lächelte sie. Er betrat das Haus, ging durch den Raum eines Cafés, stieg eine schmale, dunkle Treppe hinauf und sah die Tür eines ganz in Rosa getauchten Zimmers offenstehen. Tatsächlich schien die Sonne durch einen billigen roten Vorhang, und der Raum war von einem warmen, lebendigen, rosenroten Dunkel erfüllt. Die Frau bat ihn herein, sie polierte ihre Fingernägel. Sie nahm den Lippenstift, sah den jungen Mann an: «Er wird ja gleich ohnmächtig!» Hubert spürte, daß sie seine Hand ergriff, ihm half, die zwei Schritte zurückzulegen, die ihn von einem Sessel trennten, ihm ein Kissen unter den Kopf schob. Dennoch hatte er nicht das Bewußtsein verloren, aber sein Herz schlug sehr stark. Alles tanzte um ihn herum wie bei der Seekrankheit, und es durchzogen ihn abwechselnd eiskalte und glühendheiße Wellen.

Er war eingeschüchtert, aber auch stolz auf sich. Als sie ihn fragte: «Müde? Hunger? Was ist, mein armes Kind?», übertrieb er noch das Zittern seiner Stimme, um zu antworten:

«Es ist nichts, aber … ich bin seit Moulins auf den Beinen, wo wir die Brücke verteidigt haben.»

Überrascht sah sie ihn an.

«Wie alt sind Sie denn?»

«Achtzehn.»

«Sie sind nicht Soldat?»

«Nein, ich bin mit meiner Familie gereist. Ich habe sie verlassen. Ich habe mich der Truppe angeschlossen.»

«Das ist doch sehr gut», sagte sie.

Obwohl sie in dem bewundernden Ton sprach, den er erwartete, errötete er doch unter ihrem Blick, er wußte nicht, warum.

Aus der Nähe betrachtet, schien sie nicht jung zu sein. Er sah kleine Falten auf ihrem diskret geschminkten Gesicht. Sie war sehr schlank, sehr elegant, und sie hatte wunderbare Beine.

«Wie heißen Sie?» fragte sie.

«Hubert Péricand.»

«Ist ein Péricand nicht Konservator des Museums der Schönen Künste?»

«Das ist mein Vater, Madame.»

Noch während sie sprach, war sie aufgestanden und schenkte ihm nun Kaffee ein. Sie hatte gerade gefrühstückt, und das Tablett mit der halbvollen Kaffeekanne, der Sahneschale und dem Toast stand noch auf dem Tisch.

«Er ist nicht sehr heiß», sagte sie, «aber trinken Sie trotzdem, er wird Ihnen guttun.»

Er gehorchte.

«Unten herrscht eine solche Panik bei all diesen Flüchtlingen, da könnte ich bis morgen rufen, und keiner würde sich rühren! Sie kommen doch aus Paris?»

«Ja, Sie auch, Madame?»

«Ja. Ich bin über Tours gefahren, wo ich bombardiert worden bin. Jetzt habe ich vor, nach Bordeaux zu gelangen. Denn ich nehme an, daß die Oper nach Bordeaux evakuiert wurde.»

«Sind Sie Schauspielerin, Madame?» fragte Hubert ehrfurchtsvoll.

«Tänzerin, Arlette Corail.»

Eine Tänzerin hatte Hubert bisher nur auf der Bühne des Châtelet gesehen. Instinktiv richteten sich seine Blicke neugierig und lüstern auf die in glänzenden Strümpfen steckenden langen Knöchel und muskulösen Waden. Er war überaus verwirrt. Eine blonde Strähne fiel ihm in die Augen. Sanft schob die Frau sie mit der Hand hoch.

«Und wohin gehen Sie jetzt?»

«Ich weiß es nicht», gestand Hubert. «Meine Familie hat in einem kleinen Nest dreißig Kilometer von hier haltgemacht. Ich würde ja gern zu ihr gehen, aber bestimmt sind die Deutschen dort.»

«Wir erwarten sie in jedem Moment auch hier.»

«Hier?»

Entsetzt zuckte er zusammen und stand auf, um zu fliehen. Lachend hielt sie ihn zurück.

«Was sollten sie Ihnen denn antun? Einem Kind wie Ihnen …»

«Immerhin habe ich gekämpft», protestierte er verletzt.

«Ja, natürlich, aber das wird ihnen niemand verraten, nicht wahr?»

Sie dachte nach, runzelte leicht die Brauen.

«Hören Sie. Sie werden folgendes tun. Ich gehe hinunter und frage nach einem Zimmer für Sie. Man kennt mich hier. Es ist ein sehr kleines Hotel, aber es hat eine wunderbare Küche, und ich habe einige Wochenenden hier verbracht. Sie werden Ihnen das Zimmer ihres Sohnes geben, der an der Front ist. Hier können Sie sich ein oder zwei Tage ausruhen und Ihre Eltern benachrichtigen.»

«Ich weiß gar nicht, wie ich Ihnen danken soll», murmelte er.

Sie ließ ihn allein. Als sie kurz darauf zurückkam, schlief er. Sie wollte ihm den Kopf hochheben und umschlang mit ihren Armen seine breiten Schultern und seine Brust, die sich sanft hob. Sie sah ihn aufmerksam an, brachte von neuem sein goldenes Haar in Ordnung, das ihm wirr in die Stirn fiel, betrachtete ihn abermals mit träumerischer, lüsterner Miene, so wie eine Katze einen kleinen Vogel betrachtet, und seufzte:

«Er ist gar nicht übel, der Kleine …»

19

Das Dorf erwartete die Deutschen. Die einen empfanden beim
Gedanken, zum ersten Mal ihre Sieger zu sehen, eine verzweifelte
Scham, andere hatten Angst, viele jedoch verspürten nur eine
entsetzte Neugier wie bei der Ankündigung eines erstaunlichen,
neuen Schauspiels. Am Abend zuvor hatten die Beamten, die Gendarmen, die Postangestellten den Befehl zur Abreise erhalten.
Der Bürgermeister blieb. Er war ein an Fußgicht leidender, gelassener alter Bauer, den nichts erschüttern konnte. Das Dorf wäre
ohne Oberhaupt, und ihm ginge es dabei nicht schlechter! In dem
lärmenden Speisesaal, wo Arlette Corail gerade zu Ende aß, brachten Reisende gegen Mittag die Nachricht des Waffenstillstands.
Frauen brachen in Tränen aus. Es hieß, daß die Lage verworren
sei, daß an einigen Stellen die Soldaten noch Widerstand leiste-
ten, daß Zivilisten sich ihnen angeschlossen hätten. Übereinstimmend wurden sie gerügt, alles war verloren, es blieb nichts anderes mehr übrig, als nachzugeben. Alle redeten auf einmal. Die Luft
war stickig. Arlette schob ihren Teller weg und ging in den kleinen Garten des Hotels. Sie hatte Zigaretten, einen Liegestuhl und
ein Buch mitgenommen. Nachdem sie Paris vor einer Woche in
einem an Wahnsinn grenzenden Zustand der Panik verlassen und
seitdem unleugbar Gefahren überstanden hatte, war sie nun vollkommen kalt und ruhig; überdies war sie zu der Überzeugung
gelangt, daß sie sich immer und überall aus der Affäre ziehen
würde und ein wahres Talent besaß, sich in allen Lebenslagen ein
Höchstmaß an Bequemlichkeit zu verschaffen. Diese Geschmei-
digkeit, diese Hellsicht, waren Eigenschaften, die ihr bei ihrer
Karriere und in ihrem Gefühlsleben geholfen hatten, aber bisher hatte sie nicht geahnt, daß sie ihr auch im alltäglichen Leben
oder in Ausnahmesituationen von Nutzen sein würden.

Wenn sie jetzt daran dachte, daß sie Corbin um Schutz ange-
fleht hatte, lächelte sie mitleidig. Sie waren gerade rechtzeitig in
Tours angekommen, um bombardiert zu werden; Corbins Koffer,
der seine persönlichen Dinge und die Papiere der Bank enthielt,
war unter den Trümmern begraben worden, während sie selber bei dem Unglück kein einziges Taschentuch, keine Schmink-
dose, kein Paar Schuhe einbebüßt hatte. Sie hatte Corbin vor Angst
völlig aufgelöst gesehen, und sie stellte sich vor, mit welchem Vergnügen sie ihm immer wieder diese Momente ins Gedächtnis
zurückrufen würde. Später erinnerte sie sich an seinen wie bei
einem Toten herabgesackten Unterkiefer; am liebsten hätte sie
ihm ein Kinnband angelegt, um ihn festzuhalten. Erbärmlich!
Sie hatte Corbin im Durcheinander und in dem entsetzlichen Getümmel der Stadt zurückgelassen, hatte den Wagen genommen,
hatte sich Benzin besorgt und war weggefahren. Seit zwei Tagen
befand sie sich in diesem Dorf, wo sie gut gegessen und gut geschlafen hatte, während eine jammervolle Menschenmenge in den
Scheunen und auf dem Platz kampierte. Sie hatte sich sogar den
Luxus der Nächstenliebe geleistet und diesem reizenden Knaben
ihr Zimmer überlassen, diesem kleinen Péricand … Péricand? Es
war eine farblose, ehrenwerte, sehr reiche bürgerliche Familie,
die in der offiziellen Welt, in der Ministerposten vergeben wurden, sowie in der Welt der Industrie dank ihren Verbindungen mit
den Maltêtes, diesen Leuten aus Lyon, über ausgezeichnete Beziehungen verfügte … Beziehungen … Gereizt seufzte sie leise
auf bei dem Gedanken an die vielen Dinge, die in dieser Hinsicht
überprüft werden müßten, sowie an all die Mühe, die sie sich vor
einiger Zeit gegeben hatte, um Gérard Salomon-Worms zu ver-
führen, den Schwager des Comte de Furière. Eine recht unnütze
Eroberung, die viel Sorgfalt und Zeit gekostet hatte.

Leicht stirnrunzelnd betrachtete Arlette ihre Fingernägel. Der
Anblick der zehn glänzenden kleinen Spiegel schien sie zu abstrakten Spekulationen zu verleiten. Ihre Liebhaber wußten, daß
sie, wenn sie mit dieser nachdenklichen, gehässigen Miene ihre

Hände betrachtete, am Ende ihre Meinung über Dinge wie Politik, Kunst, Literatur und Mode zu äußern pflegte, und ihre Meinung war gewöhnlich scharfsinnig und zutreffend. Einige Augenblicke lang, während in diesem blühenden kleinen Garten ringsum Hummeln in einem Busch mit amarantroten Glöckchen Blütenstaub sammelten, stellte sich die Tänzerin ihre Zukunft vor. Sie kam zu dem Schluß, daß sich für sie nichts verändert hätte. Ihr Vermögen bestand aus Schmuck – deren Wert nur steigen konnte – und in Grundstücken: Vor dem Krieg hatte sie im Süden ein paar günstige Käufe gemacht. Im übrigen war das alles nebensächlich. Ihr wichtigstes Kapital waren ihre Beine, ihre Taille, ihre Kunst der Intrige, und das wurde lediglich von der Zeit bedroht. Das war im übrigen der dunkle Punkt … Sie erinnerte sich an ihr Alter, und sofort holte sie, so wie man ein Amulett berührt, um Unheil abzuwenden, den Spiegel aus ihrer Handtasche und betrachtete aufmerksam ihr Gesicht. Ein unangenehmer Gedanke durchzuckte sie: Sie benutzte eine unersetzliche amerikanische Schminke. Einige Wochen lang würde es nicht leicht sein, sie sich zu beschaffen. Das verdüsterte ihre Laune. Ach was! Die Dinge wandelten sich nur an der Oberfläche, der Kern bliebe unverändert! Es gäbe Neureiche wie nach allen Katastrophen, Menschen, die bereit wären, für ihr Vergnügen sehr viel zu zahlen, weil sie ihr Geld ohne Mühe erworben hätten und die Liebe sich immer gleichbliebe. Aber, mein Gott, wenn nur dieser ganze Wirrwarr so schnell wie möglich vorüberginge! Und eine Lebensweise, egal welche, sich einbürgern würde. Das alles, dieser Krieg, diese Revolutionen, die großen Umwälzungen der Geschichte mochten vielleicht die Männer reizen, aber die Frauen … Oh, die Frauen empfanden nichts als Unmut. Sie war sich sicher, daß alle Frauen darüber genauso dachten wie sie: All die großen Worte und großen Gefühle waren zum Heulen langweilig, zum Gähnen langweilig! Die Männer … was wußte man schon, was konnte man dazu sagen … in gewisser Hinsicht waren diese schlichten Gemüter unbegreiflich, die Frauen aber waren für mindestens fünfzig Jahre von allem geheilt, was aus dem Alltäglichen, dem Gewöhnlichen herausfiel … Sie hob die Augen und erblickte die Wirtin des kleinen Hotels, die sich aus dem Fenster lehnte und etwas betrachtete.

«Was ist, Madame Goulot?» fragte sie.

Die andere antwortete mit feierlicher, zitternder Stimme:

«Mademoiselle, sie sind es … sie kommen …»

«Die Deutschen?»

«Ja.»

Die Tänzerin machte eine Bewegung, als wollte sie aufstehen und zum Zaun gehen, von wo aus die Straße zu sehen war, aber da sie fürchtete, daß in ihrer Abwesenheit jemand von ihrem Liegestuhl und ihrem schattigen Platz Besitz ergriffe, blieb sie sitzen.

Es waren noch nicht die Deutschen, die kamen, sondern *ein* Deutscher: der erste. Das ganze Dorf, ob hinter den verschlossenen Türen, durch die Schlitze der halb heruntergelassenen Jalousien oder an der Luke eines Dachbodens, sah ihn kommen. Er hielt sein Motorrad auf dem menschenleeren Platz an. Seine Hände steckten in Handschuhen; er trug eine grüne Uniform, einen Helm, unter dessen Visier, als er den Kopf hob, ein mageres, rosa, fast kindliches Gesicht zu sehen war. «Er ist noch ganz jung!» murmelten die Frauen. Ohne sich dessen recht bewußt zu sein, waren sie auf irgendeine Vision der Apokalypse, auf irgendein befremdliches, erschreckendes Ungeheuer gefaßt. Er sah sich um und suchte jemanden. Da verließ der Tabakhändler, der den Krieg von 1914 mitgemacht hatte und das Kriegsverdienstkreuz und den Militärorden am Revers seiner alten grauen Jacke trug, seinen Laden und ging auf den Feind zu. Eine Weile standen die beiden Männer einander regungslos und ohne zu sprechen gegenüber. Dann deutete der Deutsche auf seine Zigarette und bat in schlechtem Französisch um Feuer. Der Tabakhändler antwortete in schlechtem Deutsch, denn er war 1918 bei der Besetzung von Mainz dabeigewesen. Die Stille war so tief (das ganze Dorf hielt den Atem an), daß man jedes ihrer Worte verstand. Der Deutsche fragte nach dem Weg. Der Franzose antwortete, erkühnte sich dann:

«Ist der Waffenstillstand unterzeichnet?»

Der Deutsche breitete die Arme aus.

«Das wissen wir noch nicht. Wir hoffen es», sagte er.

Und der menschliche Klang dieser Worte, diese Geste, alles, was offenkundig bewies, daß man es nicht mit irgendeinem blutrünstigen Ungeheuer zu tun hatte, sondern mit einem Soldaten wie den anderen, brach mit einemmal das Eis zwischen dem Dorf und dem Feind, zwischen dem Bauern und dem Eindringling.

«Er sieht nicht böse aus», flüsterten die Frauen.

Er hob die Hand an seinen Helm, jedoch ohne Schroffheit, lächelnd, mit einer unbestimmten Bewegung, die nicht ganz ein militärischer Gruß war, aber auch nicht die Geste, mit der ein Zivilist sich von einem anderen verabschiedet. Er warf einen kurzen neugierigen Blick auf die geschlossenen Fenster. Das Motorrad fuhr los und verschwand. Nun öffneten sich nacheinander die Haustüren, das ganze Dorf kam auf dem Platz zusammen und umringte den Tabakhändler, der regungslos dastand, die Hände in den Taschen, und stirnrunzelnd in die Ferne blickte. Auf seinem Gesicht zeigten sich widersprüchliche Gefühle: Erleichterung, daß alles zu Ende war, Traurigkeit und Zorn, daß es auf diese Weise zu Ende gegangen war, Erinnerungen an die Vergangenheit, Angst vor der Zukunft, und alle diese Empfindungen schienen sich auf den Zügen der anderen widerzuspiegeln. Die Frauen wischten sich ihre tränenden Augen ab; die schweigenden Männer behielten ihr sture, harte Miene bei. Die einen Moment von ihren Spielen abgelenkten Kinder waren zu ihren Murmeln, zu Himmel und Hölle zurückgekehrt. Der Himmel strahlte in hellem, silbernem Glanz, und wie es an einem sehr schönen Tag häufig vorkommt, schwebte ein unmerklicher, zarter und schillernder Dunst in der Luft, und all die frischen Junifarben wurden davon belebt, wirkten üppiger und sanfter, wie jene, die man durch ein Wasserprisma sieht.

Gemächlich vergingen die Stunden. Es fuhren weniger Autos auf der Straße. Fahrräder flitzten noch in rasender Geschwindigkeit vorbei, wie fortgerissen von dem wütenden Nordostwind, der seit einer Woche blies und diese unglücklichen Menschen mit sich zerrte. Etwas später – ein überraschendes Schauspiel – erschienen einige Wagen, die aus der entgegengesetzten Richtung kamen und nicht aus derjenigen, die sie seit acht Tagen eingeschlagen hatten: Sie kehrten nach Paris zurück. Als die Leute das sahen, glaubten sie tatsächlich, daß alles vorüber sei. Ein jeder ging nach Hause. Von neuem hörte man das Klappern des Geschirrs, das die Hausfrauen in ihrer Küche spülten, den leichten Schritt einer kleinen Alten, die den Kaninchen ihr Futter brachte, und sogar das Lied eines kleinen Mädchens, das an der Pumpe Wasser holte. Hunde kämpften miteinander, wälzten sich im Staub.

Es war Abend, eine köstliche Dämmerung, eine durchsichtige Luft, ein blauer Schatten, ein letzter Lichtschein liebkoste die Rosen, und die Glocke der Kirche rief die Gläubigen zum Gebet, als auf der Straße ein Geräusch auftauchte und anschwoll, das ganz anders klang als das der letzten Tage, ein dumpfes, stetes Grolen, das sich ohne Hast, schwerfällig und unerbittlich zu nähern schien. Lastwagen rollten auf das Dorf zu. Diesmal waren es wirklich die Deutschen. Aus den Lastwagen, die auf dem Platz anhielten, stiegen Männer; weitere Lastwagen kamen nach den ersten, und weitere und noch weitere. In wenigen Augenblicken war der alte graue Platz von der Kirche bis zum Rathaus eine einzige regungslose dunkle Masse von eisenfarbenen Fahrzeugen, auf denen noch ein paar welke Zweige hingen, Überreste der Tarnung.

Wie viele Männer! Die Leute, die wieder auf die Schwelle ihrer Haustür getreten waren, betrachteten sie schweigend, aufmerksam, hörten ihnen zu, versuchten vergeblich, diesen Strom zu zählen. Die Deutschen quollen überall hervor, überschwemmten Plätze und Straßen, unablässig tauchten weitere auf. Seit September war es das Dorf nicht mehr gewohnt, Schritte, Gelächter, junge Stimmen zu hören. Es war betäubt von dem Getöse, das dieser Flut grüner Uniformen entstieg, erstickte an diesem Geruch gesunder Menschen, einem Geruch von frischem Fleisch, und vor allem unter den Klängen dieser fremden Sprache. Die Deutschen überfluteten die Häuser, die Geschäfte, die Cafés. Ihre Stiefel knallten auf den roten Fliesen der Küchen. Sie verlangten zu essen, zu trinken. Sie streichelten im Vorbeigehen die Kinder. Sie gestikulierten, sie sangen, sie lachten die Frauen an. Ihre glücklichen Mienen, ihre Trunkenheit von Eroberern, ihre fieberhafte Erregung, ihre Verrücktheit, ihre Seligkeit, unter die sich eine Art Ungläubigkeit mischte, als hätten sie selber Mühe, an ihr Abenteuer zu glauben – das alles war so spannungsgeladen, von solchem Brausen erfüllt, daß die Besiegten für einige Augenblicke ihren Kummer und ihren Groll vergaßen. Mit offenem Mund schauten sie zu.

In dem kleinen Hotel, unter dem Zimmer, in dem Hubert noch immer schlief, dröhnte der Saal von Schreien und Liedern. Sofort hatten die Deutschen Champagner verlangt («Sekt! Nahrung!»), und die Korken flogen zwischen ihren Händen in die Luft. Die einen spielten Billard, andere betraten die Küche mit Bergen von rohen, rosa Schnitzeln, die sie auf das Feuer warfen, wo sie brutzelten und dicken Rauch verbreiteten. Soldaten holten Bierflaschen aus dem Keller, ungeduldig die Kellnerin, die ihnen helfen wollte, beiseite schiebend. Ein junger Mann mit roten Wangen und goldenem Haar schlug eigenhändig an einer Ecke des Herdes Eier auf, ein anderer pflückte im Garten die ersten Erdbeeren. Zwei halbnackte junge Männer tauchten ihre Köpfe in Eimer mit kaltem Wasser vom Brunnen. Sie aßen sich satt, mästeten sich mit allen guten Dingen der Erde; sie waren dem Tod entronnen, sie waren jung, lebendig, sie waren Sieger! Sie verströmten ihre irrsinnige Freude in hastigen, schnellen Worten, in schlechtem Französisch sprachen sie mit allen, die bereit waren, ihnen zuzuhören; sie deuteten auf ihre Stiefel und wiederholten «nous marcher, nous marcher, camerades tomber et toujours marcher …» Ein Klirren von Waffen, Koppeln, Helmen drang aus dem Saal herauf. Hubert vernahm es in seinem Traum, vermengte es mit den Erinnerungen des Vortags, sah die Schlacht auf der Brücke von Moulins wieder. Er wälzte sich hin und her und seufzte; er stieß jemand Unsichtbaren weg; er klagte und litt. Endlich erwachte er in diesem unbekannten Zimmer. Er hatte den ganzen Tag geschlafen. Jetzt war durch das offene Fenster der helle Vollmond zu sehen. Hubert rieb sich verwundert die Augen und erblickte die Tänzerin, die hereingekommen war, während er schlief.

Er stammelte Dankesworte und Entschuldigungen.

«Jetzt haben Sie aber bestimmt Hunger?» sagte sie.

Ja, es stimmte, er starb vor Hunger.

«Vielleicht ist es besser, wenn Sie bei mir essen, wissen Sie? Unten ist es nicht auszuhalten, voller Soldaten.»

«Oh, Soldaten!» sagte er und sprang zur Tür. «Was sagen sie? Geht es besser? Wo sind die Deutschen?»

«Die Deutschen? Die sind doch hier. Es sind deutsche Soldaten.»

Überrascht und erschrocken wich er vor ihr zurück, wie ein verfolgtes Tier.

«Die Deutschen? Nein, nein, ist das ein Scherz?»

Vergeblich suchte er nach einem anderen Wort und wiederholte mit leiser, zitternder Stimme: «Ist das ein Scherz?»

Sie öffnete die Tür. Aus dem Saal drang nun, zusammen mit dichtem, herbem Rauch, der unvergeßliche Lärm, den eine Truppe siegreicher Soldaten macht: Schreie, Gelächter, Lieder und das Getrampel der Stiefel und der Aufprall der schweren Pistolen auf den Marmortischen und das Klirren der gegen die metallenen Verschlüsse der Koppeln stoßenden Helme und jenes fröhliche Dröhnen, das eine glückliche, stolze, siegestrunkene Menschenmenge erzeugt, ‹wie beim Rugby die siegreiche Mannschaft›, dachte Hubert. Nur mit Mühe hielt er Flüche und Tränen zurück. Er stürzte zum Fenster, schaute hinaus. Jetzt leerte sich die Straße allmählich, aber vier Männer gingen nebeneinander her und klopften im Vorbeigehen mit der Faust an die Türen der Häuser;

sie schrien: «Licht aus, alles ausmachen!», und gehorsam verschwanden die Lichter der Lampen eines nach dem andern. Es blieb nur noch der Mondschein, der den Helmen und den grauen Gewehrläufen einen verstohlenen blauen Schimmer entlockte. Hubert packte den Vorhang mit beiden Händen, preßte ihn krampfhaft an seinen Mund und brach in Tränen aus.

«Sachte, sachte», sagte die Frau und streichelte ihm etwas mitleidig die Schulter. «Dagegen können wir nichts tun, nicht wahr? Alle Tränen der Welt werden nichts daran ändern. Es werden wieder bessere Tage kommen. Wir müssen leben, um sie zu sehen, Hauptsache ist, daß wir leben … durchhalten … Aber Sie haben sich tapfer geschlagen … wenn alle so tapfer gewesen wären … und dabei sind Sie noch so jung! Fast ein Kind …»

Er schüttelte den Kopf.

«Nein?» sagte sie leiser. «Ein Mann?»

Sie verstummte. Ihre Finger zitterten ein wenig, und sie krampfte ihre Finger um den Arm des Knaben, als ob sie sich einer frischen Beute bemächtigte und sie knetete, bevor sie ihre Zähne hineinschlug und ihren Hunger stillte. Mit veränderter Stimme sagte sie sehr leise:

«Nicht weinen. Nur Kinder weinen. Sie sind ein Mann, und wenn ein Mann unglücklich ist, dann weiß er, daß er sie immer finden kann …»

Sie wartete auf eine Antwort, die nicht kam. Er senkte die Lider, den Mund schmerzhaft geschlossen, doch seine Nasenflügel bebten. Und da sagte sie mit schwacher Stimme:

«Die Liebe …»

20

In dem Zimmer, in dem die Péricand-Kinder schliefen, hatte sich Kater Albert sein Bett bereitet. Nachdem er zuerst er auf die geblümte Bettdecke zu Jacquelines Füßen gekrochen war, hatte er begonnen, sie zu kneten und sanft an dem Baumwollstoff zu kauen, der nach Leim und Obst roch, aber Nounou war hereingekommen und hatte ihn verjagt. Dreimal hintereinander war er, sobald sie ihm den Rücken gekehrt hatte, mit einem leisen Sprung luftiger Anmut zu seinem Platz zurückgekehrt und hatte sich unter Jacquelines Morgenrock in die Mulde eines Sessels gelegt. Alles schlief in dem Zimmer. Die Kleinen schlummerten ruhig, und Nounou war beim Beten ihres Rosenkranzes eingenickt. Regungslos richtete der Kater ein starres grünes Auge auf den im Mondschein schimmernden Rosenkranz; das andere blieb geschlossen. Sein Körper war unter dem rosa Flanellmorgenrock verborgen. Nach und nach schob er mit äußerster Vorsicht ein Bein heraus, dann das andere, streckte sie und spürte sie erschauern, vom oberen Gelenk, dieser unter weichem, warmem Fell versteckten Stahlfeder, bis hinunter zu den harten, durchsichtigen Krallen. Mit einem Satz sprang er auf Nounous Bett und betrachtete sie lange, ohne sich zu regen; nur das äußerste Ende seines feinen Schnurrbarts bebte. Er streckte die Pfote vor und stupste die Perlen des Rosenkranzes an; zuerst bewegte er sie kaum, dann fand er Geschmack am glatten, frischen Kontakt dieser winzigen, vollkommenen Kügelchen, die sich zwischen seinen Krallen drehten; er versetzte ihnen einen kräftigeren Schlag, und der Rosenkranz fiel zu Boden. Der Kater erschrak und verschwand unter einem Sessel.

Etwas später wachte Emmanuel auf und schrie. Die Fenster und Fensterläden standen offen. Der Mond erhellte die Dächer des Dorfs; die Ziegel schimmerten wie Fischschuppen. Der Garten duftete friedlich, und das silbrige Licht schien wie durchsichtiges Wasser in Bewegung zu sein, zu schweben und sanft auf die Obstbäume herabzusinken.

Der Kater hob mit der Schnauze die Fransen des Sessels an und betrachtete dieses Schauspiel mit ernster, erstaunter und träumerischer Miene. Er war ein sehr junger Kater, der nichts anderes als die Stadt kannte; dort waren die Juninächte nur von ferne zu riechen, und nur manchmal stieg ihm ihr warmer, berauschender Hauch in die Nase, hier jedoch reichte der Duft bis in seinen Schnurrbart, hüllte ihn ein, ergriff ihn, durchdrang ihn, betäubte ihn. Mit halb geschlossenen Augen fühlte er sich von mächtigen Wellen süßer Gerüche überflutet: Duft des letzten Flieders mit seiner leichten Fäulnis, der des Safts, der in den Bäumen fließt, und der Geruch der dunklen, frischen Erde, der Tiere, Vögel, Maulwürfe, Mäuse, jeglicher Beute, Moschusduft von Haaren und Haut, Blutgeruch … Er gähnte vor Lüsternheit, sprang auf die Fensterbank. Langsam schlich er die Dachrinne entlang. Genau dort hatte ihn vor zwei Tagen eine kräftige Hand gepackt und auf das Bett der schluchzenden Jacqueline zurückgeworfen. Aber in dieser Nacht würde er sich nicht fangen lassen. Mit dem Auge schätzte er die Entfernung zwischen der Dachrinne und dem Boden ab. Sie zu überwinden war für ihn ein Kinderspiel, aber vermutlich wollte er in seinen eigenen Augen großtun, indem er die Schwierigkeit des Sprungs übertrieb. Mit wilder, siegesgewisser Miene wiegte er sein Hinterteil hin und her, fegte mit seinem langen schwarzen Schwanz über die Dachrinne, legte die Ohren an, sprang los und landete auf der frisch umgegrabenen Erde. Einen Augenblick zögerte er, vergrub seine Schnauze im Boden, jetzt war er im Mittelpunkt, in der tiefsten Höhle, im Schoß der Nacht. Auf dem Erdboden mußte man sie riechen; alle Düfte waren hier versammelt, zwischen den Wurzeln und den Steinen, sie hatten sich noch nicht verflüchtigt, waren nicht zum Himmel entschwunden, hatten sich nicht im Geruch der Menschen verteilt. Sie waren beredt, geheim, warm. Sie waren lebendig. Jeder der Düfte entwich einem verborgenen, glücklichen, verzehrbaren kleinen Lebewesen ... Maikäfern, Waldmäusen, Grillen und jener kleinen Kröte, deren Stimme voll kristallheller Tränen zu sein schien ... Die langen Ohren des Katers – spitze rosa Trichter mit silbrigen Haaren, im Innern sanft eingerollt wie die Blüte einer Winde – richteten sich auf; er lauschte den leisen, so feinen, so geheimnisvollen und, nur für ihn, so klaren Geräuschen der Finsternis: Knistern der Strohhalme in den Nestern, wo der Vogel seine Brut bewacht, Erschauern der Federn, schwache Schnabelhiebe auf die Rinde eines Baums, Bewegungen von Flügeln, Mäusepfoten, die sacht die Erde aufscharren, bis hin zu der lautlosen Explosion keimender Samen. Goldene Augen flohen durch die Dunkelheit, die unter den Blättern schlafenden Spatzen, die dicke schwarze Amsel, die Meise, das Weibchen der Nachtigall; das Männchen dagegen war hellwach und sang und antwortete ihm im Wald und über dem Fluß.

Man vernahm noch andere Laute: eine Detonation, die in regelmäßigen Abständen anschwoll und wie eine Blume erblühte, und, wenn sie verklungen war, das Erzittern aller Fensterscheiben des Dorfs, das Klappern der geöffneten und wieder geschlossenen Fensterläden sowie angstvolle Worte, die von Fenster zu Fenster durch die Luft schwirrten. Zuerst war der Kater jedesmal zusammengezuckt, den Schwanz hochgereckt: Moiré-Reflexe liefen über sein Fell, sein Schnurrbart war steif vor Erregung, dann hatte er sich an dieses Getöse gewöhnt, das immer näher kam und das er wahrscheinlich mit dem Donner verwechselte. Er schlug ein paar Purzelbäume in den Rabatten, entblätterte mit seinen Krallen eine Rose: Sie war voll erblüht, wartete nur auf einen Windhauch, um abzufallen und zu sterben; dann würden sich ihre weißen Blütenblätter als weicher, duftender Regen auf dem Boden verstreuen. Plötzlich kletterte der Kater auf die Spitze eines Baums; er war so schnell wie ein Eichhörnchen, die Rinde zerriß unter seinen Pfoten. Aufgeschreckte Vögel flogen davon. Auf dem äußersten Ende eines Zweiges vollführte er einen wilden, kriegerischen, frechen und kühnen Tanz, als wollte er den Himmel, die Erde, die Tiere, den Mond verhöhnen. Hin und wieder öffnete er sein schmales, tiefes Maul, und es entfuhr ihm ein schrilles Miauen, ein spitzer, herausfordernder Ruf an alle Katzen der Nachbarschaft.

Im Hühnerstall, im Taubenschlag erwachte, zitterte alles Federvieh, verbarg den Kopf unter dem Flügel, spürte den Geruch des Steins und des Todes; hastig kletterte ein kleines weißes Huhn auf einen Zinkkübel, warf ihn um und rannte laut gackernd davon. Doch der Kater war jetzt auf das Gras gesprungen, er rührte sich nicht mehr, er wartete. Seine runden gelben Augen leuchteten im Dunkeln, dann gab es ein Geräusch von raschelnden Blättern. Er kam mit einem leblosen kleinen Vogel im Maul zurück; sacht leckte er das Blut auf, das aus der Wunde rann. Mit Wonne, die Lider geschlossen, trank er dieses warme Blut. Er hatte seine Krallen auf das Herz des Tieres gelegt, sie bald lockernd, bald in das zarte Fleisch über den dünnen Knochen bohrend, mit einer langsamen, rhythmischen Bewegung, bis das Herz zu schlagen aufhörte. Er fraß den Vogel ohne Hast, putzte sich, glättete seinen Schwanz, das äußerste Ende seines schönen Schwanzes, wo die nächtliche Feuchtigkeit einen nassen, glänzenden Fleck hinterlassen hatte. Nun fühlte er sich in wohlwollender Stimmung: Eine Spitzmaus huschte zwischen seinen Beinen hindurch, ohne daß er sie zurückhielt, und er begnügte sich damit, dem Kopf eines Maulwurfs einen Schlag zu versetzen, der eine Blutspur auf seiner Schnauze hinterließ und ihn halbtot niederstreckte, aber weiter ging er nicht. Er betrachtete ihn mit einem etwas verächtlichen Zucken seiner Nasenflügel und rührte ihn nicht an. Eine andere Art von Hunger erwachte in ihm; sein Rücken krümmte sich, er hob die Stirn und miaute noch einmal, ein Miauen, das in einem gebieterischen, heiseren Schrei endete. Auf dem Dach des Hühnerstalls war soeben, sich im Mondschein räkelnd, eine alte rote Katze aufgetaucht. Die kurze Juninacht neigte sich dem Ende zu, die Sterne verblaßten, die Luft roch nach Milch und feuchtem

Gras. Der halb hinter dem Wald verborgene Mond zeigte nur noch eine rosarote Spitze, die im Nebel verschwamm, als sich der Kater, ermattet, triumphierend, von Tau durchnäßt, einen Grashalm zwischen den Zähnen kauend, in Jacquelines Zimmer und auf ihr Bett gleiten ließ, die warme Stelle der mageren kleinen Füße suchend. Er schnurrte wie ein Wasserkessel.

Kurz darauf flog die Pulverfabrik in die Luft.

21

Die Pulverfabrik flog in die Luft, und das furchtbare Echo der Explosion war kaum verklungen (alle Luft des Landes hatte sich verlagert, alle Türen und Fenster bebten, und die kleine Friedhofsmauer stürzte ein), als eine lange Flamme pfeifend aus dem Kirchturm schoß. Das Geräusch der Brandbombe war mit dem der explodierten Pulverfabrik zusammengeflossen. Binnen einer Sekunde stand das Dorf in Flammen. Das Heu in den Scheunen, das Stroh auf den Speichern, alles geriet in Brand; die Dächer brachen zusammen, die Fußböden barsten. Die Menge der Flüchtlinge rannte auf die Straße; die Bewohner aber stürzten zu den Türen der Ställe, um das Vieh zu retten. Die Pferde wieherten, bäumten sich auf, von der Helligkeit und dem Lärm des Brandes verstört; sie weigerten sich hinauszugehen und schlugen mit ihren Köpfen und ihren erhobenen Hufen an die glühendheißen Wände. Eine Kuh lief weg, einen brennenden Ballen Heu an den Hörnern, den sie, brüllend vor Schmerz und Entsetzen, wütend abzuschütteln versuchte, so daß die brennenden Halme in alle Richtungen flogen. Im Garten wurden die blühenden Bäume von blutrotem Schein beleuchtet. In normalen Zeiten wäre Hilfe organisiert worden. Nach den ersten Schrecksekunden hätten sich die Leute wieder etwas beruhigt, aber dieses Mißgeschick, das sie nach vielen anderen Mißgeschicken traf, machte sie kopflos. Zudem wußten sie, daß die Feuerwehrmänner vor drei Tagen den Befehl erhalten hatten, mitsamt ihren Gerätschaften wegzufahren. Sie fühlten sich verloren. «Die Männer, wenn nur die Männer hier wären!» schrien die Bäuerinnen. Aber die Männer waren weit weg, Kinder rannten herum, heulten, machten sich zu schaffen, sorgten für noch mehr Unordnung. Die Flüchtlinge brüllten. Unter ihnen befanden sich auch die Péricands, halb angekleidet, mit schwarzen Gesichtern, wirren Haaren. Wie auf der Landstraße nach dem Bombenangriff wurden Rufe laut, kreuzten sich, alle schrien – das Dorf war ein einziges Geheul: «Jean! Suzanne! Mama! Großmutter!» –, alle riefen gleichzeitig. Niemand antwortete. Ein paar junge Leute, die ihre Fahrräder aus den brennenden Schuppen retten konnten, schoben sie brutal durch die Menge. Aber seltsamerweise hatten die Leuten den Eindruck, daß sie die Ruhe bewahrt hatten und sich genau richtig verhielten. Madame Péricand hielt Emmanuel im Arm, während Jacqueline und Bernard an ihrem Rock hingen (Jacqueline war es sogar gelungen, den Kater in seinen Korb zu stecken, als ihre Mutter sie aus dem Bett gezerrt hatte, und sie preßte ihn krampfhaft an ihr Herz). Im stillen sagte Madame Péricand immer wieder: ‹Das Wertvollste ist gerettet! Gott sei Dank!› Ihr Schmuck und ihr Geld waren in ein Wildledertäschchen genäht worden und ruhten, an der Innenseite ihres Hemds befestigt, auf ihrer Brust, sie spürte sie auf ihrer Flucht dagegenschlagen. Sie war so geistesgegenwärtig gewesen, ihren Pelzmantel und einen Handkoffer voll Tafelsilber zu ergreifen, die sie beide neben ihr Bett gelegt hatte. Die Kinder waren da, die drei Kinder! Dann und wann durchzuckte sie blitzartig der Gedanke an ihre beiden Ältesten, die weit von ihr entfernt in Gefahr waren. Philippe und dieser verrückte Hubert. Daß Hubert weggelaufen war, hatte sie in Verzweiflung gestürzt, und dennoch war sie stolz darauf. Zwar war es eine unbedachte, undisziplinierte, aber doch eines Mannes würdige Tat. Für Philippe und Hubert konnte sie nichts tun, aber ihre drei Kleinen hier, die hatte sie gerettet! Ein Instinkt hatte sie am Abend zuvor gewarnt, dachte sie; sie hatte die Kinder halb angekleidet zu Bett gebracht. Jacqueline hatte kein Kleid an, trug aber eine Jacke über ihren nackten Schultern; sie würde nicht frieren; jedenfalls war es besser, als nur im Hemd dazustehen. Das Baby war in eine Decke gewickelt, und Bernard hatte sogar seine Baskenmütze auf. Und sie selbst, ohne Strümpfe, rote Pantoffeln an den nackten Füßen, mit zusammengebissenen Zähnen, die Arme um das Baby gekrampft, das nicht schrie, sondern verstört mit den Augen rollte, bahnte sich einen Weg durch die von Panik erfaßte Menge, ohne zu wissen, wohin sie ging, während unentwegt Flugzeuge, unzählige, wie ihr schien (es waren zwei!), brummend wie bösartige Hornissen am Himmel flogen.

‹Hoffentlich bombardieren sie uns nicht mehr! Hoffentlich bombardieren sie uns nicht mehr! Hoffentlich …› Diese Worte, immer dieselben, drehten sich unaufhörlich in ihrem gesenkten Kopf. Laut sagte sie: «Laß meine Hand nicht los, Jacqueline! Bernard, hör auf zu plärren! Du bist doch kein Mädchen! Mein Baby, es ist nichts, Mama ist doch da!» Sie sagte diese Worte ganz mechanisch, während sie fortfuhr, innerlich zu beten: ‹Hoffentlich bombardieren sie uns nicht mehr! Mögen sie die anderen bombardieren, mein Gott, aber nicht uns! Ich habe drei Kinder! Ich will sie retten! Mach, daß sie uns nicht mehr bombardieren!›

Endlich war die schmale Dorfstraße zurückgelegt; sie befand sich auf freiem Feld; die Feuersbrunst lag hinter ihr; die Flammen entfalteten sich fächerartig am Himmel. Kaum eine Stunde war vergangen seit dem Morgengrauen, als die Granate in den Kirchturm eingeschlagen war. Auf der Landstraße fuhren noch immer Autos, die aus Paris, Dijon, der Normandie, Lothringen, ganz Frankreich flohen. Die Leute dösten im Innern. Manchmal hoben sie den Kopf und betrachteten gleichgültig den brennenden Horizont. Sie hatten schon so vieles gesehen! Die Amme ging hinter Madame Péricand her, das Entsetzen schien ihr die Sprache verschlagen zu haben; ihre Lippen bewegten sich, aber kein Laut drang über sie. Sie hielt ihre frisch gebügelte gefältelte Haube mit den Musselinbändern in der Hand. Madame Péricand warf ihr einen entrüsteten Blick zu. «Also wirklich, Nounou, etwas Nützlicheres hätten Sie wohl nicht finden können, um es mitzunehmen, nein?» Die alte Frau unternahm verzweifelte Anstrengungen, etwas zu sagen. Ihr Gesicht lief violett an, ihre Augen füllten sich mit Tränen. ‹O Gott›, dachte Madame Péricand, ‹jetzt wird sie verrückt! Was soll nur aus mir werden?› Doch die strenge Stimme ihrer Herrin hatte Nounou wundersamerweise die Sprache wiedergegeben … Sie fand zu ihrem normalen, ehrerbietigen und zugleich scharfen Ton zurück und antwortete: «Madame meint doch nicht, ich hätte sie zurücklassen sollen? So was kostet doch was!» Diese Sache mit der Haube war zwischen ihnen ein ewiger Zankapfel, denn Nounou verabscheute diese Kopfbedeckung, die man ihr aufnötigte – ‹so kleidsam›, dachte Madame Péricand, ‹und sie stehen Dienstboten so gut an›, denn sie vertrat die Ansicht, daß jede Gesellschaftsklasse irgendein Zeichen ihres Standes am Körper tragen sollte, um jeden Irrtum der Einschätzung zu vermeiden, so wie man in einem Geschäft die Preise anzeigt. «Man sieht genau, daß nicht sie es ist, die wäscht und bügelt, die alte Kuh!» pflegte Nounou bei der Arbeit zu sagen. Mit zitternder Hand setzte sie diesen Schmetterling aus Spitze auf ihren Kopf, der schon eine große Nachthaube trug. Madame Péricand schaute sie an, fand etwas Merkwürdiges an ihr, ohne zu verstehen, was es wohl sein mochte. Alles wirkte unerhört. Die Welt war ein gräßlicher Alptraum. Sie ließ sich auf die Böschung sinken, legte Emmanuel wieder in Nounous Arme, sagte so energisch wie möglich: «Jetzt müssen wir hier wegkommen» und blieb in Erwartung des Wunders sitzen. Es ereignete sich kein Wunder, aber ein Eselsfuhrwerk kam vorbei, und als Madame Péricand sah, daß der Fahrer einen Blick auf sie und die Kinder warf und langsamer wurde, sprach der Instinkt in ihr, jener dem Reichtum entsprungene Instinkt, der weiß, wo und wann etwas zu verkaufen ist.

«Halten Sie an!» schrie Madame Péricand. «Wo ist der nächste Bahnhof?»

«In Saint-Georges.»

«Wie lange braucht man bis dahin mit Ihrem Tier?»

«Na, vier Stunden.»

«Fahren die Züge noch?»

«Es scheint so.»

«Sehr gut. Ich steige ein. Komm, Bernard. Nounou, nehmen Sie den Kleinen.»

«Aber Madame, in diese Richtung wollte ich gar nicht, und hin und zurück dauert das gut acht Stunden.»

«Ich werde Sie gut bezahlen», sagte Madame Péricand.

Sie stieg in den Wagen, rechnete aus, daß sie, wenn die Züge normal fuhren, am nächsten Morgen in Nîmes wäre. Nîmes … das alte Haus ihrer Mutter, ihr Schlafzimmer, ein Bad; ihr wurde ganz flau bei diesem Gedanken. Würde in dem Zug Platz für sie sein? ‹Mit drei Kindern›, sagte sie sich, ‹werde ich schon durchkommen.› Gleich einer königlichen Person nahm Madame Péricand, in ihrer Eigenschaft als Mutter einer kinderreichen Familie, überall und auf ganz normale Weise den ersten Platz ein … und sie gehörte nicht zu jenen Frauen, die es wem auch immer erlauben, ihre Privilegien zu vergessen. Sie verschränkte die Arme über der Brust und betrachtete mit siegesgewisser Miene die Landschaft.

«Aber, Madame, das Auto?» stöhnte Nounou.

«Das liegt jetzt wohl in Asche», antwortete Madame Péricand.

«Und die Koffer, die Sachen der Kinder?»

Die Koffer waren auf den Lieferwagen der Dienstboten geladen worden. Zum Zeitpunkt der Katastrophe blieben nur noch drei Koffer übrig, drei Koffer voller Wäsche …

«Ich opfere sie», seufzte Madame Péricand, die Augen zum Himmel erhoben, wobei sie freilich wie in einem lieblichen Traum die tiefen Schränke von Nîmes mit ihren Schätzen an Leinen vor sich sah.

Nounou, die ihren großen eisenbeschlagenen Koffer und eine Handtasche aus imitiertem Schweinsleder verloren hatte, begann zu weinen. Vergebens versuchte Madame Péricand ihr ihre Undankbarkeit gegenüber der Vorsehung begreiflich zu machen. «Bedenken Sie doch, daß Sie am Leben sind, meine arme Nounou, alles andere ist unwichtig!» Der Esel trottete. Der Bauer schlug kleine Seitenwege ein, die von Flüchtlingen ganz schwarz waren. Um elf Uhr kamen sie in Saint-Georges an, und es gelang Madame Péricand, einen Zug zu besteigen, der nach Nîmes fuhr.

Um sie herum sagten die Leute, daß der Waffenstillstand unterzeichnet sei. Einige erklärten das für unmöglich. Immerhin hörte man die Kanone nicht mehr, und es fielen keine Bomben mehr. ‹Vielleicht ist der Alptraum vorüber?› dachte Madame Péricand. Noch einmal betrachtete sie alles, was sie bei sich hatte, ‹alles, was sie gerettet hatte!›: ihre Kinder, ihren Handkoffer. Sie berührte den Schmuck und das Geld an ihrer Brust. Ja, sie hatte in diesen schrecklichen Momenten entschlossen, mutig und gelassen gehandelt. Sie hatte nicht den Kopf verloren! Sie hatte nicht verloren … Sie hatte nicht … Plötzlich stieß sie einen erstickten Schrei aus. Sie griff mit den Händen an ihren Hals und ließ sich zurücksinken, und aus ihrer Kehle drang ein dumpfes Röcheln, als würde sie ersticken.

«Mein Gott, Madame! Madame fühlt sich nicht wohl!» rief die Amme aus.

Endlich konnte Madame Péricand mit erloschener Stimme stöhnen:

«Nounou, meine arme Nounou, wir haben vergessen …»

«Aber was? Was denn?»

«Wir haben meinen Schwiegervater vergessen», sagte Madame Péricand und brach in Tränen aus.

22

Charles Langelet war zwischen Paris und Montargis eine ganze Nacht an seinem Steuer geblieben, hatte also seinen Teil am allgemeinen Mißgeschick abbekommen. Dennoch bewies er große Seelenstärke. In der Herberge, wo er anhielt, um zu Mittag zu essen, gab er, als sich um ihn herum eine Gruppe von Flüchtlingen über die Greuel der Landstraße beklagte und versuchte, ihn als Zeugen zu gewinnen – «Nicht wahr, Monsieur? Sie haben es doch auch gesehen! Man kann nicht sagen, daß wir übertreiben!» –, in schroffem Ton zur Antwort:

«Ich habe nichts gesehen!»

«Wie? Keinen Bombenangriff?» fragte die Wirtin überrascht.

«Nein, Madame.»

«Keine Feuersbrunst?»

«Nicht einmal einen Autounfall.»

«Um so besser für Sie, natürlich», sagte die Frau nach kurzem Nachdenken, wobei sie jedoch zweifelnd die Achseln zuckte, als dächte sie: ‹Ein komischer Kauz!›

Vorsichtig kostete Langelet von dem Omelette, das man ihm vorgesetzt hatte, schob es weg, sagte halblaut «ungenießbar», bat um die Rechnung und ging wieder hinaus. Er fand ein perverses Vergnügen daran, diese braven Gemüter um das Vergnügen zu bringen, das sie sich davon versprachen, ihn auszufragen, denn *sie*, gemeine, vulgäre Geschöpfe, bildeten sich ein, Mitleid mit den Menschen zu empfinden, während sie doch nur vor schnöder, melodramatischer Neugier bebten. ‹Unglaublich, wieviel Vulgarität es in der Welt gibt›, dachte Charlie Langelet traurig. Er war immer empört und betrübt, wenn er die reale Welt mit all den Unglücklichen entdeckte, die noch nie eine Kathedrale, eine Statue, ein Gemälde gesehen hatten. Im übrigen begegneten die *happy few,* denen anzugehören er sich schmeichelte, den Schicksalsschlägen mit der gleichen Schlappheit, dem gleichen Schwachsinn wie die einfachen Leute. O Gott! Man stelle sich vor, was die Menschen später aus der großen Flucht, aus «ihrer Flucht» machen würden. Er meinte sie zu hören, die alte Vettel, die wimmern würde: «Ich habe keine Angst vor den Deutschen gehabt, ich bin auf sie zugegangen und habe ihnen gesagt: ‹Meine Herren, Sie befinden sich bei der Mutter eines französischen Offiziers› – und sie haben keinen Piep gesagt.» Und jene, die erzählen würde: «Rings um mich pfiffen die Kugeln, aber komischerweise machte es mir keine Angst.» Und alle würden ihren Bericht übereinstimmend mit Schreckensszenen spicken. Er aber würde antworten: «Wie seltsam, mir ist alles ziemlich normal vorgekommen. Viele Leute auf den Straßen, das ist alles.» Er stellte sich ihr Erstaunen vor und lächelte, getröstet. Er brauchte Trost. Wenn er an seine Pariser Wohnung dachte, brach ihm das Herz. Mitunter wandte er sich dem Innern des Autos zu, betrachtete zärtlich die Kisten, die sein Porzellan, seine kostbarsten Schätze enthielten. Es befand sich eine Figurengruppe von Capo di Monte darin, die ihm Sorgen machte: Er fragte sich, ob er sie in genügend Sägespäne und Seidenpapier gebettet hatte. Zum Schluß war ihm beim Einpacken das Seidenpapier ausgegangen. Es war ein Tafelaufsatz, junge Mädchen, die mit Amoretten und Kitzen tanzten. Er seufzte. Im Geist verglich er sich mit einem Römer, der vor der Lava und der Asche von Pompeji floh und der seine Sklaven, sein Haus, sein Gold zurückgelassen, aber in den Falten seiner Tunika irgendeine Terrakotta-Statuette mitgenommen hatte, irgendeine formvollendete Vase, irgendeine nach einer schönen Brust modellierte Schale. Es war tröstlich und bitter zugleich, sich von den anderen Menschen so verschieden zu fühlen. Er blickte mit seinen blassen Augen auf sie herab. Der Strom der Wagen floß noch immer, und die düsteren, ängstlichen Gesichter ähnelten einander. Erbärmliche Sippschaft! Woran dachten sie? An das, was sie essen, was sie trinken würden? Er dagegen dachte an die Kathedrale von Rouen, an die Schlösser der Loire, an den Louvre. Ein einziger dieser ehrwürdigen Steine war mehr wert als tausend Menschenleben. Er näherte sich Gien. Ein schwarzer Punkt erschien am Himmel, und blitzschnell vermutete er, daß diese Flüchtlingskolonne nahe dem Bahnübergang für ein feindliches Flugzeug eine recht verlockende Zielscheibe sein mußte, und er fuhr in einen Seitenweg. Fünfzehn Minuten später wurden wenige Meter von ihm entfernt einige Autos, die ebenfalls die Straße hatten verlassen wollen, durch das Fehlverhalten eines verstörten Fahrers aufeinandergeschleudert. Sie prallten von einer Seite auf die andere in die Felder hinein, wobei sie Gepäck, Matratzen, Vogelkäfige, verwundete Frauen verstreuten. Charlie vernahm wirre Geräusche, drehte sich jedoch nicht um. Er floh zu einem buschigen Wäldchen. Dort parkte er seinen Wagen, wartete einen Moment und fuhr dann querfeldein weiter, denn die Nationalstraße wurde entschieden zu gefährlich.

Eine Weile dachte er nicht mehr an die Gefahren, die der Kathedrale von Rouen drohten, sondern führte sich sehr genau vor Augen, was ihn, Charles Langelet, erwartete. Zwar wollte er seine Gedanken nicht darauf richten, doch vor seinem geistigen Auge zeigten sich die unerfreulichsten Bilder. Seine zarten und mageren großen Hände, die krampfhaft das Steuer hielten, zitterten ein wenig. Dort, wo er sich befand, gab es zwar wenige Wagen und wenige Häuser, nur war er sich überhaupt nicht im klaren, auf welchen Ort er zusteuerte. Er hatte sich schon immer schlecht orientieren können. Er war es nicht gewohnt, ohne Chauffeur zu reisen. Eine Zeitlang irrte er um Gien herum. Er wurde um so nervöser, als er fürchtete, bald kein Benzin mehr zu haben. Seufzend schüttelte er den Kopf. Er hatte ja vorausgesehen, was passieren würde: er, Charlie, war für dieses gewöhnliche Dasein nicht geschaffen. Die tausend kleinen Fallstricke des Alltags waren zuviel für ihn. Das Auto blieb stehen. Kein Benzin mehr. Er richtete eine artige kleine Handbewegung an sich selbst, so wie man sich vor der Tapferkeit verneigt, der kein Glück beschieden war. Es war nichts zu machen, er würde die Nacht im Wald verbringen.

«Könnten Sie mir vielleicht einen Kanister Benzin abtreten?» fragte er einen vorbeikommenden Autofahrer.

Der lehnte ab, und Charlie lächelte sauer und melancholisch. ‹So sind die Menschen! Hart und egoistisch. Niemand würde mit seinem Bruder im Unglück einen Kanten Brot, eine Flasche Bier, einen elenden Kanister Benzin teilen.› Der Autofahrer drehte sich um und rief:

«Zehn Meter von hier gibt es welches, in dem kleinen Weiler …»

Der Name verlor sich in der Entfernung, aber schon stapfte er los. Zwischen den Bäumen glaubte Charlie ein oder zwei Häuser zu erkennen.

‹Und der Wagen? Ich kann den Wagen nicht hier stehenlassen!› sagte sich Charlie verzweifelt. ‹Versuchen wir's noch mal.› Nichts geschah. Staub bedeckte ihn wie Kreide, und junge Männer, die betrunken zu sein schienen, drängten sich jetzt wie Fliegen im Innern, auf dem Trittbrett und sogar auf dem Dach eines Wagens, der nur mühsam vorankam.

‹Was für Gaunervisagen›, dachte Langelet erschauernd. Dennoch sprach er sie mit seiner liebenswürdigsten Stimme an.

«Meine Herren, hätten Sie vielleicht ein wenig Benzin für mich? Ich komme nicht mehr weiter.»

Sie stoppten mit einem scheußlichen Kreischen ihrer überlasteten Bremsen. Sie sahen Charlie an und feixten.

«Wieviel zahlen Sie?» fragte schließlich einer von ihnen.

Charlie fühlte genau, daß er hätte antworten müssen: ‹Was Sie wollen!›, aber er war geizig, und außerdem fürchtete er, diese Spitzbuben in Versuchung zu führen, wenn er sich zu wohlhabend gab. Schließlich haßte er es, übers Ohr gehauen zu werden.

«Ich zahle einen angemessenen Preis», antwortete er hochmütig.

«Es gibt keines», sagte der Mann in dem holpernden, ächzenden Wagen.

Er fuhr auf dem sandigen Waldweg weiter, während Langelet niedergeschmettert mit den Armen fuchtelte und rief:

«So warten Sie doch! Halten Sie an! Nennen Sie mir wenigstens Ihren Preis!»

Sie antworteten nicht einmal. Er blieb allein. Aber nicht lange, denn es wurde dunkel, und allmählich drangen andere Flüchtlinge in den Wald. Sie hatten in den Hotels keinen Platz gefunden, sogar die Privatpensionen waren belegt, und sie hatten beschlossen, die Nacht in den Wäldern zu verbringen. Bald sah alles aus wie ein Campingplatz im Juli in Elisabethville, dachte Langelet angewidert. Kinder plärrten, das Moos war bedeckt mit zerknüllten Zeitungen, schmutziger Wäsche und leeren Konservendosen. Frauen weinten, andere schrien oder lachten, schauderhafte, schlecht gewaschene Gören näherten sich Charlie, der sie vertrieb, ohne die Stimme zu erheben, denn er wollte keinen Ärger mit den Eltern, sondern indem er wütend mit den Augen rollte. ‹Der Abschaum von Belleville›, murmelte er entsetzt. ‹Wo bin ich hingeraten?› Hatte der Zufall die Bewohner eines der verrufensten Viertel von Paris an diesem Ort zusammengeführt, oder wurde Charlie von seiner raschen, nervösen Einbildungskraft genarrt? Er fand, daß alle Männer wie Banditen und alle Mädchen wie Dirnen aussahen. Bald wurde es völlig dunkel, und unter diesen dichtbelaubten Bäumen verwandelte sich der durchsichtige Junischatten in eine von glasierten mondweißen Flächen durchbrochene Finsternis. Alle Geräusche nahmen einen besonderen, schauerlichen Klang an: diese wie säumige Vögel am Himmel fliegenden Flugzeuge, diese dumpfen Detonationen, von denen man nicht genau sagen konnte, ob es Kanonenschüsse oder platzende Autoreifen waren. Ein- oder zweimal schlich jemand um ihn herum, sah ihm frech ins Gesicht. Er hörte schaurige Reden. Der Geisteszustand des Volkes war nicht so, wie er hätte sein sollen … Man sprach viel von den Reichen, die das Weite suchten, um ihre Haut und ihr Gold zu retten, und die die Straßen verstopften, während der arme Mann nur seine Beine hatte, um zu laufen und zu krepieren. ‹Als ob sie nicht im Auto hier wären›, dachte Charlie empört, ‹und vermutlich in gestohlenen Autos!›

Er war überaus erleichtert, als sich ein kleiner Wagen neben ihn stellte, in dem ein junger Mann und ein junges Mädchen aus einer sichtlich höheren Klasse als die anderen Flüchtlinge saßen. Der junge Mann hatte einen etwas mißgebildeten Arm; er trug ihn ostentativ vor sich her, als stünde in dicken Buchstaben «dienstuntauglich» darauf geschrieben. Die Frau war jung und hübsch, sehr blaß. Sie teilten sich Sandwichs und schliefen bald ein, am Steuer sitzend, Schulter an Schulter, ihre Wangen berührten einander. Charlie versuchte, ein gleiches zu tun, aber die Erschöpfung, die Überreiztheit, die Angst hielten ihn wach. Nach einer Stunde öffnete der junge Mann, sein Nachbar, die Augen und zündete sich eine Zigarette an. Er sah, daß auch Langelet nicht schlief.

«Wie unbequem es hier ist!» sagte er leise, sich zu ihm beugend.

«Ja, sehr unbequem.»

«Nun, eine Nacht ist schnell vorbei. Ich hoffe, daß ich morgen Beaugency erreichen kann, auf Seitenwegen, denn die Landstraße ist unbefahrbar.»

«Wirklich? Und es soll schwere Bombenangriffe gegeben haben. Ein Glück für Sie, daß Sie fahren können», sagte Charlie. «Ich dagegen habe keinen Tropfen Benzin mehr.»

Er zögerte.

«Wenn ich Sie bitten dürfte, einen Augenblick auf meinen Wagen aufzupassen» (er scheint wirklich ein ehrlicher Mann zu sein, dachte er), «dann würde ich ins Nachbardorf gehen, wo es noch welches geben soll, wie man mir gesagt hat.»

Der junge Mann schüttelte den Kopf.

«Leider gibt es keines mehr, Monsieur. Ich habe die letzten Kanister bekommen, zu einem Irrsinnspreis. Damit hätte ich gerade genug, um zur Loire zu gelangen», sagte er und deutete auf die auf dem Kofferraum befestigten Kanister, «und über die Brücken zu kommen, bevor sie in die Luft fliegen.»

«Wie? Man will die Brücken sprengen?»

«Ja. Das sagen alle. Man wird an der Loire kämpfen.»

«Sie glauben also, daß es kein Benzin mehr gibt?»

«Oh, da bin ich sicher! Ich hätte Ihnen ja gern etwas abgegeben, aber es reicht gerade für mich selbst. Ich muß meine Verlobte bei ihren Eltern in Sicherheit bringen. Sie wohnen in Bergerac. Sobald wir die Loire hinter uns haben, werden wir leichter an Benzin kommen, hoffe ich.»

«Ah, es ist Ihre Verlobte?» sagte Charlie, der an etwas anderes dachte.

«Ja. Wir sollten am 14. Juni heiraten. Alles war bereit, die Einladungen verschickt, die Ringe gekauft, das Kleid sollte heute morgen geliefert werden.»

Er verlor sich in einer tiefen Träumerei.

«Aufgeschoben ist nicht aufgehoben», sagte Charles Langelet höflich.

«Ach, Monsieur! Wer weiß, wo wir morgen sein werden. Sicher, ich darf mich nicht beklagen. In meinem Alter hätte ich Soldat sein müssen, aber mit meinem Arm … Ja, ein Unfall im Gymnasium … Aber ich glaube, daß in diesem Krieg die Zivilisten gefährdeter sind als das Militär. Es heißt, daß einige Städte …»

Er senkte die Stimme.

«… in Schutt und Asche liegen und voller Leichen sind. Man hat mir abscheuliche Dinge erzählt. Sie wissen, daß Gefängnisse, Irrenhäuser geöffnet wurden, ja, Monsieur. Unsere Politiker haben den Kopf verloren. Ein Sträfling läuft unbewacht auf der Straße herum. Man hat mir gesagt, daß der Direktor eines der Gefängnisse von den Insassen, die zu evakuieren man ihm befohlen hatte, ermordet wurde; das ist zwei Schritte von hier passiert. Ich habe mit eigenen Augen von oben bis unten geplünderte Villen gesehen. Und sie greifen die Reisenden an, sie bestehlen die Autofahrer …»

«Ach, sie bestehlen die …»

«Wir werden nie alles erfahren, was während der Flucht vorgefallen ist. Jetzt sagen sie: ‹Sie hätten einfach zu Hause bleiben sollen!› Wirklich reizend! Um sich zu Hause von der Artillerie und den Flugzeugen umbringen zu lassen. Ich hatte in Montfortl'Amaury ein kleines Haus gemietet, um dort nach der Hochzeit gemütlich einen Monat zu verbringen. Es ist am 3. Juni zerstört worden, Monsieur», sagte er entrüstet.

Er sprach viel und fieberhaft; er schien benebelt vor Müdigkeit zu sein. Zärtlich berührte er mit den Fingern die Wange seiner schlafenden Verlobten.

«Wenn ich nur Solange retten kann!»

«Sie sind beide sehr jung?»

«Ich bin zweiundzwanzig, und Solange ist zwanzig.»

«Sie sitzt hier sehr unbequem», sagte Charles Langelet plötzlich mit süßlicher Stimme, einer Stimme, die er nicht an sich kannte, süß wie Honig, während sein Herz in seiner Brust hämmerte. «Warum legen Sie sich beide nicht dort drüben ins Gras?»

«Und das Auto?»

«Oh, ich werde auf das Auto aufpassen, seien Sie unbesorgt», sagte Charlie mit leisem, ersticktem Lachen.

Der junge Mann zögerte noch.

«Ich möchte so früh wie möglich weiterfahren. Und ich habe einen so festen Schlaf …»

«Ich werde Sie wecken. Um wieviel Uhr wollen Sie fahren? Jetzt ist es kurz vor Mitternacht», sagte er mit einem Blick auf seine Uhr. «Ich werde Sie um vier Uhr rufen.»

«O Monsieur, Sie sind zu gütig!»

«Nein, aber als ich zweiundzwanzig war, da bin auch ich verliebt gewesen.»

Der junge Mann machte eine verwirrte Handbewegung.

«Wir sollten am 14. Juni heiraten», wiederholte er seufzend.

«Ja, natürlich, natürlich … Wir leben in einer furchtbaren Zeit … Aber ich versichere Ihnen, es ist absurd, sich hier an

Ihr Steuer zu klammern. Ihre Verlobte ist ja völlig zerschlagen. Haben Sie eine Decke?»

«Meine Verlobte hat einen dicken Reisemantel.»

«Es liegt sich so gut im Gras. Wenn ich nicht mein altes Rheuma fürchten müßte ... Ah, junger Mann, wie schön ist es, zwanzig zu sein!»

«Zweiundzwanzig», korrigierte der Verlobte.

«Sie werden bessere Zeiten erleben, Sie werden sich immer zu helfen wissen, während ein armer alter Mann wie ich ...»

Er senkte die Lider wie eine schnurrende Katze. Dann streckte er die Hand zu einer dichten Lichtung aus, die man undeutlich zwischen den Bäumen im Mondschein erblickte.

«Wie schön muß es dort drüben sein ... da vergißt man alles.»

Er wartete, sagte dann noch in fälschlich gleichgültigem Ton:

«Hören Sie die Nachtigall?»

Der Vogel sang seit einiger Zeit hoch oben auf einem Zweig, gleichgültig gegen den Lärm, das Geschrei der Flüchtlinge, die großen Feuer, die sie auf dem Gras angezündet hatten, um die Feuchtigkeit zu vertreiben. Er sang, und andere Nachtigallen antworteten ihm. Der junge Mann lauschte dem Vogel mit zur Seite geneigtem Kopf, und sein Arm umschlang seine schlafende Verlobte. Nach einigen Augenblicken flüsterte er ihr etwas ins Ohr. Sie öffnete die Augen. Er sprach weiter, ganz dicht bei ihr, in eindringlichem Ton. Charlie wandte sich ab. Dennoch drangen die Worte zu ihm. «Wenn dieser Herr doch sagt, daß er auf das Auto aufpaßt ...» Und: «Sie lieben mich nicht, Solange, nein, Sie lieben mich nicht ... Aber Sie ...»

Charlie gähnte ausgiebig, ostentativ, und sagte halblaut in die Kulissen, mit der übertriebenen Natürlichkeit eines schlechten Schauspielers:

«Ich glaube, ich schlafe gleich ein ...»

Da zögerte Solange nicht länger. Unter nervösem Lachen, sofort erstickten Verneinungen, Küssen sagte sie:

«Wenn Mama uns sähe ... O Bob, Sie sind schrecklich ... Sie werden es mir später doch nicht vorwerfen, Bob?»

Sie entfernte sich am Arm ihres Verlobten. Charlie sah sie unter den Bäumen, einander um die Taille fassend und kleine Küsse austauschend. Und sie verschwanden.

Er wartete. Die folgende halbe Stunde schien ihm die längste seines Lebens zu sein. Dennoch dachte er nicht nach. Er empfand Angst und außerordentlichen Genuß, sein Herz klopfte so stark, so schmerzhaft, daß er murmelte: «Dieses kranke Herz ... wird das nicht überstehen!»

Aber er wußte, daß er noch niemals eine tiefere Wollust empfunden hatte. Den gleichen Schrecken, die gleiche grausame Freude muß ein Kater, der auf Samtkissen liegt und sich von Hühnerbrust ernährt, verspüren, wenn ein Zufall ihm die freie Natur, den von Tau glitzernden, trockenen Zweig eines Baumes zeigt und ihm das blutende, zuckende Fleisch eines Vogels zu beißen gibt, dachte er, denn er war zu intelligent, um nicht zu begreifen, was in ihm vorging. Sachte, sachte, darauf achtend, die Wagentüren nicht schlagen zu lassen, kletterte er ins Auto des Nachbarn, löste die Kanister (er nahm auch Öl mit), schraubte den Tankdeckel ab, wobei er sich die Hände aufschürfte, füllte das Benzin ein und nutzte die Gelegenheit, daß einige andere Autos sich in Bewegung setzten, um wegzufahren.

Außerhalb des Waldes wandte er den Kopf um, betrachtete lächelnd die im Mondschein silbergrünen Wipfel der Bäume und dachte: ‹Alles in allem werden sie nun doch am 14. Juni verheiratet gewesen sein ...›

23

Das Gezeter auf der Straße weckte den alten Péricand. Er öffnete ein Auge, ein einziges vages, blasses Auge voller Verwunderung und Tadel. ‹Was schreien sie denn so?› dachte er. Er hatte die Reise, die Deutschen, den Krieg vergessen. Er wähnte sich bei seinem Sohn, Boulevard Delessert, obwohl er in ein unbekanntes Zimmer starrte; er verstand nichts. Er war in dem Alter, in dem die Erinnerung stärker ist als die Wirklichkeit; er stellte sich die grüne Verkleidung seines Pariser Betts vor. Er streckte seine zittrigen Finger auf dem Tisch aus, auf den bei seinem Erwachen eine aufmerksame Hand jeden Tag einen Teller mit Grütze und Diätbiskuits stellte. Hier aber gab es keinen Teller, keine Tasse, nicht einmal einen Tisch. Und erst jetzt hörte er das Tosen des Feuers in den Nachbarhäusern, roch er den Rauch und erriet, was vor sich ging. Er öffnete den Mund zu einem stummen Atemholen, wie ein Fisch, den man aus dem Wasser zieht, und er verlor das Bewußtsein.

Dabei hatte das Haus gar nicht gebrannt. Nur ein Teil des Daches wurde zerstört. Nach viel Wirrwarr und Entsetzen legte sich der Brand. Unter den Trümmern des Platzes glomm und zischte das Feuer ganz leise, aber die Herberge war unversehrt, und gegen Abend fand man den alten Péricand allein in seinem Bett. Er murmelte verworrene Worte. Er ließ sich sachte ins Spital tragen.

«Da wird es ihm noch am besten gehen, ich habe keine Zeit, mich um ihn zu kümmern», sagte die Wirtin, «bei all den Flüchtlingen, den Deutschen, die kommen, und dem Feuer und all dem ...»

Und sie verschwieg, was ihr am meisten auf der Seele lag: die Abwesenheit ihres Mannes und ihrer beiden Söhne, alle drei eingezogen und vermißt ... Alle drei in jener schlecht umgrenzten, sich stets verändernden, furchtbar nahen Zone, die man «den Krieg» nannte …

Das Spital war sehr sauber und wurde von den Nonnen vom Saint-Sacrement sehr gut geführt. Man legte Monsieur Péricand in ein bequemes Bett am Fenster; durch die Scheibe hätte er die großen junigrünen Bäume sehen können und, um sich herum, fünfzehn schweigsame, ruhige, in ihren weißen Laken liegende Greise. Aber er wollte nichts sehen. Er glaubte weiterhin, zu Hause zu sein. Von Zeit zu Zeit schien er mit seinen schwachen, violetten, auf der grauen Decke übereinanderliegenden Händen zu sprechen. Er richtete ein paar unzusammenhängende, strenge Worte an sie, schüttelte dann lange den Kopf und schloß außer Atem die Augen. Er war nicht mit den Flammen in Berührung gekommen, er war nicht verletzt, aber er hatte hohes Fieber. Der Arzt behandelte in der benachbarten Stadt die Opfer eines Bombenangriffs. Erst spätabends konnte er endlich Monsieur Péricand untersuchen. Er sagte nicht viel: Er torkelte vor Erschöpfung, seit achtundvierzig Stunden hatte er nicht geschlafen, und sechzig Verwundete waren durch seine Hände gegangen. Er gab ihm eine Spritze und versprach, am nächsten Tag wiederzukommen. Für die Nonnen war die Sache klar, sie hatten genügend Erfahrung mit Sterbenden, um den Tod an einem Seufzer, einer Klage, an jenen kalten Schweißperlen, jenen reglosen Fingern zu erkennen. Sie ließen den Priester kommen, der den Doktor in die Stadt begleitet und ebensowenig geschlafen hatte wie dieser! Er gab Monsieur Péricand die Letzte Ölung. Darauf schien der alte Mann das Bewußtsein wiederzuerlangen. Als der Priester das Spital verließ, sagte er zu den Nonnen, der arme Greis sei mit dem lieben Gott im reinen und werde eines sehr christlichen Todes sterben.

Eine der Nonnen war klein, mager und hatte schelmische, tiefblaue Augen voller Mut, die unter ihrer weißen Flügelhaube glänzten; die andere, sanft, schüchtern, rotwangig, litt unter heftigen Zahnschmerzen und legte bisweilen, während sie ihren Rosenkranz betete, die Hand auf ihre schmerzende Wange, mit einem demütigen Lächeln, als schämte sie sich, daß ihr eigenes Kreuz in diesen leidvollen Tagen so leicht war. Und zu ihr sagte Monsieur Péricand plötzlich (es war nach Mitternacht, und der Tumult des Tages hatte sich gelegt, man hörte nur noch im Klostergarten die Katzen schreien):

«Meine Tochter, ich fühle mich schlecht ... Holen Sie den Notar.»

Er hielt sie für seine Schwiegertochter. Zwar wunderte er sich in seinem halben Delirium, daß sie eine Flügelhaube aufgesetzt hatte, um ihn zu pflegen, trotzdem konnte es niemand anderes sein als sie! Sanft, geduldig wiederholte er:

«Maître Nogaret ... Notar ... letzter Wille ...»

«Was tun, Schwester?» sagte Schwester Marie vom Saint-Sacrement zu Schwester Marie von den Chérubins.

Die beiden weißen Hauben neigten sich herab und trafen sich fast über dem ausgestreckten Körper.

«Der Notar wird um diese Uhrzeit nicht kommen, armer Herr ... Schlafen Sie ... Sie werden morgen Zeit haben.»

«Nein ... keine Zeit ...», sagte die leise Stimme. «Maître Nogaret soll kommen ... Telefonieren Sie, ich bitte Sie.»

Abermals besprachen sich die Nonnen, und eine von ihnen verschwand, kam dann mit einem sehr heißen Kräutertee zurück. Er versuchte einige Schluck zu trinken, gab sie aber gleich wieder von sich; die Flüssigkeit rann durch seinen weißen Bart. Plötzlich wurde er von großer Unruhe erfaßt; er stöhnte, er befahl:

«Sagen Sie ihm, er soll sich beeilen ... er hatte mir versprochen ... sobald ich ihn rufen würde ... ich bitte Sie ... machen Sie schnell, Jeanne» (denn in seinem Geist stand jetzt nicht mehr seine Schwiegertochter vor ihm, sondern seine seit vierzig Jahren tote Frau).

Ein besonders stechender Schmerz in ihrem kranken Zahn nahm Schwester Marie vom Saint-Sacrement jede Möglichkeit des Widerspruchs. Sie sagte «ja, ja» mit dem Kopf, betupfte sich die Wange mit ihrem Taschentuch und rührte sich nicht, doch ihre Gefährtin stand entschlossen auf.

«Wir müssen den Notar holen, Schwester.»

Sie hatte ein hitziges, kämpferisches Temperament, und ihre Untätigkeit brachte sie zur Verzweiflung. Sie hatte dem Arzt und dem Priester in die Stadt folgen wollen, konnte jedoch die fünfzehn Greise des Spitals nicht allein lassen (sie setzte kein großes Vertrauen in die Entschlußkraft von Schwester Marie vom Saint-Sacrement). Zur Zeit der Feuersbrunst hatte sie unter ihrer Haube gezittert. Es war ihr gelungen, die fünfzehn Betten aus dem Saal zu schieben, sie hatte eigenhändig für Leitern, Seile und Wassereimer gesorgt, doch das Feuer hatte das zwei Kilometer von der bombardierten Kirche entfernte Spital verschont. Sie hatte also gewartet, war zusammengezuckt bei den Schreien der verängstigten Menge, dem Geruch des Rauchs und dem Anblick der Flammen, jedoch zu allem bereit auf ihrem Posten geblieben. Aber nichts war passiert. Die Opfer der Feuersbrunst wurden im Bürgerhospital behandelt. Man hatte für die fünfzehn Greise nur noch die Suppe zu kochen brauchen, und deshalb setzte die plötzliche Ankunft von Monsieur Péricand mit einemmal alle ihre Energien frei.

«Wir müssen hingehen.»

«Meinen Sie, Schwester?»

«Vielleicht hat er einen wichtigen letzten Willen kundzutun.»

«Aber Maître Charbœuf ist vielleicht nicht zu Hause.»

Schwester Marie von den Chérubins zuckte die Achseln.

«Um Mitternacht?»

«Vielleicht will er nicht kommen!»

«Das möchte ich doch mal sehen! Es ist seine Pflicht. Ich werde ihn aus dem Bett holen, wenn es sein muß», sagte die junge Nonne entrüstet.

Sie ging hinaus, doch dann zögerte sie. Die Ordensgemeinschaft bestand aus vier Nonnen, von denen sich zwei Anfang Juni ins Kloster von Paray-le-Monial zurückgezogen hatten und noch nicht hatten zurückkehren können. Die Ordensgemeinschaft besaß ein Fahrrad, aber bisher hatte keine der Nonnen es zu benutzen gewagt, da sie fürchteten, bei der Bevölkerung Anstoß zu erregen, und Marie von den Chérubins sagte selbst: «Wir müssen warten, bis uns der Herrgott in seiner Gnade einen Notfall beschert. Zum Beispiel, wenn ein Kranker kommt und wir den Arzt und den Herrn Pfarrer benachrichtigen müssen! Jede Sekunde ist kostbar, ich schwinge mich auf mein Fahrrad, den Leuten ist das Maul gestopft! Und beim zweiten Mal wundert es sie nicht mehr!» Bisher war der Notfall noch nicht eingetreten. Schwester Marie von den Chérubins aber brannte darauf, dieses Gefährt zu besteigen! Früher, als sie noch in der Welt lebte, vor fünf Jahren, wie viele fröhliche Landpartien mit ihren Schwestern hatte sie da unternommen, wie viele Ausflüge, wie viele Picknicks. Sie warf ihren schwarzen Schleier nach hinten, sagte sich: Jetzt oder nie und ergriff mit freudeklopfendem Herzen die Lenkstange.

In wenigen Augenblicken war sie im Dorf. Sie hatte einige Mühe, Maître Charbœuf, der einen tiefen Schlaf hatte, zu wecken und vor allem ihn davon zu überzeugen, daß er sich sofort ins Spital begeben müsse. Maître Charbœuf, den die jungen Mädchen der Gegend wegen seiner dicken rosigen Wangen und seiner geröteten Lippen «dickes Baby» nannten, hatte einen umgänglichen Charakter und eine Frau, die ihn terrorisierte. Seufzend kleidete er sich an und machte sich auf den Weg ins Spital. Dort fand er Monsieur Péricand hellwach, hochrot und fieberheiß.

«Hier ist ein Notar», verkündete die Nonne.

«Setzen Sie sich, setzen Sie sich», sagte der Greis. «Verlieren wir keine Zeit.»

Der Notar hatte als Zeugen den Gärtner des Spitals und dessen drei Buben mitgebracht. Angesichts der Eile von Monsieur Péricand holte er ein Blatt Papier aus seiner Tasche und schickte sich an zu schreiben.

«Ich höre, Monsieur. Erweisen Sie mir zunächst die Ehre, mir Ihren Namen, Vornamen und Stand zu nennen.»

«Es ist also nicht Nogaret?»

Péricand kam wieder zu sich. Er warf einen Blick auf die Wände des Spitals, auf die Gipsstatue des heiligen Joseph gegenüber seinem Bett, auf die beiden wunderbaren Rosen am Fenster, die Schwester Marie von den Chérubins pflückte und in eine schmale blaue Vase stellte. Er versuchte zu begreifen, wo er sich befand und warum er allein war, gab es jedoch auf. Er starb, das war alles, und es galt, in gebührender Form zu sterben. Wie oft hatte er sich diesen letzten Akt, diesen Tod, dieses Testament vorgestellt, den letzten glänzenden Auftritt eines Péricand-Maltête auf der Bühne der Welt. Zehn Jahre lang nur noch ein armer Greis gewesen zu sein, den man schneuzt und ankleidet, und mit einemmal zu seiner ganzen Bedeutung zurückzufinden! Strafen, belohnen, enttäuschen, beglücken, nach eigenem Willen seine irdischen Güter verteilen. Andere beherrschen. Andere niederdrücken. Im Vordergrund stehen. (Danach gäbe es nur noch eine Zeremonie, bei der er die erste Stelle einnähme, in einer schwarzen Kiste, auf einem Podest, zwischen Blumen, wo er jedoch nur noch als Symbol oder als geflügelter Geist aufträte, während er hier, noch einmal, lebendig war ...)

«Wie heißen Sie?» fragte er mit leiser Stimme.

«Maître Charbœuf», sagte der Notar bescheiden.

«Gut, das macht nichts. Also dann.»

Er begann langsam, mühsam zu diktieren, als läse er für ihn bestimmte und nur für ihn lesbare Zeilen.

«Vor Maître Charbœuf ... Notar in ... in Anwesenheit von ...», murmelte der Notar, «erschien Monsieur Péricand ...»

Er unternahm einen schwachen Versuch, den Namen ein wenig zu vergrößern, zu verherrlichen. Da er mit seinem Atem haushalten mußte und es ihm unmöglich gewesen wäre, die glorreichen Silben des Namens laut auszurufen, tanzten die violetten Hände einen Augenblick wie Marionetten auf dem Laken: Ihm war, als formte er dicke schwarze Zeichen auf weißem Papier, wie er sie einst unter Karten, Gutscheine, Verkäufe, Verträge setzte: Péricand … Pé-ri-cand, Louis-Auguste.

«Wohnhaft in?»

«89, Boulevard Delessert, in Paris.»

«Körperlich krank, jedoch geistig gesund, wovon sich der Notar und die Zeugen überzeugen konnten», sagte Charbœuf und hob ein wenig zweifelnd die Augen zu dem Kranken.

Aber dieser Sterbende verschlug ihm den Atem. Er hatte eine gewisse Erfahrung; seine Kundschaft rekrutierte sich vor allem aus den Landwirten der Umgebung, aber auch alle reichen Männer machen ein Testament. Dieser hier war ein reicher Mann, darüber bestand kein Zweifel, auch wenn man ihm ein grobes Spitalhemd übergezogen hatte; es mußte sich um einen bedeutenden Mann handeln! Maître Charbœuf fühlte sich geschmeichelt, ihm auf diese Weise an seinem Sterbebett beizustehen.

«Sie wünschen also Ihren Sohn als Universalerben einzusetzen, Monsieur?»

«Ja, ich vermache alle meine bewegliche und unbewegliche Habe Adrien Péricand, unter der Bedingung, daß er sogleich und unverzüglich fünf Millionen an die von mir gegründete Stiftung der Kleinen Büßer des 16. Arrondissements überweist. Die Stiftung der Kleinen Büßer verpflichtet sich, ein lebensgroßes Bildnis von mir auf meinem Totenbett anfertigen zu lassen oder eine Büste, die meine Züge wieder lebendig machen und einem ausgezeichneten Künstler anvertraut und im Vestibül der besagten Stiftung aufgestellt werden soll. Meiner geliebten Schwester Adèle-Émilienne-Louise vermache ich zur Entschädigung für das Zerwürfnis, zu dem es durch das Erbe meiner verehrten Mutter, Henriette Maltête, zwischen uns gekommen ist, ihr vermache ich also meine 1912 erworbenen Grundstücke in Dünkirchen samt allen Gebäuden, die darauf errichtet wurden, sowie den Teil der Docks, die mir ebenfalls gehören. Ich beauftrage meinen Sohn, dieser Verpflichtung vollständig nachzukommen. Mein Schloß in

Bléoville, Gemeinde Vorhange im Calvados, soll in ein Asyl für die großen Kriegsverletzten umgewandelt werden, die vorzugsweise unter den Gelähmten sowie denen auszuwählen sind, deren geistige Fähigkeiten gelitten haben. Ich wünsche lediglich eine schlichte Tafel an den Mauern mit der Inschrift ‹Wohltätige Stiftung Péricand-Maltête zum Gedenken an seine beiden in der Champagne gefallenen Söhne›. Wenn der Krieg zu Ende sein wird …»

«Ich glaube, ich glaube … daß er zu Ende ist», sagte Maître Charbœuf schüchtern.

Aber er wußte nicht, daß Monsieur Péricand im Geist zu dem anderen Krieg zurückgekehrt war, jenem, der ihm zwei Söhne geraubt und sein Vermögen verdreifacht hatte. Er fand sich im September 1918 am Morgen des Sieges wieder, als eine Lungenentzündung ihn beinahe dahingerafft hätte und er in Gegenwart der an seinem Bett versammelten Familie (mit allen Seitenverwandten, die auf diese Nachricht hin aus dem Norden und dem Süden herbeigeeilt waren) das vollzogen hatte, was alles in allem die Generalprobe seines Ablebens war: Damals hatte er seinen Letzten Willen diktiert, den er nun unversehrt in sich wiederfand und dem er freien Lauf gab.

«Wenn der Krieg zu Ende sein wird, soll ein Mahnmal für die Gefallenen auf dem Platz von Bléoville errichtet werden, für das ich aus meinem Nachlaß die Summe von dreitausend Francs anweise. Zuerst in großen goldenen Lettern die Namen meiner beiden ältesten Söhne, dann ein Zwischenraum, dann …»

Erschöpft schloß er die Augen.

«… dann alle anderen in kleinen Lettern …»

Er schwieg so lange, daß der Notar besorgt die Nonnen ansah. War er …? War alles vorbei? Aber Schwester Marie von den Chérubins schüttelte heiter ihre Flügelhaube. Er war noch nicht tot. Er dachte nach. In seinem reglosen Körper durchmaß die Erinnerung ungeheure Räume von Orten und Zeiten.

«Fast mein gesamtes Vermögen besteht aus amerikanischen

Wertpapieren, die sehr ertragreich sein sollen, wie man mir sagte. Ich glaube es nicht mehr.»

Düster schüttelte er seinen langen Bart.

«Ich glaube es nicht mehr. Ich wünsche, daß mein Sohn sie unverzüglich in französische Francs umtauscht. Auch das Gold braucht man jetzt nicht mehr zu behalten. Man soll es verkaufen. Eine Kopie meines Bildnisses soll auch im Schloß von Bléoville in dem großen unteren Saal aufgehängt werden. Meinem treuen Kammerdiener vermache ich eine jährliche Leibrente von tausend Francs. Für alle meine künftigen Urenkel sollen ihre Eltern meine Vornamen Louis-Auguste wählen, wenn es Knaben sind, und Louise-Augustine, wenn es Mädchen sind.»

«Ist das alles?» fragte Maître Charbœuf.

Sein langer Bart senkte sich zum Zeichen dafür, daß das alles sei. Während einiger Augenblicke, die dem Notar, den Zeugen und den Schwestern kurz vorkamen, für den Sterbenden jedoch lang wie ein Jahrhundert, lang wie ein Fieberwahn, lang wie ein Traum waren, legte Monsieur Péricand-Maltête in umgekehrter Richtung den Weg zurück, den auf dieser Erde zu durchlaufen ihm vergönnt gewesen war: die Familienessen im Haus am Boulevard Delessert, die Siestas im Salon, der Kater Anatole auf seinen Knien; seine letzte Unterredung mit seinem älteren Bruder, nach der sie Todfeinde waren (und er hatte unter der Hand die Aktien des Geschäfts zurückgekauft). Jeanne, seine Frau, in Bléoville, gebeugt, an Rheumatismus leidend, wie sie im Garten auf einer Chaiselongue lag, einen Papierfächer in den Fingern (sie starb acht Tage später), und Jeanne in Bléoville, dreißig Jahre zuvor, am Tag nach ihrer Hochzeit, die Bienen waren durch das offene Fenster gedrungen und sogen Nektar aus den Lilien des Brautbuketts und den Orangenblüten des Brautkranzes, der am Fuß des Bettes lag. Jeanne hatte sich lachend in seine Arme geflüchtet …

Dann fühlte er wahrscheinlich den Tod nahen; er machte eine kurze, knappe, auch erstaunte Handbewegung, als versuchte er durch eine für ihn zu schmale Tür zu gehen, und sagte: «Nein. Nach Ihnen, bitte», und auf seinem Gesicht zeigte sich ein Ausdruck der Überraschung.

«Das ist es also?» schien er zu sagen. «Wirklich das?»

Die Überraschung verschwand, das Gesicht wurde streng, finster, und Maître Charbœuf schrieb rasch:

«… In dem Augenblick, als man dem Erblasser die Feder reichte, damit er seine Unterschrift unter das vorliegende Testament setze, unternahm er eine Anstrengung, um den Kopf zu heben, ohne daß es ihm gelang, und tat unmittelbar darauf seinen letzten Atemzug, was von dem Notar und den Zeugen festgestellt wurde, und sie haben es nach Verlesung nichtsdestoweniger unterschrieben, damit es rechtsgültig sei.»

24

Jean-Marie jedoch kam wieder zu sich. Vier Tage lang hatte er bewußtlos und fiebrig vor sich hingedämmert. Erst heute fühlte er sich kräftiger. Am Abend zuvor hatte ein Arzt kommen können; er hatte den Verband gewechselt, und die Temperatur sank. Von dem Paradebett aus, auf das man ihn gelegt hatte, sah Jean-Marie eine große, etwas dunkle Küche, die weiße Haube einer alten Frau, die in einer Ecke saß, schöne schimmernde Töpfe an der Wand und einen Kalender, auf dem ein rosiger, wohlgenährter französischer Soldat abgebildet war, der zwei junge Elsässerinnen in die Arme schloß, eine Erinnerung an den anderen Krieg. Sonderbar, wie lebendig die Erinnerungen an den anderen Krieg hier waren. Auf dem Ehrenplatz vier Porträts von Männern in Uniform, eine kleine Trikolore-Schleife sowie eine kleine Kokarde aus Trauerflor in einer Ecke daran geheftet, und neben ihm ein schwarz und grün gebundener Sammelband der *Illustration* von 1914 bis 1918, der ihm während seiner Genesung die Zeit vertreiben sollte.

In den Unterhaltungen hörte er immer wieder: «Verdun, Charleroi, die Marne …», «Als wir den anderen Krieg erlebt haben», «Als ich bei der Besetzung von Mülhausen dabei war …» Über den gegenwärtigen Krieg, über die Niederlage wurde wenig gesprochen, sie war den Leuten noch nicht ins Bewußtsein gedrungen, sie würde erst Monate, vielleicht Jahre später ihre lebendige, schreckliche Form annehmen, vielleicht wenn die verschmutzten Kinder, die Jean-Marie über dem kleinen Holzzaun vor der Tür auftauchen sah, erwachsen wären. Zerschlissene Strohhüte, braune und rosige Wangen, lange grüne Stecken in der Hand, erschreckt, neugierig reckten sie sich auf ihren Holzschuhen hoch, um drinnen den verwundeten Soldaten betrachten zu können, und wenn Jean-Marie sich regte, verschwanden sie, tauchten ab wie Frösche im Wasser. Manchmal schlüpfte ein Huhn, ein alter scharfer Hund, ein riesiger Puter durch das offene Stalltürchen. Jean-Marie sah seine Gastgeber nur zu den Essenszeiten. Tagsüber war er in der Obhut der alten Frau mit der Haube. Wenn es Abend wurde, setzten sich zwei junge Mädchen zu ihm. Die eine hieß Cécile, die andere Madeleine. Eine Zeitlang meinte er, sie seien Schwestern. Aber nein! Cécile war die Tochter der Bäuerin und Madeleine ein Findelkind. Beide waren lustig anzuschauen, nicht schön, aber frisch; Cécile hatte ein dickes rotes Gesicht und lebhafte braune Augen, Madeleine war blond und zierlicher, mit schimmernden Wangen, samten und rosig wie die Apfelblüte.

Von diesen jungen Mädchen erfuhr er die Ereignisse der Woche. In ihrem Mund, in ihrer ein wenig rauhen Sprache verloren all diese bedeutungsvollen Tatsachen ihren tragischen Klang. Sie sagten: «Es ist recht traurig» und «es ist nicht spaßig anzuschauen ...», «Ach, Monsieur, wir sind sehr bekümmert!» Er fragte sich, ob das die allgemeine Redeweise der Leute von hier war oder etwas noch Tieferes, das mit der Seele dieser Mädchen zu tun hatte, mit ihrer Jugend, ein Instinkt, der ihnen sagte, daß die Kriege vorübergehen und der Eindringling weiterzieht, daß das Leben, selbst das verunstaltete, selbst das verstümmelte, bestehen bleibt. Seufzte nicht auch seine eigene Mutter, ihr Strickzeug in der Hand, während die Suppe auf dem Herd kochte: «1914? Das war das Jahr, in dem wir geheiratet haben, dein Vater und ich. Am Ende waren wir sehr unglücklich, aber am Anfang sehr glücklich.» Und doch war dieses düstere Jahr durch den Glanz ihrer Liebe abgemildert, verschönt worden.

Ebenso würde der Sommer 1940 in der Erinnerung dieser jungen Mädchen trotz allem die Zeit ihrer zwanzig Jahre bleiben, dachte er. Am liebsten hätte er nicht gedacht; das Denken war schlimmer als der physische Schmerz, aber alles kehrte wieder, alles drehte sich unablässig in seinem Kopf: seine Zurückberufung vom Urlaub am 15. Mai, jene vier Tage in Angers, als die Züge nicht mehr fuhren, die Soldaten auf Planken schliefen, von Ungeziefer zerfressen, dann die Alarme, die Bombenangriffe, die Schlacht von Rethel, der Rückzug, die Schlacht an der Somme, der abermalige Rückzug, die Tage, an denen sie von Stadt zu Stadt geflohen waren, ohne Anführer, ohne Befehle, ohne Waffen, und schließlich jener brennende Waggon. Dann wurde er unruhig und stöhnte. Er wußte nicht mehr, ob er sich in der Wirklichkeit herumschlug oder in einem wirren, vom Durst und Fieber hervorgerufenen Traum. Aber das war doch nicht möglich … Es gibt Dinge, die unmöglich sind … Hatte nicht jemand von Sedan gesprochen? Das war 1870, es stand oben auf der Seite in einem Geschichtsbuch mit rotbraunem Leineneinband, den er noch genau vor sich sah. Es war … Langsam skandierte er die Wörter: «Sedan, die Niederlage von Sedan … die verheerende Schlacht von Sedan entschied über den Ausgang des Krieges …» Das Bild des Kalenders an der Wand, dieser lachende rosige Soldat und die beiden Elsässerinnen, die ihre weißen Arme zeigten. Ja, genau das war der Traum, die Vergangenheit, und er … Er begann zu zittern und sagte: «Danke, es ist nichts, danke, es ist nicht nötig …», während man ihm auf seine schweren, starren Füße eine Wärmflasche unter die Decke schob.

«Sie sehen heute abend besser aus.»

«Ich fühle mich besser», antwortete er.

Er bat um einen Spiegel und lächelte, als er sein Kinn sah, auf dem ein schwarzer Backenbart wuchs.

«Ich werde mich morgen rasieren müssen …»

«Wenn Sie die Kraft dazu haben. Für wen wollen Sie sich denn schön machen?»

«Für Sie.»

Sie lachten, kamen dann näher heran. Sie wollten zu gerne wissen, woher er kam, wo er verwundet worden war. Hin und wieder kamen ihnen Bedenken, und sie unterbrachen sich:

«Oh, Sie dürfen uns nicht schwatzen lassen … es wird Sie

ermüden ... Und wir werden ausgeschimpft ... Sie heißen Michaud? ... Jean-Marie?»

«Ja.»

«Sie sind Pariser? Was machen Sie? Sind Sie Arbeiter? Nein! Das sehe ich an Ihren Händen. Sind Sie Angestellter oder vielleicht Beamter?»

«Nur Student.»

«Ah, Sie studieren? Warum?»

«Nun ja», sagte er nachdenkend, «das frage ich mich auch!»

Es war komisch ... Er und seine Kameraden hatten gearbeitet, Prüfungen abgelegt, Diplome erworben, wohl wissend, daß es sinnlos war, nichts nützen würde, da Krieg herrschte ... Ihre Zukunft war vorgezeichnet, ihre Karriere war im Himmel beschlossen worden, so wie man früher sagte «die Ehen werden im Himmel geschlossen». Er war infolge eines Fronturlaubs im Jahre 1915 geboren worden. Er war durch den Krieg und (er hatte es immer gewußt) für ihn geboren worden. Es lag nichts Morbides in diesem Gedanken, den er mit vielen Jungen seines Alters teilte und der einfach logisch und vernünftig war. Aber, so sagte er sich, da das Schlimmste jetzt vorbei ist, ändert das alles. Es gibt wieder eine Zukunft. Der Krieg ist zu Ende, schrecklich, schmachvoll zwar, aber er ist zu Ende. Und ... es gibt Hoffnung ...

«Ich wollte Bücher schreiben», sagte er schüchtern, als er diesen Bäuerinnen, diesen Unbekannten einen Wunsch verriet, den er sich in seinem tiefsten Innern kaum selbst eingestanden hatte.

Dann wollte er den Namen des Orts, des Gehöfts wissen, in dem er sich befand.

«Es ist weit weg von allem», sagte Cécile, «finstere Provinz. Es geht hier nicht alle Tage lustig zu. Man wird ganz dumm, wenn man dauernd das dumme Vieh versorgt, nicht wahr, Madeleine?»

«Sind Sie schon lange hier, Mademoiselle Madeleine?»

«Ich war drei Wochen alt. Die Mutter hat mich mit Cécile aufgezogen. Wir sind Milchschwestern, wir beide.»

«Sie verstehen sich gut, wie ich sehe.»

«Wir haben nicht immer dieselben Gedanken», sagte Cécile.

«Sie möchte Nonne werden!»

«Manchmal …», sagte Madeleine lächelnd.

Sie hatte ein zögerndes und etwas scheues hübsches Lächeln.

‹Ich frage mich, woher sie kommt?› dachte Jean-Marie. Ihre Hände waren zwar rot, aber anmutig geformt, ebenso ihre Beine und ihre Knöchel. Ein Kind der Fürsorge … Er empfand ein wenig Neugier, ein wenig Mitleid. Er war ihr dankbar für die vagen Träumereien, die sie in ihm hervorrief. Es zerstreute ihn, hielt ihn davon ab, an sich und an den Krieg zu denken. Nur schade, daß er sich so schwach fühlte. Es war schwierig, mit ihnen zu lachen, zu scherzen … aber genau das erwarteten sie wahrscheinlich von ihm! Auf dem Land sind zwischen Jungen und Mädchen Frotzeleien, Neckereien doch üblich … Es gehört sich so, es ist gang und gäbe. Sie wären enttäuscht und verwirrt, wenn er nicht mit ihnen lachte.

Er bemühte sich zu lächeln.

«Irgendwann wird ein Junge kommen und Sie auf andere Gedanken bringen, Mademoiselle Madeleine, dann werden Sie nicht mehr Nonne sein wollen!»

«Ich sage Ihnen doch, daß es nur manchmal so ist.»

«Und wann?»

«Oh, ich weiß nicht … an traurigen Tagen …»

«Jungen gibt es hier nicht viele», sagte Cécile. «Ich sage Ihnen ja, wir sind weit weg von allem. Und die wenigen, die es gibt, nimmt der Krieg uns weg. Also? Ach, es ist schon ein Unglück, ein Mädchen zu sein!»

«Alle Leute», sagte Madeleine, «haben Pech!»

Sie hatte sich neben den Verwundeten gesetzt; rasch stand sie auf.

«Cécile, du denkst wohl nicht dran! Der Estrich ist nicht geputzt worden.»

«Du bist an der Reihe.»

«Na, so was! Ganz schön dreist! Du bist an der Reihe!»

Sie zankten sich eine Weile, erledigten dann die Arbeit gemeinsam. Sie waren ungemein flink und gewandt. Bald glänzten die roten Fliesen unter dem frischen Wasser. Von der Schwelle drang ein Geruch nach Gras, Milch, wilder Minze herein. Jean-Marie legte die Wange auf seine Hand. Es war seltsam, der Gegensatz zwischen diesem absoluten Frieden und jenem Getöse in ihm, denn der höllische Lärm der letzten sechs Tage klang noch immer in seinen Ohren, und ein Augenblick Stille genügte, ihn von neuem zu vernehmen: ein Geräusch von gequetschtem Metall, das Stampfen eines Eisenhammers, der mit dumpfen, langsamen Schlägen auf einen riesigen Amboß fällt ... Er erschauerte, und sein Körper bedeckte sich mit Schweiß ... Es war das Geräusch der beschossenen Waggons, jenes Splittern von Balken und Stahl, das die Schreie der Männer übertönte. Laut sagte er:

«Trotzdem muß man das alles vergessen, nicht wahr?»

«Was sagen Sie? Brauchen Sie etwas?»

Er antwortete nicht. Er erkannte Cécile und Madeleine nicht mehr. Bestürzt schüttelten sie den Kopf.

«Das Fieber steigt wieder.»

«Du hast ihn auch zuviel zum Reden gebracht!»

«Von wegen! Er hat fast nichts gesagt. Wir selbst haben doch die ganze Zeit geredet!»

«Es hat ihn ermüdet.»

Madeleine beugte sich über ihn. Er sah die nach Erdbeeren duftende rosa Wange ganz nah an der seinen. Er küßte sie! Sie richtete sich errötend auf, lachte und ordnete die wirren Strähnen ihres Haars.

«Gut, gut, Sie haben mir angst gemacht ... Sie sind gar nicht so krank!»

Er dachte: ‹Was ist das nur für ein Mädchen?› Er hatte sie geküßt, so wie er ein Glas frisches Wasser an seine Lippen gesetzt hätte. Er glühte, seine Kehle, seine Mundhöhle schienen ihm vor Hitze gleichsam rissig, vom Feuer einer Flamme wie ausgedörrt zu sein. Diese schimmernde, weiche Haut erquickte ihn. Gleichzeitig war sein Geist erfüllt von jener Hellsicht, die Schlaflosigkeit und Fieber herbeiführen. Er hatte den Namen dieser jungen Mädchen und auch seinen eigenen vergessen. Die geistige Anstrengung, die nötig war, um seine gegenwärtige Lage an diesem Ort, den er nicht wiedererkannte, zu begreifen, überforderte und erschöpfte ihn. Doch in der abstrakten Welt glitt seine Seele heiter und leicht dahin wie ein Fisch im Wasser, wie ein vom Wind getragener Vogel. Er sah nicht sich selbst, Jean-Marie Michaud, sondern einen anderen, einen anonymen, besiegten Soldaten, der sich nicht fügte, einen verwundeten jungen Mann, der nicht sterben wollte, einen Unglücklichen, der nicht verzweifelte. «Man muß trotz allem damit fertig werden ... Man muß herauskommen aus all diesem Blut, diesem Schlamm, in dem man versinkt ... Man kann sich doch nicht einfach so hinlegen und sterben ... Nein, das wäre zu dumm. Man muß sich festhalten ... sich festhalten ...», murmelte er, und er fand sich, mit weit geöffneten Augen an sein Kopfkissen geklammert, hoch aufgerichtet in seinem Bett wieder, in die Vollmondnacht hinausblickend, in die duftende, stille Nacht, die funkelnde, nach dem heißen Tag so laue Nacht, der das Bauernhaus durch seine Türen und Fenster, die entgegen der Gewohnheit offenstanden, Einlaß gewährte, damit sie den Verwundeten erfrische und beruhige.

25

Als sich Abbé Péricand mit den Knaben, von denen jeder eine Decke und einen Brotbeutel trug und die ihm schlurfend durch den Staub folgten, auf der Landstraße befand, hatte er seine Schritte ins Innere des Landes gelenkt, um die gefahrvolle Loire zu verlassen und sich in die Wälder zu begeben, aber auch hier kampierte bereits die Truppe, und der Abbé meinte, daß die Soldaten unweigerlich von den Flugzeugen gesichtet würden und die Gefahr in diesem Dickicht ebenso groß sei wie an den Ufern des Flusses. Also schlug er fernab der Nationalstraße einen steinigen Weg, fast einen Pfad ein, sich auf seinen Instinkt verlassend, der ihn sicherlich zu irgendeiner abgelegenen Behausung leiten würde, wie im Gebirge, wenn er seine Skimannschaft zu einer im Nebel oder im Schneesturm verlorenen Schutzhütte führte. Hier war es ein wunderbarer Junitag, so strahlend und warm, daß die Knaben sich wie berauscht fühlten. Bisher schweigsam und brav, allzu brav, stießen und drängten sie sich nun und schrien, und Abbé Péricand vernahm Gelächter und gedämpfte Fetzen von Liedern. Er spitzte die Ohren, hörte hinter sich einen wie von halb geöffneten Lippen gesummten obszönen Refrain. Er schlug ihnen vor, gemeinsam ein Marschlied zu singen. Er stimmte es an, kräftig die Worte skandierend, aber nur wenige Stimmen fielen ein. Nach wenigen Augenblicken verstummten alle. Auch er marschierte nun schweigend und fragte sich, welche verworrenen Begierden, welche Träume diese plötzliche Freiheit in diesen armen Kindern weckte. Einer der Kleinen blieb plötzlich stehen und schrie: «Eine Eidechse! Oh, eine Eidechse! Seht nur!» Zwischen zwei Steinen erschienen und verschwanden flinke Schwänze; zarte flache Köpfe zeigten sich; pochende Kehlen hoben und senkten sich in raschem, erschrecktem Pulsieren. Die entzückten Knaben sahen zu. Einige hatten sich auf dem Pfad hingekniet. Der Priester geduldete sich einige Augenblicke, gab dann das Signal zum Aufbruch. Gehorsam standen die Kinder auf, doch in derselben Sekunde schnellten Steine aus ihren Fingern, so geschickt und mit so überraschender Geschwindigkeit, daß zwei der Eidechsen, die schönsten, von zartem, fast blauem Grau, auf der Stelle getötet wurden.

«Warum tut ihr das?» rief der Pfarrer ungehalten aus.

Keiner antwortete.

«Warum? Das ist feige!»

«Die sind doch wie Schlangen, sie beißen», sagte ein Knabe mit bleichem, verstörtem, starrem Gesicht und langer spitzer Nase.

«So ein Unsinn! Eidechsen sind harmlos!»

«Ach, das wußten wir nicht, Herr Pfarrer», erwiderte er mit verschlagener Stimme und gespielter Unschuld, die den Priester nicht täuschte.

Aber er sagte sich, daß es weder der richtige Ort noch der richtige Zeitpunkt sei, sie deswegen zu tadeln; er begnügte sich damit, kurz den Kopf zu neigen, als wäre er mit der Antwort zufrieden, fügte jedoch hinzu:

«Jetzt wißt ihr es.»

Diesmal ließ er sie in Reihen antreten und ihm folgen. Bisher hatte er sie marschieren lassen, wie es ihnen gefiel, aber mit einemmal meinte er, daß einige auf den Gedanken kommen könnten zu entwischen. Sie gehorchten ihm aufs Wort und derart mechanisch, ohne Zweifel an die Pfiffe, den Drill, die Folgsamkeit, die Schweigepflicht gewöhnt, daß ihm schwer ums Herz wurde. Er blickte auf diese plötzlich stumpf gewordenen, erloschenen, verschlossenen Gesichter, wirklich so verschlossen, wie ein Haus es sein kann, die Tür verriegelt, die Seele in sich selbst verkrochen oder abwesend oder tot. Er sagte:

«Wir müssen uns beeilen, wenn wir für die Nacht eine Unterkunft finden wollen, aber sobald ich weiß, wo wir übernachten, und sobald wir gegessen haben – denn bald werdet ihr Hunger

kriegen! —, können wir ein Lagerfeuer machen und so lange draußen bleiben, wie ihr wollt.»

Er ging zwischen ihnen, erzählte ihnen von seinen Kindern in
der Auvergne, vom Skilaufen, von den Bergwanderungen, bemühte sich, ihr Interesse zu wecken, sich ihnen zu nähern. Ver-
gebliche Mühe. Sie schienen ihm nicht einmal zuzuhören; er
begriff, daß kein Wort, das man an sie richtete, ob Ermutigung,
Rüge, Belehrung, je zu ihnen durchdringen könnte, da sie ihm
eine verschlossene, zugemauerte, taube und stumme Seele ent-
gegensetzten.

‹Wenn ich sie etwas länger betreuen könnte›, sagte er sich. Aber
in seinem Herzen wußte er, daß er es gar nicht wollte. Er wollte
nur eines: sie so schnell wie möglich loswerden, seiner Verantwortung und des Unbehagens enthoben sein, das sie ihm bereiteten. Jenem Gesetz der Liebe, das er bisher fast für leicht zu befolgen erachtet hatte, so groß war Gottes Gnade in ihm, wie er
demütig dachte, diesem Gesetz konnte er sich nun nicht unterwerfen, ‹während es für mich vielleicht zum ersten Mal eine ver-
dienstvolle Anstrengung, ein wirkliches Opfer wäre. Wie schwach
ich doch bin!› Er rief einen der Kleinen zu sich, der ständig zu-
rückblieb

«Bist du müde? Tun dir die Schuhe weh?»

Ja, er hatte richtig geraten: Die Schuhe des Jungen waren zu
eng und bereiteten ihm Schmerzen. Er nahm ihn bei der Hand,
um ihm das Gehen zu erleichtern, wobei er sanft mit ihm sprach,
und da er sich schlecht hielt, mit hängenden Schultern und krum-
mem Rücken ging, packte er ihn mit zwei Fingern sanft am Nak-
ken, um ihn zu zwingen, sich aufzurichten Der Junge wehrte
sich nicht. Im Gegenteil, die Augen in die Ferne gerichtet, mit
teilnahmslosem Gesicht lehnte er den Nacken an diese Hand,
und dieser heimliche, beharrliche Druck, diese sonderbare, zwei-
deutige Liebkosung oder vielmehr diese Erwartung einer Liebkosung trieben dem Priester das Blut ins Gesicht. Er packte das
Kind am Kinn und versuchte, seinen Blick in den seinen zu tau-

chen, aber unter den gesenkten Lidern waren die Augen nicht zu sehen.

Er beschleunigte seine Schritte, versuchte, sich zu sammeln, wie er es in Augenblicken der Traurigkeit immer tat, ein inneres Gebet zu sprechen; es war kein wirkliches Gebet. Häufig waren es nicht einmal Worte, die in der menschlichen Sprache gebräuchlich waren. Es war eine Art sprachlose Kontemplation, aus der er meist voller Freude und Frieden hervorging. Heute jedoch stellte auch das sich nicht ein. Das Mitleid, das er empfand, wurde durch ein Körnchen Furcht und Bitterkeit vergällt. Diesen armen Geschöpfen fehlte allzu offensichtlich die Gnade: Seine Gnade. Er hätte sie gern auf sie herabfließen lassen, verdorrten Herzen Glauben und Liebe einimpfen mögen. Gewiß, es bedurfte lediglich eines Seufzers des Gekreuzigten, des Flügelschlags eines seiner Engel, damit das Wunder geschähe, aber war er, Philippe Péricand, nicht von Gott bestimmt worden, die Seelen zu besänftigen, zu öffnen, sie auf das Kommen Gottes vorzubereiten? Er litt darunter, daß er dazu nicht imstande war. Ihm waren die Momente des Zweifels und jene plötzliche Abstumpfung erspart geblieben, die den Gläubigen ergreift und ihn zwar nicht den Fürsten dieser Welt ausliefert, ihn jedoch, in tiefe Finsternis getaucht, gewissermaßen auf halbem Wege zwischen Satan und Gott alleine läßt.

Für ihn war die Versuchung eine andere: es war eine Art heilige Ungeduld, der Wunsch, erlöste Seelen um sich zu scharen, eine bebende Hast, die ihn, kaum hatte er ein Herz für Gott gewonnen, in andere Schlachten warf und ihn stets enttäuscht, mißmutig, mit sich unzufrieden zurückließ. Es war nicht genug! Nein, Jesus, es war nicht genug! Jener ungläubige Greis, der gebeichtet, in der Stunde seines Todes kommuniziert hatte, jene Sünderin, die ihrem Laster entsagt hatte, jener Heide, der die Taufe gewünscht hatte. Nicht genug, nein, nicht genug! Er hatte dann etwas von der Habgier eines Geizigen in sich, der sein Gold anhäuft. Und dennoch war es das nicht ganz. Es erinnerte ihn an bestimmte am Flußufer verbrachte Stunden, als er klein war: jenes freudige Erschauern bei jedem gefangenen Fisch (und heute verstand er nicht, wie er dieses grausame Spiel hatte lieben können; es fiel ihm sogar schwer, Fisch zu essen. Gemüse, Milchspeisen, frisches Brot, Kastanien und jene dicke Suppe der Bauern, in der der Löffel steckenbleibt, genügten ihm als Nahrung), aber als Kind war er ein leidenschaftlicher Angler gewesen, und er erinnerte sich an die Angst, wenn die Sonne sich auf dem Wasser versteckte, wenn sein Fang gering war und wenn er wußte, daß der schulfreie Tag für ihn zu Ende war. Man hatte ihn wegen seiner übermäßigen Gewissenszweifel getadelt. Er selbst fürchtete, daß sie nicht von Gott kamen, sondern von einem anderen ... Trotz allem hatte er es niemals so stark empfunden wie auf dieser Landstraße, unter diesem Himmel, an dem die mörderischen Flugzeuge glitzerten, unter diesen Kindern, von denen er lediglich die Körper retten würde ...

Sie marschierten eine geraume Weile, als sie die ersten Häuser eines Dorfs erblickten. Es war sehr klein, unversehrt, leer: Seine Bewohner waren geflohen. Doch bevor sie weggingen, hatten sie Fenster und Türen fest verschlossen; sie hatten die Hunde, die Kaninchen und die Hühner mitgenommen. Nur ein paar Katzen waren noch da, schliefen in der Sonne auf den Wegen der Gärten oder spazierten satt und seelenruhig über die niedrigen Dächer. Da es die Zeit der Rosen war, hing über jeder Tür eine schöne, voll erblühte, lachende Blume, die Wespen und Hummeln in sich eindringen und ihr Herz verzehren ließ. Dieses von den Menschen verlassene Dorf, in dem man weder Schritte noch Stimmen hörte und dem alle ländlichen Geräusche fehlten – das Knarren der Schubkarren, das Gurren der Tauben, das Geschnatter des Federviehs –, war zum Reich der Vögel, Bienen und Hornissen geworden. Philippe kam es vor, als hätte er noch nie soviel fröhliches, vibrierendes Gezwitscher gehört, noch nie so zahlreiche Schwärme um sich herum gesehen. Die Heureiter, die Erdbeeren, die schwarzen Johannisbeeren, die duftenden kleinen Blumen, die

die Beete säumten, jede Rabatte, jeder Busch, jeder Grashalm verströmte das leise Schnurren eines Spinnrads. Diese Gärtchen waren nutzbringend, liebevoll gepflegt worden; alle besaßen sie einen mit Rosen bewachsenen Spalierbogen, eine Gartenlaube, wo noch der letzte Flieder blühte, zwei Eisenstühle, eine Bank in der Sonne. Die Johannisbeeren waren riesig, durchsichtig und golden.

«Welch guter Nachtisch heute abend», sagte Philippe. «Die Vögel werden ihn wohl mit uns teilen müssen, und wir schaden niemand, wenn wir diese Früchte pflücken. Eure Brotbeutel sind alle ausreichend gefüllt, so daß wir keinen Hunger leiden werden. Aber rechnet nicht damit, in Betten zu schlafen. Ich nehme an, eine Nacht unter freiem Himmel macht euch keine Angst. Ihr habt warme Decken. Also, was brauchen wir? Eine Wiese, eine Quelle. Die Scheunen und Ställe begeistern euch vermutlich nicht! Mich auch nicht … Es ist so schönes Wetter. Also, eßt ein paar Früchte, um euch aufzumuntern, und folgt mir, wir wollen versuchen, einen guten Platz zu finden.»

Er wartete eine Viertelstunde, während die Kinder sich mit Erdbeeren vollstopften; er überwachte sie aufmerksam, um zu verhindern, daß sie die Blumen und das Gemüse zertrampelten, aber er brauchte nicht einzugreifen, sie waren wirklich sehr artig. Diesmal stieß er keinen Pfiff aus, er erhob lediglich die Stimme.

«Laßt ein paar für heute abend übrig. Folgt mir. Wenn ihr unterwegs nicht trödelt, erlasse ich es euch, Reihen zu bilden.»

Wieder gehorchten sie. Sie betrachteten die Bäume, den Himmel, die Blumen, ohne daß Philippe erraten konnte, was sie dachten … Was ihnen gefiel, so schien es, was zu ihren Herzen sprach, war nicht die sichtbare Welt, sondern dieser berauschende Geruch nach reiner Luft und Freiheit, den sie atmeten und der für sie so neu war.

«War einer von euch schon mal auf dem Land?» fragte Philippe.

«Nein, Herr Pfarrer, nein», sagten sie langsam einer nach dem andern.

Philippe hatte bereits bemerkt, daß sie ihm erst nach einigen Sekunden des Schweigens antworteten, als dächten sie sich eine Finte, eine Lüge aus oder als verstünden sie nicht immer genau, was er von ihnen wollte ... Immer dieser Eindruck, es mit ... nicht ganz menschlichen ... Wesen zu tun zu haben, dachte er. Laut sagte er:

«Los, beeilen wir uns.»

Als sie das Dorf hinter sich gelassen hatten, erblickten sie einen schlecht gepflegten großen Park, einen tiefen und durchsichtigen schönen Teich und ein Haus auf einer Anhöhe.

Wahrscheinlich das Schloß, dachte Philippe. Er läutet am Gittertor in der Hoffnung, das Haus bewohnt zu finden, aber die Wohnung des Aufsehers war geschlossen, und niemand kam auf sein Rufen heraus.

«Aber es gibt hier eine Wiese, die wie für uns geschaffen ist», sagte Philippe und deutete mit der Hand auf die Ufer des Teichs. «Was wollt ihr mehr, Kinder! Wir richten hier weniger Schaden an als in den wohlgepflegten kleinen Gärten, hier ist es besser als auf der Landstraße, und wenn ein Gewitter ausbricht, können wir uns in den kleinen Badekabinen unterstellen ...»

Der Park war lediglich mit einem Drahtzaun umgeben; sie überwanden ihn mühelos.

«Vergeßt nicht», sagte Philippe lachend, «daß ich euch hier das Beispiel eines Einbruchs gebe, dafür verlange ich von euch absoluten Respekt vor dieser Besitzung; kein Zweig wird zerbrochen, keine Zeitung im Gras liegengelassen, keine leere Konservendose. Verstanden, ja? Wenn ihr brav seid, erlaube ich euch, morgen im Teich zu baden.»

Das Gras war so hoch, daß es ihnen bis zu den Knien reichte; sie zertraten die Blumen. Philippe zeigte ihnen die Blumen der Jungfrau, sechsblättrige weiße Sterne, und die des heiligen Joseph von hellem, fast rosigem Lila.

«Dürfen wir sie pflücken, Monsieur?»

«Ja. Von diesen soviel ihr wollt. Sie brauchen nur ein wenig

Regen und Sonne, um zu keimen. Dagegen hat das hier viel Sorgfalt und Mühe gekostet», sagte er und deutete auf die rings um
das Schloß gepflanzten Beete. Einer der Knaben, der neben ihm
stand, hob sein eckiges und blasses kleines Gesicht mit den vor-
stehenden Knochen zu den hohen geschlossenen Fenstern.

«Da müssen viele Sachen drin sein!»

Er hatte leise gesprochen, jedoch mit einem dumpfen Ingrimm,
der den Priester verwirrte. Da er nicht antwortete, beharrte das
Kind.

«Nicht wahr, Herr Pfarrer, da müssen viele Sachen drin sein?»

«Wir haben noch nie so ein Haus gesehen», sagte ein anderer.

«Sicherlich gibt es darin sehr schöne Sachen, Möbel, Bilder,
Statuen … Aber viele dieser Schloßherren haben ihr Vermögen
verloren, und ihr wärt vielleicht enttäuscht, wenn ihr euch vor-
stellt, Wunderdinge zu sehen», antwortete Philippe fröhlich. «Am
meisten interessieren euch vermutlich die Vorräte. Die Leute aus
dieser Gegend scheinen mir vorausschauend zu sein und haben
bestimmt alles mitgenommen. Aber da wir sie ohnehin nicht hätten anrühren dürfen, da sie uns nicht gehören, denken wir lieber
nicht daran und behelfen uns mit dem, was wir haben. Ich werde
drei Gruppen bilden: Die erste sammelt trockenes Holz, die zweite schöpft Wasser, die dritte holt das Eßgeschirr.»

Unter seiner Leitung arbeiteten sie gut und schnell. Bald brannte ein großes Feuer am Ufer des Teichs; sie aßen, sie tranken, sie
pflückten Walderdbeeren. Philippe wollte Spiele organisieren, aber
die Kinder spielten mit verdrießlicher, gezwungener Miene, ohne
Schreie, ohne Gelächter. Der Teich glänzte nicht mehr in der
Sonne, sondern schimmerte schwach, und man hörte Frösche an
seinen Rändern quaken. Das Feuer beleuchtete die regungslosen,
in ihre Decken gerollten Knaben.

«Wollt ihr schlafen?»

Keiner antwortete.

«Ihr friert doch nicht, oder?»

Wieder Schweigen.

Aber sie schlafen doch nicht alle, dachte der Priester. Er stand auf und ging zwischen den Reihen hindurch. Manchmal bückte er sich, deckte einen Körper zu, der magerer, schmächtiger war als die anderen, einen Kopf mit flach anliegendem Haar, abstehenden Ohren. Ihre Augen waren geschlossen. Sie stellten sich schlafend, oder der Schlaf hatte sie tatsächlich übermannt. Philippe ging zurück und las an der Flamme sein Brevier. Mitunter hob er die Augen und betrachtete das schillernde Wasser. Diese Augenblicke stummer Meditation nahmen ihm seine Müdigkeit, entschädigten ihn für alle seine Mühen. Von neuem drang die Liebe in sein Herz wie der Regen in trockene Erde, zuerst tropfenweise, sich mühsam einen Weg zwischen den Steinen bahnend, dann in anhaltendem, eiligem Rieseln, nachdem sie das Herz wiedergefunden hatte.

Arme Kinder! Eines von ihnen träumte und gab im Schlaf eine lange, eintönige Klage von sich. Der Priester hob die Hand im Dunkeln, segnete sie, murmelte ein Gebet. «Pater amat vos», flüsterte er. Das sagte er gern zu seinen kleinen Katechismusschülern, wenn er sie zur Buße, zum Verzicht, zum Gebet ermahnte. «Der Vater liebt euch.» Wie nur hatte er glauben können, daß diesen Unglücklichen die Gnade fehle? Vielleicht wurde er weniger geliebt als sie, mit weniger Nachsicht, weniger göttlicher Zärtlichkeit behandelt als der geringste, der verruchteste von diesen hier? O Jesus! Vergib mir! Es war eine Regung des Hochmuts, eine Falle des Dämons! Wer bin ich denn? Weniger als nichts, Staub unter deinen angebeteten Füßen, Herr! Ja, was kannst du von mir, den du von Kindheit an geliebt, beschützt, zu dir geleitet hast, nicht alles verlangen? Aber diese Kinder … die einen werden auserwählt … die anderen … Die Heiligen werden für sie bitten … Ja, alles ist gut, alles ist Gnade. Jesus, verzeih mir meine Traurigkeit!

Das Wasser bewegte sich sacht, die Nacht war feierlich und ruhig. Diese Anwesenheit, ohne die er nicht hätte leben können, dieser Atem, dieser Blick ruhten auf ihm in der Dunkelheit. Ein im Finstern liegendes, ans Herz seiner Mutter gedrücktes Kind braucht kein Licht, um ihre geliebten Züge, ihre Hände, ihre Ringe zu erkennen! Vor Freude lachte er sogar ganz leise. ‹Jesus, du bist da, bist wieder hier. Bleibe bei mir, anbetungswürdiger Freund!› Eine hohe rosa Flamme schoß aus einem schwarzen Holzscheit. Es war spät, der Mond ging auf, aber er war nicht müde. Er nahm eine Decke, streckte sich im Gras aus. Er blieb liegen, die Augen weit geöffnet, und fühlte an seiner Wange die sanfte Berührung einer Blume. Kein Geräusch auf diesem Fleckchen Erde.

Er hörte nichts, er sah nichts, er vernahm nur mit einer Art sechstem Sinn den geräuschlosen Lauf zweier Knaben, die zum Schloß rannten. Es war so schnell, daß er zuerst glaubte, er habe geträumt. Er wollte nicht rufen und damit die anderen schlafenden Kinder wecken. Er erhob sich, strich über seine Soutane, an der ein paar Grashalme und Blütenblätter hingen, und ging ebenfalls zum Schloß. Der dichte Rasen dämpfte die Schritte. Er erinnerte sich jetzt, daß er an einem der Fenster einen schlecht geschlossenen, halboffenen Laden bemerkt hatte. Ja, er hatte sich nicht getäuscht. Der Mond beschien die Fassade. Einer der Knaben stieß gewaltsam den Fensterladen auf. Philippe hatte keine Zeit zu schreien, sie aufzuhalten, schon zerbrach ein Stein die Scheibe, Splitter fielen herab. Wie Katzen sprangen die Jungen ins Innere und verschwanden.

«Oh, ihr Lausebengel, euch werde ich helfen!» rief Philippe aus.

Seine Soutane bis zu den Knien hochhebend, nahm er denselben Weg wie sie, fand sich in einem Salon voller Möbel mit Schonbezügen, einem Raum mit kaltem, glänzendem Parkett. Er tastete einige Augenblicke, bis er den Lichtschalter fand. Als er Licht gemacht hatte, sah er niemanden. Er zögerte, schaute sich um (die Knaben hatten sich versteckt oder waren weggelaufen): Diese Kanapees, dieses Klavier, diese mit wehenden Schutzhüllen bedeckten Bergeren, diese geblümten Vorhänge an den Fenstern – das alles waren Verstecke. Er ging zu einer tiefen Nische, da die

Wandbehänge sich bewegt hatten; er zog sie jäh beiseite; einer der Knaben stand da, einer der älteren, fast ein Mann mit einem schwärzlichen Gesicht, recht schönen Augen, einer niedrigen Stirn, einer schweren Kinnlade.

«Was habt ihr hier zu suchen?» sagte der Priester.

Er hörte ein Geräusch hinter sich und drehte sich um; ein anderer Knabe befand sich im Zimmer, genau hinter seinem Rükken; auch er mochte siebzehn oder achtzehn Jahre alt sein; er hatte zusammengepreßte, verächtliche Lippen in einem gelben Gesicht; man hätte meinen können, die Bosheit sähe ihm aus den Augen. Philippe war auf der Hut, aber sie waren zu schnell für ihn; innerhalb eines Augenblicks waren sie losgesprungen, wobei der eine ihm ein Bein stellte, so daß er hinfiel, und der andere ihn an der Kehle packte. Aber Philippe schlug schweigend, wirkungsvoll um sich. Es gelang ihm, einen der Knaben mit so festem Griff am Kragen zu erwischen, daß er loslassen mußte. Bei der Bewegung, mit der er sich losriß, fiel etwas aus seinen Taschen und rollte auf den Boden: Es war Geld.

«Kompliment, du hast dich beeilt», sagte Philippe, halb erstickt auf dem Fußboden sitzend, und dachte: Vor allem nichts tragisch nehmen, sie hier hinausbefördern, und sie werden mir folgen wie kleine Hunde. Morgen sehen wir weiter! «Es reicht! Genug Dummheiten für heute … los, raus hier.»

Kaum hatte er diese Worte ausgesprochen, als sie sich mit einem lautlosen, wilden, verzweifelten Sprung abermals auf ihn stürzten; einer von ihnen biß zu, das Blut spritzte.

‹Sie werden mich umbringen›, sagte sich Philippe mit einer Art Bestürzung. Sie klammerten sich an ihn wie Wölfe. Er wollte ihnen nicht weh tun, aber er war gezwungen, sich zu wehren; mit Fausthieben, Fußtritten stieß er sie weg, und sie erneuerten den Angriff noch verbissener; sie hatten jeden menschlichen Zug verloren, es waren Wahnsinnige, Tiere … Trotz allem wäre Philippe stärker gewesen, aber ein Möbelstück traf ihn auf den Kopf, ein Tischchen mit Bronzebeinen; er fiel hin, und im Fallen hörte

er, wie einer der Knaben zum Fenster lief und einen Pfiff aus-
stieß. Von allem übrigen sah er nichts: weder die achtundzwanzig plötzlich aufgewachten Heranwachsenden, die im Laufschritt
den Rasen überquerten und durch das Fenster kletterten, noch
den Ansturm auf die zerbrechlichen Möbel, die aufgerissen, geplündert, aus dem Fenster geworfen wurden. Sie waren trunken, sie tanzten um den am Boden liegenden Priester, sie sangen
und schrien. Ein ganz Kleiner, mit dem Gesicht eines Mädchens,
sprang mit geschlossenen Füßen auf ein Sofa, das mit all seinen
alten Federn ächzte. Die Älteren hatten eine Hausbar entdeckt,
schoben sie mit Fußtritten vor sich her, schleiften sie in den Salon;
als sie sie öffneten, sahen sie, daß sie leer war, aber sie brauchten
keinen Wein, um berauscht zu sein: Ihnen genügte das Gemet-
zel, bei dem sie ein erschreckendes Glück empfanden. Sie zerrten
Philippe an den Füßen zum Fenster, hievten ihn hoch und ließen
ihn schwer auf den Rasen fallen. Am Ufer des Teichs angekommen, packten sie ihn, schwangen ihn wie ein Paket – hau ruck!
«Verrecke!» schrien sie mit ihren rauhen Kastratenstimmen, von
denen einige noch wie Kinderstimmen klangen. Doch als er ins
Wasser fiel, war er noch nicht tot. Der Selbsterhaltungstrieb oder
eine letzte Aufwallung von Mut hielt ihn am Ufer zurück; mit
beiden Händen hielt er sich an einem Ast fest und bemühte sich,
seinen Kopf aus dem Wasser zu recken. Sein durch Fausthiebe
und Fußtritte wundgeschlagenes Gesicht war hochrot, geschwol-
len, grotesk und furchtbar. Sie bewarfen ihn mit Steinen. Zuerst
hielt er stand, klammerte sich mit aller Kraft an den Ast, der
schwankte, knackte, nachgab. Er versuchte das andere Ufer zu erreichen, aber ein Steinhagel ging auf ihn nieder. Schließlich hob
er beide Arme, legte sie vor sein Gesicht, und die Knaben sahen,
wie er in seiner schwarzen Soutane kerzengerade absackte. Er
war nicht ertrunken: Er war vom Schlamm ergriffen worden. Und
so starb er, bis zum Gürtel im Wasser, den Kopf nach hinten geworfen, das Auge von einem Stein ausgeschlagen.

26

In der Kathedrale Notre-Dame von Nîmes wurde alljährlich für die Toten der Familie Péricand-Maltête eine Messe zelebriert, doch da in Nîmes nur noch Madame Péricands Mutter wohnte, wurde dieser Gottesdienst gewöhnlich recht schnell in einer Seitenkapelle abgehalten, in Anwesenheit der halb blinden, dickleibigen alten Dame, deren rauher Atem die Stimme des Pfarrers übertönte, und einer Köchin, die seit dreißig Jahren im Hause war. Madame Péricand war eine geborene Craquant, verschwägert mit der Familie Craquant aus Marseille, die durch den Handel mit Speiseöl reich geworden war. Diese Herkunft erschien ihr zwar ehrenwert (und die Mitgift hatte zwei Millionen betragen, zwei Vorkriegsmillionen), aber sie verblaßte neben dem Glanz ihrer neuen Verwandtschaft. Ihre Mutter, die alte Madame Craquant, teilte diese Auffassung und vollzog, nachdem sie sich nach Nîmes zurückgezogen hatte, getreulich alle Rituale der Péricands, betete für die Toten und sandte den Lebenden Glückwunschschreiben zu Hochzeiten und Taufen, wie jene Engländer in den Kolonien, die sich ganz alleine betranken, wenn London den Geburtstag der Königin feierte.

Diese Messe für die Dahingeschiedenen gefiel Madame Craquant deshalb ganz besonders, weil sie sich nach der Zeremonie, wenn sie die Kathedrale verließ, zu einem Konditor begab und dort eine Tasse Schokolade trank und zwei Croissants aß. Wegen ihrer Fettleibigkeit hatte ihr der Arzt eine strenge Diät verschrieben, aber da sie früher aufgestanden war als sonst und die ganze Kathedrale, von dem großen geschnitzten Tor bis zu ihrer Bank, durchquert hatte, was sie immer sehr ermüdete, nahm sie ohne Gewissensbisse diese stärkende Nahrung zu sich. Manchmal sogar, wenn ihre Köchin, vor der sie sich fürchtete, den Rücken kehrte und steif und schweigend an der Türe stand, die beiden Pfarrkinder an der Hand und den schwarzen Schal von Maître Craquant über dem Arm, zog sie einen Teller mit Gebäck zu sich heran und verschlang mit zerstreuter Miene bald einen Windbeutel, bald ein Kirschtörtchen, bald alle beide.

Draußen stand der Wagen, mit zwei alten Pferden bespannt und von einem Kutscher gelenkt, der fast ebenso dick war wie Madame Craquant, und wartete in der Sonne und unter den Fliegen.

In diesem Jahr war alles durcheinandergeraten; die Péricands, die sich nach den Juni-Ereignissen nach Nîmes zurückgezogen hatten, hatten soeben vom Tod des alten Péricand-Maltête und dem von Philippe erfahren. Ersterer war ihnen von den Nonnen des Spitals mitgeteilt worden, in dem der Greis «sehr sanft, sehr trostreich, sehr christlich» entschlafen war, wie Schwester Marie vom Saint-Sacrement schrieb, die so gütig gewesen war, sich seinen Angehörigen zuliebe sogar um die kleinsten Einzelheiten des Testaments zu kümmern, das sobald wie möglich abgeschrieben werden sollte.

Madame Péricand las den letzten Satz zweimal, seufzte, und eine besorgte Miene überzog ihr Gesicht, wich jedoch sogleich dem tiefen Ernst der Christin, die erfährt, daß ein geliebtes Wesen in Frieden mit Gott dahingegangen ist.

«Euer Großvater ist bei unserm kleinen Jesus, meine Kinder», sagte sie.

Zwei Stunden später wurde der Familie der zweite Schicksalsschlag überbracht, jedoch ohne jede Einzelheit; der Bürgermeister eines kleinen Dorfs im Departement Loiret teilte ihr mit, daß der Pfarrer Philippe Péricand bei einem Unfall ums Leben gekommen sei, und schickte ihr die Papiere, aus denen seine Identität zweifelsfrei hervorging. Was seine dreißig Schutzbefohlenen betraf, so waren sie verschwunden. Da halb Frankreich damals die andere Hälfte suchte, wunderte das niemanden. Man sprach von einem Lastwagen, der nicht weit von der Stelle, wo Philippe den

Tod gefunden hatte, in den Fluß gefallen war, und seine Eltern blieben überzeugt, daß es sich tatsächlich um ihn und die unglücklichen Waisenkinder handelte. Schließlich sagte man ihr, daß Hubert bei der Schlacht von Moulins gefallen sei. Jetzt war das Maß der Katastrophe voll. Und das geballte Unglück entriß ihr einen Schrei verzweifelten Stolzes.

«Ich hatte einem Helden und einem Heiligen das Leben geschenkt», sagte sie. «Unsere Söhne zahlen für das der anderen», murmelte sie trübsinnig, während sie ihre Kusine Craquant ansah, deren einziger Sohn einen ruhigen kleinen Posten beim Luftschutz in Toulouse gefunden hatte. «Liebe Odette, mein Herz blutet, du weißt, daß ich nur für meine Kinder gelebt habe, daß ich Mutter, einzig und allein Mutter gewesen bin» (Madame Craquant, die in ihrer Jugend leichtsinnig gewesen war, senkte den Kopf), «aber ich schwöre dir, der Stolz, den ich empfinde, läßt mich mein Leid vergessen.»

Und aufrecht, stolz und würdevoll, während sie bereits den Trauerflor um sich herumflattern spürte, begleitete sie ihre Kusine zur Tür, wo diese demütig seufzte:

«Oh, du bist eine echte Römerin!»

«Nur eine gute Französin», sagte Madame Péricand schroff und kehrte ihr den Rücken.

Diese Worte hatten ihren tiefen, heftigen Kummer ein wenig gelindert. Sie hatte Philippe immer respektiert und in gewisser Weise verstanden, daß er nicht von dieser Welt war. Sie wußte, daß er von den Missionen geträumt hatte und nur aus übersteigerter Demut darauf verzichtet hatte, indem er, um Gott zu dienen, das wählte, was ihm am schwersten fiel: die Unterwerfung unter die alltäglichsten Pflichten. Sie hatte die Gewißheit, daß ihr Sohn bei Jesus war. Wenn sie dasselbe von ihrem Schwiegervater sagte, dann mit einem inneren Zweifel, den sie sich zwar vorwarf, aber dennoch … Bei Philippe dagegen: ‹Ich sehe ihn, als wäre ich dort!› dachte sie. Ja, sie konnte stolz auf Philippe sein, und der Glanz dieser Seele strahlte auf sie selbst zurück. Das Merkwürdigste aber war, wie sich ihre Einstellung gegenüber Hubert veränderte, Hubert, der im Gymnasium dauernd schlechte Noten bekam, an den Nägeln kaute, Hubert mit seinen tintenfleckigen Fingern, seinem pausbäckigen, gutmütigen Gesicht, seinem breiten frischen Mund. Hubert, als Held gestorben, das war ... unbegreiflich ... Wenn sie ihren gerührten Freunden Huberts Weggang schilderte («Ich habe versucht, ihn zurückzuhalten, und ich sah genau, daß es unmöglich war. Er war noch ein Kind, aber ein tapferes Kind, und er ist für die Ehre Frankreichs gefallen»), dann erschuf sie die Vergangenheit neu. Ihr schien, als hätte sie diese hehren Worte tatsächlich ausgesprochen, als hätte sie ihren Sohn in den Krieg geschickt.

Die Stadt Nîmes, die sie bisher nicht ohne Groll betrachtet hatte, empfand für diese schmerzensreiche Mutter nun eine beinahe zärtliche Hochachtung.

«Heute wird die ganze Stadt mit uns sein», seufzte die alte Madame Craquant mit melancholischer Befriedigung.

Es war der 31. Juli. Um zehn Uhr sollte die Totenmesse zelebriert werden, der sich auf so tragische Weise drei Namen hinzugesellt hatten.

«Oh, Mama, was macht das schon?» antwortete ihre Tochter, ohne daß man wußte, ob sich ihre Worte auf die Vergeblichkeit eines solchen Trostes oder auf die schlechte Meinung bezogen, die sie von ihren Mitbürgern hatte.

Die Stadt glänzte unter einer glühenden Sonne. In den volkstümlichen Vierteln bewegte ein tückischer, trockener Wind die farbenfrohen Perlenvorhänge an den Türen. Die Mücken stachen, man spürte das Gewitter. Die Stadt Nîmes, die zu dieser Jahreszeit gewöhnlich schlief, war voller Menschen. Die Flüchtlinge, die sie überflutet hatten, wurden noch immer in ihr festgehalten, weil es kein Benzin gab und die Grenze an der Loire vorläufig geschlossen blieb. Aus den Straßen und Plätzen waren Parkplätze geworden. Es gab kein einziges freies Zimmer mehr. Bisher hatten Leute auf der Straße geschlafen, und ein Strohballen als Bett wurde zum Luxus. Nîmes schmeichelte sich, gegenüber den Flüchtlingen seine Pflicht und mehr als seine Pflicht getan zu haben. Es hatte sie mit offenen Armen empfangen, an sein Herz gedrückt. Es gab keine Familie, die den Unglücklichen nicht Gastfreundschaft gewährt hätte. Schade nur, daß dieser Zustand über Gebühr andauerte. Da gab es das Problem der Versorgung, und man dürfe auch nicht vergessen, sagte Nîmes, daß alle diese armen, von der Reise erschöpften Flüchtlinge bald den schrecklichsten Seuchen zum Opfer fallen würden. Daher forderte man sie mit diskreten Worten und über die Presse, dort aber in weniger verschleierter, brutalerer Form jeden Tag inständig auf, so schnell wie möglich abzureisen, was die Umstände bisher verhindert hatten.

Madame Craquant, die ihre ganze Familie bei sich beherbergte und daher hoch erhobenen Hauptes sogar ein schlichtes Laken verweigern konnte, genoß dieses Treiben, das durch die heruntergelassenen Jalousien an ihre Ohren drang. Frühmorgens nahm sie, ebenso wie die Péricand-Kinder, ihr Frühstück ein, bevor sie in die Kirche ging. Madame Péricand sah ihr beim Essen zu, ohne die aufgetragenen Speisen anzurühren, die trotz der Rationierungen appetitlich und reichlich waren, da man seit der Kriegserklärung in den geräumigen Schränken Vorräte angehäuft hatte.

Madame Craquant, eine schneeweiße Serviette auf ihren großen Brüsten, aß gerade ihren dritten gebutterten Toast, aber sie spürte, daß er ihr schlecht bekam; das starre, kalte Auge ihrer Tochter verwirrte sie. Manchmal hielt sie inne und sah Madame Péricand schüchtern an.

«Ich weiß gar nicht, warum ich esse, Charlotte», sagte sie, «es rutscht nicht!»

Madame Péricand antwortete in einem Ton eisiger Ironie:
«Sie müssen sich zwingen, Mama.»

Und sie schob die volle Schokoladenkanne vor das Gedeck ihrer Mutter.

«Nun ja, dann schenk mir eine halbe Tasse ein, Charlotte, aber nicht mehr als eine halbe Tasse!»

«Sie wissen, daß es die dritte ist?»

Aber Madame Craquant schien plötzlich mit Taubheit geschlagen zu sein.

«Ja, ja», sagte sie undeutlich, mit dem Kopf nickend. «Du hast recht, Charlotte, vor der traurigen Zeremonie muß man sich stärken.» Und mit einem Seufzer schluckte sie die schaumige Schokolade!

Unterdessen klingelte es, und der Dienstbote brachte Madame Péricand ein Paket. Es enthielt die Porträts von Philippe und Hubert. Sie hatte die Fotos ihrer Söhne rahmen lassen. Sie schaute sie lange an, stand dann auf, stellte sie auf die Konsole, trat ein wenig zurück, um die Wirkung zu begutachten, ging dann auf ihr Zimmer und kam mit zwei Rosetten aus Trauerflor und zwei Trikolore-Bändern zurück. Sie drapierte sie um die Rahmen. In diesem Moment hörte man das Schluchzen von Nounou, die auf der Schwelle stand, Emmanuel im Arm. Jacqueline und Bernard fingen auch zu weinen an. Madame Péricand nahm beide an die Hand, zwang sie sanft aufzustehen und führte sie zur Konsole.

«Liebe Kinder! Seht euch eure großen Brüder gut an. Bittet den lieben Gott, daß er euch die Gnade erweise, ihnen ähnlich zu werden. Bemüht euch, brave, gehorsame und fleißige Kinder zu sein wie sie. Sie waren so gute Söhne», sagte Madame Péricand mit schmerzerstickter Stimme, «daß es mich nicht wundert, daß Gott sie belohnt hat, indem er ihnen die Märtyrerkrone gewährte. Ihr braucht nicht zu weinen. Sie sind beim lieben Gott. Sie sehen und beschützen uns. Sie werden uns dort oben empfangen, und bis dahin können wir hienieden als Christen und als Franzosen stolz auf sie sein.»

Jetzt weinten alle. Sogar Madame Craquant hatte ihre Schokolade stehen lassen und suchte mit zitternder Hand ihr Taschentuch. Philippes Porträt war ungemein echt. Es war wirklich sein tiefer, reiner Blick. Er schien die Seinen mit jenem sanften, nachsichtigen, zärtlichen Lächeln zu betrachten, das er manchmal hatte.

«… Und in euren Gebeten», schloß Madame Péricand, «dürft ihr die unglücklichen kleinen Kinder nicht vergessen, die mit ihm dahingegangen sind.»

«Vielleicht sind sie nicht alle tot?»

«Möglicherweise», sagte Madame Péricand zerstreut, «möglicherweise. Arme Kleine … Andererseits ist diese Stiftung eine schwere Bürde», fügte sie hinzu, und ihre Gedanken kehrten zum Testament ihres Schwiegervaters zurück.

Madame Craquant wischte sich die Augen.

«Der kleine Hubert … er war so reizend, so spaßig. Ich erinnere mich, einmal, als ihr hier zu Besuch wart, war ich nach dem Essen im Salon eingeschlafen, und da kommt doch dieser Schlingel, hängt den am Lüster befestigten Fliegenfänger ab und läßt ihn ganz langsam über meinem Kopf herunter. Ich wache auf, stoße einen Schrei aus. Du hast ihn an jenem Tag tüchtig zurechtgewiesen, Charlotte.»

«Ich erinnere mich nicht», sagte Charlotte scharf. «Aber trinken Sie doch Ihre Schokolade aus, Mama, und beeilen wir uns. Der Wagen steht unten. Es ist gleich zehn Uhr.»

Sie gingen auf die Straße hinunter, zuerst die Großmutter, schwerfällig und kurzatmig, auf ihren Stock gestützt, dann Madame Péricand, tief verschleiert, dann die beiden Kinder in Schwarz und Emmanuel in Weiß, schließlich ein paar Dienstboten in voller Trauer. Das Coupé wartete, und der Kutscher stieg gerade von seinem Bock, um den Wagenschlag zu öffnen, als Emmanuel plötzlich seinen kleinen Finger ausstreckte und auf jemanden in der Menge deutete.

«Hubert, da ist Hubert!»

Automatisch wandte sich Nounou dem Punkt zu, auf den er deutete, wurde ganz blaß und stieß einen erstickten Schrei aus.

«Jesus! Heilige Mutter Gottes!»

Eine Art heiseres Geheul entrang sich den Lippen der Mutter;

sie schlug ihren schwarzen Schleier zurück, ging zwei Schritte auf Hubert zu, glitt dann auf dem Trottoir aus und brach in den Armen des Kutschers zusammen, der rechtzeitig herbeigeeilt war, um sie aufzufangen.

Es war wirklich Hubert, eine Haarsträhne über dem Auge, mit einer Haut, so rosig und golden wie Nektarinen, ohne Gepäck, ohne Fahrrad, ohne Verwundungen, der freudestrahlend auf sie zukam.

«Tag, Mama! Tag, Großmutter! Geht es allen gut?»

«Bist du es wirklich? Du lebst!» sagte Madame Craquant lachend und weinend. «Ach, mein kleiner Hubert, ich wußte ja, daß du nicht tot bist! Dazu bist du ein viel zu großer Schlingel, mein Gott!»

Madame Péricand kam wieder zu sich.

«Hubert? Bist du es wirklich?» stammelte sie mit erloschener Stimme.

Hubert war über diesen Empfang erfreut und zugleich beschämt. Er ging zwei Schritte auf seine Mutter zu, streckte ihr seine beiden Wangen hin, die sie küßte, ohne recht zu wissen, was sie tat, blieb dann vor ihr stehen, sich in den Hüften wiegend, wie damals, als er vom Gymnasium eine Sechs in Latein nach Hause gebracht hatte.

Sie seufzte «Hubert» und warf sich an seinen Hals, bedeckte ihn, an ihn geklammert, mit Küssen und Tränen. Eine gerührte kleine Menschenmenge umringte sie. Hubert, der nicht wußte, wie er sich verhalten sollte, tätschelte Madame Péricands Rükken, als hätte sie sich verschluckt.

«Haben Sie mich denn nicht erwartet?»

Sie verneinte.

«Wollten Sie gerade ausgehen?»

«Unglückswurm! Wir wollten gerade in die Kathedrale gehen, um eine Messe für die Ruhe deiner Seele zu lesen.»

Sofort ließ er sie los:

«Im Ernst?»

«Aber wo warst du denn? Was hast du in diesen zwei Monaten gemacht? Man hatte uns gesagt, du seiest in Moulins gefallen.»

«Na, Sie sehen ja, daß es nicht stimmt, wo ich doch hier bin.»

«Aber du hast doch gekämpft? Hubert, lüge nicht! Du mußtest dich ja unbedingt da einmischen, kleiner Dummkopf. Und dein Fahrrad? Wo ist das Fahrrad?»

«Verloren.»

«Natürlich! Dieser Junge bringt mich noch ins Grab! Also was, erzähle, sprich, wo warst du?»

«Ich habe versucht, euch zu finden.»

«Du hättest besser daran getan, uns nicht zu verlassen», sagte Madame Péricand streng. «Dein Vater wird sich freuen, wenn er es erfährt», sagte sie schließlich mit keuchender Stimme.

Dann fing sie plötzlich heftig zu weinen an, ihn abermals umarmend. Aber die Zeit verging, sie wischte sich die Augen, doch noch immer rannen die Tränen.

«Geh jetzt hinauf, und wasch dich! Hast du Hunger?»

«Nein, ich habe sehr gut gefrühstückt, danke.»

«Wechsle das Taschentuch, die Krawatte, wasch dir die Hände, sei ordentlich, mein Gott! Und beeil dich, zu uns in die Kathedrale zu kommen.»

«Wieso? Ihr geht immer noch hin? Wo ich doch lebe, wollt ihr statt dessen nicht lieber ein schönes Freßgelage veranstalten? Im Restaurant, nein?»

«Hubert!»

«Was ist denn? Weil ich ‹Freßgelage› gesagt habe?»

«Nein, aber ...»

‹Es ist furchtbar, ihm das einfach so, mitten auf der Straße zu sagen›, dachte sie. Sie nahm seine Hand und ließ ihn in die Kutsche steigen.

«Mein Kleiner, es sind zwei große Unglücke geschehen. Zuerst Großpapa, der arme Großpapa ist tot, und Philippe ...»

Der Schlag traf ihn auf seltsame Weise. Vor zwei Monaten wäre er in Tränen ausgebrochen, in dicke, durchsichtige, salzige, über seine rosigen Wangen rinnende Tränen. Jetzt wurde er entsetzlich blaß, und sein Gesicht nahm einen Ausdruck an, den sie nicht an ihm kannte, einen männlichen, fast harten Ausdruck.

«Großpapa, das ist mir egal», sagte er nach langem Schweigen. «Aber Philippe …»

«Hubert, bist du verrückt?»

«Ja, es ist mir egal, und Ihnen auch. Er war sehr alt und krank. Was hätte er in all diesem Wirrwarr denn noch tun sollen?»

«Na, hör mal!» protestierte Madame Craquant beleidigt.

Aber er sprach weiter, ohne auf sie zu achten.

«Was Philippe angeht … Aber zunächst einmal, seid ihr sicher? Könnte es nicht genau so sein wie bei mir?»

«Leider sind wir sicher …»

«Philippe …»

Seine Stimme bebte und erstarb.

«Er war nicht von dieser Welt, die anderen reden bloß immer vom Himmel, aber sie denken nur an die Erde … Er dagegen kam von Gott, und er muß jetzt sehr glücklich sein.»

Er verbarg sein Gesicht in den Händen und verharrte lange regungslos. Dann hörte man die Glocken der Kathedrale. Madame Péricand berührte den Arm ihres Sohnes.

«Gehen wir?»

Er nickte. Alle stiegen in den Wagen und den ihm folgenden. Sie begaben sich zur Kathedrale. Hubert ging zwischen seiner Mutter und seiner Großmutter. Beide waren neben ihm, als er auf seinem Betstuhl niederkniete. Man hatte ihn wiedererkannt; er vernahm Geflüster, erstickte Ausrufe. Madame Craquant hatte sich nicht getäuscht; die ganze Stadt war da. Alle konnten den Davongekommenen sehen, der Gott genau an dem Tag für seine Rettung dankte, an dem man für die Toten seiner Familie betete. Im allgemeinen freuten sich die Leute: Ein braver kleiner Junge wie Hubert, der den deutschen Kugeln entronnen war, das schmeichelte ihrem Gerechtigkeitssinn und ihrem Verlangen nach Wundern. Jede Mutter, die seit Mai ohne Nachricht war (und es waren viele!), fühlte ihr Herz vor Hoffnung schneller schlagen! Und es war unmöglich, voll Bitterkeit zu denken, wie sie es leicht hätten tun können: «Manche haben einfach zuviel Glück», da doch der arme Philippe (ein hervorragender Priester, sagte man) den Tod gefunden hatte.

Deshalb gab es nicht wenige Frauen, die ungeachtet des hehren Orts Hubert zulächelten. Er sah sie nicht an, er war noch immer in jenem Zustand der Betäubung, in den ihn die Worte seiner Mutter gestürzt hatten. Philippes Tod zerriß ihm das Herz. Er erinnerte sich an die entsetzliche Verfassung, in der er sich im Augenblick des Zusammenbruchs, vor der verzweifelten und vergeblichen Verteidigung von Moulins befunden hatte. ‹Wenn wir alle gleich wären, lauter Schweine und Hunde!› dachte er beim Anblick der hier Versammelten, ‹dann könnte man es ja noch verstehen, aber was haben Heilige wie Philippe dabei zu suchen? Wenn es unseretwegen ist, um für unsere Sünden Vergebung zu erlangen, dann wäre es so, als böte man eine Perle im Tausch gegen einen Sack Steine.›

Diejenigen, die um ihn waren, seine Familie, seine Freunde, weckten in ihm ein Gefühl von Scham und Wut. Er hatte sie und ihresgleichen auf der Landstraße gesehen, er erinnerte sich an die Wagen voller Offiziere, die mit ihren schönen gelben Koffern und ihren angemalten Frauen flohen, an die Beamten, die ihre Posten im Stich ließen, an die Politiker, die in der Panik die Geheimdokumente, die Aktenordner auf der Landstraße verstreuten, an die jungen Mädchen, die, nachdem sie am Tag des Waffenstillstands geziemend geweint hatten, sich heute mit den Deutschen trösteten. ‹Wenn man bedenkt, daß niemand es erfahren wird, daß es mit einem solchen Lügengespinst umwoben werden wird, daß es am Ende als ein weiteres ruhmvolles Kapitel der Geschichte Frankreichs erscheinen wird. Man wird sich abmühen, Beispiele der Selbstlosigkeit, des Heldenmuts zu finden. Großer Gott, was habe ich nicht alles gesehen! Verschlossene Türen, an die man vergeblich klopfte, um ein Glas Wasser zu bekommen, und all diese Flüchtlinge, die die Häuser ausraubten; überall, von oben bis unten, Unordnung, Feigheit, Eitelkeit, Ignoranz! O ja, schön sehen wir aus!›

Währenddessen folgte er widerstrebend dem Gottesdienst, und sein Herz war so schwer und hart, daß es ihn körperlich schmerzte. Mehrmals stieß er einen heiseren Seufzer aus, der seine Mutter beunruhigte. Sie drehte sich zu ihm um; ihre tränenfeuchten Augen glänzten durch den Trauerflor. Sie murmelte:

«Du bist doch nicht krank?»

«Nein, Mama», antwortete er und sah sie mit einer Kälte an, die er sich zum Vorwurf machte, jedoch nicht zu bezwingen vermochte.

Er urteilte über seine Angehörigen mit Bitterkeit und schmerzlicher Strenge; er äußerte seine Anklagen nicht klar und deutlich, sondern nahm sie alle gemeinsam in Form grausamer, kurzer Bilder in sich auf: sein Vater, der die Republik «dieses verrottete Regime …» nannte; am selben Abend, zu Hause, das Diner mit den vierundzwanzig Gedecken und den schönsten Tischtüchern, die köstliche Gänseleberpastete, die teuren Weine zu Ehren eines ehemaligen Ministers, der wieder Minister werden konnte und um dessen Gunst sich Monsieur Péricand bemühte. (Oh, mit welch spitzen Lippen seine Mutter sagte: «Mein lieber Präsident …») Die zum Bersten mit Wäsche und Tafelsilber beladenen Wagen, die in der Menge der Flüchtenden steckenblieben, und seine Mutter, wie sie auf die Frauen und Kinder deutete, die mit ein paar in ein Tuch geknoteten Kleidern zu Fuß gingen, und sagte: «Seht nur, wie gut der kleine Jesus es mit uns meint. Uns hätte das gleiche Los treffen können wie diese Unglücklichen!» Heuchler! Scheinheilige! Und er selber, was hatte er hier zu suchen? Empörung und Haß im Herzen, tat er so, als betete er für Philippe! Aber Philippe war … Mein Gott! Philippe, mein geliebter Bruder flüsterte er, und als wohnte diesen Worten eine göttliche Kraft der Besänftigung inne, weitete sich sein beklommenes Herz und flossen seine Tränen. Gedanken der Sanftmut, der Verzeihung durchdrangen ihn. Sie kamen nicht aus ihm selbst, sondern von außen, als hätte ihm ein Freund ins Ohr geflüstert: «Eine Familie, eine Rasse, die Philippe hervorgebracht hat, kann nicht schlecht sein. Du bist recht streng, du hast nur die äußeren Ereignisse gesehen, du kennst die Seelen nicht. Das Böse ist sichtbar, es brennt, es stellt sich eifrig vor aller Augen zur Schau. Nur einer hat die Opfer gezählt, das vergossene Blut und die Tränen ermessen.» Er betrachtete die Marmorplatte, auf der die Namen der Gefallenen graviert waren … die des anderen Krieges. Darunter auch einige Craquants und Péricands, Onkel und Vettern, die er nicht gekannt hatte, Kinder, kaum älter als er, die an der Somme, in Flandern, in Verdun getötet, zweimal getötet worden waren, da sie umsonst starben. Nach und nach entwuchs diesem Chaos, diesen widersprüchlichen Gefühlen eine sonderbare, eine bittere Erfüllung. Er hatte eine reiche Erfahrung erworben. Er wußte nun, und zwar nicht mehr nur abstrakt, sondern mit seinem Herzen, das so rasend geschlagen hatte, mit seinen Händen, die sich aufgeschürft hatten, als sie halfen, die Brücke von Moulins zu verteidigen, mit seinen Lippen, die eine Frau liebkost hatten, während die Deutschen ihren Sieg feierten; er wußte nun, was die Worte «Gefahr», «Mut», «Angst», «Liebe» bedeuteten … Ja, auch «Liebe» … Er fühlte sich jetzt wohl, stark und selbstsicher. Nie mehr würde er durch die Augen anderer sehen, aber auch alles, was er von nun an lieben und glauben würde, wäre ein Teil seiner selbst und nicht von anderen beeinflußt. Langsam faltete er die Hände, beugte den Kopf und betete endlich.

Die Messe ging zu Ende. Auf dem Vorhof umringte und umarmte man ihn, beglückwünschte seine Mutter.

«Er hat noch immer seine vollen Wangen», sagten die Damen. «Trotz all den Anstrengungen ist er kaum magerer geworden, er hat sich nicht verändert. Lieber kleiner Hubert …»

27

Die Cortes kamen um sieben Uhr morgens im Grand Hôtel an. Sie wankten vor Müdigkeit; furchtsam sahen sie geradeaus vor sich hin, als erwarteten sie, sobald sie durch die Drehtür gegangen wären, in die wüste Welt eines Alptraums zu geraten, in der Flüchtlinge auf den cremefarbenen Teppichen des der Konversation vorbehaltenen Salons schliefen, in der der Portier sie nicht wiedererkennen und ihnen ein Zimmer verweigern würde, in der sie kein warmes Wasser hätten, um sich zu waschen, eine Welt, in der Bomben in die Empfangshalle fielen. Aber Gott sei Dank blieb die Königin der Thermalbäder Frankreichs unversehrt, und am See herrschte ein zwar lärmendes, fiebriges, alles in allem aber normales Treiben. Das Personal war auf seinem Posten. Zwar versicherte der Direktor, es fehle an allem, doch der Kaffee war köstlich, die Getränke an der Bar waren gut gekühlt, aus den Hähnen floß nach Belieben kaltes oder heißes Wasser. Anfangs hatte man sich Sorgen gemacht: Die unfreundliche Haltung Englands ließ die Aufrechterhaltung der Blockade befürchten, was jedwede Whiskylieferung verhindert hätte, aber man verfügte über beträchtliche Lagerbestände. Man konnte also warten.

Schon bei ihren ersten Schritten auf den Marmorfliesen der Empfangshalle fühlten sich die Cortes wiederaufleben: Alles war ruhig, kaum daß man das ferne Schnurren der großen Aufzüge vernahm. Durch die offenen Fenster sah man über den Rasenflächen des Parks den Regenbogen der Besprengungsanlage zittern. Sie wurden wiedererkannt und umsorgt. Der Direktor des Grand Hôtel, in dem Corte seit zwanzig Jahren abstieg, hob die Arme zum Himmel und sagte ihnen, daß alles zu Ende sei, daß man in den Abgrund stürze und man im Volk das Pflichtbewußtsein und den Sinn für Größe wiederbeleben müsse. Dann vertraute er ihnen an, daß man in jedem Augenblick die Ankunft der Regierung erwarte, daß die Appartements seit dem Vortag reserviert seien, daß der Botschafter Boliviens auf einem Billardtisch schlafe, daß er jedoch für ihn, Gabriel Corte, immer etwas werde tun können – also etwa dasselbe, was er im Normandy von Deauville zum Zeitpunkt der Pferderennen sagte, als er sich dort die ersten Sporen als stellvertretender Direktor verdient hatte!

Corte strich sich mit müder Hand über seine umwölkte Stirn.

«Mein armer Freund, legen Sie mir eine Matratze in ein WC, wenn Sie wollen!»

Alles um ihn herum wurde auf diskrete, gedämpfte, schickliche Weise erledigt. Es gab keine in einem Straßengraben gebärenden Frauen mehr, keine verirrten Kinder mehr, keine Brücken mehr, die wie Raketen als Feuergarben herabstürzten und die benachbarten Häuser zerstörten, wenn sie unter ihrer schlecht berechneten Sprengstoffladung explodierten. Man schloß ein Fenster, um ihn vor Zugluft zu schützen, man öffnete ihm die Türen, und er spürte dicke Teppiche unter seinen Füßen.

«Haben Sie all Ihr Gepäck? Haben Sie nichts verloren? Was für ein Glück! Manche sind ohne einen Schlafanzug, ohne eine Zahnbürste hier angekommen. Es gab sogar einen Unglücklichen, der bei einer Explosion völlig entkleidet wurde; er ist völlig nackt, nur in eine Decke gehüllt, und schwer verletzt von Tours bis hierher gereist.»

«Und ich hätte beinahe meine Manuskripte verloren», sagte Cortes.

«O mein Gott, welch ein Unglück! Aber Sie haben sie unversehrt wiedergefunden? Nein, was wir alles erlebt haben! Was wir alles erlebt haben! Pardon, Monsieur, verzeihen Sie, Madame, ich gehe voraus. Hier ist das Appartement, das ich für Sie ausgesucht habe, in der vierten Etage, Sie entschuldigen mich, nicht wahr?»

«Oh!» murmelte Corte. «Im Augenblick ist mir alles egal.»

«Ich verstehe», sagte der Direktor, mit trauriger Miene den

Kopf neigend. «So ein Elend … Ich bin Schweizer von Geburt, aber Franzose im Herzen. Ich verstehe», wiederholte er.

Und er blieb einige Augenblicke regungslos stehen, die Stirne gesenkt wie auf dem Friedhof, wenn man die Familie gegrüßt hat und nicht wagt, gleich zum Ausgang zu eilen. Seit einigen Tagen hatte er diese Haltung so oft eingenommen, daß sein liebenswürdiges, fülliges Gesicht davon völlig verändert war. Zwar hatte er schon immer den leisen Schritt und die sanfte Stimme gehabt, wie sie für seinen Beruf notwendig waren. Doch nachdem er seine natürlichen Anlagen noch übertrieben hatte, bewegte er sich nun völlig lautlos, wie in einem Sterbezimmer, und als er zu Corte sagte: «Soll ich Ihnen das Frühstück auf Ihr Zimmer bringen lassen?», tat er es in einem diskreten, düsteren Ton, als fragte er ihn, auf den Leichnam eines teuren Verwandten deutend: «Darf ich ihn noch ein letztes Mal küssen?»

«Das Frühstück?» seufzte Corte, mit Mühe zur Alltagswirklichkeit und ihren läppischen Sorgen zurückfindend. «Ich habe seit vierundzwanzig Stunden nichts gegessen», setzte er mit bleichem Lächeln hinzu.

Was am Abend zuvor wahr gewesen war, stimmte jetzt nicht mehr, da er an diesem Morgen um sechs Uhr ein reichhaltiges Mahl zu sich genommen hatte. Im übrigen aber log er nicht: Wegen seiner extremen Müdigkeit und der Verwirrung, in die ihn das Unglück des Vaterlandes stürzte, hatte er völlig zerstreut gegessen. Ihm schien, als hätte er noch nichts im Magen.

«Oh, Sie müssen sich zwingen, Monsieur! Oh, so sehe ich Sie gar nicht gern, Monsieur Corte. Sie müssen sich überwinden. Das sind Sie der Menschheit schuldig.»

Corte machte eine verzweifelte kleine Kopfbewegung, die besagte, daß er es wisse, daß er das Recht der Menschheit auf seine Person nicht in Abrede stelle, daß man ihm aber in diesem Fall nicht mehr Tapferkeit abverlangen könne als dem einfachen Bürger.

«Mein armer Freund», sagte er, sich abwendend, um seine Tränen zu verbergen, «es stirbt nicht allein Frankreich, sondern der Geist.»

«Niemals, solange Sie da sind, Monsieur Corte», antwortete der Direktor gefühlvoll, der diesen Satz seit dem Debakel schon einige Male gesagt hatte. In der Reihe der Berühmtheiten war Corte der vierzehnte, der nach den schmerzlichen Ereignissen aus Paris eintraf, und der fünfte Schriftsteller, der im Palast Zuflucht suchte.

Corte lächelte schwach und bat, daß der Kaffee recht heiß sein möge.

«Kochend», versicherte der Direktor und verließ den Raum, nachdem er telefonisch die nötigen Anweisungen erteilt hatte.

Florence hatte sich in ihr Zimmer zurückgezogen und sah sich, bei verriegelter Tür, voller Bestürzung im Spiegel an. Ihr gewöhnlich so sanftes, so gut geschminktes, so ausgeruhtes Gesicht war mit Schweiß bedeckt wie mit einem glänzenden Belag; es nahm weder Puder noch Creme mehr auf, sondern stieß sie in dicken Klümpchen ab wie geronnene Mayonnaise; die Nasenflügel waren verkniffen, die Augen hohl, der Mund schlaff und welk. Schaudernd wandte sie sich vom Spiegel ab.

«Ich bin fünfzig Jahre alt», sagte sie zu ihrer Zofe.

Zwar entsprach das der reinen Wahrheit, aber ihre Worte klangen so ungläubig und entsetzt, daß Julie sie so verstand, wie sie gemeint waren, das heißt als Bild, als Metapher des höchsten Alters.

«Nach allem, was passiert ist, verstehe ich das … Madame sollte ein Schläfchen machen.»

«Unmöglich … Sobald ich die Augen schließe, höre ich wieder die Bomben, sehe diese Brücke wieder, diese Toten …»

«Madame wird es vergessen.»

«O nein, niemals! Könnten denn Sie das vergessen?»

«Bei mir ist das was anderes.»

«Warum?»

«Madame muß an so viel denken!» sagte Julie. «Soll ich das grüne Kleid von Madame zurechtlegen?»

«Mein grünes Kleid? So wie ich aussehe?»

Florence hatte sich mit geschlossenen Augen gegen die Rükkenlehne ihres Stuhls sinken lassen, doch mit einemmal sammelte sie alle ihre verstreuten Energien wie ein Feldherr, der ungeachtet seines Ruhebedürfnisses angesichts der Unfähigkeit seiner Untergebenen wieder die Befehlsgewalt übernimmt und, noch taumelnd vor Müdigkeit, seine Truppen selber aufs Schlachtfeld führt.

«Hören Sie, Sie tun jetzt folgendes. Zuerst richten Sie mir ein Bad und gleichzeitig eine Gesichtsmaske, die Nr. 3, die des amerikanischen Instituts, dann rufen Sie den Friseur an und fragen, ob Luigi noch da ist. Er soll mit der Maniküre in einer Dreiviertelstunde kommen. Und legen Sie mir schließlich mein kleines graues Kostüm mit der rosa Leinenbluse zurecht.»

«Die, die so einen Kragen hat?» fragte Julie mit einer Bewegung des Fingers, um die Form eines Décolletés anzudeuten.

Florence zögerte.

«Ja ... nein ... ja ... diese, und den neuen kleinen Hut mit den Kornblumen. Ach, Julie, ich habe wirklich geglaubt, daß ich diesen Hut nie aufsetzen würde. Nun ja ... Sie haben recht, man darf an das alles nicht mehr denken, sonst wird man verrückt ... Ich frage mich, ob sie noch ockerfarbenen Puder haben, der letzte ...»

«Wir werden sehen ... Madame täte gut daran, gleich mehrere Dosen zu nehmen. Er kam aus England.»

«Oh, das weiß ich doch! Sehen Sie, Julie, wir machen uns nicht recht klar, was geschieht. Es sind Ereignisse von unabsehbaren Folgen, ich sage Ihnen, unabsehbaren ... Das Leben der Menschen wird sich für Generationen verändern. Wir werden in diesem Winter Hunger leiden. Und holen Sie mir die schlichte graue Wildledertasche mit dem Goldverschluß heraus ... Ich frage mich, wie Paris wohl aussieht», sagte Florence, als sie das Badezimmer betrat, aber das Geräusch der Wasserhähne, die Julie gerade aufgedreht hatte, übertönte ihre Worte.

Unterdessen gingen Corte weniger triviale Gedanken durch

den Kopf. Auch er lag in der Badewanne. Die ersten Augenblicke waren von solcher Freude, von einem so tiefen ländlichen Frieden erfüllt gewesen, daß sie ihn an die Wonnen der Kindheit erinnerten: an das Glück, eine mit Sahne gefüllte glasierte Meringue zu essen, die Füße in eine kalte Quelle zu tauchen, ein neues Spielzeug ans Herz zu drücken. Er empfand weder Verlangen noch Schmerz, noch Angst mehr. Sein Kopf war leer und leicht. Er lag in einem flüssigen, warmen Element, das seine Haut liebkoste, sanft kitzelte, Staub und Schweiß abwusch, zwischen seine Zehen glitt, sich unter seinen Rücken schob, so wie eine Mutter ein schlafendes Kind hochhebt. Das Badezimmer roch nach Teerseife, nach Haarwasser, nach Eau de Cologne, nach Lavendelwasser. Er lächelte, streckte seine Arme, ließ die Gelenke seiner langen bleichen Finger knacken, genoß das göttliche und schlichte Vergnügen, vor den Bomben geschützt zu sein und an einem heißen Tag ein erfrischendes Bad zu nehmen. Er hätte nicht zu sagen vermocht, in welchem Augenblick die Bitterkeit in ihn eindrang wie ein Messer ins Herz einer Frucht. Vielleicht als sein Blick auf den auf einem Stuhl stehenden Koffer mit den Manuskripten fiel, oder als er sich anstrengen mußte, um die ins Wasser gefallene Seife herauszufischen, was seine Euphorie trübte, jedenfalls runzelte sich seine Stirn, und sein Gesicht, das reiner, glatter als gewöhnlich, verjüngt gewirkt hatte, nahm wieder einen düsteren, besorgten Ausdruck an.

Was sollte aus ihm, Gabriel Corte, werden? Wohin trieb die Welt? Welcher Geist würde morgen wehen? Oder würden die Leute nur noch ans Essen denken, und es gäbe keinen Platz mehr für die Kunst, oder würde sich wie nach jeder Krise ein neues Ideal der Öffentlichkeit bemächtigen? Ein neues Ideal? Zynisch und überdrüssig dachte er: ‹Eine neue Mode!› Doch er, Corte, war zu alt, um sich einem neuen Geschmack anzupassen. Schon 1920 hatte er seinen Stil erneuert. Ein drittes Mal wäre ihm unmöglich. Atemlos hastete er ihr nach, dieser entstehenden Welt. Ach, wer könnte die Form vorhersehen, die sie nach Verlassen dieser harten

Matrize des Kriegs von 1940 annähme, ob sie wie aus einer ehernen Gußform riesig oder verfälscht (oder beides) hervorginge, diese Welt, deren erste Zuckungen man bereits wahrnahm. Es war schrecklich, sich über sie zu beugen, sie zu betrachten … und nichts davon zu begreifen. Denn er begriff nichts. Er dachte an seinen Roman, an jenes vor dem Feuer, vor den Bomben gerettete Manuskript, das dort auf einem Stuhl lag. Er empfand tiefe Mutlosigkeit. Die Leidenschaften, die er beschrieb, seine Seelenzustände, seine Zweifel, diese Geschichte einer ganzen Generation, der seinen, das alles war alt, unnütz, überholt. Voller Verzweiflung sagte er: überholt! Und ein zweites Mal verschwand die Seife, glitschig wie ein Fisch, im Wasser. Er stieß einen Fluch aus, richtete sich auf, läutete wütend, und sein Diener erschien.

«Reiben Sie mich ab», seufzte Gabriel Corte mit zitternder Stimme.

Nachdem seine Beine mit einem Roßhaarhandschuh frottiert und mit Eau de Cologne eingerieben worden waren, fühlte er sich besser. Völlig nackt begann er sich zu rasieren, während der Diener seine Kleider zurechtlegte: ein Leinenhemd, einen leichten Tweedanzug, eine blaue Krawatte.

«Sind Leute da, die wir kennen?» fragte Corte.

«Ich weiß nicht, Monsieur. Ich habe noch nicht viele gesehen, aber man hat mir erzählt, daß letzte Nacht viele Wagen angekommen und fast sofort nach Spanien weitergefahren sind. Unter anderem Monsieur Jules Blanc. Er reiste nach Portugal.»

«Jules Blanc?»

Corte erstarrte, die Rasierklinge voll Seifenschaum hochhaltend. Jules Blanc, auf der Flucht nach Portugal! Diese Nachricht traf ihn schmerzlich. Wie alle, die dafür sorgen, dem Leben ein Höchstmaß an Komfort und Annehmlichkeiten abzugewinnen, besaß Gabriel Corte einen ihm ergebenen Politiker. Als Gegenleistung für gute Abendessen, brillante Empfänge, von Florence erwiesene kleine Gefälligkeiten erhielt er von Jules Blanc (Inhaber eines Ministeramts in fast jedem Kabinett, zweimal Ministerpräsident, viermal Kriegsminister) tausend Vergünstigungen, die das Dasein erleichterten. Dank Jules Blanc hatte man ihm jene Reihe der großen Liebenden in Auftrag gegeben, über die er vorigen Winter im staatlichen Rundfunk gesprochen hatte. Und Jules Blanc hatte ihn auch damit beauftragt, wiederum im Rundfunk je nach den Umständen patriotische Reden zu halten oder gebieterische, moralische Mahnworte zu sprechen. Jules Blanc hatte beim Direktor einer großen Tageszeitung darauf gedrungen, daß Corte für seinen Roman hundertdreißigtausend Francs statt der ursprünglich vereinbarten achtzigtausend bezahlt wurden. Schließlich hatte er ihm das Band der Ehrenlegion versprochen. Jules Blanc war ein zwar kleines, aber notwendiges Rädchen im Getriebe dieser Karriere, denn das Genie mag zwar am Himmel schweben, muß jedoch auf der Erde manövrieren.

Als Corte vom Sturz seines Freundes erfuhr (sollte er kompromittiert worden sein, daß er diesen verzweifelten Entschluß gefaßt hatte, er, der so gern zu sagen pflegte, daß in der Politik die Niederlage den Sieg vorbereite?), fühlte er sich einsam und allein am Rand eines Abgrunds zurückgelassen. Abermals hatte er den schrecklichen Eindruck, sich in einer anderen, ihm unbekannten Welt zu befinden, einer Welt, in der die Menschen wie durch ein Wunder allesamt keusch und selbstlos geworden wären, vom edelsten Ideal erfüllt. Aber schon ließ diese Mimikry, die bei den Pflanzen, den Tieren und den Menschen eine Form des Selbsterhaltungstriebs ist, ihn sagen:

«Ach, er ist weggefahren? Die Zeit dieser Genußmenschen, dieser Politikaster ist vorbei …»

Nach einer Pause fügte er hinzu:

«Armes Frankreich …»

Langsam zog er seine blauen Socken an. In Socken und Strumpfbändern aus schwarzer Seide, mit sonst nacktem, unbehaartem, weiß- und elfenbeinschimmerndem Körper vollführte er einige Armbewegungen und Rumpfbeugen. Mit beifälliger Miene betrachtete er sich im Spiegel.

«Es geht mir deutlich besser», sagte er zu seinem Diener, als meinte er, ihm mit diesen Worten eine große Freude zu machen.

Dann zog er sich fertig an. Kurz nach Mittag ging er in die Bar hinunter. In der Halle war eine gewisse Panik zu spüren, man sah, daß etwas vor sich ging, daß in der Ferne große Katastrophen den Rest der Welt erschütterten; Gepäck war stehengelassen und auf der Bühne, wo normalerweise getanzt wurde, unordentlich gestapelt worden. Man hörte Stimmengewirr aus den Küchen; bleiche, aufgelöste Frauen irrten durch die Flure auf der Suche nach einem Zimmer, die Aufzüge funktionierten nicht. Ein Greis weinte vor dem Portier, der ihm ein Bett verweigerte.

«Verstehen Sie doch, Monsieur, es ist kein böser Wille, aber es ist unmöglich, unmöglich. Wir sind völlig am Ende, Monsieur.»

«Nur ein kleines Eckchen», flehte der arme Mann. «Ich hatte mich mit meiner Frau hier verabredet. Wir haben uns bei der Bombardierung von Etampes aus den Augen verloren. Sie wird glauben, ich sei tot. Ich bin siebzig Jahre, Monsieur, und sie achtundsechzig. Wir haben uns noch nie getrennt.»

Mit zitternder Hand zog er seine Brieftasche.

«Ich gebe ihnen tausend Francs», sagte er.

Und auf dem ehrbaren Gesicht eines durchschnittlichen Franzosen stand die Scham geschrieben, zum ersten Mal in seinem Leben ein Bestechungsgeld anbieten, sowie der Schmerz, sich von seinem Geld trennen zu müssen, aber der Portier lehnte den Geldschein ab, der ihm gereicht wurde.

«Wenn ich Ihnen doch sage, daß es unmöglich ist, Monsieur. Versuchen Sie es in der Stadt.»

«In der Stadt? Da komme ich doch her, Monsieur! Seit fünf Uhr morgens klopfe ich an alle Türen. Man schickt mich weg wie einen Hund. Ich bin nicht irgendwer. Ich bin Physiklehrer am Gymnasium von Saint-Omer. Ich habe akademische Auszeichnungen.»

Doch als er endlich merkte, daß der Portier ihm schon lange nicht mehr zuhörte und ihm den Rücken zuwandte, hob er eine kleine Hutschachtel auf, die er hatte zu Boden fallen lassen und die vermutlich sein ganzes Gepäck enthielt, und ging lautlos von dannen. Jetzt schlug sich der Portier mit vier gepuderten, schwarzhaarigen Spanierinnen herum. Eine von ihnen klammerte sich an seinen Arm.

«Einmal im Leben, na schön, aber zweimal, das ist zuviel», zeterte sie in schlechtem Französisch mit rauher, lauter Stimme, «den Krieg in Spanien erlebt zu haben, nach Frankreich zu fliehen und dann in das hier zu geraten, das ist zuviel!»

«Aber, Madame, dafür kann ich doch nichts!»

«Sie können mir ein Zimmer geben!»

«Unmöglich, Madame, unmöglich.»

Die Spanierin suchte nach einer scharfen Erwiderung, einer Beschimpfung, fand keine, rang einen Moment nach Atem und warf ihm an den Kopf:

«Sie sind ja kein Mann!»

«Ich?» rief der Portier aus, der plötzlich seinen professionellen Gleichmut verlor und ob der Lästerung in Rage geriet. «Wollen Sie gefälligst aufhören, mich zu beleidigen? Erstens sind Sie Ausländerin, oder? Halten Sie den Mund, oder ich rufe die Polizei», schloß er etwas würdevoller, wobei er den vier kastilianische Flüche kreischenden Personen die Tür öffnete und sie hinausschob.

«Was für Tage, Monsieur, was für Nächte», sagte er zu Corte. «Die Welt ist verrückt geworden, Monsieur!»

Corte fand eine lange Galerie, kühl und dunkel, sowie die große ruhige Bar. Alle Aufregung endete an der Schwelle dieses Orts. Die geschlossenen Läden und die großen Fenster schützten ihn vor der Hitze der Gewittersonne, es roch nach Leder, vorzüglichen Zigarren und altem Weinbrand. Der Barmann, ein Italiener und alter Freund von Corte, begrüßte ihn in vollendeter Form, gab seine Freude, ihn wiederzusehen, und seine Anteilnahme am Unglück Frankreichs zu erkennen, und zwar auf so edle Weise und mit so viel Taktgefühl, ohne je die durch die Ereignisse gebotene Zurückhaltung und seine untergeordnete Stellung gegenüber Corte zu vergessen, daß dieser sich sofort gestärkt fühlte.

«Es freut mich, Sie wiederzusehen, Alter», sagte er dankbar.

«Monsieur hat Schwierigkeiten gehabt, Paris zu verlassen?»

«Oh!» sagte Corte lediglich.

Er hob die Augen zum Himmel. Joseph, der Barmann, machte eine schamhafte Handbewegung, als wehrte er Vertraulichkeiten ab und weigerte sich, so frische und unersprießliche Erinnerungen zu wecken, und in dem Ton, in dem der Arzt zu einem Kranken sagt, den man zu ihm bringt, als er gerade einen Anfall hat: «Trinken Sie erst mal das hier, und dann erklären Sie mir Ihren Fall», murmelte er respektvoll:

«Ich mache Ihnen einen Martini, nicht wahr?»

Als das beschlagene Glas vor ihm stand, zwischen zwei kleinen Tellern, von denen der eine Oliven und der andere Kartoffelchips enthielt, schenkte Corte dem vertrauten Dekor, der ihn umgab, das bleiche Lächeln eines Genesenden, betrachtete dann die Männer, die gerade hereinkamen, und erkannte sie einen nach dem andern wieder. Aber ja, sie waren alle da! Jener Akademiker und ehemalige Minister, jener Großindustrielle, jener Verleger, jener Zeitungsdirektor, jener Senator, jener Dramatiker und auch derjenige, der die so gut dokumentierten, so seriösen, so technischen Artikel mit «General X» unterzeichnete, Artikel in einer großen Pariser Zeitschrift, in denen er die militärischen Ereignisse kommentierte und für die Massen bekömmlicher machte, indem er stets optimistische, jedoch wenig präzise Angaben hinzufügte (wie zum Beispiel: «Der nächste Schauplatz der militärischen Operationen wird im Norden Europas oder auf dem Balkan oder im Ruhrgebiet liegen oder an allen drei Orten zugleich, oder aber an einem Punkt des Globus, der sich unmöglich bestimmen läßt»). Ja, sie waren alle da und bei bester Gesundheit. Einen kurzen Augenblick lang empfand Corte eine gewisse Bestürzung. Er hätte nicht sagen können, warum, aber vierundzwanzig Stunden lang war es ihm so vorgekommen, als bräche die alte Welt zusammen und als bliebe er allein auf den Trümmern zurück. Es war ihm eine unbeschreibliche Erleichterung, all diese berühmten Gesichter von Freunden und heute für ihn unwichtigen Feinden zu sehen. Sie standen auf derselben Seite, sie waren zusammen! Sie bewiesen einander eindeutig, daß nichts sich änderte, daß alles sich gleichblieb, daß man keiner außergewöhnlichen Katastrophe, nicht dem Ende der Welt beiwohnte, wie man geglaubt hatte, sondern einer Reihe rein menschlicher, zeitlich und räumlich begrenzter Begebenheiten, die letztlich nur Unbekannte betraf.

Sie wechselten pessimistische, fast verzweifelte Worte, jedoch mit munterer Stimme. Die einen hatten das Leben in vollen Zügen genossen; sie waren in dem Alter, in dem man sich mit Blick auf die Jugend sagt: «Soll sie sehen, wie sie zurechtkommt!» Die anderen zählten im Geiste hastig alle Seiten, die sie geschrieben, alle Reden, die sie gehalten hatten und die ihnen bei dem neuen Regime nützen könnten (und da sie alle mehr oder weniger beklagt hatten, daß Frankreich den Sinn für die Größe und das Risiko verlor und keine Kinder mehr zeugte, konnten sie diesbezüglich beruhigt sein!). Die Politiker aber, die ein wenig besorgter waren, da einige sich stark kompromittiert hatten, dachten über neue Bündnisse nach. Der Dramatiker und Corte sprachen miteinander über ihre eigenen Werke und vergaßen die Welt.

28

Die Michauds waren nie in Tours angekommen. Eine Explosion hatte die Bahngleise zerstört. Der Zug hielt an. Die Flüchtlinge fanden sich auf der Landstraße wieder, jetzt zusammen mit den deutschen Kolonnen. Sie erhielten den Befehl umzukehren. In Paris fanden die Michauds eine halbleere Stadt vor. Sie gingen zu Fuß nach Hause. Zwei Wochen waren sie fort gewesen, doch da man bei der Rückkehr von einer langen Reise erwartet, alles drunter und drüber vorzufinden, gingen sie durch die völlig unversehrten Straßen und trauten ihren Augen nicht: Alles stand an seinem Platz wie am Tag, an dem sie fortgegangen waren, die Häuser mit den geschlossenen Fensterläden wurden von einer orangeroten Sonne beleuchtet, eine jähe Hitzewelle hatte die Blätter der Platanen verbrannt, niemand fegte sie weg, und die Flüchtlinge zertraten sie mit ihren müden Füßen. Alle Lebensmittelgeschäfte schienen geschlossen zu sein. Mitunter wirkte diese Verödung überraschend; man hätte meinen können, man befände sich in einer von der Pest gesäuberten Stadt, und in dem Augenblick, da man beklommen ausrief: «Alle sind fort oder tot», stand man einer hübsch gekleideten und geschminkten kleinen Frau gegenüber, oder man gewahrte, wie es bei den Michauds der Fall war, zwischen einer Metzgerei und einer geschlossenen Bäckerei einen offenen Friseursalon, in dem sich eine Kundin gerade eine Dauerwelle machen ließ. Es war der Friseur von Madame Michaud. Sie rief ihn beim Namen, und er selbst, sein Gehilfe, seine Frau und die Kundin liefen zur Tür und riefen aus:

«Sind Sie auf der Landstraße gewesen?»

Sie zeigte auf ihre nackten Beine, ihren zerrissenen Rock, ihr von Schweiß und Staub verschmutztes Gesicht.

«Sie sehen es ja! Und bei mir zu Hause?» fragte sie ängstlich.

«Da ist alles in Ordnung! Erst heute bin ich unter Ihren Fenstern vorbeigekommen», sagte die Frau des Friseurs. «Es ist nichts angerührt worden.»

«Und mein Sohn? Jean-Marie? Hat ihn jemand gesehen?»

«Wie soll ihn denn jemand gesehen haben, meine Arme?» sagte Maurice, der sich ebenfalls zeigte. «Du redest Unsinn!»

«Ach du und deine Ruhe. Du bringst mich noch um», antwortete sie lebhaft. «Vielleicht hat der Pförtner …», und schon stürzte sie los.

«Bemühen Sie sich nicht, Madame Michaud! Da ist nichts, ich habe ihn gefragt, und außerdem kommt die Post nicht mehr!»

Jeanne versuchte, ihre herbe Enttäuschung hinter einem Lächeln zu verbergen.

«Gut, dann müssen wir eben warten», sagte sie, aber ihre Lippen zitterten.

Sie setzte sich mechanisch und murmelte:

«Was sollen wir jetzt tun?»

«Ich an Ihrer Stelle», sagte der Friseur, ein kleiner dicker Mann mit sanftem, rundlichem Gesicht, «würde mir erst mal die Haare waschen lassen, das wird Sie aufheitern, man könnte auch Monsieur Michaud ein wenig frisch machen, und währenddessen würde meine Frau Ihnen etwas kochen.»

Und so wurde es gemacht. Gerade rieb man Jeannes Kopfhaut mit Lavendelessenz ein, als der Sohn des Friseurs angerannt kam und sagte, daß der Waffenstillstand unterzeichnet sei. In dem Zustand der Ermüdung und Niedergeschlagenheit, in dem sie sich befand, verstand sie kaum die Tragweite dieser Nachricht; so wie einem am Bett eines Sterbenden, wenn man alle seine Tränen geweint hat, für dessen letzten Seufzer keine mehr übrigbleiben. Aber Maurice, der sich an den Krieg von 1914, an seine Kämpfe, seine Verwundungen, seine Leiden erinnerte, fühlte eine Woge der Bitternis in seinem Herzen aufsteigen. Dennoch gab es nichts mehr zu sagen. Er schwieg.

Sie blieben über eine Stunde im Laden von Madame Josse und

machten sich dann auf den Weg nach Hause. Es hieß, daß die Verluste der französischen Armee relativ gering seien, die Zahl der Gefangenen jedoch zwei Millionen betrage. Vielleicht befand sich Jean-Marie unter ihnen? Etwas anderes wagten sie nicht zu hoffen. Sie näherten sich ihrem Haus, und allen Versicherungen von Madame Josse zum Trotz konnten sie nicht glauben, daß es noch stand und nicht in Trümmern lag wie die brennenden Gebäude auf der Place du Martroi in Orléans, die sie letzte Woche überquert hatten. Aber siehe da, sie erkannten die Tür, die Wohnung der Concierge, den (leeren!) Briefkasten, den Schlüssel, der sie erwartete und die Concierge selber! Der auferstandene Lazarus, der zu seinen Schwestern und zur Suppe auf dem Herd zurückkehrte, mußte ein ähnliches Gefühl von Bestürzung und dumpfem Stolz empfunden haben. ‹Immerhin, wir sind zurückgekehrt, wir sind da›, dachten sie. Und sofort flüsterte Jeanne:

«Aber wozu? Wenn mein Sohn …»

Sie sah Maurice an, der ihr zaghaft zulächelte, und sagte dann laut zur Concierge:

«Guten Tag, Madame Nonnain.»

Die Concierge war alt und halb taub. Die Michauds kürzten soweit wie möglich die Berichte der Flucht ab, die auf beiden Seiten gegeben wurden, denn Madame Nonnain war ihrer Tochter, einer Wäscherin, bis zur Porte d'Italie gefolgt. Dort angekommen, hatte sie sich mit ihrem Schwiegersohn gezankt und war nach Hause zurückgekehrt.

«Sie wissen nicht, was aus mir geworden ist; sie werden mich für tot halten», sagte sie mit Befriedigung, «sie glauben bestimmt, sie hätten schon meine Ersparnisse. Nicht, daß sie schlecht ist», setzte sie hinzu und meinte damit ihre Tochter, «aber sie ist fix.»

Die Michauds sagten, sie seien müde, und stiegen in ihre Wohnung hinauf. Der Aufzug war defekt.

«Das ist der letzte Schlag», stöhnte Jeanne, die trotz allem lachen mußte.

Während ihr Mann langsam die Treppe erklomm, stürmte sie hinauf, als hätte sie wieder die Beine und den Atem eines jungen Mädchens. Mein Gott: Wenn sie bedachte, wie sehr sie manchmal auf diese dunkle Treppe geflucht hatte, auf diese Wohnung, die nicht genügend Einbauschränke und kein Badezimmer hatte (so daß man die Wanne in der Küche hatte installieren müssen) und deren Heizkörper regelmäßig mitten im Winter kaputtgingen! Sie war ihr wiedergeschenkt worden, diese geschlossene, heimelige kleine Welt, in der sie fünfzehn Jahre lang gelebt hatte und die in ihren Wänden so süße, so warme Erinnerungen barg. Sie beugte sich über das Geländer, sah Maurice sehr weit unter ihr. Sie war allein. Sie neigte sich vor und drückte ihre Lippen auf das Holz der Tür, nahm dann ihren Schlüssel und öffnete. Es war ihre Wohnung, ihr Refugium. Hier das Zimmer von Jean-Marie, hier die Küche, hier das Wohnzimmer und das Kanapee, auf dem sie abends, wenn sie von der Bank kam, ihre müden Füße ausstreckte.

Die Erinnerung an die Bank ließ sie plötzlich zusammenzukken. Seit acht Tagen hatte sie nicht an sie gedacht. Als Maurice oben ankam, sah er, daß sie besorgt war und die Freude der Wiederkehr sich verflüchtigt hatte.

«Was ist?» fragte er. «Jean-Marie?»

Sie zögerte ein wenig:

«Nein, die Bank.»

«Mein Gott! Wir haben alles Menschenmögliche getan, um nach Tours zu gelangen. Man kann uns nichts vorwerfen.»

«Man wird uns nichts vorwerfen», sagte sie, «wenn man uns behalten will, aber ich war ja nur vorübergehend dort, seit dem Krieg, und du, mein armer Freund, du hast dich noch nie mit ihnen verstanden. Wenn sie dich also loswerden wollen, dann ist jetzt eine gute Gelegenheit.»

«Ich habe daran gedacht.»

Wie immer, wenn er ihr nicht widersprach, sondern ihr zustimmte, wechselte sie eifrig ihre Meinung.

«Freilich, wenn sie nicht die letzten Schweinehunde sind …»

«Sie sind die letzten Schweinehunde», sagte Maurice sanft, «aber weißt du was? Wir haben genug Sorgen gehabt. Wir sind zusammen, wir sind zu Hause. Denken wir an nichts anderes ...»

Sie sprachen nicht von Jean-Marie, sie konnten seinen Namen nicht aussprechen, ohne in Tränen auszubrechen, und sie wollten nicht weinen. Sie hatten immer den glühenden Willen zum Glück gehabt. Weil sie sich sehr geliebt hatten, hatten sie wahrscheinlich gelernt, in den Tag hinein zu leben, absichtlich den morgigen Tag zu vergessen.

Sie hatten keinen Hunger. Sie machten ein Glas Marmelade und eine Dose Kekse auf, und Jeanne kochte unendlich sorgfältig einen Kaffee, von dem es nur noch ein Viertelpfund gab, einen reinen Mokka, wie er bisher festlichen Gelegenheiten vorbehalten war.

«Welche Gelegenheit könnte festlicher sein?» sagte Maurice.

«Keine dieser Art, hoffe ich», antwortete seine Frau. «Doch wir dürfen uns nicht verschweigen, daß wir, sollte der Krieg andauern, einen solchen Kaffee nicht so bald wiederfinden.»

«Du verleihst ihm ja fast die Würze der Sünde», sagte Maurice, den Duft einatmend, den die Kaffeekanne verströmte.

Nach ihrem leichten Mahl setzten sie sich ans offene Fenster. Jeder hatte ein Buch auf den Knien, das er nicht las. Schließlich schliefen sie Seite an Seite ein, Hand in Hand.

Auf diese Weise verlebten sie einige ziemlich ruhige Tage. Da keine Post kam, wußten sie, daß sie keine Nachricht, sei sie gut oder schlecht, erhalten konnten. Es blieb ihnen nichts anderes übrig, als zu warten.

Anfang Juli kehrte Monsieur de Furières nach Paris zurück. Der Comte de Furières hatte einen schönen Krieg geführt, wie man nach dem Waffenstillstand von 1919 sagte: Er hatte sich einige Monate lang heldenhaft in Gefahr gebracht und dann ein sehr reiches junges Mädchen geheiratet. Danach war ihm natürlicherweise etwas weniger daran gelegen, sich töten zu lassen! Seine Frau hatte glänzende Beziehungen, aber er nutzte sie nicht. Zwar suchte er nicht mehr die Gefahr, floh sie aber auch nicht. Er überstand den Krieg ohne eine Wunde, zufrieden mit sich selbst, mit seiner guten Führung im Feuer, mit seiner inneren Zuversicht und seinem guten Stern. 1939 hatte er eine erstklassige gesellschaftliche Stellung; seine Frau war eine Salomon-Worms, seine Schwester hatte den Marquis de Maigle geheiratet; er war Mitglied des Jockey-Clubs, seine Abendessen und Jagden waren berühmt; er hatte zwei reizende Töchter, von denen die älteste sich gerade verlobt hatte. Zwar besaß er sehr viel weniger Geld als 1920, aber er verstand es besser als damals, seiner zu entraten oder sich bei Gelegenheit welches zu besorgen. Er hatte den Direktorenposten von Corbins Bank angenommen.

Corbin dagegen war eine ziemlich vulgäre Person; er hatte seine Karriere auf gemeine, ja fast schändliche Weise begonnen. Es hieß, er sei früher Laufbursche in einer Kreditanstalt in der Rue Trudaine gewesen, doch hatte Corbin große Fähigkeiten im Bankgewerbe, und im großen und ganzen verstanden er und der Graf sich recht gut. Beide waren hochintelligent und wußten, daß sie einander nützlich waren; daraus erwuchs schließlich eine Art Freundschaft auf der Grundlage herzlicher Verachtung, so wie einige herbe, bittere Liköre, die, wenn sie vermischt werden, einen angenehmen Geschmack haben. «Er ist degeneriert wie alle Adligen», sagte Corbin. «Der arme Mann ißt mit den Fingern», seufzte Furières. Indem er Corbin seine Aufnahme in den Jockey-Club vorgaukelte, konnte der Graf ihm entlocken, was immer er wollte.

Alles in allem hatte sich Furières sein Leben höchst bequem eingerichtet. Als der zweite Große Krieg des Jahrhunderts ausbrach, bewegten ihn etwa die Gefühle eines Kindes, das in der Schule gut gearbeitet hat, ein ruhiges Gewissen hat, jetzt nach Herzenslust spielt und das man nun abermals aus seinen Vergnügungen herausreißt. Es fehlte nicht viel, und er hätte fast geschrien: «Einmal mag ja angehen, aber zweimal ist zuviel! Verflixt! Ohne mich!» Wie bitte? Er hatte seine Pflicht getan! Man hatte ihm fünf Jahre seiner Jugend genommen, und nun stahl man ihm die so schönen, so kostbaren Jahre der Reife, in denen der Mensch endlich begreift, was er verlieren wird, und sich beeilt, sie zu genießen.

«Nein, das geht zu weit», sagte er niedergeschlagen zu Corbin, als er sich am Tag der allgemeinen Mobilmachung von ihm verabschiedete. «Es stand da oben geschrieben, daß ich nicht davonkommen werde.»

Er war Reserveoffizier, er mußte einrücken; zwar hätte er sich arrangieren können …, aber ihn hielt der Wunsch zurück, seine Selbstachtung zu bewahren, ein Wunsch, der bei ihm sehr stark war und ihm eine ironische und strenge Haltung gegenüber dem Rest der Welt gestattete. Er rückte ein. Sein Chauffeur, der derselben Klasse angehörte wie er, sagte:

«Wir müssen hin, also gehen wir hin. Aber wenn sie glauben, daß es wie 1914 sein wird, dann täuschen sie sich» (dieses Wort «sie» galt in seinem Geist irgendeiner mythischen Versammlung von Leuten, deren Beruf und Leidenschaft es war, die anderen in den Tod zu schicken), «wenn sie sich einbilden, daß wir auch nur *so viel*» (wobei er mit seinem Fingernagel an seinen Zahn schnippte), «nur *so viel* mehr tun als das absolut Notwendige, dann haben sie sich gewaltig geschnitten, das können Sie mir glauben.»

Der Comte de Furières hätte seine Gedanken zwar nicht auf diese Weise ausgedrückt, aber sie wiesen mit denen seines Chauffeurs doch einige Ähnlichkeit auf, und diese wiederum spiegelten lediglich den Geisteszustand vieler alter Frontkämpfer wider. Nicht wenige Männer zogen mit dumpfem Groll in den Krieg oder mit einer verzweifelten Auflehnung gegen das Schicksal, das ihnen zum zweiten Mal in ihrem Leben diesen abscheulichen Streich spielte.

Während des Juni-Debakels fiel fast das gesamte Regiment von Furières dem Feind in die Hände. Er selbst hatte eine Chance, sich zu retten, und er ergriff sie. 1914 hätte er sich töten lassen, um das Unglück nicht überleben zu müssen. 1940 aber zog er es vor, am Leben zu bleiben. Er fand seine Frau wieder, die bereits um ihn trauerte, seine reizenden Töchter, von denen die älteste soeben eine gute Partie gemacht hatte (sie hatte einen jungen Finanzinspektor geheiratet), sowie sein Schloß von Furières. Der Chauffeur hatte weniger Glück: er wurde im Stalag VII A unter der Nummer 55.481 interniert.

Gleich nach seiner Rückkehr setzte sich der Graf mit Corbin in Verbindung, der in der freien Zone geblieben war, und beide sorgten dafür, die verstreuten Abteilungen der Bank wieder zusammenzuführen. Die Buchhaltung befand sich in Cahors, die Effekten lagen in Bayonne, das Sekretariat war nach Toulouse geschickt worden, hatte sich jedoch zwischen Nizza und Perpignan verfahren. Niemand wußte, wo die Wertpapiere gelandet waren.

«Es ist das reinste Chaos, ein wüstes Durcheinander, eine unbeschreibliche Unordnung», sagte Corbin zu Furières am Morgen ihrer ersten Unterredung.

Er hatte die Demarkationslinie in der Nacht überschritten. Er empfing Furières bei sich zu Hause, in seiner Pariser Wohnung, aus der die Dienstboten während des Debakels geflohen waren; er verdächtigte sie, die nagelneuen Koffer und seinen Frack mitgenommen zu haben, was seinen patriotischen Furor noch weiter schürte:

«Sie kennen mich doch? Ich bin kein Gefühlsmensch! Aber ich hätte fast geweint, mein Lieber, geweint wie ein Kind, als ich an der Grenze den ersten Deutschen gesehen habe, äußerst korrekt, nicht mit der ungezwungenen Miene des Franzosen, Sie wissen schon, als wollte er sagen: ‹Haben doch zusammen die Schweine gehütet.› Nein, wirklich sehr gut, der leichte Gruß, die stramme Haltung, ohne Steifheit, sehr gut … Aber was sagen Sie denn dazu, na? Was halten Sie von alledem? Schön sehen sie aus, unsere Offiziere!»

«Entschuldigen Sie», sagte Furières in scharfem Ton, «ich sehe nicht, was den Offizieren vorzuwerfen wäre. Was wollen Sie denn machen ohne Waffen und mit verrotteten, unzuverlässigen Männern, die nur eines wollen, nämlich daß man sie in Ruhe läßt. Geben Sie uns zuerst Männer.»

«Oh, sie dagegen behaupten: ‹Man hat uns nicht befehligt!›», sagte Corbin, hocherfreut, Furières zu kränken, «und unter uns gesagt, mein Alter, ich habe ganz erbärmliche Dinge gesehen ...»

«Ohne die Zivilisten, ohne die Panikmacher, ohne diesen Strom von Flüchtlingen, der die Landstraße verstopfte, hätte es eine Chance zur Rettung gegeben.»

«O ja, da haben Sie recht! Diese Panik war entsetzlich. Die Leute sind unglaublich. Da wird ihnen seit Jahren ständig gesagt: ‹Der totale Krieg, der totale Krieg ...› Sie hätten darauf gefaßt sein müssen, aber nein, sofort Panik, Unordnung, Flucht, und warum? Das frage ich Sie. Es ist irrsinnig! Ich selbst bin nur abgereist, weil die Banken den Befehl erhalten hatten, die Stadt zu verlassen. Sonst, Sie verstehen ...»

«War es schrecklich in Tours?»

«O ja! Schrecklich ... Aber wieder aus demselben Grund: der Flüchtlingsstrom. Ich habe in der Umgebung von Tours kein Zimmer gefunden, ich mußte in der Stadt übernachten, und natürlich sind wir bombardiert, in Brand gesteckt worden», sagte Corbin und dachte mit Empörung an jenes kleine Schloß auf dem Land, wo man ihn abgewiesen hatte, weil dort belgische Flüchtlinge untergebracht waren. Sie waren verschont worden, während Corbin fast unter den Trümmern von Tours begraben worden wäre. «Und diese Unordnung», wiederholte er, «jeder dachte nur an sich! Dieser Egoismus ... Oh, welch edle Idee vom Menschen hatte man hier vor Augen! Und was Ihre Angestellten betrifft, so waren sie das letzte. Kein einziger war imstande, mir nach Tours zu folgen. Sie haben den Kontakt untereinander verloren. Dabei hatte ich allen unseren Abteilungen eingeschärft zusammenzubleiben. Von wegen! Die einen sind im Süden, die andern im Norden. Man kann sich auf niemand verlassen. Dabei erweist sich doch gerade in derartigen Krisenzeiten, was der Mensch taugt, seine Courage, sein Schneid, sein Mumm. Ein Haufen Jammerlappen, jawohl, Jammerlappen! Die nur daran denken, ihre Haut zu retten! Und die sich weder um die Firma noch um mich scheren.

Und deshalb werde ich einige von ihnen feuern, das versichere ich Ihnen. Im übrigen erwarte ich keinen großen Geschäftsumfang.»

Die Unterhaltung nahm eine fachlichere Wendung, was ihnen das angenehme Gefühl ihrer Wichtigkeit zurückgab, das seit den letzten Ereignissen ein wenig gelitten hatte.

«Eine deutsche Gruppe», sagte Corbin, «will die Ost-Stahlwerke zurückkaufen. Hier sind wir in keiner schlechten Position. Freilich, die Sache mit den Docks von Rouen ...»

Seine Miene wurde düster. Furières verabschiedete sich. Corbin wollte ihn begleiten und betätigte im Salon, dessen Fensterläden geschlossen waren, den elektrischen Schalter, aber es gab kein Licht. Er stieß einen Fluch aus.

«Die Schweine haben mir den Strom abgestellt.»

‹Wie vulgär dieser Mensch doch ist›, dachte der Graf.

Er riet ihm:

«Ein Telefonanruf genügt, es wird bald repariert sein. Das Telefon funktioniert.»

«Sie können sich gar nicht vorstellen, wie zerrüttet alles bei mir ist», sagte Corbin wutschnaubend. «Die Dienstboten sind abgehauen, mein Lieber! Ja, alle! Und es wurde mich sehr wundern, wenn sie sich nicht das Silber unter den Nagel gerissen hätten. Meine Frau ist nicht da. Das alles wächst mir über den Kopf, ich ...»

«Madame Corbin ist in der freien Zone?»

«Ja», knurrte Corbin.

Seine Frau und er hatten eine peinliche Szene gehabt; im Wirrwarr der überstürzten Abreise oder vielleicht in boshafter Absicht hatte das Zimmermädchen in Madame Corbins Necessaire einen kleinen Bilderrahmen gesteckt, der Monsieur Corbin gehörte und ein Foto der nackten Arlette enthielt. An der Nacktheit als solcher hätte die legitime Gattin vielleicht keinen Anstoß genommen, da sie eine überaus verständige Person war, aber die Tänzerin trug eine herrliche Kette um den Hals: «Ich schwöre dir, daß sie falsch ist!» sagte Monsieur Corbin angeödet. Seine Frau hatte es nicht glauben wollen. Was Arlette betraf, so hatte er von ihr noch immer kein Lebenszeichen. Doch wurde ihm versichert, daß sie sich in Bordeaux aufhalte und häufig in Begleitung deutscher Offiziere zu sehen sei. Diese Erinnerung verstärkte Monsieur Corbins schlechte Laune. Er läutete aus Leibeskräften.

«Ich habe nur noch die Stenotypistin», sagte er, «ein junges Ding, das ich in Nizza aufgegabelt habe. Dumm wie Bohnenstroh, aber sonst recht hübsch. Ah, Sie sind es», sagte er plötzlich zu der jungen Brünetten, die gerade hereingekommen war. «Man hat mir den Strom abgeschaltet, schauen Sie zu, was Sie tun können. Telefonieren Sie, schimpfen Sie, lassen Sie sich was einfallen, und dann bringen Sie mir die Post.»

«Die Post ist nicht hier oben?»

«Nein, sie ist bei der Concierge. Trollen Sie sich. Bringen Sie sie her. Bezahle ich Sie etwa fürs Nichtstun?»

«Ich gehe, Sie machen mir angst», sagte Furières.

Corbin bemerkte das leicht verächtliche Lächeln des Grafen; sein Zorn wuchs, ‹Lackaffe, Gauner›, dachte er.

Laut antwortete er:

«Was wollen Sie? Die Leute machen mich rasend.»

In der Post befand sich ein Brief der Michauds. Sie hatten sich beim Sitz der Bank in Paris gemeldet, aber man hatte ihnen keine genauen Auskünfte geben können. Sie hatten nach Nizza geschrieben, und der Brief war an Corbin zurückgegangen. Die Michauds baten darin um Instruktionen und um Geld. Corbins schlechte Laune fand endlich eine Zielscheibe; er rief aus:

«Ah, das ist doch die Höhe! Sie genieren sich nicht! Nein, das sind Leute, die sich wirklich nicht genieren. Unsereiner rennt herum, schindet sich, läßt sich auf allen Straßen Frankreichs den Schädel einschlagen. Monsieur und Madame Michaud aber verbringen angenehme Ferien in Paris und haben noch die Stirn, Geld zu verlangen. Schreiben Sie ihnen», sagte er zu der erschrockenen Stenotypistin, «schreiben Sie»:

Paris, den 25. Juli 1940

> *Monsieur Maurice Michaud*
> *23, rue Rousselet*
> *Paris VIIe*

Monsieur,

Am 11. Juni hatten wir Ihnen sowie Madame Michaud den Befehl gegeben, sich an Ihren Posten an den Ort zu begeben, wohin die Bank sich zurückgezogen hatte, nämlich nach Tours. Es dürfte Ihnen nicht unbekannt sein, daß in jenen entscheidenden Augenblicken jeder Bankangestellte – und insbesondere Sie, der Sie eine Vertrauensstellung bekleideten – einem Frontkämpfer gleichgestellt war. Sie wissen, was es bedeutet, in solchen Zeiten einen Posten zu verlassen. Das Ergebnis Ihres Nichterscheinens war die völlige Auflösung der Abteilungen, die Ihnen anvertraut worden waren – des Sekretariats und der Buchhaltung. Doch das ist nicht der einzige Vorwurf, den wir Ihnen zu machen haben. Wie wir Ihnen zur Zeit der Gratifikationen vom 31. Dezember vergangenen Jahres sagten, als Sie baten, Ihre Zuwendungen auf dreitausend Francs zu erhöhen, wurden Sie darauf aufmerksam gemacht, daß mir das beim besten Willen nicht möglich sei, da die Leistung Ihrer Abteilung im Vergleich zu der Ihres Vorgängers minimal gewesen ist. Unter diesen Umständen und im Bedauern, daß Sie so lange gewartet haben, um sich mit Ihrer Direktion ins Verbindung zu setzen, betrachten wir das Ausbleiben von Nachrichten Ihrerseits bis zum heutigen Tag als Kündigung, sowohl was Sie als auch was Madame Michaud betrifft. Diese Kündigung, die einzig und allein Ihr Werk ist und die ohne jede Vorankündigung erfolgte, zwingt uns in keiner Weise, Ihnen irgendeine Abfindung zu zahlen. Doch in Anbetracht Ihres langen Arbeitsverhältnisses bei der Bank sowie der derzeitigen Umstände bewilligen wir Ihnen ausnahmsweise und auf rein freiwilliger Basis eine Abfindung in Höhe von zwei

Monatsgehältern. Daher anbei ein Verrechnungsscheck auf Ihre Order über ... Frs der Banque de France von Paris. Der Ordnung halber bitten wir Sie, uns den Empfang zu bestätigen, und verbleiben hochachtungsvoll

Corbin

Dieser Brief stürzte die Michauds in Verzweiflung. Sie besaßen keine fünftausend Francs Ersparnisse, da Jean-Maries Studium teuer gewesen war. Mit ihren zwei Monatsgehältern und dieser Summe kamen sie auf knapp fünfzehntausend Francs, und sie schuldeten dem Steuereinnehmer noch Geld. Im Augenblick waren kaum Stellen zu finden; die Arbeit war knapp und schlecht bezahlt. Sie hatten immer ziemlich isoliert gelebt; sie hatten keine Familie, niemanden, den sie um Hilfe bitten konnten. Sie waren erschöpft von der Reise und niedergedrückt durch die Angst um ihren Sohn. Im Laufe ihres Lebens, das, als Jean-Marie klein war, nicht frei von Widrigkeiten gewesen war, hatte Madame Michaud oft gedacht: ‹Wenn er nur in dem Alter wäre, wo er allein zurechtkommt, dann würde mir nichts wirklich etwas anhaben.› Sie wußte, daß sie stark und gesund war, sie fühlte sich mutig, sie fürchtete nichts, weder für sich selbst noch für ihren Mann, von dem sich zu trennen ihr nie in den Sinn kam.

Jetzt war Jean-Marie ein Mann. Wo immer er sein mochte, falls er lebte, brauchte er sie nicht mehr. Aber das tröstete sie nicht. Zum einen konnte sie sich nicht vorstellen, daß ihr Kind ohne sie zurechtkäme. Und gleichzeitig begriff sie, daß jetzt sie es war, die ihn brauchte. All ihre Tapferkeit hatte sie im Stich gelassen; sie sah Maurice' Hinfälligkeit: Sie fühlte sich allein, alt, krank. Was sollten sie tun, um Arbeit zu finden? Wovon sollten sie leben, wenn diese fünfzehntausend Francs ausgegeben waren? Sie besaß ein paar kleine Schmuckstücke: Sie liebte sie. Immer sagte sie: «Sie sind ganz wertlos», aber in ihrem Herzen konnte sie nicht glauben, daß diese entzückende, mit Perlen verzierte kleine Brosche, dieser bescheidene, mit einem Rubin geschmückte Ring – Geschenke von Maurice zur Zeit ihrer Jugend, die ihr so sehr gefielen – nicht zu einem guten Preis verkauft werden könnten. Sie bot sie einem Juwelier in ihrem Viertel, dann einem großen Haus in der Rue de la Paix an, und beide lehnten ab: Die Brosche und der Ring waren zwar hübsche Arbeiten, aber sie interessierten sich nur für die Steine, und diese waren so klein, daß es sich nicht lohnte, sie zu kaufen. Insgeheim freute sich Madame Michaud bei dem Gedanken, ihre Habe behalten zu können, Tatsache jedoch war: Es waren ihre einzigen Schätze. Und nun war der Monat Juli bereits vergangen und hatte ihre Rücklagen stark angegriffen. Zuerst hatten beide daran gedacht, Corbin aufzusuchen und ihm zu erklären, daß sie ihr Möglichstes getan hätten, nach Tours zu gelangen, und daß er, falls er darauf bestünde, sie zu entlassen, ihnen zumindest die vorgesehene Abfindung schulde. Aber sie kannten ihren Corbin gut genug, um zu wissen, daß sie ihm nicht gewachsen waren. Sie hatten nicht die nötigen Mittel, gegen ihn zu prozessieren, und Corbin ließ sich nicht leicht einschüchtern. Und außerdem empfanden sie einen unüberwindlichen Widerwillen, diesen Mann, den sie verabscheuten und verachteten, um etwas zu bitten.

«Ich kann es nicht, Jeanne. Verlange das nicht von mir, ich kann es nicht», sagte Maurice mit seiner sanften, schwachen Stimme. «Ich glaube, wenn ich ihm gegenüberstünde, würde ich ihm ins Gesicht spucken, und das würde die Dinge sicher nicht besser machen.»

«Nein», sagte Jeanne unfreiwillig lächelnd, «aber unsere Lage ist erschreckend, mein armer Kleiner. Man könnte meinen, wir gehen auf ein großes Loch zu und sehen, wie die Entfernung mit jedem Schritt abnimmt, ohne daß wir dem entrinnen können. Es ist unerträglich.»

«Trotzdem werden wir es ertragen müssen», antwortete er in ruhigem Ton.

Im selben Tonfall hatte er zu ihr gesagt, als er 1916 verwundet worden war und sie zu ihm ins Lazarett gerufen worden war: «Ich schätze, daß meine Heilungschancen vier zu zehn stehen.» Dann hatte er nachgedacht und sich berichtigt: «Dreieinhalb, um genau zu sein.»

Zärtlich legte sie ihm die Hand auf die Stirn und dachte verzweifelt: ‹Ach, wenn Jean-Marie da wäre, würde er uns beschützen, er würde uns retten. Er ist jung, er ist stark …› Seltsamerweise vermischten sich in ihr das mütterliche Bedürfnis zu beschützen und das weibliche Bedürfnis, beschützt zu werden. ‹Wo ist mein armer Kleiner? Lebt er? Leidet er? Mein Gott, es ist nicht möglich, daß er tot ist›, dachte sie, und ihr Herz erstarrte zu Eis beim Gedanken, daß es im Gegenteil sehr wohl möglich war. Die Tränen, die sie so viele Tage tapfer zurückgehalten hatte, quollen aus ihren Augen. Voller Empörung rief sie aus:

«Warum trifft das Unglück immer uns? Leute wie uns? Die gewöhnlichen Leute? Die Kleinbürger? Wenn es Krieg gibt, wenn der Franc fällt, wenn Arbeitslosigkeit herrscht oder die Krise eintritt oder die Revolution ausbricht, kommen die anderen mit heiler Haut davon. Wir aber werden immer erdrückt! Warum? Was haben wir getan? Wir müssen für alle Fehler bezahlen. Natürlich, uns fürchtet man nicht! Die Arbeiter wehren sich, die Reichen sind stark. Wir dagegen sind die Schafe, die nur dazu taugen, geschoren zu werden. Man soll mir erklären, warum! Was ist los? Ich verstehe das nicht. Du bist ein Mann, du müßtest es verstehen», sagte sie zornig zu Maurice und wußte schon nicht mehr, wem sie die Schuld an ihrem Unglück geben sollte. «Wer hat unrecht? Wer hat recht? Warum Corbin? Warum Jean-Marie? Warum wir?»

«Was willst du denn verstehen? Es gibt nichts zu verstehen», sagte er im Bemühen, sie zu beruhigen. «Es gibt Gesetze, die die Welt regieren und die weder für noch gegen uns gemacht sind. Wenn das Gewitter losbricht, nimmst du es niemandem übel, du weißt, daß der Blitz das Ergebnis zweier entgegengesetzter elektrischer Ladungen ist, die Wolken kennen dich nicht. Du kannst ihnen keinerlei Vorwurf machen. Außerdem wäre es lächerlich, sie würden es nicht verstehen.»

«Aber das ist doch nicht dasselbe. Hier handelt es sich um rein menschliche Phänomene.»

«Nur scheinbar, Jeanne. Es sieht so aus, als seien sie diesem oder jenem Menschen, diesem oder jenem Umstand geschuldet, aber es ist wie in der Natur, auf eine Periode der Ruhe folgt das Gewitter, das seinen Anfang, seinen Höhepunkt, sein Ende hat und das wieder von mehr oder weniger langen Zeiten der Ruhe abgelöst wird! Zu unserm Unglück wurden wir in einem Jahrhundert der Gewitter geboren, das ist alles. Sie werden sich legen.»

«Ja», sagte sie, konnte ihm jedoch auf dieses abstrakte Gelände nicht folgen, «aber Corbin? Er ist doch keine Naturkraft, oder?»

«Er gehört zu einer schädlichen Spezies wie die Skorpione, die Schlangen, die Giftpilze. Im Grunde sind wir ein wenig selbst dran schuld. Wir haben immer gewußt, wer Corbin war. Warum sind wir dann bei ihm geblieben? Du rührst die schlechten Pilze nicht an, aber auch vor schlechten Menschen muß man sich hüten. Es gab viele Gelegenheiten, wo wir mit ein wenig Mut und Ausdauer eine andere Stellung hätten finden können. Und erinnere dich, als wir jung waren und man mir eine Stelle als Repetitor in São Paulo angeboten hat, da wolltest du mich nicht gehen lassen.»

«Gut, das ist eine alte Geschichte», sagte sie achselzuckend.

«Nein, ich sagte nur ...»

«Ja, du sagtest, man solle es den Menschen nicht übelnehmen. Aber du sagst doch selber, wenn du Corbin träfest, würdest du ihm ins Gesicht spucken.»

Sie fuhren fort zu diskutieren, nicht weil sie hofften oder auch nur wünschten, einander zu überzeugen, sondern weil sie beim Reden ihre grausamen Sorgen ein wenig vergaßen.

«An wen könnten wir uns nur wenden?» rief Jeanne schließlich aus.

«Hast du denn immer noch nicht begriffen, daß keiner sich um den anderen schert?»

Sie sah ihn an.

«Du bist sonderbar, Maurice. Du hast die zynischsten, die enttäuschtesten Menschen gesehen, und doch bist du nicht unglücklich, ich meine nicht im Innern unglücklich! Irre ich mich?»

«Nein.»

«Was also tröstet dich dann?»

«Die Gewißheit meiner inneren Freiheit», sagte er nach einigem Nachdenken, «dieses unverwüstliche, kostbare Gut, das zu verlieren oder zu bewahren einzig und allein bei mir liegt. Daß die bis zum Äußersten getriebenen Leidenschaften, wie wir sie heute beobachten, am Ende erlöschen. Daß alles, was einen Anfang hatte, auch ein Ende haben wird. Mit einem Wort, daß die Katastrophen vergehen und daß man versuchen muß, nicht vor ihnen unterzugehen, das ist alles. Zuerst also leben: *primum vivere*. In den Tag hinein. Überdauern, warten, hoffen.»

Sie hatte zugehört, ohne etwas zu sagen. Plötzlich stand sie auf und nahm ihren Hut, den sie auf dem Kamin hatte liegenlassen. Verwundert sah er sie an.

«Und ich», sagte sie, «halte mich an den Spruch ‹Hilf dir selbst, so hilft dir Gott›. Deshalb werde ich jetzt Furières aufsuchen. Er war immer nett zu mir, und er wird uns helfen, und sei es nur, um Corbin zu ärgern.»

Jeanne hatte sich nicht getäuscht! Furières empfing sie und versprach, daß sie und ihr Mann eine Abfindung in Höhe von sechs Monatsgehältern bekämen, was ihr Kapital auf etwa sechzigtausend Francs erhöhte.

«Siehst du, ich habe mir selbst zu helfen gewußt, und Gott hat mir geholfen», sagte Jeanne, als sie zu ihrem Mann zurückkehrte.

«Und ich habe gehofft!» antwortete er lächelnd. «Wir hatten beide recht!»

Sie waren sehr zufrieden mit dem Ergebnis dieser Unternehmung, aber sie ahnten, daß ihr Geist, zumindest für die unmittelbare Zukunft der Geldsorgen ledig, von nun an völlig von der Angst um ihren Sohn erfüllt wäre.

29

Im Herbst kehrte Charles Langelet in seine Wohnung zurück. Das Porzellan hatte unter der Reise nicht gelitten. Eigenhändig packte er die großen Kisten aus, vor Freude bebend, wenn er unter den Holzspänen und dem Seidenpapier die kühle Glätte einer Statuette aus Sèvres-Porzellan oder eine chinesische Vase der rosa Familie berührte. Er konnte kaum glauben, daß er zu Hause war und seine Schätze wiedergefunden hatte. Manchmal hob er den Kopf und betrachtete durch die Fensterscheiben, die noch Spuren der Klebstreifen trugen, die sanfte Krümmung der Seine.

Um Mittag kam die Concierge herauf, um sauberzumachen; er hatte noch keine Dienstboten eingestellt. Ernste Ereignisse, ob glücklich oder unglücklich, verändern die Seele eines Menschen zwar nicht, lassen sie jedoch deutlicher hervortreten, so wie ein Windstoß, der die toten Blätter hinwegfegt, die Form eines Baumes enthüllt; sie beleuchten, was im Dunkel geblieben war; sie lenken den Geist in die Richtung, in der er in Zukunft wachsen wird. Charlie war schon immer sparsam gewesen. Bei seiner Rückkehr von der Flucht fühlte er, daß er geizig war, es war ihm ein wahrer Genuß zu sparen, wann immer es möglich war, und ihm wurde bewußt, daß er überdies zynisch geworden war. Vorher wäre es ihm nie in den Sinn gekommen, sich in einem unordentlichen, staubigen Haus niederzulassen; er wäre vor dem Gedanken zurückgeschreckt, am Tag seiner Rückkehr ins Restaurant zu gehen. Jetzt aber hatte er so viel erlebt, daß ihn nichts mehr schreckte. Als die Concierge ihm sagte, daß sie heute auf keinen Fall mit dem Haushalt fertig werde, daß Monsieur sich nicht klar darüber sei, wieviel Arbeit das mache, antwortete Charlie mit sanfter, aber unerbittlicher Stimme:

«Sie werden es einrichten, Madame Logre. Sie werden eben ein wenig schneller arbeiten, das ist alles.»

«Schnell und gut paßt nicht immer zusammen, Monsieur!»

«Diesmal wird es zusammenpassen, die Zeiten der Bequemlichkeit sind vorbei», sagte Charlie streng. «Ich komme um sechs Uhr zurück. Ich hoffe, daß dann alles fertig ist», fügte er hinzu.

Und nach einem majestätischen Blick auf die Concierge, die voller Wut verstummte, und einem letzten zärtlichen Blick auf sein Porzellan verließ er die Wohnung. Als er die Treppe hinunterging, überschlug er, was er sparte: Er brauchte Madame Logres Mittagessen nicht mehr zu bezahlen. Eine Zeitlang würde sie sich zwei Stunden am Tag um ihn kümmern; und sobald die gröbste Arbeit getan wäre, bräuchte die Wohnung nur noch ein wenig Pflege. Er würde in aller Ruhe seine Dienstboten aussuchen, vermutlich ein Ehepaar. Bisher hatte er immer ein Ehepaar gehabt, Kammerdiener und Köchin.

Er ging am Seineufer essen, in einem kleinen Restaurant, das er kannte. In Anbetracht der Umstände aß er nicht schlecht. Im übrigen war er kein starker Esser, aber er trank einen ausgezeichneten Wein. Der Wirt flüsterte ihm ins Ohr, er habe noch ein wenig echten Kaffee vorrätig. Charlie zündete sich eine Zigarre an und fand das Leben schön. Das heißt nein, es war nicht schön, man konnte die Niederlage Frankreichs und alle daraus erwachsenen Leiden und Demütigungen nicht vergessen, aber für ihn, Charlie, war es schön, weil er das Dasein nahm, wie es kam, weil er der Vergangenheit nicht nachweinte und die Zukunft nicht fürchtete.

‹Die Zukunft wird sein, wie sie sein wird›, dachte er, ‹das kümmert mich einen Dreck …› Er klopfte die Asche seiner Zigarre ab. Sein Geld war in Amerika, und da es glücklicherweise gesperrt war, war es ihm möglich, eine Steuerermäßigung zu erwirken, oder vielleicht sogar, überhaupt nichts zu zahlen. Der Franc würde lange Zeit weiter fallen. Dadurch hätte sich sein Vermögen an dem Tag, an dem er an es herankäme, automatisch verzehnfacht.

Was die laufenden Ausgaben betraf, so hatte er seit langem für genügend Rücklagen gesorgt. Es war verboten, Gold zu kaufen oder zu verkaufen, und auf dem schwarzen Markt erzielte es bereits Irrsinnspreise. Voller Verwunderung dachte er an jene Panik, die ihn erfaßt hatte, als er Frankreich verlassen und in Portugal oder Südamerika leben wollte. Einige seiner Freunde hatten es getan, aber zum Glück war er ja weder Jude noch Freimaurer, dachte er mit einem verächtlichen Lächeln. Er hatte sich nie um Politik gekümmert, und er sah keinen Grund, warum man ihn nicht in Ruhe lassen sollte, ihn, einen ruhigen, völlig harmlosen armen Mann, der niemandem etwas zuleide tat und auf der Welt nichts anderes liebte als sein Porzellan. Allen Ernstes sagte er sich, daß ebendies inmitten all der Erschütterungen das Geheimnis seines Glücks sei. Daß er nichts liebte, zumindest nichts Lebendiges, das mit der Zeit verdarb und vom Tod hinweggerafft wurde; daß er recht gehabt hatte, nicht zu heiraten, keine Kinder zu haben … Mein Gott, alle anderen täuschten sich. Er allein war weise.

Doch um auf jenen unsinnigen Plan des Auswanderns zurückzukommen, so hatte ihm jener seltsame und fast verrückte Gedanke zugrunde gelegen, daß sich die Welt binnen weniger Tage verändern und sich in eine Hölle, einen Ort des Grauens verwandeln werde. Und siehe da … Alles blieb beim alten! Er erinnerte sich an die biblische Geschichte und die Beschreibung der Erde vor der Sintflut: Wie war das noch gleich? Ach ja: Die Menschen bauten, heirateten, aßen und tranken … Nun, die Heilige Schrift war unvollständig. Es hätte darin heißen müssen: ‹Die Wasser der Sintflut zogen sich zurück, und die Menschen fingen abermals an zu bauen, zu heiraten, zu essen und zu trinken …› Im übrigen waren die Menschen nicht so wichtig. Man mußte die Kunstwerke, die Museen, die Sammlungen schützen. Das Schreckliche im Spanischen Bürgerkrieg war, daß man die Meisterwerke hatte zugrunde gehen lassen; hier jedoch war das Wesentliche gerettet worden, abgesehen freilich von einigen Schlössern an der Loire.

Das war unverzeihlich, aber der Wein, den er getrunken hatte, war so gut, daß er zum Optimismus neigte. Was ist in Chinon zum Beispiel herrlicher als dieser Saal ohne Decke und diese Mauern, die Jeanne d'Arc erblickt hatten, wo Vögel nisteten und in einer Ecke ein wilder Kirschbaum wuchs.

Nach dem Essen wollte er ein wenig durch die Straßen schlendern, aber er fand sie trist. Es fuhren fast keine Autos, es herrschte eine außergewöhnliche Stille, überall wehten große Hakenkreuzfahnen. Vor der Tür eines Milchladens standen Frauen Schlange. Es war der erste Krieg, den er erlebte. Die Menge war trübsinnig. Charlie beeilte sich, die Metro zu nehmen, das einzig mögliche Beförderungsmittel, um in eine Bar zu gehen, die er regelmäßig um ein Uhr oder um sieben Uhr aufsuchte. Diese Bars waren richtige Zufluchtsstätten! Sie waren sehr teuer, und die Kundschaft bestand aus reichen Männern überaus reifen Alters, an denen sowohl die Mobilisierung als auch der Krieg vorübergegangen waren. Eine Weile blieb Charlie allein, doch gegen halb sieben trafen sie alle ein, alle alten Stammgäste, alle wohlauf, gesund und munter, mit blühendem Aussehen, in Begleitung bezaubernder, gut geschminkter, gut zurechtgemachter Frauen mit reizenden kleinen Hüten, und man rief aus:

«Das ist er doch, das ist doch Charlie? ... Na, nicht allzu erschöpft? Wieder in Paris?»

«Paris ist entsetzlich, nicht wahr?»

Und fast augenblicklich, als sähen sich alle nach den friedlichsten, gewöhnlichsten Sommerferien wieder, begann eines jener lebhaften, leichten Gespräche, bei dem alle Themen gestreift und keines vertieft wurde. Unter anderem erfuhr Charlie vom Tod oder von der Gefangenschaft einiger junger Leute, und er sagte:

«Oh, nicht möglich! Na so was! Ich hatte nicht die geringste Ahnung davon, wie schrecklich! Arme Jungs!»

Der Ehemann einer dieser Damen war Gefangener in Deutschland.

«Ich bekomme ziemlich regelmäßig Nachricht von ihm, er ist

nicht unglücklich, aber diese Langeweile, verstehen Sie? Ich hoffe, daß ich ihn demnächst freibekomme.»

Nach und nach, beim Plaudern und Zuhören, erholte sich Charlie, fand seine gute Laune wieder, die der Anblick der Pariser Straße kurz getrübt hatte, doch was ihn völlig wiederherstellte, war der Hut einer Frau, die soeben hereingekommen war. Zwar waren alle Damen gut angezogen, jedoch mit einer gewissen gekünstelten Schlichtheit, indem sie sagten: «Wir ziehen uns nicht an, wo denken Sie hin! Erstens haben wir kein Geld, und zweitens ist das nicht die Zeit dafür, ich trage meine alten Kleider auf …» Diese jedoch trug verwegen, mutig, unverschämt vor Glück strahlend ein zauberhaftes neues Hütchen, kaum größer als ein Serviettenring, bestehend aus zwei Zobelfellen mit einem fuchsroten Schleier, auf ihrem goldenen Haar. Nachdem Charlie diesen Hut gesehen hatte, war er wieder vollkommen heiter. Es war spät, und er wollte vor dem Abendessen noch bei sich zu Hause vorbeischauen. Es war an der Zeit aufzubrechen, aber er konnte sich nicht entschließen, seine Freunde zu verlassen. Jemand schlug vor:

«Und wenn wir gemeinsam zu Abend äßen?»

«Ausgezeichnete Idee», sagte Charlie begeistert.

Und er schlug das kleine Restaurant vor, in dem er so gut zu Mittag gegessen hatte, denn seine Natur war wie die der Katzen, die sich schnell Orten verbunden fühlen, wo sie gut behandelt worden sind.

«Wir müssen wieder die Metro nehmen! Was für eine Plage, diese Metro, sie vergiftet einem das Leben», sagte er.

«Ich konnte Benzin besorgen und eine Fahrerlaubnis. Ich biete Ihnen nicht an, Sie zu fahren, denn ich habe Nadine versprochen, auf sie zu warten», sagte die Frau mit dem neuen Hut.

«Wie machen Sie das nur? Phantastisch, sich so durchzuschlagen!»

«Nun ja!» sagte sie lächelnd.

«Also dann, wir treffen uns in etwa einer Stunde.»

«Soll ich Sie abholen?»

«Nein, danke, sehr nett von Ihnen, ich wohne ganz in der Nähe.»

«Passen Sie gut auf, es ist stockdunkel. Sie wissen ja, darin sind sie sehr streng.»

‹Tatsächlich, welche Finsternis!› dachte Charlie, als er aus dem warmen, hellerleuchteten Keller hinaus auf die stockdunkle Straße trat. Es regnete, es war ein Herbstabend, wie er sie früher in Paris so liebte, aber damals hatte der Horizont immer noch einen hellen Schimmer. Jetzt war alles dunkel und düster wie in der Tiefe eines Brunnens.

Glücklicherweise befand sich der Metro-Eingang in der Nähe. Bei sich zu Hause sah Charlie Madame Logre, die mit der Hausarbeit noch nicht zu Ende war und mit angespannter, finsterer Miene den Besen schwang. Aber der Salon war fertig. Auf dem Chippendale-Tisch mit der glänzenden Platte wollte Charlie eine Sèvres-Figur stellen, die er besonders liebte und die Venus mit dem Spiegel darstellte. Er holte sie aus der Kiste, entfernte das Seidenpapier, betrachtete sie liebevoll und trug sie zu dem Tisch, als es läutete.

«Schauen Sie nach, wer da ist, Madame Logre.»

Madame Logre ging hinaus und kehrte mit den Worten zurück:

«Monsieur, ich hatte gesagt, daß Sie jemand suchen, und die Concierge von Nummer 6 schickt mir diese Person, die eine Stelle antreten will.»

Als Charlie zögerte, fügte sie hinzu:

«Es ist eine sehr anständige Person, die Zimmermädchen bei der Frau Gräfin Barral du Jeu war. Sie hatte geheiratet und wollte nicht mehr in Dienst treten, aber ihr Mann ist in Gefangenschaft, und sie muß ihr Brot verdienen. Monsieur kann sie sich ja mal anschauen.»

«Na gut, bitten Sie sie herein», sagte Langelet und stellte die Figur auf ein Tischchen.

Die Frau machte einen sehr guten Eindruck, bescheiden und ruhig, sichtlich bemüht zu gefallen, doch ohne unterwürfig zu sein. Man sah sofort, daß sie geschult war und in guten Häusern gedient hatte. Sie war kräftig. In Gedanken warf Charlie ihr das vor; er liebte schlanke, ein wenig hagere Zimmermädchen, aber sie schien fünfunddreißig bis vierzig Jahre alt zu sein, was für eine Bedienstete ein perfektes Alter war, ein Alter, in dem man aufgehört hat, sich herumzutreiben, und doch noch gesund und stark genug ist, um gute Arbeit zu leisten. Sie hatte eine stämmige Figur, breite Schultern und war einfach, aber schicklich gekleidet; sicherlich gehörten ihr Kleid, ihr Mantel und ihr Hut zu den abgetragenen Dingen einer ehemaligen Herrin.

«Wie heißen Sie?» fragte Charlie angenehm überrascht.

«Hortense Gaillard, Monsieur.»

«Sehr gut. Sie suchen eine Anstellung?»

«Monsieur, ich habe die Frau Gräfin Barral du Jeu vor zwei Jahren verlassen, um zu heiraten. Ich dachte nicht mehr in Dienst zu treten, aber mein Mann ist in Gefangenschaft geraten, und Monsieur wird verstehen, daß ich meinen Lebensunterhalt verdienen muß. Mein Bruder ist arbeitslos, und ich muß für ihn sorgen und für seine kranke Frau und sein kleines Kind.»

«Ich verstehe. Eigentlich wollte ich ein Ehepaar …»

«Ich weiß, Monsieur, aber vielleicht könnte ich das in die Hand nehmen? Ich war erstes Kammermädchen bei der Frau Gräfin, aber vorher habe ich bei der Mutter der Frau Gräfin gedient, wo ich Köchin war. Ich könnte mich um die Küche und um den Haushalt kümmern.»

«Ja, sehr interessant», murmelte Charlie und dachte, daß diese Verbindung recht vorteilhaft wäre.

Natürlich gab es das Problem des Servierens bei Tisch. Es kamen Gäste, aber er hatte nicht vor, in diesem Winter viele zu empfangen.

«Können Sie Männerwäsche bügeln? In diesem Punkt bin ich sehr anspruchsvoll.»

«Ich selbst habe die Wäsche des Herrn Grafen gebügelt.»

«Und die Küche? Ich speise häufig im Restaurant. Ich benötige eine einfache, aber gepflegte Küche.»

«Wenn Monsieur meine Zeugnisse sehen möchte?»

Sie holte sie aus einer Tasche aus imitiertem Schweinsleder und reichte sie ihm. Er las das eine und das andere; sie waren in den wärmsten Worten abgefaßt – fleißig, perfekt geschult, von gewissenhaftester Ehrlichkeit, kann vorzüglich kochen und sogar backen.

«Sogar backen? Sehr gut. Ich glaube, daß wir uns verstehen können, Hortense. Waren Sie lange bei der Gräfin Barral du Jeu?»

«Fünf Jahre, Monsieur.»

«Und diese Dame lebt in Paris? Sie verstehen, daß ich persönliche Auskünfte vorziehe.»

«Ich verstehe vollkommen, Monsieur. Die Frau Gräfin lebt in Paris. Möchte Monsieur ihre Telefonnummer haben? Auteuil 38.14.»

«Danke. Schreiben Sie es bitte auf, Madame Logre. Und Ihr Lohn? Wieviel möchten Sie verdienen?»

Hortense verlangte sechshundert Francs. Er bot vierhundertfünfzig. Hortense dachte nach. Ihr lebhaftes und durchdringendes schwarzes Auge hatte bis auf den Grund der Seele dieses unverschämten, wohlgenährten Herrn gesehen. ‹Ratte, Korinthenkacker›, dachte sie, ‹aber ich werde es schaffen.› Und die Arbeit war knapp. Entschlossen sagte sie:

«Unter fünfhundertfünfzig kann ich es nicht machen. Das wird Monsieur verstehen. Ich hatte ein paar Ersparnisse, ich habe sie während dieser grauenvollen Reise alle aufgebraucht.»

«Sie hatten Paris verlassen?»

«Ja, Monsieur, zur Zeit der großen Flucht. Wir wurden bombardiert und so weiter und wären unterwegs fast verhungert. Monsieur weiß gar nicht, wie hart es war.»

«Doch, ich weiß, ich weiß», sagte Charlie seufzend. «Ich habe denselben Weg hinter mir. Ach, das sind traurige Ereignisse.

Sagen wir also fünfhundertfünfzig. Hören Sie, ich bin einverstanden, weil ich glaube, daß Sie sie wert sind. Mir liegt an unbedingter Ehrlichkeit.»

«Oh, Monsieur», sagte Hortense in maßvoll entrüstetem Ton, als wäre eine solche Bemerkung an sich schon beleidigend, und Charlie beeilte sich, ihr durch ein beruhigendes Lächeln zu verstehen zu geben, daß er das nur der Form halber sage, daß er ihre Rechtschaffenheit keinen Augenblick in Zweifel ziehe und daß ihm im übrigen schon die Vorstellung einer Taktlosigkeit so unerträglich sei, daß er keinen weiteren Gedanken darauf verschwenden könne.

«Ich hoffe, Sie sind geschickt und sorgsam. Ich besitze eine Sammlung, auf die ich großen Wert lege. Ich gestatte niemandem, die seltensten Stücke abzustauben, aber diese Vitrine beispielsweise werde ich Ihnen anvertrauen.»

Da er sie dazu aufzufordern schien, warf Hortense einen Blick auf die halb ausgepackten Kisten:

«Monsieur hat schöne Dinge. Bevor ich bei der Mutter der Frau Gräfin in Dienst trat, habe ich bei einem Amerikaner gearbeitet, Mister Mortimer Shaw. Bei ihm handelte es sich um Elfenbein.»

«Mortimer Shaw? Wie das! Ich kenne ihn gut, er ist ein großer Antiquar.»

«Er hat sich aus den Geschäften zurückgezogen, Monsieur.»

«Und Sie waren lange bei ihm?»

«Vier Jahre. Das waren meine einzigen Anstellungen.»

Charlie stand auf und sagte in aufmunterndem Ton, während er Hortense zur Tür begleitete:

«Kommen Sie morgen wieder, und holen Sie sich den endgültigen Bescheid, ja? Wenn die mündlichen Auskünfte ebenso gut sind wie die Zeugnisse, woran ich keine Sekunde zweifle, stelle ich Sie ein. Könnten Sie bald anfangen?»

«Schon am Montag, wenn Monsieur will.»

Als Hortense gegangen war, beeilte sich Charlie, Kragen und

Manschetten zu wechseln und sich die Hände zu waschen. In der Bar hatte er viel Alkohol getrunken. Er fühlte sich ungemein leicht und mit sich selbst zufrieden. Er wartete nicht auf den Aufzug, einen langsamen, uralten Apparat, sondern ging mit dem lebhaften Schritt eines jungen Mannes die Treppe hinunter. Er würde angenehme Freunde und eine charmante Frau treffen. Er freute sich, ihnen das kleine Restaurant zu zeigen, das er entdeckt hatte.

‹Ich frage mich, ob sie noch eine Flasche von diesem Corton haben›, dachte er. Das große Holztor mit seinen geschnitzten Sirenen und Tritonen (ein herrliches Kunstwerk, das unter Denkmalschutz stand) öffnete sich und schloß sich mit dumpfem Ächzen hinter ihm. Kaum war Charlie über die Schwelle getreten, umfing ihn sogleich tiefe Finsternis, aber da er an diesem Abend so fröhlich und sorglos war wie mit zwanzig, achtete er nicht darauf und überquerte die Straße in Richtung der Kaianlagen; er hatte seine Taschenlampe vergessen, ‹aber ich kenne doch jeden Stein in meinem Viertel›, sagte er sich. ‹Ich brauche nur der Seine zu folgen und über den Pont Marie zu gehen. Bestimmt fahren nicht viele Autos›, dachte er. Und genau in dem Augenblick, als er in Gedanken diese Worte sagte, sah er zwei Schritte von sich entfernt einen Wagen auftauchen, der überaus schnell fuhr, während die vorschriftsmäßig blaugestrichenen Scheinwerfer ein trübes, schauriges Licht verbreiteten. Überrascht sprang er zurück, rutschte aus, fühlte, daß er das Gleichgewicht verlor, ruderte mit beiden Armen und fiel, als er keinen Halt fand, zu Boden. Das Auto geriet ins Schleudern, eine Frauenstimme schrie voller Angst: «Achtung!» Es war zu spät.

‹Jetzt bin ich verloren. Ich werde überfahren werden. So viele Gefahren überstanden zu haben, um so zu enden, das ist zu … das ist zu dumm … Man hat mich zum Narren gehalten … Irgendwo spielt mir jemand diesen üblen, abscheulichen Streich …› So wie ein durch einen Schuß erschreckter Vogel aus seinem Nest fliegt und verschwindet, so huschte dieser letzte bewußte Gedanke durch Charlies Geist und verließ ihn zur gleichen Zeit wie das

Leben. Er erhielt einen entsetzlichen Schlag auf den Kopf. Der Kotflügel des Wagens hatte seinen Schädel zertrümmert. Blut und Hirn spritzten so heftig heraus, daß ein paar Tropfen auf die Frau am Steuer fielen – eine hübsche Frau mit einem Hut, der nicht größer war als ein Serviettenring und aus zwei zusammengenähten Zobelfellen und einem fuchsroten, auf goldenem Haar schwebenden Schleier bestand. Arlette Corail, die in der vorigen Woche aus Bordeaux zurückgekehrt war und jetzt niedergeschmettert den Leichnam ansah, murmelte:

«Was für ein Pech, nein, was für ein Pech!»

Sie war eine umsichtige Frau; sie hatte ihre Taschenlampe bei sich. Sie beleuchtete das Gesicht oder zumindest das, was davon übrig war, und erkannte Charlie Langelet: «Ach, der arme Kerl! … Ich bin schnell gefahren, das stimmt, aber konnte er denn nicht aufpassen, dieser alte Dummkopf. Was soll ich jetzt tun?»

Doch sie erinnerte sich, daß alles, Versicherung, Führerschein, in Ordnung war, und sie kannte einen einflußreichen Menschen, der alles für sie regeln würde. Beruhigt, aber mit noch klopfendem Herzen setzte sie sich auf das Trittbrett des Autos, ruhte sich kurz aus, zündete eine Zigarette an, puderte sich mit zitternden Händen und ging Hilfe holen.

Madame Logre war endlich mit der Säuberung des Arbeitszimmers und der Bibliothek fertig. Sie ging zurück in den Salon, um das dort angeschlossene Staubsaugerkabel aus der Steckdose zu ziehen. Bei dieser Bewegung stieß das Rohr des Staubsaugers gegen den Tisch, auf dem die Venus mit dem Spiegel stand. Madame Logre schrie auf: Die Figur war auf das Parkett gerollt. Der Kopf der Venus war zerbrochen.

Madame Logre wischte sich mit ihrer Schürze die Stirn ab, zögerte einen Moment, ließ dann die Figur, wo sie war, und lief, nachdem sie den Staubsauger weggeräumt hatte, mit leisen und für eine so kräftige Person unerwartet leichten Schritten aus der Wohnung.

«Ach, ich werde sagen, daß es beim Öffnen der Tür einen Luft-
zug gegeben hat und die Statue runtergefallen ist. Außerdem ist
es seine eigene Schuld, warum hat er sie am Rand des Tischs
stehenlassen? Und soll er doch sagen, was er will, meinetwegen
kann er krepieren!» sagte sie zornig.

30

Hätte man Jean-Marie gesagt, er werde sich einmal fern von seinem Regiment in einem gottverlassenen Dorf befinden, ohne Geld, ohne jede Möglichkeit, sich mit seinen Eltern in Verbindung zu setzen, ohne zu wissen, ob sie gesund in Paris waren oder wie so viele andere in einem Granattrichter am Rand einer Landstraße begraben lagen, und hätte man ihm vor allem gesagt, er werde, obwohl Frankreich besiegt sei, weiterleben und sogar glückliche Augenblicke verbringen, dann hätte er es nicht geglaubt. Und doch war es so. Gerade das Ausmaß der Katastrophe, ihre Heillosigkeit barg Rettung, so wie bestimmte starke Gifte ihr Gegengift liefern. Alles, worunter er litt, war unwiderruflich. Er konnte nichts daran ändern, daß die Maginot-Linie umgangen oder durchbrochen worden war (genau wußte man es nicht), daß zwei Millionen Soldaten in Gefangenschaft geraten waren, daß Frankreich geschlagen war. Er konnte nicht bewirken, daß die Post, der Telegraf oder das Telefon funktionierten, und er konnte sich weder Benzin noch ein Auto besorgen, um zum einundzwanzig Kilometer entfernten Bahnhof zu gelangen, wo im übrigen keine Züge mehr fuhren, da die Linie zerstört worden war. Er konnte nicht zu Fuß nach Paris gehen, denn er war schwer verwundet worden und fing gerade erst an, wieder aufzustehen. Er konnte seine Gastgeber nicht bezahlen, denn er hatte kein Geld und keinerlei Möglichkeit, sich welches zu beschaffen. Das alles überstieg seine Kräfte; also mußte er in aller Ruhe bleiben, wo er war, und warten.

Dieses Gefühl absoluter Abhängigkeit von der Außenwelt bescherte ihm eine Art Frieden. Er hatte nicht einmal eigene Kleider: Seine zerrissene, stellenweise verbrannte Uniform war unbrauchbar. Er trug ein Khakihemd und die Ersatzhose eines der

Burschen des Gehöfts. Im Ort kaufte er Holzschuhe. Dennoch war es ihm gelungen, sich demobilisieren zu lassen, indem er heimlich die Demarkationslinie überschritt und einen falschen Wohnsitz angab; er lief also nicht mehr Gefahr, gefangengenommen zu werden. Er lebte noch immer auf dem Bauernhof, doch seit er genesen war, schlief er nicht mehr in dem Paradebett in der Küche. Man hatte ihm ein kleines Zimmer über dem Heuboden gegeben. Durch ein rundes Fenster sah er eine wunderbare friedliche Landschaft aus Feldern, fruchtbarem Ackerland und Wäldern. Nachts hörte er über sich die Mäuse herumtollen und das Gurren im Taubenschlag.

Ein solches Leben auf der Grundlage von Todesängsten ist nur erträglich, wenn man in den Tag hinein lebt und sich am Abend sagt: «Wieder vierundzwanzig Stunden, in denen nichts Schlimmes passiert ist, Gott sei Dank, warten wir bis morgen.» Alle, die um Jean-Marie herum waren, dachten so oder handelten zumindest, als ob sie so dächten. Sie kümmerten sich um die Tiere, das Heu, die Butter, nie sprachen sie über den morgigen Tag. Zwar trafen sie Vorsorge für die kommenden Jahre, sie pflanzten Bäume, die in fünf oder sechs Jahren Früchte tragen würden; sie mästeten das Schwein, das sie in zwei Jahren essen würden, aber sie rechneten nicht mit der unmittelbaren Zukunft. Wenn Jean-Marie fragte, ob morgen schönes Wetter wäre (die übliche Frage des Parisers auf Urlaub), sagten sie: «Tja, das wissen wir nicht! Wie soll man das wissen?» sagten sie. «Wird es Obst geben?» – «Vielleicht ein bißchen», antworteten sie mit mißtrauischen Blicken auf die harten, unreifen kleinen Birnen, die an den Ästen der Spalierbäume wuchsen, «aber das läßt sich schwer sagen ... Wir wissen es nicht ... Wir werden sehen ...» Ein vererbtes Wissen über die Fallstricke des Schicksals, die Aprilfröste, die Hagelschläge, die die Felder kurz vor der Ernte verwüsteten, die Julidürre, die einen Obstgarten verbrannte, gab ihnen diese Weisheit und diese Langsamkeit ein, gleichzeitig jedoch taten sie alle Tage, was getan werden mußte. Sie waren nicht sympathisch, aber schätzenswert, dachte Jean-Marie, der das Landleben kaum kannte: Seit fünf Generationen waren die Michauds Städter.

Die Menschen in diesem Weiler waren gastfreundlich, liebenswürdig, die Männer Schönredner, die Mädchen kokett. Wenn man sie näher kennenlernte, entdeckte man Züge von Barschheit, Härte, sogar Bosheit, die erstaunten, die aber möglicherweise durch dunkle, atavistische Erinnerungen zu erklären waren, durch jahrhundertealte Feindschaften und Ängste, die sich mit dem Blut von einer Generation auf die andere übertrugen. Gleichzeitig waren sie großherzig. Die Bäuerin hätte einer Nachbarin kein einziges Ei geschenkt, und wenn sie Geflügel verkaufte, ließ sie keinen Sou nach, doch als Jean-Marie den Hof verlassen wollte und sagte, er habe kein Geld, er wolle ihnen nicht zur Last fallen und werde versuchen, zu Fuß nach Paris zu gelangen, da hatte die ganze Familie ihm bestürzt und schweigend zugehört, und die Mutter hatte mit seltsamer Würde gesagt:

«So darf man nicht reden, Monsieur, Sie beleidigen uns …»

«Aber was soll ich denn machen?» sagte Jean-Marie, der sich noch sehr schwach fühlte und regungslos neben ihr sitzen blieb, den Kopf in den Händen.

«Da ist nichts zu machen. Sie müssen warten.»

«Ja, natürlich, die Post wird bald funktionieren», murmelte der junge Mann, «und wenn meine Eltern in Paris sind …»

«Dann sehen wir weiter», sagte die Bäuerin.

Nirgends wäre es leichter gewesen, die Welt zu vergessen. Ohne Briefe und ohne Zeitungen war die einzige Verbindung mit dem Rest der Welt das Radio, aber da den Bauern gesagt worden war, daß die Deutschen die Rundfunkgeräte beschlagnahmten, hatten sie sie auf den Dachböden und in alten Schränken versteckt oder zusammen mit den Jagdgewehren, die nicht abgeliefert worden waren, in den Feldern vergraben. Die Gegend lag in der besetzten Zone, ganz nahe an der Demarkationslinie, aber die deutschen Truppen durchquerten sie lediglich, ohne sich hier einzuquartieren. Im übrigen kamen sie nur durch die Ortschaft und stiegen nie die zwei steinigen, beschwerlichen Kilometer den Hügel hinauf. In den Städten und einigen Departements begann die Nahrung knapp zu werden; hier war sie reichlicher vorhanden als sonst, da die Erzeugnisse nicht weiterbefördert werden konnten und man sie an Ort und Stelle verzehrte. Noch nie in seinem Leben hatte Jean-Marie soviel Butter, Hühner, Sahne, Pfirsiche gegessen. Er erholte sich schnell. Er begann sogar, Fett anzusetzen, sagte die Bäuerin, und in ihrer Güte gegenüber Jean-Marie schwang der dunkle Wunsch mit, sich mit dem lieben Gott zu arrangieren, ihm ein gerettetes Leben im Tausch gegen dasjenige anzubieten, das Er in Händen hielt; so wie sie den Hühnern Körner im Tausch gegen auszubrütende Eier gab, so versuchte sie, Jean-Marie gegen ihren eigenen Jungen zu tauschen. Jean-Marie verstand es genau, aber das änderte nichts an seiner Dankbarkeit gegenüber der alten Frau, die ihn gepflegt hatte. Er versuchte, sich nützlich zu machen, er beschäftigte sich mit Kleinigkeiten im Hof, arbeitete im Garten.

Manchmal fragten die Frauen ihn nach dem Krieg, nach dem jetzigen Krieg, die Männer jedoch niemals! Sie waren alle ehemalige Frontkämpfer, und die jungen Leute waren fort. Ihre Erinnerungen blieben auf 1914 fixiert. Die Vergangenheit hatte bereits Zeit gehabt, von ihnen gefiltert, geläutert, von ihrem Bodensatz, ihrem Gift befreit zu werden, damit die Seelen sie aufnehmen konnten, während die jüngsten Ereignisse trübe und gallig blieben! Im Grunde ihres Herzens glaubten sie im übrigen, daß dies alles die Schuld der Jungen sei, die weniger gesund seien als sie, weniger Geduld hätten und in der Schule verwöhnt worden seien. Und da Jean-Marie jung war, vermieden sie es aus Taktgefühl, in die Lage zu kommen, über ihn und seine Altersgenossen urteilen zu müssen.

Somit trug alles dazu bei, den Soldaten zu schonen und einzuschläfern, damit er wieder zu Kräften käme und neuen Mut schöpfte. Er war fast jeden Tag allein; es war die Zeit der großen Feldarbeiten. Die Männer verließen bei Tagesanbruch das Haus.

Die Frauen waren mit dem Vieh und der Wäsche beschäftigt. Jean-Marie hatte ihnen seine Dienste angeboten, aber man hatte ihn weggeschickt. «Da kann er sich kaum auf den Beinen halten und redet von arbeiten!» Also verließ er die Stube, überquerte den Hof, wo die Truthähne kreischten, und ging zu einer von einem Zaun umgebenen kleinen Wiese hinunter. Dort fraßen Pferde Gras: auch eine goldbraune Stute und ihre beiden milchkaffee-farbenen Fohlen mit kurzem, hartem schwarzen Kammhaar. Sie rieben ihr Maul an den Beinen der Mutter, die weiter graste, un-geduldig den Schweif schüttelnd, um die Fliegen zu verscheu-chen. Manchmal wandte eines der Fohlen Jean-Marie, der neben dem Zaun lag, den Kopf zu, sah ihn mit seinem feuchten schwar-zen Auge an und wieherte fröhlich. Jean-Marie wurde nicht müde, sie zu betrachten. Gern hätte er die imaginäre Geschichte dieser bezaubernden kleinen Pferde geschrieben, diesen Julitag geschildert, dieses Land, dieses Gehöft, diese Leute, den Krieg, sich selbst. Er schrieb mit einem armseligen, halb zerkauten Bleistift-stummel in ein kleines Schulheft, das er an seinem Herzen ver-barg. Er beeilte sich, irgend etwas in ihm beunruhigte ihn, klopfte an eine unsichtbare Tür. Beim Schreiben öffnete er diese Tür, brachte das, was zum Licht drängte, in Schwung. Dann verlor er plötzlich den Mut, empfand Überdruß, Müdigkeit. Er war ver-rückt. Was tat er da und schrieb törichte kleine Geschichten, ließ sich von der Bäuerin verhätscheln, während seine Kameraden in Gefangenschaft waren, seine verzweifelten Eltern ihn für tot hiel-ten, die Zukunft so ungewiß und die Vergangenheit so schwarz war? Doch während er so grübelte, sah er, wie eines der Fohlen munter losrannte, stehenblieb, sich im Gras wälzte, die Hufe in die Luft streckte, sich am Boden rieb und ihn mit seinen vor Zärt-lichkeit und Mutwillen glänzenden Augen ansah. Er suchte nach einer Möglichkeit, diesen Blick zu beschreiben, suchte sie voller Neugier und Ungeduld, mit sonderbarer, sanfter Beklemmung. Er fand sie nicht, verstand aber, was das kleine Pferd empfin-den mußte, nämlich wie gut das frische, knackige Gras war!

Wie unerträglich die Fliegen! Die freie, stolze Luft, wenn es die Nüstern hob und losrannte und ausschlug. Rasch schrieb er ein paar unvollständige, ungeschickte Zeilen, aber es taugte nichts, es war nicht das Wesentliche, aber das würde schon noch kommen. Er klappte das Heft zu und blieb endlich regungslos liegen, mit geöffneten Händen, geschlossenen Augen, glücklich und matt.

Als er zur Essenszeit zurückkehrte, merkte er sofort, daß während seiner Abwesenheit etwas geschehen war. Der kleine Dienstbote war in den Marktflecken gegangen, um Brot zu holen; er brachte vier schöne goldgelbe, kranzförmige Laibe mit, die an der Lenkstange seines Fahrrads hingen; die Frauen umringten ihn. Als eines der Mädchen Jean-Marie erblickte, rief sie ihm zu:

«He, Monsieur Michaud, Sie können sich freuen, die Post funktioniert.»

«Nicht möglich», sagte Jean-Marie, «stimmt das?»

«Sicher. Ich habe gesehen, daß die Post auf war und daß Leute Briefe lasen.»

«Dann schreibe ich gleich ein paar Zeilen an meine Eltern und bringe sie schnell ins Dorf. Leihst du mir dein Fahrrad?»

Im Dorf brachte er nicht nur seinen Brief zur Post, sondern kaufte auch die Zeitungen, die soeben eingetroffen waren. Wie merkwürdig das alles war! Er glich einem Schiffbrüchigen, der seine Heimat, die Zivilisation, die Gesellschaft seiner Mitmenschen wiedersieht. Auf dem kleinen Platz lasen die Leute die mit der Abendpost gekommenen Zeitungen; Frauen weinten. Viele Gefangene ließen von sich hören, teilten aber auch die Namen der gefallenen Kameraden mit. Wie ihm auf dem Bauernhof aufgetragen worden war, fragte er, ob jemand wisse, wo sich der Sohn Benoît befinde.

«Ah, sind Sie der Soldat, der dort wohnt?» sagten die Bäuerinnen. «Wir wissen es nicht, aber jetzt, wo die Briefe kommen, werden wir bald erfahren, wo unsere Männer sind!»

Und eine von ihnen, eine alte Frau, die für ihren Gang ins Dorf ein spitzes schwarzes Hütchen mit einer Rose obendrauf aufgesetzt hatte, sagte weinend:

«Manche erfahren es früh genug. Ich wollte, ich hätte dieses verdammte Stück Papier nicht gekriegt. Meiner war Matrose auf der *Bretagne* und ist vermißt, heißt es, als die Engländer das Schiff torpediert haben. Was für ein Unglück!»

«Grämen Sie sich nicht. Vermißt heißt nicht tot. Vielleicht ist er Gefangener in England!»

Aber alle Trostworte beantwortete sie nur mit einem Kopfschütteln, und bei jeder Bewegung zitterte die künstliche Blume auf ihrem Messingstengel.

«Nein, nein, es ist aus, mein armer Junge! Was für ein Unglück …»

Jean-Marie machte sich wieder auf den Weg zum Weiler. Am Wegesrand traf er Cécile und Madeleine, die ihm entgegengegangen waren; beide fragten gleichzeitig:

«Wissen Sie etwas über meinen Bruder? Wissen Sie etwas über Benoît?»

«Nein, aber das will nichts heißen. Denkt doch nur, wieviel Briefe Verspätung haben.»

Die Mutter dagegen fragte nichts. Sie legte ihre dürre gelbe Hand wie einen Schirm über ihre Augen, sah ihn an, und er schüttelte den Kopf. Die Suppe stand auf dem Tisch, die Männer kamen herein, alle aßen. Nach dem Essen, als das Geschirr abgewaschen und die Stube gefegt war, ging Madeleine in den Garten, um Erbsen zu pflücken. Jean-Marie folgte ihr. Er meinte, daß er den Hof bald verlassen werde, und alles wurde in seinen Augen schöner, friedlicher.

Seit einigen Tagen war es sehr heiß, erst gegen Abend konnte man atmen. Um diese Zeit war der Garten wunderbar; die Sonne hatte die Margeriten und die weißen Nelken verbrannt, die den Obstgarten säumten, doch die in der Nähe des Brunnens gepflanzten Rosensträucher standen in voller Blüte; ein Duft nach Zucker, Moschus, Honig entstieg einem Beet kleiner roter Rosen neben den Bienenkörben. Der Vollmond hatte die Farbe von Bernstein und strahlte so hell, daß der Himmel bis in seine fernsten Tiefen von einer gleichmäßigen, heiteren, zartgrünen und durchsichtigen Helligkeit beleuchtet zu sein schien.

«Was hatten wir doch für einen schönen Sommer», sagte Madeleine.

Sie hatte ihren Korb ergriffen und lenkte ihre Schritte zu den Erbsenranken.

«Nur acht Tage schlechtes Wetter am Anfang des Monats und seitdem kein Regentropfen, keine Wolke, wenn das so weitergeht, haben wir gar kein Gemüse mehr … und die Arbeit ist schwer bei dieser Hitze. Aber das macht nichts, es ist komisch, als wollte der Himmel die arme Welt trösten. Übrigens, wenn Sie mir helfen wollen, genieren Sie sich nicht», fügte sie hinzu.

«Was macht Cécile?»

«Cécile näht. Sie macht sich ein schönes Kleid, das sie am Sonntag zur Messe tragen wird.»

Ihre geschickten, kräftigen Finger tauchten in die frischen grünen Blätter der Erbsen, brachen den Stiel ab, warfen die Schoten in den Korb; sie arbeitete mit gesenktem Gesicht.

«Also werden Sie uns verlassen?»

«Es muß sein. Ich freue mich, meine Eltern wiederzusehen, außerdem muß ich Arbeit suchen, aber …»

Beide schwiegen.

«Natürlich, Sie könnten ja nicht Ihr ganzes Leben hier bleiben», sagte sie, ihren Kopf noch tiefer senkend. «Man weiß ja, wie das Leben so ist, man begegnet sich, man trennt sich …»

«Man trennt sich», wiederholte er halblaut.

«Und Sie sind jetzt wiederhergestellt. Sie haben Farbe bekommen …»

«Dank Ihrer guten Pflege.»

Die Finger hielten in der Mitte eines Blatts inne.

«Hat es Ihnen bei uns gefallen?»

«Das wissen Sie doch.»

«Dann müssen Sie von sich hören lassen, müssen uns schreiben», sagte sie, und er sah dicht neben sich ihre tränenvollen Augen. Sofort wandte sie sich ab.

«Ganz bestimmt werde ich schreiben, das verspreche ich Ihnen», sagte Jean-Marie, und zaghaft berührte er die Hand des jungen Mädchens.

«Oh, das sagt man so ... Wenn Sie fort sind, werden wir hier viel Zeit haben, an Sie zu denken, mein Gott ... Jetzt ist immer noch die Zeit der Arbeit, wir sind von morgens bis abends beschäftigt ... Aber es kommt der Herbst und dann der Winter, da brauchen wir bloß noch das Vieh zu versorgen, und in der übrigen Zeit kümmern wir uns um das Haus und sehen zu, wie der Regen fällt und dann der Schnee. Manchmal frage ich mich, ob ich nicht eine Anstellung in der Stadt suchen soll ...»

«Nein, Madeleine, tun Sie das nicht, versprechen Sie es mir. Hier werden Sie glücklicher sein.»

«Glauben Sie?» flüsterte sie mit leiser, sonderbarer Stimme.

Und sie ergriff den Korb und entfernte sich von ihm, das Blattwerk verbarg sie seinen Augen. Mechanisch riß er die Erbsen ab.

«Glauben Sie denn, ich könnte Sie vergessen?» sagte er schließlich. «Glauben Sie, ich hätte so schöne Erinnerungen, daß ich diese hier vernachlässigen könnte? Denken Sie doch nur! Der Krieg, das Grauen, der Krieg.»

«Aber vorher? Es war doch nicht immer Krieg, oder? Vorher, da gab es doch ...»

«Was?»

Sie antwortete nicht.

«Sie meinen Frauen, junge Mädchen?»

«Ja, sicher!»

«Nichts von Bedeutung, meine kleine Madeleine.»

«Aber Sie gehen fort», sagte sie und hatte jetzt keine Kraft mehr, ihre Tränen zurückzuhalten, sie ließ sie über ihre dicken Wangen fließen und sagte stockend: «Es tut mir weh, Sie zu verlassen. Ich sollte Ihnen das nicht sagen, Sie werden über mich lachen, und Cécile noch mehr … aber das ist mir gleich … es tut mir weh …»

«Madeleine …»

Sie richtete sich auf, ihre Blicke begegneten sich. Er ging zu ihr und nahm sie sanft um die Taille; als er sie küssen wollte, schob sie ihn seufzend von sich.

«Nein, nicht das ist es, was ich will … das ist zu einfach …»

«Und was wollen Sie, Madeleine? Daß ich Ihnen verspreche, Sie nie zu vergessen? Ob Sie mir glauben oder nicht, das ist die Wahrheit, ich werde Sie nicht vergessen», sagte er, nahm ihre Hand und küßte sie. Sie errötete vor Freude.

«Madeleine, stimmt es, daß Sie Nonne werden wollen?»

«Es stimmt. Vorher wollte ich es, aber jetzt … Nicht, weil ich den lieben Gott nicht mehr liebe, aber ich glaube, daß ich nicht dafür gemacht bin!»

«Natürlich nicht! Sie sind dafür gemacht, zu lieben und glücklich zu sein.»

«Glücklich? Ich weiß nicht, aber ich glaube, daß ich dafür gemacht bin, einen Mann und Kinder zu haben, und wenn der Benoît nicht tot ist, dann …»

«Der Benoît? Ich wußte gar nicht …»

«Ja, wir hatten miteinander gesprochen … aber ich wollte nicht. Ich hatte die Vorstellung, Nonne zu werden. Aber wenn er zurückkommt … er ist ein braver Junge …»

«Das wußte ich nicht», wiederholte er.

Wie verschwiegen diese Bauern doch waren! Diskret, mißtrauisch, doppelt verschlossen … wie ihre alten Schränke. Er hatte mehr als zwei Monate unter ihnen gelebt und nie etwas von einer Bindung zwischen Madeleine und dem Sohn des Hauses geahnt, und jetzt, wo er daran dachte, hatte man diesen Benoît kaum je erwähnt … Sie sprachen nie über etwas. Und dennoch dachten sie daran.

Die Bäuerin rief nach Madeleine, sie kehrten ins Haus zurück.

Einige Tage vergingen. Es gab keine Nachricht vom Benoît,

aber bald erhielt Jean-Marie einen Brief seiner Eltern und Geld. Nie wieder war er mit Madeleine allein gewesen. Er begriff genau, daß er überwacht wurde. Er verabschiedete sich von der auf der Türschwelle versammelten Familie. Es war ein regnerischer Morgen, der erste seit vielen Wochen; ein kalter Wind blies von den Hügeln. Als er sich entfernt hatte, ging die Bäuerin ins Haus zurück. Die beiden jungen Mädchen blieben lange dort stehen und lauschten dem Geräusch des Karrens auf dem Weg.

«Na ja, ein Unglück ist das nicht!» rief Cécile aus, als hätte sie seit langem nur mühsam einen Schwall wütender Worte zurückgehalten. «Endlich kann man ein wenig Arbeit von dir erwarten … In letzter Zeit warst du ja auf dem Mond, du hast mich alles allein machen lassen …»

«Du hast es gerade nötig, mir Vorwürfe zu machen, du warst doch ständig dabei, zu nähen und dich im Spiegel zu betrachten … Gestern habe ich die Kühe gemolken, obwohl ich gar nicht dran war», erwiderte Madeleine zornig.

«Was weiß ich! Die Mutter hat es dir befohlen.»

«Wenn die Mutter es mir befohlen hat, dann weiß ich genau, wer ihr den Floh ins Ohr gesetzt hat.»

«Ach, denk doch, was du willst!»

«Heuchlerin!»

«Schamlose Person! Und so was will Nonne werden …!»

«Und du bist natürlich nie um ihn herumgeschlichen. Aber das war ihm ziemlich egal!»

«Na, und du? Er ist abgereist, und du wirst ihn nie wiedersehen.»

Mit zornfunkelnden Augen schauten sie sich eine Weile an, und mit einemmal zeigte sich ein sanfter, verwunderter Ausdruck auf Madeleines Gesicht.

«O Cécile, wir waren wie Schwestern … Vorher hatten wir uns nie gezankt … Das lohnt sich doch nicht. Der Junge ist weder was für dich noch für mich!»

Sie schlang ihre Arme um den Hals der weinenden Cécile.

«Es geht vorbei, na komm, es geht vorbei … Trockne dir die Augen. Die Mutter wird sehen, daß du geweint hast.»

«Oh, die Mutter … sie weiß alles, aber sie sagt nichts.»

Sie trennten sich; die eine ging in den Stall, die andere ins Haus. Es war Montag und Waschtag, sie hatten kaum Zeit, zwei Worte zu wechseln, aber ihre Blicke, ihre lächelnden Mienen zeigten, daß sie sich versöhnt hatten. Der Wind drückte den Dampf des Waschkessels zum Schuppen. Es war einer jener stürmischen, dunklen Tage, an denen man mitten im August den ersten Hauch des Herbstes spürt. Während Madeleine ihre Wäsche einseifte, auswrang, spülte, hatte sie nicht die Muße nachzudenken, und betäubte so ihren Schmerz. Wenn sie die Augen hob, sah sie den grauen Himmel, die vom Sturm geschüttelten Bäume. Einmal sagte sie:

«Man könnte meinen, daß der Sommer vorbei ist …»

«Gar nicht schlimm. Der garstige Sommer», antwortete die Mutter mit einem Anflug von Groll.

Madeleine sah sie überrascht an, und erst da erinnerte sie sich an den Krieg, an die Flucht, an Benoîts Abwesenheit, an das allgemeine Unglück, an diesen Krieg, der in der Ferne weiterging, an die vielen Toten. Schweigend arbeitete sie weiter.

Am Abend hatte sie gerade den Hühnerstall abgeschlossen und hastete im Regen über den Hof, als sie auf dem Weg einen Mann erblickte, der mit großen Schritten näher kam. Ihr Herz begann zu klopfen; sie dachte, Jean-Marie sei zurückgekommen. Eine wilde Freude erfaßte sie; sie rannte auf den Mann zu und stieß zwei Meter von ihm entfernt einen Schrei aus.

«Benoît …?»

«Ja, ich bin's», sagte er.

«Aber wie denn? … Oh, wie wird deine Mutter sich freuen … Du bist also entkommen, Benoît? Wir hatten große Angst, daß du in Gefangenschaft gerätst.»

Er lachte leise. Er war ein großer Junge mit breitem braunen Gesicht und verwegenen hellen Augen.

«Das war ich auch, aber nicht lange!»

«Bist du geflohen?»

«Ja.»

«Wie?»

«Na ja, mit Kameraden.»

Und als sie ihn wiedersah, fand sie plötzlich ihre bäuerliche Schüchternheit wieder, jene Fähigkeit, still zu leiden und zu lieben, die ihr bei Jean-Marie abhanden gekommen war. Sie stellte ihm keine weiteren Fragen, sondern ging wortlos neben ihm her.

«Und wie geht's euch hier?» fragte er.

«Es geht.»

«Nichts Neues?»

«Nein, nichts», sagte sie.

Und sie ging als erste die drei Stufen zur Küche hinauf, betrat das Haus und rief:

«Mutter, kommen Sie schnell, Benoît ist wieder da!»

31

Der letzte Winter – der erste Kriegswinter – war lang und hart gewesen. Aber was soll man erst zu dem von 1940/41 sagen? Schon Ende November setzten Kälte und Schnee ein. Er fiel auf die bombardierten Häuser, auf die Brücken, die allmählich wieder aufgebaut wurden, auf die Straßen von Paris, auf denen weder Autos noch Busse mehr fuhren, auf denen Frauen in Pelzmänteln und Wollkapuzen gingen und andere Frauen vor der Türe der Geschäfte schlotterten. Er fiel auf die Eisenbahnschienen, auf die Telegrafendrähte, die unter seinem Gewicht bis zum Boden herabhingen und manchmal zerrissen, auf die grünen Uniformen der deutschen Soldaten vor den Toren der Kasernen, auf die roten Hakenkreuzfahnen am Giebel der historischen Gebäude. In die eiskalten Wohnungen ließ er ein fahles, schauriges Licht sickern, das die Empfindung von Kälte und Unbehaglichkeit noch verstärkte. In den armen Familien blieben die Greise und die Kinder wochenlang im Bett liegen: Es war der einzige Ort, wo es noch möglich war, nicht zu frieren.

Die Terrasse der Cortes war in diesem Winter mit einer dikken Schneeschicht bedeckt, wo man den Champagner kalt stellte. Corte schrieb an einem Holzfeuer, dem es nicht gelang, die Wärme der Heizkörper zu ersetzen. Seine Nase war blau; er weinte fast vor Kälte. Mit der einen Hand preßte er eine Gummiwärmflasche mit kochendheißem Wasser an sein Herz, mit der anderen schrieb er.

An Weihnachten wurde es noch kälter; nur in den Gängen der Metro taute man ein wenig auf. Und der Schnee fiel noch immer unerbittlich, sanft und hartnäckig auf die Bäume des Boulevard Delessert, wo die Péricands nach ihrer Rückkehr wieder wohnten – denn sie gehörten jener Klasse des französischen Großbürgertums an, die es lieber sieht, wenn es ihren Kindern an Brot, Fleisch und Luft fehlt, als daß es ihnen an Diplomen mangelt, und Huberts Ausbildung, die schon durch die Ereignisse des letzten Sommers stark gelitten hatte, durfte um keinen Preis unterbrochen werden, ebensowenig wie die von Bernard, der demnächst acht wurde und alles, was er vor der Flucht gelernt hatte, vergessen hatte und den seine Mutter aufsagen ließ: «Die Erde ist eine Kugel, die auf nichts ruht», als wäre er erst sieben und nicht acht Jahre alt (es war katastrophal!).

Schneeflocken verfingen sich im Trauerschleier von Madame Péricand, wenn sie stolz an der Schlange der vor dem Laden stehenden Kunden entlangging und erst an der Türschwelle stehenblieb, wo sie in ihrer Hand die Prioritätskarte wie eine Fahne schwenkte, die den Müttern kinderreicher Familien ausgestellt wurde.

Im Schneegestöber warteten Jeanne und Maurice Michaud, bis sie an der Reihe waren, sich gegenseitig stützend, wie müde Pferde es tun, bevor sie wieder auf die Landstraße müssen.

Der Schnee bedeckte das Grab von Charlie Langelet auf dem Père-Lachaise und den Autofriedhof bei der Brücke von Gien – auf alle im Juni bombardierten, ausgebrannten, stehengelassenen Autos zu beiden Seiten der Landstraße, auf einem Rad hängend oder auf der Seite liegend, gähnend leer oder nur noch einen Haufen verbogenen Schrott zeigend. Auf dem Land war die Erde weiß, weit, stumm; der Schnee schmolz während einiger Tage; die Bauern freuten sich. «Es tut gut, die Erde zu sehen», sagten sie. Aber schon am nächsten Tag fiel er von neuem, die Raben krächzten am Himmel. «Es gibt dieses Jahr viele», murmelten die jungen Leute, wobei sie an die Schlachtfelder, die bombardierten Städte dachten, aber die Alten antworteten: «Nicht mehr als sonst!» Auf dem Land änderte sich nichts, man wartete. Man wartete auf das Ende des Krieges, auf das Ende der Blockade, auf die Rückkehr der Gefangenen, auf das Ende des Winters.

«Dieses Jahr wird es keinen Frühling geben», seufzten die

Frauen, als sie den Februar, dann Anfang März verstreichen sahen, ohne daß die Temperatur milder wurde. Der Schnee war verschwunden, aber die Erde war grau, hart, tönend wie Eisen. Die Kartoffeln erfroren. Das Vieh hatte kein Futter mehr, es hätte seine Nahrung bereits draußen suchen müssen, aber kein Grashalm ließ sich blicken. Im Weiler der Familie Sabarie verschanzten sich die Alten hinter den großen Holztüren, die man nachts verriegelte. Die Familie versammelte sich um den Ofen, und die Frauen strickten für die Gefangenen, ohne ein Wort zu wechseln. Madeleine und Cécile fertigten Hemdchen und Windeln aus alten Laken an: Madeleine hatte im September Benoît geheiratet und erwartete ein Kind. Wenn ein zu heftiger Windstoß an der Tür rüttelte, sagten die Alten: «He da, mein Gott, das ist doch zuviel Elend.»

Auf dem Nachbarhof schrie ein kurz vor Weihnachten geborener kleiner Junge, dessen Vater in Gefangenschaft war. Die Mutter hatte bereits drei Kinder. Es war eine hoch aufgeschossene magere Bäuerin, sittsam, wortkarg, zurückhaltend, die sich nie beklagte. Wenn man ihr sagte: «Wie werden Sie denn zurechtkommen, Louise, ohne Mann im Haus, mit der vielen Arbeit, und niemand, der Ihnen hilft, und den vier Kleinen?», lächelte sie flüchtig, während ihre Augen kalt und traurig blieben, und antwortete: «Es muß einfach ...» Abends, wenn die Kinder eingeschlafen waren, sah man sie bei den Sabaries auftauchen. Sie setzte sich mit ihrem Strickzeug dicht an die Türe, um in der nächtlichen Stille die Stimme der Kinder hören zu können, wenn sie nach ihr riefen. Wenn man sie nicht ansah, hob sie verstohlen die Lider und betrachtete Madeleine mit ihrem jungen Ehemann, ohne Eifersucht, ohne Mißgunst, mit stummer Traurigkeit, dann senkte sie ihren Blick rasch auf ihre Arbeit und stand nach einer Viertelstunde auf, nahm ihre Holzpantinen, sagte leise: «Ich muß gehen. Guten Abend, gute Nacht alle miteinander» und ging nach Hause. Es war eine Märznacht. Sie konnte nicht schlafen. Fast alle ihre Nächte verbrachte sie so und suchte Schlaf in diesem kalten, leeren Bett. Sie hatte mit dem Gedanken gespielt, das älteste der Kinder bei ihr im Bett schlafen zu lassen, aber eine Art abergläubische Furcht hatte sie davon abgehalten: Der Platz mußte frei bleiben für den Abwesenden.

In dieser Nacht blies ein heftiger Wind, ein Sturm, der von den Bergen des Morvan über das Land fegte. «Morgen gibt's wieder Schnee!» hatten die Leute gesagt. In ihrem großen stillen Haus, das allenthalben knarrte wie ein auf dem Wasser treibendes Schiff, ließ sich die Frau zum ersten Mal gehen und brach in Tränen aus. Das war ihr nicht passiert, als ihr Mann im Jahre 39 fortgegangen war, auch nicht, wenn er sie nach den kurzen Fronturlauben verließ, auch nicht, als sie erfahren hatte, daß er in Gefangenschaft geraten war, und auch nicht, als sie ohne ihn niedergekommen war. Aber sie war am Ende ihrer Kräfte: Soviel Arbeit ... der Kleine, der so kräftig war und sie mit seinem Appetit und seinem Geschrei erschöpfte ... die Kuh, die wegen der Kälte fast keine Milch mehr gab ... Hühner, die keine Körner mehr hatten und keine Eier legen wollten ... das Eis, das man im Waschhaus aufschlagen mußte ... Es war zuviel ... Sie konnte nicht mehr ... ihre Gesundheit war angegriffen ... sie wollte nicht einmal mehr leben ... wozu leben? Sie würde ihren Mann nicht wiedersehen, sie sehnten sich zu sehr nacheinander, er würde in Deutschland sterben. Wie kalt es war in diesem großen Bett: Sie entfernte die Wärmflasche, die sie vor zwei Stunden glühend heiß zwischen ihre Laken geschoben hatte und die jetzt kein Quentchen Wärme mehr hatte, legte sie behutsam auf die Fliesen und berührte, als sie ihre Hand zurückzog, kurz den eiskalten Boden und fror noch mehr, bis ins Herz hinein. Schluchzer schüttelten sie. Welche Worte konnten sie trösten? «Sie sind nicht die einzige ...» Sie wußte es wohl, aber andere hatten Glück ... Madeleine Sabarie zum Beispiel ... Sie wünschte ihr nichts Böses ... Aber es war zuviel! Die Welt war einfach zu elend. Ihr magerer Körper war durchgefroren. Sie mochte sich noch so sehr unter der Decke, dem Federbett zusammenkauern, ihr war, als kröche ihr die Kälte bis in die Gelenke ihrer Knochen. «Das geht vorüber, er wird zurückkommen, und der Krieg wird ein Ende haben!» sagten die Leute. Nein! Nein! Sie glaubte es nicht mehr, es würde dauern und dauern … Sogar der Frühling wollte nicht kommen … Hatte man je solch ein Wetter im März erlebt? Bald Ende März und diese eisige Erde, wie sie selbst bis ins Herz durchfroren. Was für Windstöße! Welch ein Lärm! Natürlich würden Ziegel herausgerissen werden. Sie setzte sich halb in ihrem Bett auf, lauschte eine Weile, und plötzlich erschien auf dem tränennassen, schmerzverzerrten Gesicht ein milder, ungläubiger Ausdruck. Der Wind war verstummt; irgendwie entstanden, war er irgendwohin entschwunden. Er hatte Äste abgebrochen, in seiner blinden Raserei an Dächern gerüttelt; er hatte die letzten Schneespuren auf dem Hügel hinweggeweht, und jetzt fiel aus einem dunklen, vom Sturm aufgewühlten Himmel der erste zwar noch kalte, aber rieselnde, hastige Frühlingsregen und bahnte sich einen Weg zu den dunklen Wurzeln der Bäume, in den Schoß der schwarzen, tiefen Erde.

DOLCE

1

Bei den Angelliers wurden die Familienurkunden, das Tafelsilber und die Bücher weggeschlossen: Die Deutschen rückten in Bussy ein. Zum dritten Mal seit der Niederlage sollte der Ort von ihnen besetzt werden. Es war Ostersonntag, zur Zeit des Hochamts. Es fiel ein kalter Regen. Auf der Schwelle der Kirche bewegte ein kleiner Pfirsichbaum mit rosa Blüten kläglich seine Zweige. Die Deutschen marschierten in Achterreihen; sie trugen Felduniformen und Helme. Ihre Gesichter hatten noch die unpersönliche, undurchdringliche Miene von Soldaten, aber ihre Augen musterten verstohlen und neugierig die grauen Fassaden dieses Marktflekkens, in dem sie leben würden. Niemand an den Fenstern. Vor der Kirche hörten sie die Klänge des Harmoniums und das Murmeln von Gebeten; doch ein verstörter Kirchgänger schloß die Tür. Es herrschte allein das Geräusch der deutschen Stiefel. Nachdem der erste Trupp vorbeimarschiert war, erschien ein Unteroffizier zu Pferd; das schöne grauscheckige Tier schien wütend zu sein, daß es so langsam gehen mußte; es setzte seine Hufe mit grimmiger Behutsamkeit auf den Boden, zitterte, wieherte und schüttelte seinen stolzen Kopf. Große eisengraue Panzer erschütterten das Pflaster. Dann kamen die Kanonen auf ihren Fahrgestellen, und auf jedem von ihnen lag ein Soldat, den Blick in Höhe der Lafette. Sie waren so zahlreich, daß während der ganzen Predigt des Pfarrers eine Art ununterbrochener Donner unter dem Kirchengewölbe widerhallte. Die Frauen seufzten im Dunkeln. Als dieses stählerne Dröhnen nachließ, tauchten die Motorräder auf, die das Auto des Kommandanten umgaben. Hinter ihm, in gebührendem Abstand, brachten die randvoll mit dicken Laiben Schwarzbrot beladenen Lastwagen die Fensterscheiben zum Vibrieren. Das Maskottchen des Regiments – ein magerer, stummer, für den

Krieg abgerichteter Wolfshund – begleitete die Reiter, die den Zug beschlossen. Weil diese entweder eine privilegierte Gruppe im Regiment bildeten oder weil sie sehr weit vom Kommandanten entfernt waren, so daß er sie nicht sehen konnte, oder aus irgendeinem anderen Grund, der den Franzosen entging, verhielten sie sich familiärer, herzlicher als die anderen. Sie sprachen miteinander und lachten. Der Leutnant, der sie befehligte, betrachtete den bescheidenen, zitternden, vom scharfen Wind gepeitschten rosa Pfirsichbaum mit einem Lächeln; er pflückte einen Zweig. Um sich herum sah er nur geschlossene Fenster. Er glaubte, er sei allein. Doch hinter jedem geschlossenen Fensterladen belauerten die durchdringenden Augen einer alten Frau den siegreichen Soldaten. Im Innern der unsichtbaren Zimmer stöhnten Stimmen:

«Was werden wir noch alles erleben …»

«Die richten unsere Obstbäume zugrunde, o weh!»

Ein zahnloser Mund flüsterte:

«Die da sollen die schlimmsten sein. Sollen böse gehaust haben, bevor sie hierherkamen. Was für ein Elend.»

«Und sie nehmen unsere Laken mit», sagte eine Hausfrau, «die Laken, die von meiner Mutter stammen, stellt euch vor! Sie wollen das Beste haben.»

Der Leutnant schrie einen Befehl. Die Männer schienen alle sehr jung zu sein; sie hatten eine frische Hautfarbe, goldenes Haar. Sie saßen auf wohlgenährten herrlichen Pferden mit glänzenden breiten Kruppen. Sie banden sie auf dem Platz fest, rings um das Gefallenendenkmal. Die Soldaten traten weg, quartierten sich ein. Der Ort füllte sich mit einem Geräusch von Stiefeln, fremden Stimmen, klirrenden Sporen und Waffen. In den Bürgerhäusern versteckte man die feine Wäsche.

Die Damen Angellier – die Mutter und die Ehefrau von Gaston Angellier, der sich in deutscher Gefangenschaft befand – waren mit ihren Räumarbeiten fast fertig. Die alte Madame Angellier, eine magere, blasse, gebrechliche Person, schloß eigenhändig jeden Band in der Bibliothek ein, nachdem sie halblaut den Titel gelesen und mit der flachen Hand andächtig den Einband gestreichelt hatte.

«Die Bücher meines Sohnes», murmelte sie, «in den Händen eines Deutschen zu sehen! ... Lieber würde ich sie verbrennen.»

«Wenn sie aber nun die Schlüssel zur Bibliothek haben wollen», stöhnte die dicke Köchin.

«Dann sollen sie mich darum bitten», sagte Madame Angellier und klopfte, sich aufrichtend, leicht auf die Tasche, die in ihren schwarzen Wollrock eingenäht war; der Schlüsselbund, den sie stets bei sich trug, klirrte. «Sie werden mich nicht zweimal darum bitten», fügte sie mit düsterer Miene hinzu.

Ihre Schwiegertochter, Lucile Angellier, nahm unter ihrer Anleitung die Nippsachen herunter, die den Kamin schmückten. Sie wollte einen Aschenbecher stehenlassen. Zuerst war die alte Madame Angellier dagegen.

«Dann verstreuen sie die Asche auf dem Teppich», wandte Lucile ein, und Madame Angellier gab mit zusammengekniffenen Lippen nach.

Diese alte Frau hatte ein so weißes und durchsichtiges Gesicht, als befände sich kein Tropfen Blut mehr unter der Haut, schneeweißes Haar, einen Mund, der so schmal war wie die Schneide eines Messers und von welkem Rosa, fast lilafarben. Ein hoher Kragen, wie er früher Mode war, aus malvenfarbenem Musselin, mit Fischbeinstäben verstärkt, verschleierte, ohne ihn zu verbergen, einen Hals mit spitzen Knochen, der vor Erregung pochte, so wie die Kehle einer Eidechse. Wenn man in der Nähe des Fensters den Schritt oder die Stimme eines deutschen Soldaten vernahm, zitterte sie am ganzen Leib, von der Zehe ihres in einem spitzen Stiefel steckenden kleinen Fußes bis zu der von einem edlen Haarkranz gekrönten Stirn.

«Beeilen Sie sich, beeilen Sie sich, sie kommen», sagte sie.

Man beließ in dem Zimmer nur das strikt Notwendige: keine Blume, kein Kissen, kein Bild. Man schob das Familienalbum unter einen Stapel Laken in dem großen Wäscheschrank, um das

Bild der Großtante Adélaïde als Kommunionskind und das des sechs Monate alten, splitternackt auf einem Kissen liegenden Onkel Jules vor frevlerischen Blicken zu verbergen. Sogar die Kamingarnitur verschwand: zwei Louis-Philippe-Vasen, die zwei Porzellanpapageien mit einer Rosengirlande im Schnabel darstellten, das Hochzeitsgeschenk einer Verwandten, die dann und wann ins Haus kam und die man nicht vor den Kopf stoßen wollte, indem man sich ihres Geschenks entledigte – ja, sogar diese beiden Vasen, von denen Gaston gesagt hatte: «Wenn das Dienstmädchen sie beim Kehren zerbricht, erhöhe ich ihren Lohn», wurden in Sicherheit gebracht. Sie waren von einer französischen Hand überreicht, von französischen Augen angeschaut, von Staubwedeln aus Frankreich berührt worden – sie sollten nicht durch den Kontakt mit einem Deutschen besudelt werden. Und das Kruzifix! In der Ecke des Zimmers, über dem Kanapee! Madame Angellier hängte es eigenhändig ab und legte es auf ihre Brust, unter das Spitzentuch.

«Ich glaube, das ist alles», sagte sie schließlich.

Sie rekapitulierte im stillen: Die Möbel des großen Salons waren entfernt, die Vorhänge abgenommen, die Vorräte in dem Schuppen verstaut, wo der Gärtner seine Werkzeuge unterbrachte – oh, die mit Asche bedeckten großen Räucherschinken, die Krüge mit zerlassener Butter, mit gesalzener Butter, mit feinem reinen Schweinefett, die schweren geäderten Würste – all ihr Hab und Gut, alle ihre Schätze … Seit dem Tag, an dem die englische Armee sich in Dünkirchen wieder eingeschifft hatte, ruhte der Wein im Grab des Kellers. Das Klavier war abgeschlossen, Gastons Jagdgewehr in einem sicheren Versteck. Alles war in Ordnung. Nun brauchte man nur noch auf den Eroberer zu warten. Bleich und stumm, mit zitternder Hand zog sie die Fensterläden halb zu, wie in einem Sterbezimmer, und verließ den Raum, gefolgt von Lucile.

Lucile war eine blonde, sehr schöne junge Frau mit schwarzen Augen, jedoch schweigsam, verhuscht, «verträumt», wie ihr die alte Madame Angellier vorwarf. Man hatte sie wegen ihrer Verwandtschaft und ihrer Mitgift genommen (sie war die Tochter eines Großgrundbesitzers aus der Region), aber Luciles Vater hatte spekuliert, sein Vermögen eingebüßt, seine Ländereien mit Hypotheken belastet; die Ehe war also nicht gerade ein Erfolg; und dann hatte sie keine Kinder.

Die beiden Frauen betraten das Eßzimmer; der Tisch war gedeckt. Es war nach zwölf, aber nur in der Kirche und im Rathaus, die gezwungenermaßen die deutsche Uhrzeit anzeigten; aus Ehrgefühl stellte jeder französische Haushalt seine Uhren um sechzig Minuten zurück; jede französische Frau sagte in verächtlichem Ton: «Bei uns leben wir nicht nach der Zeit der Deutschen.» Dadurch entstanden im Tagesablauf hin und wieder lange unausgefüllte Zeiträume, wie diejenigen, tödlichen, die sonntags zwischen dem Ende der Messe und dem Mittagessen lagen. Man las nicht. Wenn die alte Madame Angellier ein Buch in Luciles Händen sah, betrachtete sie sie mit erstaunter, vorwurfsvoller Miene: «Sieh an! Sie lesen?» Sie hatte eine sanfte, distinguierte Stimme, zart wie ein Harfenseufzer: «Haben Sie denn nichts zu tun?» Man arbeitete nicht: es war Ostersonntag. Man sprach nicht. Jedes Gesprächsthema zwischen diesen beiden Frauen ähnelte einem Dornengestrüpp; man näherte sich ihm überaus behutsam; wenn man es anfaßte, riskierte man eine Verletzung. Jedes Wort, das sie hörte, weckte in Madame Angellier die Erinnerung an einen Todesfall, einen Familienprozeß, einen alten Beschwerdegrund, von dem Lucile nichts wußte. Bei jedem schüchtern geäußerten Satz blieb sie stehen und sah ihre Schwiegertochter mit unbestimmter, schmerzlicher, überraschter Miene an, als ob sie dächte: «Ihr Mann ist Gefangener der Deutschen, und sie kann atmen, sprechen, lachen? Merkwürdig ...» Sie ließ es kaum zu, daß zwischen ihnen von Gaston die Rede war. Luciles Ton war nie, wie er hätte sein sollen. Bald erschien er ihr zu traurig: Sprach sie denn von einem Toten? Im übrigen war es ihre Pflicht als Frau, als französische Gattin, die Trennung tapfer zu ertragen, so wie sie selbst,

Madame Angellier, die Trennung von 1914–1918 kurz nach ihrer eigenen Hochzeit ertragen hatte. Wenn Lucile dagegen Worte des Trostes, der Hoffnung murmelte, dann dachte die Mutter säuerlich: «Oh, man merkt, daß sie ihn nie geliebt hat, wie ich immer vermutet habe. Jetzt sehe ich es, weiß ich es mit Bestimmtheit … Da ist ein Ton, der nicht trügt. Sie ist ein kaltes, gleichgültiges Wesen. Ihr fehlt es an nichts, während mein Sohn, mein armes Kind …» Sie stellte sich das Lager vor, den Stacheldraht, die Wärter, die Wachtposten. Tränen füllten ihre Augen, und sie sagte mit gebrochener Stimme:

«Sprechen wir nicht von ihm …»

Sie holte aus ihrer Handtasche ein feines, sauberes Taschentuch, das sie immer vorrätig hatte, für den Fall, daß jemand an Gaston oder das Unglück Frankreichs erinnerte, und sie wischte ganz vorsichtig ihre Lider ab, so wie man mit der Ecke eines Löschblatts behutsam einen Tintenklecks aufsaugt.

Und so warteten die beiden Frauen regungslos und stumm am erloschenen Kamin.

2

Die Deutschen hatten ihre Quartiere in Besitz genommen und machten mit dem Ort Bekanntschaft. Die Offiziere gingen allein oder zu zweit, mit hoch erhobenem Haupt, und ließen ihre Stiefel auf dem Pflaster dröhnen. Die einfachen Soldaten bildeten untätige Gruppen, die die einzige Straße von einem Ende zum andern abschritten oder sich auf dem Platz bei dem alten Kruzifix drängten. Wenn einer von ihnen stehenblieb, tat die ganze Schar es ihm nach, und die lange Reihe grüner Uniformen versperrte den Bauern den Weg. Dann drückten diese ihre Mützen noch tiefer in die Stirn, wandten sich ab und erreichten lustlos ihre Felder auf schmalen krummen Gassen, die sich in der Landschaft verloren. Unter Aufsicht zweier Unteroffiziere klebte der Feldhüter Plakate an die Mauern der wichtigsten Gebäude. Es waren ganz unterschiedliche Plakate: Die einen zeigten einen deutschen Soldaten mit hellem Haar und einem breiten, makellose Zähne entblößenden Lächeln, umringt von kleinen französischen Kindern, an die er Butterbrote verteilte. Die Bildunterschrift lautete: «Allein gelassene Einwohner, habt Vertrauen zu den Soldaten des Reichs!» Andere veranschaulichten durch Karikaturen oder graphische Darstellungen die englische Herrschaft in der Welt und die verabscheuenswürdige Tyrannei der Juden. Aber die meisten begannen mit dem Wort «Verboten». Es war verboten, zwischen neun Uhr abends und fünf Uhr morgens auf die Straße zu gehen, verboten, Feuerwaffen im Haus zu haben, entflohenen Gefangenen, Angehörigen der mit Deutschland verfeindeten Staaten oder englischen Soldaten «Unterschlupf, Hilfe oder Unterstützung» zu gewähren, verboten, ausländische Radiosender zu hören, verboten, das deutsche Geld abzulehnen. Und unter jedem Plakat stand stets die gleiche zweimal unterstrichene Warnung in schwarzen Buchstaben: «Bei Todesstrafe.»

Unterdessen, als die Messe zu Ende war, öffneten die Kaufleute ihre Läden. Im Frühjahr 1941 fehlte es in der Provinz noch nicht an Waren: Die Leute besaßen soviel Vorräte an Stoffen, Schuhen, Lebensmitteln, daß sie durchaus geneigt waren, sie zu verkaufen. Die Deutschen waren nicht anspruchsvoll – man würde ihnen alle Ladenhüter unterjubeln, Frauenkorsetts aus dem anderen Krieg, Stiefel der Jahrhundertwende, mit gestickten Fähnchen und Eiffeltürmen verzierte Wäsche (ursprünglich für die Engländer bestimmt). Alles war gut für sie.

Den Bewohnern der besetzten Länder flößten die Deutschen Angst, Respekt, Abscheu und den neckischen Wunsch ein, sie übers Ohr zu hauen, sie auszunutzen, ihr Geld an sich zu bringen.

‹Immerhin ist es unseres ... das Geld, das man uns genommen hat›, dachte die Krämerin, wenn sie mit ihrem liebenswürdigsten Lächeln einem Soldaten der Invasionsarmee ein Pfund wurmstichiger Pflaumen anbot und doppelt soviel, als sie wert waren, dafür berechnete.

Der Soldat nahm die Ware mißtrauisch in Augenschein, und man sah, daß er den Betrug ahnte, doch eingeschüchtert von dem undurchdringlichen Ausdruck der Händlerin, schwieg er. Das Regiment war in einer seit langem zerstörten und all ihrer Güter beraubten Kleinstadt im Norden einquartiert gewesen. Und in dieser reichen Provinz im Zentrum fand der Soldat endlich wieder etwas Begehrenswertes. Vor den Auslagen leuchteten seine Augen vor Verlangen lüstern auf. Sie erinnerten ihn an die Annehmlichkeiten des zivilen Lebens, all diese Möbel aus Pitchpineholz, diese Konfektionsanzüge, dieses Kinderspielzeug, diese rosa Kleidchen. Die Truppe zog von einem Geschäft zum andern, ernst, verträumt, und ließ ihr Geld in den Taschen klimpern. Hinter dem Rücken der Soldaten oder über ihre Köpfe hinweg tauschten die Franzosen von einem Fenster zum andern kleine mimische

Zeichen aus – zum Himmel erhobene Augen, Kopfschütteln, Lächeln, leichte Grimassen voller Spott und Hohn, die der Reihe nach ausdrückten, daß man bei solchen Widrigkeiten seine Zuflucht bei Gott nehmen müsse, daß aber Gott selber …!, daß man frei zu bleiben gedenke, jedenfalls frei im Geiste, wenn nicht in Taten oder Worten, daß diese Deutschen trotz allem nicht eben schlau seien, da sie die Gefälligkeiten, die man ihnen erwies, für bare Münze nahmen, das heißt, die Gefälligkeiten, die man ihnen erweisen mußte, da sie schließlich die Herren waren. «Unsere Herren», sagten die Frauen, die den Feind mit einer Art gehässiger Lüsternheit betrachteten. (Feinde? Gewiß … Aber doch Männer, und jung …) Vor allem machte es Spaß, sie übers Ohr zu hauen. ‹Sie meinen, wir lieben sie, aber wir wollen doch nur Passierscheine, Benzin, Genehmigungen haben›, dachten diejenigen Frauen, die die Besatzungsarmee schon in Paris oder in den großen Provinzstädten gesehen hatten, während die naiven Landfrauen unter den Blicken der Deutschen schüchtern die Augen niederschlugen.

In den Cafés legten die Soldaten als erstes ihre Koppel ab, schleuderten sie auf die kleinen Marmortische und setzten sich dann. Im Hôtel des Voyageurs reservierten sich die Offiziere den größten Raum als Kantine. Es war der tiefe, dunkle Saal eines Landgasthauses. Über dem Spiegel im Hintergrund verbargen zwei rote Hakenkreuzfahnen den oberen Teil des mit geschnitzten Putten und Fackeln verzierten alten Goldrahmens. Trotz der Jahreszeit brannte der Ofen noch; einige Männer hatten ihre Stühle vor das Feuer geschoben und wärmten sich mit seliger, schläfriger Miene. Der große schwarz-rote Ofen hüllte sich bisweilen in einen beißenden Rauch, den die Deutschen jedoch nicht scheuten. Sie rückten noch näher heran; sie trockneten ihre Kleider und ihre Stiefel; nachdenklich sahen sie sich um, mit einem gelangweilten und gleichzeitig ein wenig ängstlichen Blick, der auszudrücken schien: ‹Wir haben schon so vieles erlebt … Mal sehen, was das hier sein wird …›

Es waren die ältesten, die besonnensten. Die jungen Leute machten der Kellnerin schöne Augen, die wohl zehnmal pro Minute die Falltür des Kellers öffnete, in die unterirdische Finsternis hinabstieg und mit zwölf Flaschen Bier in einer einzigen Hand und einem Kasten Schaumwein wieder herauskam («*Sekt!*» verlangten die Deutschen. «Champagne français, s'il vous plaît, Mam'zelle! *Sekt!*»).

Die Kellnerin – dick, rund und rosig – ging behende zwischen den Tischen hindurch. Die Soldaten lächelten ihr zu. Sie aber, hin und her gerissen zwischen der Lust, sie ebenfalls anzulächeln, weil sie jung waren, und der Angst, scheel angesehen zu werden, denn es waren Feinde, runzelte die Stirn und kniff streng die Lippen zusammen, ohne die beiden Grübchen entfernen zu können, die der innere Jubel auf ihre Wangen zauberte. So viele Männer, großer Gott! So viele Männer für sie ganz allein, denn in den anderen Lokalen bedienten die Wirtstöchter, und die wurden von ihren Eltern im Zaum gehalten, wohingegen sie … Wenn die Männer sie ansahen, machten sie mit den Lippen das Geräusch eines Kusses. Von einem Rest Scham zurückgehalten, gab sie vor, ihre Rufe nicht zu hören, und antwortete manchmal in die Kulissen: «Ja, ja, ich komm ja schon! Habt ihr's aber eilig!» Sie sprachen in ihrer Sprache mit ihr, und sie sagte mit stolzer Miene:

«Versteh ich vielleicht euer Kauderwelsch?»

Doch in dem Maße, wie die offenen Türen einen nicht abreißenden Strom grüner Uniformen hereinließen, fühlte sie sich berauscht, entkräftet, wehrlos und reagierte auf die glühenden Werbungen nur noch mit schwachen Rufen: «Nein, so lassen Sie mich doch! Was für Wilde!»

Andere Soldaten warfen Billardkugeln auf das grüne Tuch. Die Treppengeländer, die Fensterbänke, die Stuhllehnen waren voller Koppel, Helme, Pistolen und Patronentaschen.

Unterdessen läuteten die Glocken zur Vesper.

3

Die Damen Angellier verließen gerade ihr Haus, um zur Vesper zu gehen, als der deutsche Offizier, der bei ihnen logieren sollte, hereinkam. Sie begegneten einander auf der Schwelle. Er schlug die Hacken zusammen, grüßte. Die alte Madame Angellier wurde noch bleicher und gewährte ihm mit Mühe ein stummes Kopfnicken. Lucile hob die Augen, und einen Augenblick lang sahen der Offizier und sie einander an. Eine Fülle von Gedanken schoß Lucile durch den Kopf: ‹Vielleicht war er es, der Gaston gefangen genommen hat?› sagte sie sich. ‹Mein Gott, wie viele Franzosen hat er wohl getötet? Wie viele Tränen sind seinetwegen vergossen worden? Aber wenn der Krieg anders verlaufen wäre, dann hätte heute Gaston ein deutsches Haus als Sieger betreten können. Es ist der Krieg, es ist nicht die Schuld dieses Mannes.›

Er war jung, mager, hatte schöne Hände und große Augen. Sie bemerkte die Schönheit seiner Hände, weil er die Haustür vor ihr offenhielt. Am Ringfinger trug er einen Ring mit einer undurchsichtigen dunklen Gemme; ein Sonnenstrahl erschien zwischen zwei Wolken und ließ aus dem Ring einen purpurroten Blitz hervorschießen; er huschte über das Gesicht mit der rosigen Haut, die von der frischen Luft gerötet war und flaumig wie eine schöne Spalierfrucht. Der hohe Backenknochen war von ausgeprägter, zarter Modellierung, der Mund scharf geschnitten und stolz. Gegen ihren Willen verlangsamte Lucile den Schritt: Sie konnte ihren Blick nicht abwenden von dieser großen feingliedrigen Hand mit den langen Fingern (sie stellte sich vor, daß sie einen schweren schwarzen Revolver oder eine Maschinenpistole oder eine Granate hielte, irgendeine dieser Waffen, die den Tod bringt), sie betrachtete diese grüne Uniform (wie viele Franzosen hatten während den Nachtwachen im Dunkeln eines Unterholzes auf das Erscheinen einer solchen Uniform gelauert …) und diese glänzenden Stiefel … Sie erinnerte sich an die besiegten Soldaten der französischen Armee, die im Jahr zuvor auf der Flucht durch die Ortschaft gekommen waren, verdreckt, erschöpft, ihr grobes Schuhwerk durch den Staub schleifend. O mein Gott, genau das war der Krieg … Ein feindlicher Soldat schien nie allein zu sein – ein einzelnes menschliches Wesen einem anderen gegenüber –, sondern schien auf allen Seiten von einem Volk unzähliger Phantome aus Abwesenden und Toten umringt und bedrängt zu werden. Man wandte sich nicht an einen Menschen, sondern an eine unsichtbare Menge. Kein Wort, das man sprach, wurde daher einfach nur gesagt und vernommen; stets hatte man den merkwürdigen Eindruck, lediglich ein Mund zu sein, der für viele andere, stumme Münder sprach.

‹Und er? Was denkt er?› fragte sich die junge Frau. ‹Was empfindet er, wenn er den Fuß in dieses französische Haus setzt, dessen Herr abwesend ist, von ihm oder seinen Kameraden gefangen genommen wurde? Beklagt er uns? Haßt er uns? Oder tritt er hier ein wie in eine Herberge und denkt nur an das Bett, wenn es gut, und an das Zimmermädchen, wenn es hübsch ist?› Schon lange hatte sich die Tür hinter dem Offizier geschlossen. Lucile war ihrer Schwiegermutter gefolgt und hatte die Kirche betreten; sie hatte sich auf ihre Bank gekniet, aber sie konnte den Feind nicht vergessen. Er war jetzt allein im Haus; er hatte sich Gastons Arbeitszimmer ausbedungen, da es einen separaten Ausgang hatte; er wollte seine Mahlzeiten außerhalb einnehmen; sie würde ihn also nicht sehen; sie würde seine Schritte, seine Stimme, sein Lachen hören. Leider konnte er lachen! Er hatte das Recht dazu. Sie sah ihre Schwiegermutter an, die reglos ihr Gesicht in den Händen barg, und zum ersten Mal empfand sie für diese Frau, die sie nicht mochte, Mitleid und eine gewisse Zärtlichkeit. Sie beugte sich zu ihr und sagte leise:

«Beten wir unseren Rosenkranz für Gaston, Mutter.»

Die alte Frau nickte. Lucile begann mit aufrichtiger Inbrunst zu beten, aber nach und nach entglitten ihr die Gedanken und wandten sich einer Vergangenheit zu, die nahe und zugleich fern war, vermutlich wegen des düsteren Einschnitts des Krieges. Sie sah ihren Mann wieder, diesen fetten, gelangweilten Mann, der sich nur für Geld, Ländereien und Lokalpolitik begeisterte. Sie hatte ihn nie geliebt. Sie hatte ihn geheiratet, weil ihr Vater es wünschte. Auf dem Land geboren und aufgewachsen, hatte sie vom Rest der Welt nur während kurzer Aufenthalte in Paris bei einer alten Verwandten etwas gesehen. Das Leben in diesen Provinzen in der Mitte Frankreichs ist üppig und ungesellig; jeder lebt für sich, auf seinem Gut, bringt seinen Weizen ein und zählt sein Geld. Ausgedehnte Gelage und die Jagd füllen die Freizeit aus. Der Marktflecken mit seinen spröden, durch große Gefängnistüren geschützten Häusern, seinen mit Möbeln vollgestopften Wohnzimmern, die immer geschlossen und eiskalt waren, um Brennmaterial zu sparen, war für Lucile der Inbegriff der Zivilisation. Als sie das entlegene Haus in den Wäldern verlassen hatte, war sie fröhlich erregt gewesen bei dem Gedanken, im Ort zu wohnen, einen Wagen zu haben, manchmal in Vichy zu Mittag zu essen ... Streng und keusch erzogen, war sie als junges Mädchen nicht unglücklich gewesen, weil der Garten, die Hausarbeiten, eine Bibliothek, in der sie heimlich stöberte – ein riesiger, feuchter Raum, in dem die Bücher verschimmelten –, genügten, sie zu zerstreuen. Sie hatte geheiratet; sie war eine fügsame, kalte Frau gewesen. Gaston Angellier war im Augenblick seiner Heirat erst vierundzwanzig alt, aber er hatte jenes Aussehen vorzeitiger Reife, das der Provinzbewohner seiner seßhaften Lebensweise, dem vorzüglichen, schweren Essen, dem übermäßigen Weingenuß und dem Fehlen jeglicher starken Gefühlsregung verdankt. Er war ein tüchtiger Schwindler, der nur äußerlich die Gewohnheiten und Gedanken eines Mannes annahm, während in ihm noch immer das heiße Blut der Jugend brodelte.

Auf einer seiner Geschäftsreisen nach Dijon, wo er Student gewesen war, begegnete Gaston seiner ehemaligen Geliebten wieder, einer Modistin, von der er sich getrennt hatte; er verliebte sich von neuem in sie, leidenschaftlicher als zuvor; er machte ihr ein Kind, er mietete für sie ein kleines Haus in der Vorstadt und verbrachte nun die Hälfte seines Lebens in Dijon. Lucile wußte es, schwieg jedoch, aus Schüchternheit, aus Geringschätzung oder aus Gleichgültigkeit. Dann kam der Krieg ...

Und nun war Gaston seit einem Jahr in Gefangenschaft. Armer Kerl ... Er leidet, dachte Lucile, während die Perlen des Rosenkranzes mechanisch durch ihre Finger glitten. Was fehlt ihm vor allem? Sein gutes Bett, seine guten Mahlzeiten, seine Geliebte ... Gerne hätte sie ihm alles wiedergegeben, was er verloren hatte, alles, was ihm genommen worden war ... Ja ... Alles, sogar diese Frau ... Daran, an der Spontaneität und der Aufrichtigkeit dieses Gefühls ermaß sie die Leere ihres Herzens; es war nie erfüllt gewesen, weder von der Liebe noch von einem eifersüchtigen Widerwillen. Ihr Mann behandelte sie zuweilen schroff. Sie verzieh ihm seine Untreue, er aber hatte ihr nie die Spekulationen des Schwiegervaters verziehen. Sie hörte noch immer die Worte, die ihr mehr als einmal das Gefühl gegeben hatten, als hätte sie eine Ohrfeige erhalten: «Ha, wenn ich vorher gewußt hätte, daß er kein Geld hat!»

Sie senkte den Kopf. Nein, es gab keinen Groll in ihr. Was ihr Mann seit der Niederlage alles erduldet haben mußte, die letzten Schlachten, die Flucht, die Gefangennahme durch die Deutschen, die Gewaltmärsche, die Kälte, der Hunger, die Toten um ihn herum und jetzt das Gefangenenlager, in das man ihn gesteckt hatte, das löschte alles aus. ‹Wenn er nur zurückkommt und alles wiederfindet, was er geliebt hat: sein Zimmer, seine Pelzpantoffeln, die Spaziergänge im Garten bei Tagesanbruch, die am Spalier gepflückten kalten Pfirsiche und die guten Speisen, das lodernde Feuer, alle seine Vergnügungen, von denen ich nichts weiß, alles, was ich erahne, soll er wiederhaben! Für mich selber verlange ich nichts. Ich möchte ihn glücklich sehen. Ich, ich?›

In ihrer Träumerei entglitt ihr der Rosenkranz und fiel zu

Boden; sie bemerkte es, als alle standen und die Vesper zu Ende war. Draußen bevölkerten die Deutschen den Platz. Die silbernen Tressen auf ihren Uniformen, ihre hellen Augen, ihre blonden Köpfe, die Metallschlösser ihrer Koppel schimmerten in der Sonne und verliehen diesem staubigen, von hohen Mauern (Überresten der alten Wallanlagen) umschlossenen Raum vor der Kirche Fröhlichkeit, Glanz, ein neues Leben. Man bewegte die Pferde. Die Deutschen hatten einen Speisesaal unter freiem Himmel organisiert: Aus der Werkstatt des Schreiners geholte Bretter, die für Särge bestimmt waren, bildeten einen Tisch und Bänke. Die Männer aßen und betrachteten die Bewohner mit einem Ausdruck belustigter Neugier. Man sah, daß elf Monate Besatzung sie noch nicht abgestumpft hatten; sie betrachteten die Franzosen mit dem fröhlichen Erstaunen der ersten Tage; sie fanden sie komisch, seltsam; sie hatten sich noch nicht an ihre schnelle Redeweise gewöhnt; sie versuchten zu erraten, ob sie von diesen Besiegten verabscheut, geduldet oder geliebt wurden. Heimlich lächelten sie den jungen Mädchen von ferne zu, und die jungen Mädchen gingen stolz und verächtlich vorbei – es war der erste Tag! Dann sahen die Deutschen zu der Kinderschar hinunter, die sie umringte: Alle Kinder des Orts waren da, fasziniert von den Uniformen, Pferden und den hohen Stiefeln. Die Mütter mochten noch so laut rufen, sie hörten sie nicht. Verstohlen berührten sie mit ihren schmutzigen Fingern das grobe Tuch der Jacken. Die Deutschen winkten sie heran und steckten ihnen Bonbons und Münzen zu.

Dennoch bewahrte der Ort sein übliches Aussehen sonntäglichen Friedens; zwar sorgten die Deutschen für einen fremdartigen Ton in dem Bild, aber der Kern blieb derselbe, dachte Lucile. Es gab einige Momente der Unruhe; ein paar Frauen (Mütter von Gefangenen wie Madame Angellier oder Witwen aus dem anderen Krieg) waren nach Haus geeilt und hatten die Fenster geschlossen und die Vorhänge zugezogen, um die Deutschen nicht sehen zu müssen. Beim Wiederlesen alter Briefe weinten sie in dunklen kleinen Zimmern; sie küßten vergilbte, mit einem Trauerflor und einer trikoloren Rosette geschmückte Fotos ... Aber die Jüngeren blieben wie jeden Sonntag auf dem Platz und plauderten. Sie würden sich wegen der Deutschen doch keinen Feiertag, keinen freien Nachmittag entgehen lassen; sie trugen neue Hüte: Es war Ostersonntag. Die Männer musterten die Deutschen verstohlen; niemand wußte, was sie dachten. Die Gesichter der Bauern sind undurchdringlich. Ein Deutscher näherte sich einer Gruppe und bat um Feuer; man gab es ihm und erwiderte nachdenklich seinen Gruß; er entfernte sich; die Männer sprachen weiter über den Preis ihrer Rinder. Wie jeden Sonntag begab sich der Notar ins Café des Voyageurs, um Tarock zu spielen. Familien kehrten von ihrem wöchentlichen Spaziergang zum Friedhof zurück: fast eine Lustpartie in dieser Gegend, die keine Vergnügungen kannte; man ging gemeinsam dorthin und pflückte Blumen zwischen den Gräbern. Die Nonnen des Horts verließen mit den Kindern die Kirche; sie bahnten sich einen Weg durch die Soldaten und verzogen unter ihren Flügelhauben keine Miene.

«Bleiben sie lange da?» murmelte der Steuereinnehmer dem Gerichtsschreiber ins Ohr, auf die Deutschen zeigend.

«Es heißt drei Monate», sagte der andere im selben Ton.

Der Steuereinnehmer seufzte.

«Das wird die Preise hochtreiben.»

Und mechanisch rieb er seine Hand, die 1915 von einem Granatsplitter zerrissen worden war. Dann sprachen sie über andere Dinge. Die Glocken, die das Ende der Vesper geläutet hatten, klangen aus; der letzte schüttere Ton verlor sich in der Abendluft.

Für ihren Heimweg schlugen die Damen Angellier einen gewundenen Weg ein, von dem Lucile jeden Stein kannte. Sie gingen ohne zu sprechen, erwiderten die Grüße der Bauern mit einem Kopfnicken. Man mochte Madame Angellier hier nicht, Lucile dagegen weckte Sympathie, weil sie jung war, einen Ehemann in Gefangenschaft hatte und weil sie nicht hochnäsig war. Mitunter kam man zu ihr und bat sie um Rat wegen der Erziehung der Kinder oder eines neuen Mieders. Oder wenn man Päckchen nach Deutschland schicken wollte. Man wußte, daß der feindliche Offizier bei den Angelliers wohnen würde – sie hatten das schönste Haus –, und es tat ihnen leid, daß sie dem allgemeinen Gesetz unterlagen.

«Da haben Sie die Bescherung», flüsterte die Schneiderin, als sie an ihnen vorbeikam.

«Hoffen wir, daß sie bald wieder heimgehen», sagte die Apothekerin.

Und eine kleine Alte, die mit winzigen Schritten hinter einer Ziege mit weichem weißen Fell hertrippelte, stellte sich auf die Zehenspitzen, um Lucile zuzuraunen:

«Scheint, daß sie sehr schlimm, sehr böse sind, daß sie die arme Welt ins Elend stürzen.»

Die Ziege sprang los und stieß ihre Hörner in den langen grauen Umhang eines deutschen Offiziers. Er blieb stehen, brach in Lachen aus und wollte sie streicheln. Aber die Ziege rannte weg. Die verstörte kleine Alte verschwand, und die Damen Angellier machten die Tür ihres Hauses hinter sich zu.

4

Das Haus war das schönste der Gegend; es war hundert Jahre alt. Es war langgestreckt, niedrig, und bestand aus porösem gelben Stein, der in der Sonne eine warme Farbe annahm wie goldgelbes Brot. Die Fenster zur Straße (die der Prunkräume) waren sorgfältig geschlossen, die Fensterläden zugezogen und mit Eisenstäben vor Dieben geschützt. Das kleine Ochsenauge der Abstellkammer (dort, wo man die Töpfe, die Krüge, die Korbflaschen verbarg, die alle verbotenen Lebensmittel enthielten) war von einem dicken Gitter eingefaßt, dessen lange, lilienförmigen Spitzen die streunenden Katzen aufspießten. Die blaugestrichene Tür hatte ein Gefängnisschloß und einen riesigen Schlüssel, der in der Stille klagend quietschte. Die Wohnung im Erdgeschoß verströmte einen muffigen Geruch, den kalten Geruch eines unbewohnten Hauses, trotz der ständigen Anwesenheit der Hausherren. Damit die Vorhänge nicht verblaßten und die Möbel keinen Schaden nahmen, waren Licht und Luft verbannt. Durch die Scheiben des Vestibüls, die aus farbigem Glas waren und Flaschenscherben ähnelten, sickerte ein unbestimmtes, graugrünes Licht; es tauchte die Truhen, die an den Wänden hängenden Hirschgeweihe sowie kleine alte Gravüren, die durch die Feuchtigkeit verblichen waren, in Dunkelheit.

Im Eßzimmer (nur dort wurde der Ofen angemacht!) und bei Lucile, die sich abends manchmal ein kleines Feuer genehmigte, atmete man den sanften Geruch des Holzfeuers, einen Duft nach Rauch und Kastanienrinde. Vor den Türen des Eßzimmers lag der Garten. In dieser Jahreszeit bot er den allertraurigsten Anblick: Vor einem grauen Himmel breiteten die Birnbäume ihre gekreuzigten Arme auf Eisendrähten aus; die schnurgerade geschnittenen Apfelbäume waren knorrig und verzerrt, strotzend von kralligen Ästen; von den Rebstöcken blieben nur kahle Ranken. Aber noch ein paar Tage Sonne, und nicht nur das vorzeitige Pfirsichbäumchen auf dem Kirchplatz würde aufblühen, sondern auch alle anderen Bäume. Von ihrem Fenster aus betrachtete Lucile, während sie sich vor dem Zubettgehen das Haar bürstete, den Garten im Mondschein. Auf den niedrigen Mauern weinten die Katzen. Rings herum erblickte man das ganze Land, Täler voll tiefer Wälder, fruchtbar, verborgen, von sanftem Perlgrau unter dem Mond.

Abends fühlte sich Lucile unwohl in ihrem großen leeren Zimmer. Früher schlief Gaston hier; er zog sich aus, knurrte, rückte die Möbel. Er war ein Gefährte, ein menschliches Wesen. Seit nunmehr bald einem Jahr war niemand mehr hier. Kein Geräusch. Draußen schlief alles. Unwillkürlich spitzte sie die Ohren, horchte auf ein Lebenszeichen im Nebenzimmer, in dem der deutsche Offizier schlief. Aber sie hörte nichts: Vielleicht war er noch nicht zurückgekommen? Oder vielleicht erstickten die dicken Wände jeden Laut? Oder vielleicht verharrte er so regungslos und still wie sie selber? Nach einigen Augenblicken vernahm sie ein Rascheln, einen Seufzer, dann ein leises Pfeifen, und sie meinte, daß er am Fenster stände und den Garten betrachtete. Woran mochte er denken? Es gelang ihr nicht, es sich vorzustellen: Gegen ihren Willen unterstellte sie ihm nicht die Überlegungen und Wünsche eines gewöhnlichen Menschen. Sie konnte nicht glauben, daß er den Garten in aller Unschuld betrachtete, daß er das Schillern des Fischteichs bewunderte, in dem stumme silbrige Formen schwammen: die Karpfen für das Abendessen von morgen. ‹Er jubelt›, sagte sie sich. ‹Er erinnert sich an seine Schlachten, er sieht die vergangenen Gefahren wieder vor sich. Gleich wird er nach Hause schreiben, nach Deutschland, an seine Frau – nein! Er wird wohl nicht verheiratet sein, er ist zu jung –, an seine Mutter, an seine Verlobte, an eine Geliebte; er wird schreiben: «Ich wohne in einem französischen Haus; wir haben nicht umsonst gelitten, Amalia» (sie muß Amalia heißen, oder Kunigunde oder Gertrude, dachte sie, absichtlich nach unharmonischen, grotesken Namen suchend), «denn wir sind die Sieger.»

Jetzt hörte sie nichts mehr; er rührte sich nicht; er hielt den Atem an. «Tio», machte eine Kröte im Dunkeln. Es war gleichsam eine tiefe und sanfte musikalische Ausdünstung, ein bebender, reiner Ton, eine mit einem silbrigen Geräusch platzende Wasserblase. «Tio, tio ...» Lucile schloß halb die Augen. Welcher Friede, traurig und tief ... Mitunter erwachte etwas in ihr, lehnte sich auf, verlangte nach Lärm, nach Bewegung, nach Menschen. Nach Leben, mein Gott, nach Leben! Wie lange würde dieser Krieg dauern? Wie viele Jahre müßte man so verharren, in dieser düsteren Lethargie, geduckt, fügsam, erdrückt wie Vieh unter dem Gewitter? Sie vermißte den vertrauten Lärm des Radios, doch gleich bei der Ankunft der Deutschen war der Apparat im Keller versteckt worden. Es hieß, sie würden sie mitnehmen oder zerstören. Sie lächelte: ‹Bestimmt findet er die französischen Häuser reichlich leer›, dachte sie, als sie sich an all die Dinge erinnerte, die Madame Angellier in den Schränken verstaut und eingeschlossen hatte, um sie dem Feind vorzuenthalten.

Zur Zeit des Abendessens hatte die Ordonnanz des Offiziers das Eßzimmer betreten und einen kleinen Brief abgegeben:

Leutnant Bruno von Falk entrichtet den Damen Angellier seinen Gruß und bittet sie, so freundlich zu sein, dem Soldaten, der diese Zeilen überbringt, den Schlüssel des Klaviers und den der Bibliothek auszuhändigen. Der Leutnant verpflichtet sich bei seiner Ehre, das Instrument nicht mitzunehmen und die Bücher nicht zu zerreißen.

Aber Madame Angellier war für diesen Scherz nicht empfänglich gewesen. Sie hatte die Augen zum Himmel erhoben, die Lippen bewegt, als spräche sie ein kurzes Gebet und ergäbe sich dem göttlichen Willen: «Macht geht vor Recht, nicht wahr?» hatte sie den Soldaten gefragt, der sich, da er kein Französisch verstand, mit einem «Jawohl» begnügte, wobei er breit lächelte und mehrmals nickte.

«Sagen Sie dem Leutnant von … von …» (sie stammelte verächtlich), «daß er der Herr ist.»

Sie löste die beiden erbetenen Schlüssel vom Schlüsselbund und warf sie auf den Tisch. Dann sagte sie in einem tragischen Flüstern zu ihrer Schwiegertochter:

«Er wird die *Wacht am Rhein* spielen …»

«Ich glaube, sie haben jetzt eine andere Nationalhymne, Mutter.»

Aber der Leutnant hatte gar nichts gespielt. Es hatte weiterhin tiefste Stille geherrscht, dann hatte das Tor, das wie ein Gong im abendlichen Frieden tönte, die Damen davon in Kenntnis gesetzt, daß der Offizier das Haus verließ; sie hatten einen Seufzer der Erleichterung ausgestoßen. Jetzt, so dachte Lucile, steht er nicht mehr am Fenster. Er geht auf und ab. Die Stiefel … Dieses Geräusch von Stiefeln … Es wird vorübergehen. Die Besatzung wird ein Ende haben. Dann wird Frieden sein, der gesegnete Frieden. Der Krieg und das Desaster von 1940 werden nur noch eine Erinnerung sein, ein Moment der Geschichte, Namen von Schlachten und Abkommen, die die Schüler in den Gymnasien herunterleiern werden, ich aber werde mich, solange ich lebe, an dieses dumpfe, regelmäßige Geräusch der auf den Boden hämmernden Stiefel erinnern. Und warum legt er sich nicht hin? Warum zieht er abends zu Hause keine Pantoffeln an wie ein Zivilist, wie ein Franzose? (Sie hörte das Zischen der Mineralwasserflasche und das leise «jzz, jzz» einer gepreßten Zitrone. Ihre Schwiegermutter hätte gesagt: «Und deswegen haben wir keine Zitronen mehr. Sie nehmen uns alles weg!») Jetzt blättert er die Seiten eines Buchs um. Oh, welch ein abscheulicher Gedanke … Sie erbebte. Er hatte das Klavier geöffnet; sie erkannte den Aufprall des zurückgeklappten Deckels und das Quietschen des drehbaren Hockers. Nein! Er wird doch wohl nicht mitten in der Nacht anfangen zu spielen! Allerdings ist es neun Uhr. Vielleicht gehen die Leute in der übrigen Welt ja nicht so früh schlafen? ... Ja, er spielte. Sie lauschte, senkte die Stirn, biß sich nervös auf die Lippen. Dem Klavier entstieg weniger ein Arpeggio als vielmehr eine Art Seufzer, ein leises Beben von Tönen; er streifte die Tasten nur, liebkoste sie, und es endete in einem leichten, schnellen Triller wie ein Vogelgesang. Alles verstummte.

Lange verharrte Lucile regungslos, den Kamm in der Hand, mit gelöstem Haar, das ihr bis auf die Schultern fiel. Dann seufzte sie, dachte vage: ‹Wie schade!› (Schade, daß die Stille so tief war? Schade, daß dieser Junge zu spielen aufhörte? Schade, daß er, der Eindringling, der Feind, da war und nicht der andere?) Sie machte eine gereizte Handbewegung, als verscheuchte sie eine zu schwere, stickige Luft. Schade ... Sie legte sich in das große leere Bett.

5

Madeleine Labarie war allein im Haus; sie saß in der Stube, in
der Jean-Marie mehrere Wochen gelebt hatte. Jeden Tag machte
die junge Frau das Bett, in dem er geschlafen hatte. Das ärgerte
Cécile. «Laß doch! Da ja nie jemand drin schläft, braucht es nicht
frisch bezogen zu werden, als würdest du jemand erwarten. Er-
wartest du jemand?»

Madeleine antwortete nicht und fuhr fort, jeden Morgen die
große Daunendecke auszuschütteln.

Sie war froh, allein zu sein mit dem Kleinen, der an ihrer nackten Brust lag und saugte. Wenn sie ihn an die andere Brust legte,
war ein Teil seines Gesichts feucht, rot und glänzend wie eine
Kirsche, und das Muster der Brust hatte sich darauf abgedrückt;
sie küßte es sanft. Wieder einmal dachte sie: ‹Ich bin froh, daß
es ein Junge ist, die Männer sind weniger elend dran.› Sie döste
beim Betrachten des Feuers – nie bekam sie genug Schlaf. Es gab
soviel zu tun, daß man kaum vor zehn, elf Uhr ins Bett kam, und
manchmal stand man nochmal auf, um in der Nacht den englischen Rundfunk zu hören. Am Morgen mußte man um fünf Uhr
auf den Beinen sein, um das Vieh zu versorgen. Es war angenehm,
heute eine kurze Siesta zu halten: Das Essen stand auf dem Herd,
der Tisch war gedeckt, alles um sie herum war wohlgeordnet. Das
gedämpfte Licht eines regnerischen Frühlings beleuchtete das
zarte Grün und den grauen Himmel. Im Hof klapperten die En-
ten im Regen mit dem Schnabel, während die Hühner und Truthähne, kleine zerzauste Federknäuel, traurig im Schuppen Schutz
suchten. Madeleine hörte den Hund bellen.

‹Kommen sie schon zurück?› fragte sie sich.

Benoît hatte die Familie in den Marktflecken gefahren.

Jemand ging über den Hof, jemand der keine Holzschuhe trug

wie Benoît. Und jedesmal, wenn sie einen Schritt vernahm, der nicht zu ihrem Mann oder einem Bewohner des Gehöfts gehörte, jedes Mal, wenn sie in der Ferne eine fremde Gestalt sah, begann genau in dem Augenblick, als sie fiebrig dachte: ‹Es ist nicht Jean-Marie, das kann er nicht sein, ich bin verrückt, erstens wird er nicht zurückkommen, und selbst wenn er käme, was würde das ändern, da ich doch Benoît geheiratet habe? Ich warte auf niemanden, im Gegenteil, ich bitte Gott, daß Jean-Marie nie zurückkommt, weil ich mich nach und nach an meinen Mann gewöhne und glücklich sein werde. Aber ich weiß gar nicht, was ich eigentlich will, bei meiner Ehre, ich bin nicht bei Verstand. Ich bin glücklich›, genau dann begann ihr Herz, das weniger vernünftig war als sie, so heftig zu schlagen, daß es alle äußeren Geräusche erstickte, so daß sie die Stimme von Benoît, die Schreie des Kindes, den Wind unter der Tür nicht mehr hörte und der Aufruhr ihres Bluts sie taub machte, wie wenn man unter eine Welle hindurchtaucht. Einige Augenblicke verlor sie dann halb das Bewußtsein, und wenn sie wieder zu sich kam, sah sie entweder den Briefträger vor sich, der einen Saatgutkatalog brachte (und der an diesem Tag neue Schuhe trug) oder den Vicomte de Montmort, den Besitzer.

«Na, Madeleine, du sagst gar nicht guten Tag?» wunderte sich die Mutter Labarie.

«Ich glaube, ich habe Sie aufgeweckt», sagte der Besucher, während sie sich leise entschuldigte und murmelte:

«Ja, Sie haben mir angst gemacht …»

Geweckt? Aus welchem Traum?

Auch diesmal spürte sie diese Erregung, diese innere Panik in sich, die der in ihr Leben eintretende (oder wiederkehrende) Unbekannte auslöste. Sie richtete sich halb auf ihrem Stuhl auf, starrte auf die Tür. Ein Mann? Es war der Schritt, der leichte Husten eines Mannes, ein Duft erlesener Zigaretten! … Eine gepflegte, weiße Männerhand auf der Klinke, dann erschien eine deutsche Uniform. Wie immer, wenn der Eintretende nicht Jean-Marie war,

war die Enttäuschung so groß, daß sie sich einen Augenblick ganz benommen fühlte; sie dachte nicht einmal daran, ihr Mieder zuzuknöpfen. Der Deutsche, ein Unteroffizier, ein junger Mann von kaum mehr als zwanzig Jahren mit einem farblosen Gesicht, dessen Wimpern, Haar und kurzer Schnurrbart ebenfalls von einem blassen, hellen und glänzenden Blond waren, betrachtete die entblößte Brust, lächelte und grüßte übertrieben, fast unverschämt korrekt. Einige Deutsche verstanden es, in ihren Gruß (oder kam es dem verbitterten, gedemütigten, zornerfüllten Besiegten vielleicht nur so vor?) eine gekünstelte Höflichkeit zu legen. Das war nicht mehr der Anstand, dem man einem Mitmenschen schuldete, sondern jener, den man einem Leichnam bezeugt, wie die Worte «Präsentiert das Gewehr!» vor dem Körper desjenigen, den man soeben hingerichtet hat.

«Sie wünschen, Monsieur?» fragte Madeleine endlich, hastig ihr Kleid schließend.

«Madame, ich habe einen Quartierschein für das Gehöft der Nonnains», antwortete der junge Mann, der sehr gut Französisch sprach. «Ich entschuldige mich, Sie zu behelligen. Zeigen Sie mir bitte mein Zimmer.»

«Man hat uns gesagt, wir bekämen einfache Soldaten», sagte Madeleine schüchtern.

«Ich bin Leutnant und Dolmetscher bei der Kommandantur.»

«Sie werden weit weg vom Ort unten sein, und ich fürchte, daß das Zimmer für einen Offizier nicht gut genug ist. Das hier ist nur ein Bauernhof, und Sie haben bei uns weder fließendes Wasser noch Strom, nichts, was ein feiner Herr so braucht.»

Der junge Mann sah sich um. Er betrachtete den Estrich von verblichenem Rot, das stellenweise fast ins Rosafarbene ging, den großen Ofen in der Mitte des Raums, das Paradebett in der Ecke, das Spinnrad (man hatte es vom Dachboden heruntergeholt, wo es seit dem anderen Krieg stand: Alle jungen Mädchen der Gegend lernten spinnen, seit es in den Geschäften keine fertige Wolle mehr gab). Aufmerksam betrachtete der Deutsche auch die

eingerahmten Photographien an der Wand, die Diplome der landwirtschaftlichen Ausstellungen und die kleine leere Nische, in der
früher eine Heiligenfigur gestanden hatte, die halb verblaßten
zarten Malereien, die sie mit einem Fries umgaben; schließlich
senkten sich seine Augen von neuem auf die junge Bäuerin, die
ihr Kind in Armen hielt. Er lächelte:

«Machen Sie sich meinetwegen keine Sorgen. Ich werde mich
sehr wohl fühlen.»

Seine Stimme hatte einen seltsam harten, vibrierenden Klang,
der an aneinanderreibendes Metall erinnerte. Die eisengrauen
Augen, das scharf geschnittene Gesicht, die besondere Schattie-
rung seines blaßblonden Haars, glatt und hell wie ein Helm, verliehen diesem jungen Mann in Madeleines Augen ein auffälliges
Aussehen; in seiner physischen Erscheinung lag etwas Vollkommenes, Präzises, Funkelndes, das eher einer Maschine ähnelte als
einem Menschen, dachte sie. Gegen ihren Willen war sie fasziniert
von seinen Stiefeln und seinem Koppelschloß: Leder und Stahl
schleuderten Blitze.

«Ich hoffe, daß Sie eine Ordonnanz haben», sagte sie. «Hier
könnte niemand Ihre Stiefel derart zum Glänzen bringen.»

Er lachte und wiederholte:

«Machen Sie sich meinetwegen keine Sorgen.»

Madeleine hatte ihren Sohn ins Bett gelegt. In einem schräg
darüber hängenden Spiegel erschien das Bild des Deutschen. Sie
sah seinen Blick und sein Lächeln. Ängstlich dachte sie: ‹Was wird
Benoît sagen, wenn er mir nachstellt?› Dieser junge Mann miß-
fiel ihr und machte ihr ein wenig angst, doch wider Willen wurde
sie von einer gewissen Ähnlichkeit mit Jean-Marie angezogen,
nicht mit Jean-Marie als Mann, sondern als Bourgeois, als Herr.
Beide waren gut rasiert, wohlerzogen, hatten weiße Hände und
eine zarte Haut. Sie verstand, daß die Anwesenheit dieses Deutschen Benoît besonders unangenehm wäre: weil er ein Feind war
und weil er kein Bauer war wie er, vor allem aber, weil Benoît
alles verabscheute, was Madeleines Interesse, ihre Neugier für

die Dinge der höheren Klasse verriet; so daß er ihr seit einiger Zeit die Modezeitschriften aus den Händen riß oder sagte, wenn sie ihn bat, sich zu rasieren oder das Hemd zu wechseln: «Mußt dich schon damit abfinden. Du hast einen Mann vom Land genommen, einen Bauerntölpel, ich habe keine feinen Manieren ...», und zwar mit solchem Groll, solch tiefsitzender Eifersucht, daß sie ahnte, woher der Wind wehte und daß Cécile geplaudert haben mußte. Auch Cécile war ihr gegenüber nicht mehr dieselbe. Sie seufzte. Vieles hatte sich seit diesem verfluchten Krieg verändert ...

«Ich werde Ihnen Ihr Zimmer zeigen», sagte sie schließlich.

Aber er wehrte ab; er nahm einen Stuhl und setzte sich an den Ofen.

«Nachher, wenn Sie erlauben. Machen wir uns bekannt. Wie heißen Sie?»

«Madeleine Labarie.»

«Kurt Bonnet. Ein französischer Name, wie Sie sehen. Meine Vorfahren müssen Ihre Landsleute gewesen sein, die unter Ludwig XIV. aus Frankreich vertrieben wurden. Es gibt französisches Blut in Deutschland und französische Wörter in unserer Sprache.»

«Ach ja?» sagte sie gleichgültig.

Gern hätte sie geantwortet: «Und es gibt deutsches Blut in Frankreich, aber in der Erde, und zwar seit 1914.» Aber sie wagte es nicht. Es war klüger, den Mund zu halten. Es war merkwürdig: Sie haßte die Deutschen nicht; sie haßte niemanden, aber der Anblick dieser Uniform schien aus ihr, die bisher frei und stolz war, eine Art Sklavin voller List, Vorsicht und Angst zu machen, fähig, dem Eroberer zu schmeicheln, um dann hinter verschlossener Tür auszuspucken: «Sollen sie verrecken!», wie es ihre Schwiegermutter tat, die jedenfalls weder heucheln noch mit dem Sieger liebäugeln konnte, dachte sie. Sie schämte sich für sich selbst; sie runzelte die Stirn, gab ihrem Gesicht einen eiskalten Ausdruck und schob ihren Stuhl zurück, um dem Deutschen zu verstehen zu geben, daß sie nicht länger mit ihm zu sprechen wünsche und seine Gegenwart ihr lästig sei.

Er dagegen sah sie mit Vergnügen an. Wie viele junge Leute, die sich von klein auf einer harten Disziplin beugen mußten, hatte er sich angewöhnt, sein inneres Wesen durch Arroganz und äußere Schroffheit abzustützen. Er glaubte, ein Mann, der diesen Namen verdient, müsse aus Eisen sein. Als solcher hatte er sich im übrigen während des Kriegs in Polen und in Frankreich und während der Besatzung gezeigt. Doch gehorchte er dabei weniger irgendwelchen Prinzipien als vielmehr der Impulsivität der frühen Jugend. (Als Madeleine ihn sah, hatte sie ihn auf zwanzig geschätzt. Er war noch jünger – während des Frankreichfeldzugs war er neunzehn geworden.) Er zeigte sich gefällig oder grausam, je nach dem Eindruck, den Dinge und Leute auf ihn machten. Wenn er jemanden nicht ausstehen konnte, sorgte er dafür, ihm soviel wie möglich zu schaden. Während des Rückzugs der französischen Armee, als er den Auftrag hatte, die jämmerliche Herde der Gefangenen nach Deutschland zu bringen, während jener schrecklichen Tage, als befohlen worden war, alle zu töten, die schwach wurden, die nicht schnell genug marschierten, hatte er es bei allen, deren Nase ihm nicht gefiel, ohne Reue und sogar mit Vergnügen getan. Dagegen hatte er sich bestimmten Gefangenen gegenüber, die ihm sympathisch waren, unendlich gütig und hilfsbereit erwiesen, und von diesen verdankten ihm einige ihr Leben. Er war grausam, aber es war die Grausamkeit der Jugend, diejenige, die einer sehr lebhaften, empfindsamen Einbildungskraft erwächst und ganz und gar sich selbst, der eigenen Seele zugewandt ist; man bemitleidet andere nicht ob ihres Leidens. Man sieht sie nicht, man sieht nur sich selbst. In diese Grausamkeit floß auch ein wenig Affektiertheit ein, die ebenso von seinem Alter wie von einem gewissen Hang zum Sadismus herrührte. Zum Beispiel ließ er, der gegen die Menschen hart war, den Tieren die größte Fürsorge angedeihen; ihm war ein wenige Monate zuvor erteilter Befehl der Kommandantur von Calais zu verdanken. Bonnet hatte bemerkt, daß die Bauern an Markttagen ihre Hühner mit dem Kopf nach unten und mit zusammengebundenen Beinen trugen. «Aus Gründen der Menschlichkeit» war das künftig verboten. Die Bauern hielten sich nicht daran, was Bonnets Abneigung gegen die «barbarischen und leichtfertigen» Franzosen noch verstärkte, während die Franzosen überaus empört waren, eine solche Bekanntmachung unter einer anderen lesen zu müssen, in der geschrieben stand, daß als Vergeltung für einen Sabotageakt acht Männer hingerichtet worden waren. In der Stadt im Norden, wo er einquartiert gewesen war, hatte sich Bonnet nur deshalb mit seiner Zimmerwirtin liiert, weil sich diese Frau, als er eines Tages die Grippe hatte, die Mühe gemacht hatte, ihm sein Frühstück ans Bett zu bringen. Bonnet erinnerte sich an seine Mutter, an seine Kindheit und dankte mit Tränen in den Augen dieser Madame Lili, die früher einmal ein Bordell geführt hatte. Von da an tat er alles für sie, gewährte ihr alle Arten von Passierscheinen, Benzinmarken usw., verbrachte seine Abende mit dieser alten Vettel, weil sie, so sagte er, allein und alt war und sich langweilte, und brachte ihr aus Paris, wohin er dienstlich reiste, allerlei Kinkerlitzchen mit, die er sehr teuer bezahlte; er war nicht reich.

Derartigen Sympathien lagen mitunter musikalische, literarische oder, wie an jenem Frühlingsmorgen, an dem er bei den Labaries eintrat, malerische Eindrücke zugrunde: Bonnet war sehr gebildet, in allen Künsten begabt. Das Gehöft der Labaries mit der ein wenig feuchten und düsteren Atmosphäre, die der Regentag ihm verlieh, mit dem verblichenen Rot des Fliesenbodens, mit der leeren kleinen Nische, in der man im Geiste die während der letzten Revolution entfernte Statue der Heiligen Jungfrau stehen sah, mit dem geweihten Buchsbaumzweig über der Wiege und dem Blinken einer kupfernen Bettpfanne im Halbdunkel – dies alles hatte etwas, was ihn, so meinte Bonnet, an ein «Interieur» der flämischen Schule erinnerte. Diese junge Frau, die mit ihrem Kind im Arm auf einem niedrigen Stuhl saß, eine liebliche, im

Dunkel schimmernde halbnackte Brust, diese bezaubernde Gestalt mit den roten Wangen, der weißen Stirn und dem weißen Kinn war für sich allein schon ein Gemälde wert. Als er sie anschaute, sie bewunderte, schien ihm fast, als befände er sich in einem Museum in München oder Dresden, allein einem jener Bilder gegenüber, die ihm zu jener sowohl sinnlichen wie geistigen Trunkenheit verhalfen, die er allem anderen auf der Welt vorzog. Diese Frau könnte ihm in Zukunft mit noch soviel Kälte oder Feindseligkeit begegnen, es würde ihn nicht berühren; er würde es nicht einmal bemerken. Von ihr wie von seiner ganzen Umgebung würde er nichts anderes verlangen, als ihm rein künstlerische Wohltaten zu erweisen – nämlich diese meisterhafte Beleuchtung, diese Helligkeit der Haut, diesen Samtglanz des Hintergrunds zu bewahren.

In diesem Augenblick schlug eine große Standuhr Mittag. Bonnet lachte, fast vor Vergnügen. Diesen tiefen, ernsten, ein wenig brüchigen Ton, der aus dieser alten Mechanik hinter dem bemalten Kasten drang, hatte er mitunter zu hören geglaubt, wenn er dieses oder jenes Gemälde eines holländischen Malers betrachtete und sich den Geruch der von der Hausfrau zubereiteten frischen Heringe oder den Lärm der Straße vorstellte, die man undeutlich hinter dem Fenster mit den grüngefärbten Scheiben sah; an jenen dunklen Täfelungen gab es immer eine Uhr wie diese hier.

Gleichwohl wollte er Madeleine noch einmal zum Sprechen bringen; er sehnte sich nach dieser frischen, ein wenig singenden Stimme.

«Wohnen Sie allein hier? Ihr Mann ist sicher in Gefangenschaft?»

«Aber nein», sagte sie lebhaft.

Wieder bekam sie Angst bei dem Gedanken, daß Benoît in deutscher Gefangenschaft gewesen und geflohen war; plötzlich glaubte sie, der Deutsche könnte es erraten und den Flüchtigen festnehmen. ‹Wie dumm ich doch bin›, dachte sie, aber instinktiv schlug sie einen milderen Ton an: Man mußte freundlich zu dem Sieger sein; mit unschuldiger, unterwürfiger Stimme fragte sie:

«Bleiben Sie lange bei uns? Man sagt, drei Monate.»

«Das wissen wir selber noch nicht», erklärte Bonnet. «So ist das Soldatenleben: Man hängt von einem Befehl ab, von einer Laune der Generäle oder einem Zufall des Kriegs. Wir waren auf dem Weg nach Jugoslawien, aber da unten ist alles beendet.»

«Ach! Alles ist beendet?»

«Es ist eine Frage von Tagen. Jedenfalls würden wir nach dem Sieg eintreffen. Daher meine ich, daß man uns den ganzen Sommer hierbehalten wird, falls man uns nicht nach Afrika oder nach England schickt.»

«Und … Sie mögen das?» sagte Madeleine, wobei sie absichtlich eine naive Miene aufsetzte, aber mit einem leichten Schauer des Ekels, den sie nicht verbergen konnte, als hätte sie einen Kannibalen gefragt: «Stimmt es, daß Sie Menschenfleisch mögen?»

«Der Mann ist zum Krieger erzogen und das Weib zur Erholung des Kriegers», antwortete Bonnet, und er lächelte, weil er es komisch fand, vor der hübschen französischen Bäuerin Nietzsche zu zitieren. «Wenn Ihr Mann jung ist, denkt er bestimmt genauso.»

Madeleine antwortete nicht. Im Grunde kannte sie Benoîts Gedanken sehr wenig, dachte sie, obwohl sie an seiner Seite groß geworden war. Benoît war schweigsam und von einem dreifachen Harnisch umgeben – einem männlichen, einem bäuerlichen und einem französischen. Sie wußte nicht, was er haßte oder liebte, sondern nur, daß er fähig war, zu lieben und zu hassen.

‹Mein Gott›, sagte sie sich, ‹hoffentlich hat er nichts gegen den Deutschen.›

Sie hörte ihm zu, antwortete jedoch kaum, den Geräuschen auf dem Weg lauschend. Die Karren fuhren auf der Straße vorbei, die Kirchen läuteten zum Abendgebet; man hörte sie nacheinander über den Feldern: zuerst die kleine Kapelle von Montmort, leicht wie eine silberne Schelle, dann den tiefen Ton aus dem Marktflecken, dann ein kleines eiliges Glockenspiel in Sainte-Marie, das man nur bei schlechtem Wetter vernahm, wenn der Wind von den Hügeln blies.

«Die Familie wird bald heimkommen», murmelte Madeleine.

Sie stellte einen Krug mit Vergißmeinnicht auf den gedeckten Tisch.

«Sie essen nicht hier, nehme ich an?» fragte sie plötzlich.

Er beruhigte sie.

«Nein, nein, ich nehme meine Mahlzeiten im Ort ein. Ich bitte Sie nur um den morgendlichen Milchkaffee.»

«Das ist sehr einfach, Monsieur.»

Das war ein in dieser Gegend üblicher Satz; man sagte ihn lächelnd und in schmeichelndem Ton. Im übrigen bedeutete er absolut nichts: Es war eine Höflichkeitsformel, die niemanden täuschte, sie besagte nicht, daß man bedient werden würde. Und wenn diesem Versprechen keine Tat folgte, hatte man eine andere Formel parat, diesmal im Tonfall des Bedauerns und der Entschuldigung: «Ach, man tut eben nicht immer, was man will.» Aber der Deutsche war entzückt.

«Wie freundlich die Leute hier sind», sagte er naiv.

«Finden Sie, Monsieur?»

«Und Sie bringen mir meinen Kaffee ans Bett, hoffe ich?»

«Das tut man bei Kranken», sagte Madeleine spöttisch.

Er wollte ihre Hände ergreifen; sie zog sie abrupt zurück.

«Da kommt mein Mann.»

Es war noch nicht er, aber er würde gleich eintreffen; sie erkannte den Schritt der Stute auf der Straße. Sie ging in den Hof hinaus; es regnete. Durch das Tor fuhr der alte Break, der seit dem anderen Krieg nicht mehr benutzt worden war und jetzt das unbrauchbare Auto ersetzte. Benoît war am Steuer. Die Frauen saßen unter nassen Regenschirmen. Madeleine lief zu ihrem Mann und fiel ihm um den Hals.

«Es ist ein Boche im Haus», flüsterte sie ihm ins Ohr.

«Wird er bei uns wohnen?»

«Ja.»

«O je!»

«Bah», sagte Cécile, «das sind keine bösen Menschen, wenn man sie zu nehmen weiß, und sie zahlen gut.»

Benoît spannte aus und führte die Stute in den Stall. Cécile, durch den Deutschen eingeschüchtert, aber im Bewußtsein, mit ihrem Sonntagskleid, Hut und Seidenstrümpfen vorteilhaft gekleidet zu sein, betrat stolz den Raum.

6

Das Regiment kam unter Luciles Fenstern vorbei. Die Soldaten sangen; sie hatten wunderbare Stimmen, aber der ernste, bedrohliche, traurige Chor, weniger kriegerisch, wie es schien, als religiös, setzte die Franzosen in Erstaunen.

«Sind das ihre Gebete?» fragten die Frauen.

Die Truppe kehrte von den Manövern zurück; es war so früh am Morgen, daß der ganze Ort noch schlief. Aus dem Schlaf geschreckte Frauen beugten sich aus den Fenstern und lachten. Welch klarer, frischer Morgen! Die Hähne ließen ihre von der kalten Nacht heiseren Stimmen ertönen. Die ruhige Luft schillerte rosa und silbern. Dieses unschuldige Licht glänzte auf den glücklichen Gesichtern der vorbeimarschierenden Männer (wie sollte man an einem so schönen Frühlingstag nicht glücklich sein?). Diesen großen, gut gebauten Männern mit ihren harten Gesichtern und ihren harmonischen Stimmen blickten die Frauen lange nach. Man begann, einige der Soldaten wiederzuerkennen. Sie bildeten nicht mehr jene anonyme Masse der ersten Tage, jene Flut grüner Uniformen, in der sich kein einziger Gesichtszug von den anderen unterschied, ebensowenig wie eine Welle im Meer ihre eigene Physiognomie hat, sondern nicht zu unterscheiden ist von den Wellen vor und hinter ihr. Jetzt hatten diese Soldaten Namen: «Da», sagten die Einwohner, «da kommt der kleine Blonde, der beim Holzschuhmacher wohnt und den seine Kameraden Willy nennen. Und der da ist der kleine Rothaarige, der sich Omelettes aus acht Eiern bestellt und achtzehn Gläser Weinbrand hintereinander trinkt, ohne betrunken zu sein und ohne krank zu werden. Der junge Kleine da, der sich so steif hält, das ist der Dolmetscher. Er sorgt in der Kommandantur für Regen und Sonnenschein. Und der da, das ist der Deutsche von den Angelliers.»

So wie man früher den Bauern die Namen der Landgüter gegeben hatte, auf denen sie lebten, so daß der Briefträger, ein Nachfahre der Pächter, die früher auf den Ländereien der Montmorts saßen, bis auf den heutigen Tag Auguste von Montmort hieß, so erbten die Deutschen in gewisser Weise die Nachnamen ihrer Wirtsleute. Man sagte: «Fritz von Durand, Ewald von la Forge, Bruno von den Angelliers.»

Letzterer ritt an der Spitze seines Kavalleriekommandos. Die wohlgenährten, feurigen Tiere, die tänzelten und die Menge mit einem ungeduldigen und stolzen schönen Auge betrachteten, erregten die Bewunderung der Bauern.

«Mama? Hast du gesehen?» schrien die Kinder.

Das Pferd des Leutnants hatte ein goldbraunes, seidig glänzendes Fell. Beiden schienen die Ausrufe, die Freudenschreie der Frauen nicht gleichgültig zu sein. Das herrliche Tier wölbte seinen Hals, schüttelte wütend seine Kandare. Der Offizier lächelte und ließ mitunter ein leises liebkosendes Schnalzen vernehmen, das das Tier besser bändigte als die Reitpeitsche. Als ein junges Mädchen an seinem Fenster rief: «Immerhin reitet er gut, der Boche», hob er seine behandschuhte Hand an seine Mütze und grüßte feierlich.

Hinter dem jungen Mädchen vernahm man aufgeregtes Getuschel.

«Du weißt doch, daß sie nicht mögen, daß man sie so nennt. Bist du verrückt?»

«Na, wenn schon! Ich hab's vergessen», verteidigte sich das junge Mädchen, rot wie eine Tomate.

Auf dem Platz löste sich das Kommando auf. Die Männer begaben sich unter lautem Getöse von Stiefeln und Sporen in ihre Quartiere. Die Sonne schien jetzt sehr heiß, fast sommerlich. In den Höfen wuschen sich die Soldaten; ihre nackten Oberkörper waren von der frischen Luft gerötet und schweißnaß. Ein Soldat hatte einen kleinen Spiegel an einem Baumstamm befestigt und rasierte sich. Ein anderer tauchte seinen Kopf und seine nackten

Arme in einen großen Eimer kaltes Wasser. Ein anderer rief einer jungen Frau zu:

«Einen schönen Tag, Madame!»

«Nanu, Sie sprechen Französisch?»

«Ein wenig.»

Man schaute einander an; man lächelte einander zu. Die Frauen gingen zu den Brunnen und spulten die langen quietschenden Ketten ab. Wenn der mit eisigem bebenden Wasser gefüllte Eimer, in dem der Himmel sich dunkelblau spiegelte, ans Licht stieg, fand sich immer ein Soldat, der herbeieilte, um der Frau die Last aus der Hand zu nehmen. Die einen taten es, um ihr zu zeigen, daß man, wiewohl Deutscher, höflich war; die anderen aus natürlicher Gefälligkeit; wieder andere, weil der schöne Tag, eine Art von der frischen Luft hervorgerufene körperliche Lebensfülle, die gesunde Müdigkeit und die Aussicht auf Erholung sie in jenen Zustand von Schwärmerei und innerer Stärke versetzten, in dem ein Mann sich gegenüber den Schwachen um so sanftmütiger fühlt, desto bösartiger er sich gegenüber den Starken zeigen würde (wahrscheinlich war es jener Geist, der die männlichen Tiere dazu drängt, im Frühling miteinander zu kämpfen, zu spielen und im Staub vor den Weibchen herumzutollen). Ein junger Soldat begleitete eine Frau bis zu ihrem Haus; feierlich trug er für sie zwei Flaschen Weißwein, die sie aus dem Brunnen gezogen hatte. Es war ein sehr junger Mann mit hellen Augen, einer Stupsnase und kräftigen Armen.

«Schön das», sagte er mit Blick auf die Beine der Frau, «schön das, Madame …»

Sie drehte sich um und legte den Finger auf ihre Lippen.

«Pst … Mein Mann …»

«Ah, Mann, *böse* …» rief er und tat, als habe er große Angst.

Der Ehemann lauschte hinter der Tür, und da er sich seiner Frau sehr sicher war, empfand er nicht Zorn, sondern eine Art Stolz: ‹Sieh an, wir haben schöne Frauen hier›, dachte er. Sein morgendliches Glas Weißwein schien ihm noch besser zu schmecken.

Soldaten betraten den Laden des Holzschuhmachers. Er war ein Kriegsversehrter, der an seiner Werkbank arbeitete. Es herrschte ein pflanzlicher, durchdringender Geruch nach frischem Holz; gerade erst geschnittene Fichtenklötze weinten noch ihre Harztränen. Auf einem Regal standen geschnitzte Holzschuhe, verziert mit Chimären, Schlangen, Ochsenköpfen. Ein Paar davon war in Form von Schweinerüsseln gefertigt. Einer der Deutschen betrachtete sie voller Bewunderung.

«Herrliche Arbeit», sagte er.

Der Holzschuhmacher, kränklich und wortkarg, antwortete nicht, aber seine Frau, die den Tisch deckte, konnte nicht umhin, neugierig zu fragen:

«Was haben Sie in Deutschland gemacht?»

Der Soldat verstand nicht gleich, sagte aber endlich, er sei Schlosser. Die Frau des Holzschuhmachers überlegte und flüsterte ihrem Mann ins Ohr:

«Du solltest ihm den Schlüssel zur Anrichte zeigen, der kaputt ist, vielleicht könnte er ihn ...»

«Laß das», sagte der Mann stirnrunzelnd.

«Sie? Mittag essen?» fuhr der Soldat fort. Er zeigte auf das Weißbrot, das auf einem geblümten Teller lag, «französisches Brot ... leicht ... nicht im Magen ... nichts ...»

Er wollte sagen, daß dieses Brot ihm nicht nahrhaft zu sein schien, nicht satt mache, aber die Franzosen mochten nicht glauben, daß jemand so verrückt sein könnte, die Vorzüglichkeit eines ihrer Gerichte zu verkennen, insbesondere dieser hellen Laibe, dieser großen Brote in Form einer Krone, die demnächst, so wurde ihnen gesagt, durch eine Mischung aus Kleie und minderwertigem Mehl ersetzt werden sollten. Aber das mochten sie nicht glauben. Sie nahmen die Worte des Deutschen für ein Kompliment und fühlten sich geschmeichelt. Sogar der Holzschuhmacher milderte den barschen Ausdruck seiner Gesichtszüge. Er begab sich mit seiner Familie zu Tisch. Die Deutschen setzten sich abseits auf Schemel.

«Und die Gegend gefällt Ihnen?» fuhr die Frau des Holzschuh-machers fort. Sie hatte eine gesellige Natur und litt unter der Wortkargheit ihres Mannes.

«O ja, schön …»

«Und bei Ihnen? Ist es da ähnlich wie hier?» fragte sie den anderen Soldaten.

Dessen Gesicht wurde von Schauern durchzuckt; man sah, daß er inbrünstig nach Wörtern suchte, um seine Heimat, deren Hopfenfelder und dichten Wälder zu beschreiben. Aber er fand keine; er begnügte sich damit, die Arme auszubreiten.

«Groß … gute Erde …»

Er zögerte und seufzte.

«Weit weg …»

«Haben Sie Familie?»

Er nickte.

Aber der Holzschuhmacher sagte zu seiner Frau:

«Du brauchst nicht mit ihnen zu quatschen.»

Die Frau schämte sich. Schweigend ging sie ihrer Arbeit nach, schenkte Kaffee ein, schnitt das Brot für die Kinder. Ein fröhlicher Lärm drang von außen herein. Das Gelächter, das Waffengeklirr, die Schritte und die Stimmen der Soldaten bildeten ein heiteres Getöse. Man wußte nicht warum, aber es wurde einem leicht ums Herz. Vielleicht wegen des schönen Wetters? Dieser so blaue Himmel schien sich am Horizont sanft herabzuneigen und die Erde zu liebkosen. Hühner kauerten im Staub. Hin und wieder bewegten sie ihre Federn mit einem schläfrigen Gackern. Strohhalme, Flaum, Blütenstaub schwebten in der Luft. Es war die Jahreszeit der Nester.

So lange schon war der Ort ohne Männer gewesen, daß sogar diese hier, die Eindringlinge, an ihrem Platz zu sein schienen. Sie fühlten es, räkelten sich in der Sonne. Die Mütter der Gefangenen oder der im Krieg gefallenen Soldaten riefen, wenn sie sie sahen, ganz leise den Fluch Gottes auf ihre Häupter herab, die jungen Mädchen aber schauten sie an.

7

In einem Saal der Privatschule hatten sich die Damen des Orts und einige Großbäuerinnen aus der Umgebung zur monatlichen Sitzung der Stiftung «Päckchen für die Gefangenen» versammelt. Die Gemeinde hatte sich der Fürsorgezöglinge angenommen, die vor den Feindseligkeiten in der Region gewohnt hatten und in Gefangenschaft geraten waren. Die Vorsitzende der Stiftung war die Vicomtesse de Montmort, eine schüchterne, häßliche junge Frau, die jedesmal Qualen litt, wenn sie in der Öffentlichkeit das Wort ergreifen mußte. Sie stotterte; ihre Hände wurden feucht; ihre Beine zitterten; kurz, sie hatte ebensoviel Lampenfieber wie eine Person des Königshauses. Aber sie war der Meinung, es sei eine Pflicht, und gerade sie sei von der Natur auserwählt, diese Bürgersfrauen und Bäuerinnen aufzuklären, ihnen den rechten Weg zu zeigen und den guten Kern in ihnen zum Keimen zu bringen.

«Verstehen Sie, Amaury», erklärte sie ihrem Gatten, «ich kann nicht glauben, daß zwischen ihnen und mir ein wesentlicher Unterschied besteht. Auch wenn sie mich enttäuschen – wenn Sie wüßten, wie ungehobelt, wie kleinlich sie sind! –, suche ich doch beharrlich nach einem Licht in ihnen. Ja», fügte sie hinzu und hob ihre Augen, die sich mit Tränen füllten, «ja, Unser Herr wäre nicht für diese Seelen gestorben, wenn es in ihnen nicht etwas gäbe … Aber ihre Unwissenheit, mein Freund, ihre Unwissenheit ist erschreckend. Daher halte ich ihnen vor jeder Sitzung eine kurze Ansprache, damit sie verstehen, warum sie bestraft werden, und – lachen Sie nur, Amaury – manchmal habe ich auf ihren dicken Wangen einen Schimmer von Verständnis gesehen. Ich bedauere», sagte die Vicomtesse nachdenklich zum Schluß, «ich bedauere, daß ich meiner Berufung nicht gefolgt bin: Ich hätte mir gewünscht, eine einsame Gegend zum Christentum zu bekehren, die rechte Hand eines Missionars in der Steppe oder im Urwald zu sein. Nun ja, denken wir nicht mehr daran. Wo uns der Herr hingeschickt hat, dort ist unsere Mission.»

Sie stand auf einem kleinen Podium in dem Klassenzimmer, aus dem man eilig die Pulte entfernt hatte; einem Dutzend Schülerinnen, aus den besten ausgewählt, war es gestattet worden, den Worten der Vicomtesse zu lauschen. Sie scharrten mit ihren Holzpantinen auf dem Boden und betrachteten den Raum mit ihren großen ruhigen Augen; ‹wie Kühe›, dachte die Vicomtesse mit einer gewissen Gereiztheit. Sie beschloß, sich ganz besonders an sie zu wenden.

«Meine lieben Mädchen», sagte sie, «ihr seid frühzeitig von den Schmerzen des Vaterlands gezeichnet …»

Eines der kleinen Mädchen lauschte so aufmerksam, daß es von seinem Schemel fiel; die elf anderen erstickten ihr Gekicher mit ihren Kitteln. Die Vicomtesse runzelte die Stirn und fuhr mit lauterer Stimme fort:

«Ihr widmet euch den Spielen eures Alters. Ihr scheint sorglos zu sein, aber euer Herz ist voller Kummer. Wie viele Gebete richtet ihr nicht abends und morgens an Gott den Allmächtigen, damit Er sich der Mißgeschicke unseres geliebten Frankreichs erbarme!»

Sie unterbrach sich und richtete einen recht schroffen Gruß an die Lehrerin, die gerade eingetreten war: eine Frau, die nicht zur Messe ging und ihren Mann weltlich beerdigt hatte; ihre Schüler sagten sogar, sie sei nicht getauft worden, was weniger skandalös als vielmehr unwahrscheinlich zu sein schien, als hätte man von einem menschlichen Wesen behauptet, es sei mit einem Fischschwanz geboren worden. Da das Verhalten dieser Person untadelig war, haßte die Vicomtesse sie um so mehr, «denn», so erklärte sie dem Vicomte, «wenn sie trinken würde oder Liebhaber hätte, könnte man es mit der Religionslosigkeit erklären, aber denken Sie nur, Amaury, welche Verwirrung im Geist des Volkes entstehen kann, wenn es sieht, daß auch Leute tugendhaft sind, die nicht den rechten Glauben haben.» Und da die Anwesenheit der Lehrerin der Vicomtesse zuwider war, legte sie gewissermaßen ein wenig von jener Leidenschaft in ihre Stimme, die einem der Anblick eines Feindes eingibt, und mit großer Beredsamkeit fuhr sie fort:

«Aber die Gebete, die Tränen reichen nicht aus. Das sage ich nicht nur zu euch; ich sagte es auch zu euren Müttern. Wir müssen Nächstenliebe üben. Doch was sehe ich? Niemand übt Nächstenliebe; jeder denkt nur an sich. Ich bitte nicht um Geld, denn leider kann Geld heutzutage nicht mehr viel ausrichten», sagte die Vicomtesse mit einem Seufzer, indem sie sich daran erinnerte, daß sie für die Schuhe, die sie an ihren Füßen trug, achthundertfünfzig Francs ausgegeben hatte (glücklicherweise war der Vicomte der Bürgermeister der Gemeinde, so daß sie jederzeit Bezugsscheine für Schuhe bekam). «Nein, nicht um Geld geht es, sondern um Lebensmittel, mit denen das Land so reich gesegnet ist und mit denen ich die Päckchen für unsere Gefangenen füllen möchte. Jede von Ihnen denkt an einen Angehörigen, einen Ehemann, einen Sohn, einen Bruder oder einen Vater, der sich in Gefangenschaft befindet, und für ebendiesen ist nichts zu mühsam. Sie schicken ihm Butter, Schokolade, Zucker und Tabak. Aber was ist mit all denen, die keine Familie haben? Ach, meine Damen, denken Sie doch an das Los dieser Unglücklichen, die weder Päckchen noch Nachrichten erhalten! Was können Sie für sie tun? Ich nehme alle Spenden entgegen, ich lege sie zusammen und schicke sie an das Rote Kreuz, das sie auf die verschiedenen Lager verteilt. Nun, ich höre, meine Damen.»

Stille folgte diesen Worten. Die Bäuerinnen sahen die Damen des Marktfleckens an, und diese betrachteten mit verkniffenen Lippen die Bäuerinnen.

«Also, ich beginne», sagte die Vicomtesse sanft. «Meine Idee ist folgende: Man könnte dem nächsten Päckchen einen Brief beilegen, den eines dieser Mädchen hier schreiben wird. Einen Brief, in dem es mit einfachen, ergreifenden Worten ihr Herz

ausschütten und ihre schmerzlichen, patriotischen Gefühle aus-
drücken könnte. Denken Sie nur», fuhr die Vicomtesse mit bebender Stimme fort, «denken Sie an die Freude des armen verlassenen
Menschen, wenn er diese Zeilen liest, in denen gewissermaßen die
Seele des Landes pocht und die ihn an die Männer, die Frauen, die
Kinder, die Bäume, die Häuser seines geliebten kleinen Vaterlands
erinnern, das uns, wie der Dichter sagte, das große um so mehr
lieben lehrt. Vor allem aber, liebe Kinder, seid mit dem Herzen dabei. Betreibt keine stilistische Effekthascherei: Das Talent des
Briefschreibens soll schweigen und das Herz sprechen. Oh, das
Herz», sagte die Vicomtesse mit halb geschlossenen Augen, «ohne
das Herz kommt nichts Schönes, nichts Großes zustande. Ihr
könnt in euren Brief irgendeine schlichte Feldblume legen, ein
Gänseblümchen, eine Schlüsselblume … Ich glaube nicht, daß die
Vorschriften dagegen sprechen. Gefällt Ihnen diese Idee?» fragte
die Vicomtesse, wobei sie den Kopf mit einem huldvollen Lächeln
ein wenig zur Seite neigte. «Nun habe ich aber genug gesprochen. Jetzt ist die Reihe an Ihnen.»

Die Frau des Notars, eine schnurrbärtige Person mit harten
Zügen, sagte in säuerlichem Ton:

«Am Wunsch, unsere lieben Gefangenen zu verwöhnen, fehlt
es uns nicht. Aber was können wir armen Einwohner denn tun?
Wir haben nichts. Wir haben keine großen Landgüter wie Sie,
Vicomtesse, auch nicht die schönen Gehöfte der Landleute. Wir
haben die größte Mühe, uns selber zu ernähren. Meine Tochter,
die gerade entbunden hat, kann die Milch nicht auftreiben, die sie
für ihr Kind braucht. Eier kosten zwei Francs das Stück und sind
nicht aufzutreiben.»

«Wollen Sie damit sagen, daß wir anderen auf dem Schwarzmarkt handeln?« fragte Cécile Labarie, die sich unter den Anwe-
senden befand. Wenn sie zornig war, plusterte sie den Hals auf
wie ein Puter und wurde violettrot.

«Das will ich nicht sagen, aber …»

«Meine Damen, meine Damen», murmelte die Vicomtesse,

und sie dachte entmutigt: Da ist wirklich nichts zu machen, sie empfinden nichts, sie begreifen nichts, es sind niedere Seelen. Was sage ich? Seelen? Bäuche, die sprechen können.

«Es ist bedauerlich, so etwas zu hören», fuhr Cécile achselzukkend fort, «bedauerlich, Häuser zu sehen, in denen es alles gibt, was man will, und wo gejammert wird. Jeder weiß doch, daß die Bürgerlichen alles haben. Hören Sie? Alles! Glauben Sie etwa, wir wissen nicht, wer das ganze Fleisch hamstert? Sie raffen die Marken auf den Landgütern zusammen. Das ist allgemein bekannt. Hundert Sous die Scheibe Fleisch. Wer Geld hat, dem fehlt es natürlich an nichts, aber die armen Leute ...»

«Wir müssen doch Fleisch haben, Madame», sagte die Frau des Notars majestätisch, die voller Angst daran dachte, daß man sie vorgestern mit einer Hammelkeule aus der Metzgerei hatte kommen sehen (der zweiten seit Anfang der Woche). «Wir schlachten ja keine Schweine! In unserer Küche hängen keine Schinken, keine Speckschwarten und Würste, die trocknen und die man lieber mit Würmern ißt, als sie den Bedürftigen in den Städten zu überlassen.»

«Meine Damen, meine Damen», flehte die Vicomtesse, «denken Sie an Frankreich, erheben Sie Ihre Herzen ... Beherrschen Sie sich! Bringen Sie diese peinsamen Mißhelligkeiten zum Schweigen. Denken Sie an unsere Lage! Wir sind vernichtet, geschlagen ... Uns bleibt nur ein einziger Trost: unser teurer Marschall ... Und Sie reden von Eiern, Milch und Schweinen! Was liegt an der Nahrung? Pfui Teufel, meine Damen, das alles ist vulgär! Wir haben ganz andere Gründe, traurig zu sein. Worum geht es im Grunde? Um ein wenig gegenseitige Hilfe, ein wenig Toleranz. Seien wir einig, wie unsere Soldaten es in den Schützengräben waren, wie es ohne jeden Zweifel unsere teuren Gefangenen in ihren Lagern sind, hinter ihrem Stacheldraht ...»

Es war sonderbar. Bisher hatte man ihr kaum zugehört. Ihren Ermahnungen erging es wie den Predigten des Pfarrers, die man hört, ohne sie zu verstehen. Aber das Bild eines Lagers in Deutschland mit den vielen Männern hinter Stacheldraht rührte sie. Alle diese starken, schweren Kreaturen hatten dort jemanden, den sie liebten. Sie arbeiteten für ihn; sie sparten für ihn; sie vergruben Geld für seine Rückkehr, damit er dann sagen könne: «Du hast alles gut am Laufen gehalten, liebe Frau.» Jede sah im Geist den Abwesenden vor sich, einen einzigen, den ihren; jede stellte sich den Ort seiner Gefangenschaft auf ihre eigene Weise vor; die eine dachte an Tannenwälder, die andere an ein kaltes Zimmer, wieder eine andere an Festungsmauern, aber alle sahen am Ende die Kilometer Stacheldraht vor sich, die die Männer einschlossen und sie von der Welt trennten. Bürgersfrauen und Bäuerinnen spürten, wie ihre Augen sich mit Tränen füllten.

«Ich werde Ihnen etwas bringen», sagte eine von ihnen.

«Auch ich finde wohl noch irgendwas», seufzte eine andere.

«Ich will sehen, was ich tun kann», versprach die Frau des Notars.

Madame de Montmort beeilte sich, die Spenden einzutragen. Jede Frau erhob sich von ihrem Platz, ging zur Vorsitzenden und flüsterte ihr etwas ins Ohr, denn jetzt waren sie im Herzen getroffen, gerührt, sie wollten gerne spenden, nicht nur für die Söhne und Ehemänner, sondern auch für die Unbekannten, die Kinder der Fürsorge. Doch sie mißtrauten der Nachbarin; sie wollten nicht reicher erscheinen, als sie waren. Sie fürchteten sich vor Denunziationen: In allen Häusern wurden die Wertsachen versteckt. Mutter und Tochter bespitzelten einander und denunzierten sich gegenseitig. Die Hausfrauen schlossen zur Essenszeit ihre Küchentür, damit der Geruch nicht den Speck verriet, der in der Pfanne brutzelte, oder die untersagte Scheibe Fleisch, oder den mit verbotenem Mehl gebackenen Kuchen. Madame de Montmort schrieb:

Madame Bracelet, Bäuerin in Les Roches, zwei rohe Würste, ein Topf Honig, ein Topf Rilletes … Madame Joseph, vom Landgut Rouet, zwei eingelegte Perlhühner, gesalzene Butter, Schokolade, Kaffee, Zucker …

«Ich kann mich auf Sie verlassen, nicht wahr, meine Damen?»
sagte die Vicomtesse.

Erstaunt sahen die Bäuerinnen sie an: Man nahm sein Wort
doch nicht zurück. Sie verabschiedeten sich; sie reichten der Vicomtesse eine rote, von der winterlichen Kälte, von der Arbeit
mit dem Vieh, vom Wäschewaschen aufgesprungene Hand, und
jedesmal mußte die Vicomtesse sich ein wenig anstrengen, um
diese Hand zu drücken, deren Berührung ihr körperlich unangenehm war. Aber sie überwand dieses der Nächstenliebe widerspre-
chende Gefühl, und zur Selbstkasteiung zwang sie sich, die Kinder zu küssen, die ihre Mütter begleiteten; sie waren alle fett und
rosig, vollgefressen und verschmiert wie kleine Ferkel.

Endlich war der Saal leer. Die Lehrerin hatte die kleinen Mädchen hinausgebracht; die Bäuerinnen waren gegangen. Die Vicomtesse seufzte, nicht vor Müdigkeit, sondern vor Übelkeit. Wie
häßlich und niedrig die Menschheit doch war! Welche Mühe mußte man aufwenden, um einen Funken Liebe in diesen tristen Seelen zu entfachen … ‹Puh!› sagte sie ganz laut zu sich selbst, doch
wie ihr Beichtvater es ihr riet, brachte sie die Strapazen und Arbeiten dieses Tages Gott zum Opfer.

8

«Und was halten die Franzosen vom Ausgang des Krieges, Monsieur?» fragte Bonnet.

Die Frauen sahen sich entrüstet an. So etwas tat man nicht. Man sprach mit einem Deutschen nicht über den Krieg, weder über diesen noch über den anderen, weder über Marschall Pétain noch über Mers el-Kebir, weder über die Teilung Frankreichs in zwei Hälften noch über die Besatzungstruppen, noch über irgend etwas Wichtiges. Es gab nur eine mögliche Verhaltensweise: die Zurschaustellung kalter Gleichgültigkeit, und in diesem Ton antwortete Benoît, sein randvoll mit Rotwein gefülltes Glas erhebend:

«Er ist ihnen scheißegal, Monsieur.»

Es war Abend. Der Sonnenuntergang, klar und eisig, verkündete Nachtfrost, aber am nächsten Tag wäre wahrscheinlich herrliches Wetter. Bonnet hatte den ganzen Tag im Marktflecken verbracht. Er war zum Schlafen zurückgekommen und hatte sich aus Entgegenkommen, natürlicher Gutmütigkeit, weil er gut angesehen sein wollte, oder um sich einen Moment am Feuer zu wärmen, noch eine Weile in der großen Stube aufgehalten. Das Abendessen war zu Ende; Benoît saß allein am Tisch; die Frauen räumten bereits auf und wuschen das Geschirr. Neugierig betrachtete der Deutsche das nutzlose große Bett.

«Niemand schläft hier, nicht wahr? Dient es zu nichts? Sehr sonderbar.»

«Manchmal dient es zu etwas», sagte Madeleine, die an Jean-Marie dachte.

Sie meinte, daß niemand sie durchschaute, doch Benoît runzelte die Stirn: Jede Anspielung auf das Abenteuer des vergangenen Sommers durchbohrte ihm das Herz so schnell und so sicher wie ein Pfeil, aber das war allein seine Sache … Mit einem Blick unterband er Céciles spöttisches Kichern und antwortete dem Deutschen überaus höflich:

«Gelegentlich könnte es Ihnen nützen, man weiß ja nie, zum Beispiel wenn Ihnen was zustoßen sollte, was ich nicht hoffe … Bei uns legt man die Toten auf diese Betten.»

Bonnet sah ihn belustigt an, mit jenem etwas herablassenden Mitleid, das man verspürt, wenn man ein wildes Tier hinter den Gitterstäben eines Käfigs die Zähne fletschen sieht. ‹Glücklicherweise›, dachte er, ‹wird der Mann, von seiner Arbeit in Anspruch genommen, nicht oft da sein … und die Frauen sind zugänglicher.› Er lächelte:

«In Kriegszeiten hofft keiner von uns, in einem Bett zu sterben.»

Unterdessen war Madeleine in den Garten gegangen; sie kam mit Blumen zurück, um den Kamin damit zu schmücken. Es war der erste Flieder, schneeweiß, mit grünenden Spitzen, bestehend aus dicht aneinandergedrängten kleinen Knospen, die noch geschlossen, weiter unten aber zu duftenden Rispen erblüht waren. Bonnet senkte sein bleiches Gesicht in den Strauß.

«Göttlich … und wie schön Sie die Blumen zu arrangieren verstehen …»

Eine Sekunde standen sie nebeneinander, ohne zu sprechen. Benoît dachte, daß sie (seine Frau, seine Madeleine) sich immer wohl zu fühlen schien, wenn es um irgendeine damenhafte Tätigkeit ging – wenn sie Blumen aussuchte, sich die Nägel polierte, sich anders als die hiesigen Frauen frisierte, wenn sie mit einem Fremden sprach, wenn sie ein Buch in der Hand hielt … ‹Man sollte kein Mädchen der Fürsorge nehmen, man weiß nie, wo sie herkommt›, sagte er sich ein weiteres Mal voller Schmerzen, und wenn er dachte ‹man weiß nie, wo sie herkommt›, dann meinte und fürchtete er damit nicht, daß sie von Alkoholikern oder Dieben abstammen könnte, sondern eben dies, jenes bürgerliche Blut, das sie seufzen ließ: «Ach, wie langweilig ist es doch auf dem Land …» oder «Ich hätte so gern hübsche Dinge …», und das sie, wie er glaubte, in dunkler Komplizenschaft mit einem Unbekannten, einem Feind verband, solange er ein Herr war, feine Wäsche trug und saubere Hände hatte.

Heftig schob er seinen Stuhl zurück und ging hinaus. Es war die Zeit, die Tiere einzuschließen. Er blieb eine lange Weile in der Dunkelheit und Wärme des Stalls. Eine Kuh hatte tags zuvor gekalbt. Zärtlich leckte sie das Kälbchen mit dem großen Kopf und den zitternden dünnen Beinen. Eine andere schnaufte leise in ihrer Ecke. Er lauschte ihren tiefen, ruhigen Atemzügen. Von seinem Platz aus sah er die offene Haustür; ein Schatten erschien auf der Schwelle. Jemand war über seine Abwesenheit besorgt, suchte ihn. Seine Mutter oder Madeleine? Wahrscheinlich seine Mutter … Leider nur seine Mutter … Er würde sich nicht von der Stelle rühren, bevor der Deutsche auf sein Zimmer gegangen wäre. Er würde ihn seine Lampe einschalten sehen. Natürlich, ihn kostete der Strom ja nichts. Tatsächlich schimmerte nach einigen Augenblicken ein Lichtschein am Rand des Fensters. Im selben Moment löste sich der wartende Schatten von der Schwelle und lief leichtfüßig auf ihn zu. Er fühlte, wie sein Herz sich weitete, als nähme eine unsichtbare Hand ihm mit einem Mal eine Last von der Brust, die ihn seit langem erdrückte.

«Bist du da, Benoît?»

«Ja, ich bin da.»

«Was machst du? Ich hatte Angst.»

«Angst? Wovor? Du bist verrückt.»

«Ich weiß nicht. Komm.»

«Warte. Warte ein wenig.»

Er zog sie an sich. Sie sträubte sich und tat, als lachte sie, aber an irgendeiner Anspannung ihres ganzes Körpers spürte er, daß sie gar keine Lust hatte zu lachen, daß sie ihn nicht komisch fand, daß sie nicht ins Heu und aufs frische Stroh geworfen werden wollte, daß sie ihn nicht liebte … Nein! Sie liebte ihn nicht … sie fand keinen Gefallen an ihm. Ganz leise, mit dumpfer Stimme sagte er:

«Du magst also gar nichts?»

«Doch, ich mag schon ... Aber nicht hier, nicht so, Benoît. Ich schäme mich.»

«Vor wem? Vor den Kühen, die dir zusehen?» sagte er in hartem Ton. «Dann geh doch!»

Sie stieß jene trostlose Klage aus, die ihm den Wunsch eingab zu weinen, aber auch, sie zu töten.

«Wie du mit mir redest! Manchmal könnte man meinen, daß du mir böse bist. Weswegen? Bestimmt ist es Cécile, die ...»

Er legte ihr die Hand auf den Mund; sie schob sie heftig weg und sprach weiter:

«Sie ist es, die dich aufhetzt.»

«Niemand hetzt mich auf. Ich sehe nicht mit den Augen der andern. Ich weiß nur, daß ich, wenn ich mich dir nähere, immer höre: ‹Warte. Ein andermal. Nicht heute nacht, der Kleine hat mich erschöpft.› Wer wartet auf dich?» knurrte er plötzlich. «Für wen sparst du dich auf? He? He?»

«Laß mich!» schrie sie, als er sie an Armen und Hüften packte. «Laß mich los! Du tust mir weh.»

Wieder stieß er sie so heftig von sich, daß sie mit der Stirn gegen die niedrige Tür prallte. Einen Augenblick sahen sie sich wortlos an. Er hatte einen Rechen ergriffen und stocherte wütend im Stroh.

«Du hast unrecht», sagte Madeleine schließlich und murmelte mit zärtlicher Stimme: «Benoît ... Armer kleiner Benoît ... Du hast unrecht, dir Gedanken zu machen ... Komm schon, ich bin deine Frau; wenn ich dir manchmal kalt vorkomme, dann nur, weil das Kind mich müde gemacht hat. Das ist alles.»

«Gehen wir», sagte er plötzlich. «Legen wir uns schlafen.»

Sie gingen durch die schon leere, dunkle Stube. Es war noch hell, aber nur am Himmel und auf den Wipfeln der Bäume. Alles übrige, die Erde, das Haus, die Wiesen, war in frische Dunkelheit getaucht. Sie zogen sich aus und legten sich ins Bett. In dieser Nacht versuchte er nicht, sie zu nehmen. Regungslos lagen sie nebeneinander, ohne zu schlafen, und lauschten über ihren Köpfen dem Atem des Deutschen, dem Knarren des Betts, in dem er lag. Im Dunkeln suchte Madeleine die Hand ihres Mannes und drückte sie kräftig.

«Benoît!»

«Ja, was?»

«Benoît, auf einmal denke ich dran … Du mußt dein Gewehr verstecken. Hast du die Anschläge im Dorf gelesen?»

«Ja», sagte er spöttisch. «Verboten. Verboten. Bei Todesstrafe. Nur diese Wörter führen sie im Mund, die Schufte.»

«Wo wollen wir es verstecken?»

«Laß es. Wo es ist, liegt es gut.»

«Benoît, sei nicht stur! Es ist ernst. Du weißt, wie viele schon erschossen worden sind, weil sie ihre Waffen nicht bei der Kommandantur abgegeben haben.»

«Du möchtest also, daß ich hingehe und ihnen mein Gewehr gebe? Das tun doch nur Feiglinge! Ich hab keine Angst vor ihnen. Du weißt nicht, wie ich letzten Sommer entwischt bin, nein? Ich habe zwei von ihnen getötet. Sie haben keinen Laut von sich gegeben. Und ich werde noch mehr umlegen», sagte er wütend und zeigte im Dunkeln dem unsichtbaren Deutschen die Faust.

«Ich sage nicht, daß du es ihnen gibst, sondern daß du es verstecken, vergraben sollst … Verstecke gibt es ja genug.»

«Das geht nicht.»

«Und warum nicht?»

«Weil es griffbereit sein muß. Glaubst du, ich werde die Füchse und die anderen Stinktiere an uns heranlassen? Im Schloßpark da oben wimmelt es davon. Der Vicomte hat viel zu viel Angst. Er macht sich ins Hemd. Er würde kein einziges erlegen. Das ist nämlich einer, der sein Gewehr bei der Kommandantur abgegeben hat und noch dazu mit schönen Grüßen … ‹Bitte sehr, meine Herren, es ist mir eine große Ehre …› Ein Glück, daß ich und ein paar Kumpel uns nachts in seinem Park umschauen. Sonst wäre das Land ruiniert.»

«Hören sie die Schüsse denn nicht?»

«Von wegen! Der Park ist groß, fast ein Wald.»

«Gehst du oft dorthin?» sagte Madeleine neugierig. «Das wußte ich nicht.»

«Es gibt einiges, was du nicht weißt, mein Mädchen ... Wir holen uns dort seine Tomaten- und Rübensetzlinge, sein Obst, alles, was er nicht verkaufen will. Der Vicomte ...»

Er schwieg, träumte eine Weile und fügte hinzu:

«Der Vicomte ist einer der schlimmsten ...»

Vom Vater bis zum Sohn waren die Labaries Pächter auf den Ländereien der Montmorts. Vom Vater bis zum Sohn haßte man einander. Die Labaries sagten, die Montmorts seien hart zu den Armen, hochmütig, unaufrichtig, und die Montmorts beschuldigten ihre Pächter, sie hätten den «bösen Geist». Das wurde mit leiser Stimme gesagt, wobei man die Achseln zuckte und die Augen zum Himmel hob, ein Ausdruck, der noch viel mehr bedeutete, als die Montmorts selber glaubten. Eine Art und Weise, die Armut, den Reichtum, den Frieden, den Krieg, die Freiheit, das Eigentum zu begreifen, die an sich zwar nicht unvernünftiger war als die der Montmorts, sich mit der ihren jedoch ebensowenig vertrug wie Feuer mit Wasser. Jetzt kamen noch weitere Vorwürfe hinzu. In den Augen des Vicomte war Benoît ein Soldat von 1940, und die Disziplinlosigkeit der Soldaten, ihr mangelnder Patriotismus, kurz, ihr «böser Geist» hatten die Niederlage verursacht, dachte er, während Benoît in Montmort einen jener schmucken Offiziere mit gelben Gamaschen sah, die während der Junitage mit ihren Frauen und ihrem Gepäck höchst bequem in ihren Wagen zur spanischen Grenze fuhren. Und dann war da noch die «Kollaboration» ...

«Er leckt den Deutschen die Stiefel», sagte Benoît düster.

«Gib acht», sagte Madeleine. «Du sagst zu oft, was du denkst. Und sei nicht unhöflich zu dem Deutschen da oben ...»

«Wenn er um dich herumstreicht, dann werde ich ...»

«Du bist ja verrückt!»

«Ich habe Augen im Kopf.»

«Jetzt bist du auch noch auf den eifersüchtig!» rief Madeleine aus.

Kaum waren die Worte gefallen, bereute sie sie: Man durfte den Träumereien des Eifersüchtigen keine Gestalt, keinen Namen geben. Doch wozu letztlich verschweigen, was beide wußten. Benoît antwortete:

«Für mich sind die beiden ein und dasselbe.»

Diese Rasse gut rasierter, gut gewaschener Männer mit flinker, leichter Zunge, denen die Mädchen gegen ihren Willen nachschauen … weil es ihnen schmeichelt, von feinen Herren auserwählt, umworben zu werden … Genau das wollte er sagen, dachte Madeleine. Wenn er wüßte! Wenn er ahnte, daß sie Jean-Marie vom ersten Augenblick an geliebt hatte, sobald sie ihn müde und verdreckt in seiner blutigen Uniform auf einer Tragbahre hatte liegen sehen! Geliebt. Ja. Tausend und abertausend Mal wiederholte sie für sich selbst in der Dunkelheit, in der Tiefe ihres Herzens: ‹Ich habe ihn geliebt. Ja. Und ich liebe ihn noch immer. Ich kann nichts dagegen tun.›

Beim ersten heiseren Hahnenschrei, der die Morgendämmerung durchdrang, standen beide auf, ohne geschlafen zu haben. Sie ging hinaus, um den Kaffee heiß zu machen, und er, um das Vieh zu versorgen.

9

Mit einem Buch und einer Handarbeit hatte sich Lucile Angellier in den Schatten des Kirschbaums gesetzt. Es war die einzige Ecke des Gartens, wo man Bäume und Pflanzen hatte wachsen lassen, ohne an ihren möglichen materiellen Ertrag zu denken, denn diese Kirschbäume trugen nur wenige Früchte. Aber es war die Zeit der Blüte. Vor einem strahlend blauen Himmel, so blau wie manches kostbare Sèvres-Porzellan, prächtig und glänzend zugleich, schwebten Zweige, die mit Schnee bedeckt zu sein schienen. Der Windhauch, der sie bewegte, war noch kalt an diesem Tag im Mai; die Blütenblätter schützten sich sanft, zogen sich mit einer Art fröstelnden Anmut zusammen und wandten ihr Herz mit seinen hellen Griffeln der Erde zu. Durch einige von ihnen schien die Sonne hindurch und enthüllte in den weißen Blütenblättern ein Geflecht feiner Äderchen, die der Zartheit, der Stofflosigkeit der Blume etwas Lebendiges, fast Menschliches hinzufügten, insofern das Wort «menschlich» sowohl Schwäche wie Widerstandskraft bedeutet; man verstand nun, warum der Wind diese bezaubernden Geschöpfe schütteln konnte, ohne sie zu zerstören, ja sogar ohne sie zu zerknittern. Verträumt ließen sie sich wiegen; es schien, als würden sie gleich herabfallen, doch hingen sie fest an ihren dünnen, glänzenden, harten Zweigen, die ein wenig metallisch aussahen, so wie auch der schlanke, glatte, wie aus einem Guß wirkende, grau und purpurn schillernde Stamm. Zwischen den weißen Büscheln erschienen längliche kleine Blätter; im Schatten waren sie von zartem Grün, mit silbrigen Härchen bedeckt; in der Sonne wirkten sie rosa. Der Garten zog sich an einer engen Straße, einer Dorfgasse entlang, an der kleine Häuser standen; die Deutschen hatten darin ihr Pulverlager untergebracht, und ein Wachtposten marschierte unter einem roten Anschlag auf und ab, der in dicken Buchstaben die Aufschrift trug:

VERBOTEN

und darunter in französischer Sprache in kleinen Buchstaben:

Es ist bei Todesstrafe verboten
sich diesem Lokal zu nähern.

Die Soldaten striegelten die Pferde, pfiffen, und die Pferde fraßen die frischen Triebe der jungen Bäume. Überall in den Gärten, die die Straße säumten, arbeiteten Männer mit friedlicher Miene. In Hemdsärmeln und Samthosen, einen Strohhut auf dem Kopf, gruben sie die Erde um, entfernten Raupen, gossen, säten, pflanzten. Manchmal kam ein deutscher Soldat an den Zaun eines dieser kleinen Gärten und bat um Feuer für seine Pfeife oder um ein frisches Ei oder um ein Glas Bier. Der Gärtner gab ihm, was er verlangte, blickte ihm dann, auf seinen Spaten gestützt, nachdenklich nach und nahm schließlich seine Arbeit mit einem Achselzucken wieder auf, das vermutlich einer Fülle von Gedanken entsprach, Gedanken, die so zahlreich, tief, ernst und sonderbar waren, daß er keine Worte fand, sie auszudrücken.

Lucile machte einen Stich in ihrer Stickerei und ließ sie dann sinken. Die Kirschblüten über ihrem Kopf lockten Wespen und Bienen an. Man sah sie herbeifliegen, herumschwirren, in die Kelche eindringen und gierig saugen, den Kopf nach unten, während ihr Leib in einer Art spastischen Freude bebte, indes eine goldfarbene dicke Hummel, die diese flinken Arbeiterinnen zu verspotten schien, auf dem Flügel des Windes schaukelte wie in einer Hängematte, wobei sie sich kaum regte und die Luft mit ihrem friedlichen, goldenen Gesang erfüllte.

Von ihrem Platz aus konnte Lucile den deutschen Offizier, der bei ihr wohnte, an einem Fenster sehen; seit einigen Tagen hatte er den Wolfshund des Regiments bei sich. Er saß im Zimmer von Gaston Angellier auf dem Louis-quatorze-Schreibtisch und klopfte die Asche seiner Pfeife in eine blaue Tasse aus, in die die alte Madame Angellier früher den Tee für ihren Sohn gegossen hatte. Zerstreut schlug er mit dem Absatz gegen die vergoldeten Bronzeverzierungen, die den Tisch stützten. Der Hund hatte seine Schnauze auf das Bein des Deutschen gelegt; er bellte und zog an seiner Leine. Und der Offizier sagte zu ihm, auf Französisch und laut genug, daß Lucile es hörte (in diesem stillen Garten schwebten alle Töne lange in der ruhigen Luft, als würden sie von ihr getragen):

«Nein, Bubi, du darfst nicht spazierengehen. Du würdest allen Salat dieser Damen fressen, und das würde ihnen nicht gefallen; sie würden sagen, wir seien ungehobelte, schlecht erzogene Soldaten. Du mußt hierbleiben, Bubi, und den schönen Garten betrachten.»

‹Was für ein Kind!› dachte Lucile. Sie konnte nicht umhin zu lächeln. Der Offizier fuhr fort:

«Ein Jammer, nicht wahr, Bubi? Du würdest doch so gern mit deiner Nase Löcher in die Erde bohren, nehme ich an. Wenn es ein kleines Kind in diesem Haus gäbe, wäre es bestimmt möglich ... Es würde uns zu sich winken. Mit kleinen Kindern haben wir uns immer gut vertragen, hier aber gibt es nur zwei sehr ernste, sehr stille Damen ... Es ist besser, wir bleiben, wo wir sind, Bubi!»

Er wartete noch einen Moment, und als Lucile schwieg, schien er enttäuscht zu sein. Er beugte sich noch weiter aus dem Fenster, verneigte sich tief und fragte feierlich:

«Spräche etwas dagegen, Madame, mir zu gestatten, in Ihren Beeten ein paar Erdbeeren zu pflücken?»

«Sie sind hier zu Hause», sagte Lucile mit ironischer Munterkeit.

Wieder verneigte sich der Offizier.

«Ich würde mir nicht erlauben, Sie um meiner selbst willen darum zu bitten, glauben Sie mir, aber dieser Hund schwärmt für Erdbeeren. Im übrigen möchte ich Sie darauf hinweisen, daß es ein französischer Hund ist. Er wurde während der Schlacht in einem verlassenen Dorf der Normandie gefunden und von meinen Kameraden aufgelesen. Sicher werden Sie einem Landsmann Ihre Erdbeeren nicht abschlagen.»

‹Wir sind schwachsinnig›, dachte Lucile. Sie sagte nur:

«Kommen Sie, Sie und Ihr Hund, und pflücken Sie, was immer Sie wollen.»

«Danke, Madame», rief der Offizier fröhlich aus und sprang sogleich aus dem Fenster, hinter ihm der Hund.

Beide näherten sich Lucile; der Deutsche lächelte.

«Ich bin sehr indiskret, Madame, nehmen Sie es mir nicht übel, aber dieser Garten, diese Kirschbäume, das alles scheint für einen armen Soldaten ein Stück Paradies zu sein.»

«Haben Sie den Winter in Frankreich verbracht?» fragte Lucile.

«Ja. Im Norden, bei dem schlechten Wetter immer in der Kaserne und im Café. Ich wohnte bei einer armen jungen Frau, die gerade geheiratet hatte und deren Mann zwei Wochen später in Gefangenschaft geraten ist. Wenn sie mir im Flur begegnete, fing sie zu weinen an, und ich kam mir wie ein Verbrecher vor. Dabei ist es doch nicht meine Schuld … und ich hätte ihr sagen können, daß auch ich verheiratet bin und durch den Krieg von meiner Frau getrennt.»

«Sie sind verheiratet?»

«Ja. Wundert Sie das? Vier Jahre verheiratet. Vier Jahre Soldat.»

«Sie sind so jung!»

«Ich bin vierundzwanzig, Madame.»

Sie schwiegen. Lucile nahm ihre Stickerei wieder zur Hand. Der Offizier, ein Knie auf der Erde, begann Erdbeeren zu pflükken. Er legte sie in die hohle Hand, wo Bubi sie sich mit seiner feuchten schwarzen Schnauze holte.

«Leben Sie mit Ihrer Mutter alleine hier?»

«Es ist die Mutter meines Mannes; er ist in Gefangenschaft.

Sie können in der Küche um einen Teller für Ihre Erdbeeren bitten.»

«Ah, sehr gut … Danke, Madame.»

Nach einigen Augenblicken kam er mit einem großen blauen Teller zurück und pflückte weiter. Dann bot er Lucile die Erdbeeren an, und sie nahm ein paar davon und sagte ihm, er solle die anderen essen. Er stand vor ihr, an einen Kirschbaum gelehnt.

«Ihr Haus ist sehr hübsch, Madame.»

Der Himmel hatte sich mit Dunstschleiern bedeckt, und in diesem gedämpften Licht hatte das Haus einen fast rosafarbenen Ockerton, der an die Farbe bestimmter Eierschalen erinnerte. Als Kind nannte Lucile sie braune Eier, und sie schienen ihr besser zu schmecken als die anderen, als die schneeweißen, wie die meisten Hühner sie legten. Diese Erinnerung entlockte ihr ein Lächeln; sie betrachtete dieses Haus mit seinem bläulichen Schieferdach, seinen sechzehn Fenstern mit den behutsam nur halbgeöffneten Läden, damit die Vorhänge in der Frühlingssonne nicht verblaßten, mit seiner großen verrosteten Glocke am Giebel, die nie mehr läutete, mit seiner Markise aus Glas, in der der Himmel sich spiegelte. Sie fragte:

«Sie finden es hübsch?»

«Man könnte meinen, es sei der Wohnsitz einer Figur von Balzac. Ein reicher Notar, der sich aufs Land zurückgezogen hat, muß es erbaut haben. Ich stelle mir vor, wie er nachts in dem Zimmer, das ich bewohne, Louisdor-Rollen zählt. Er selbst war Freidenker, aber seine Frau ging morgens in die erste Messe, diejenige, zu der ich läuten höre, wenn ich von den Nachtmanövern zurückkehre. Die Frau muß rosig, blond gewesen sein und einen großen Kaschmirschal getragen haben.»

«Ich werde meine Schwiegermutter fragen», sagte Lucile, «wer dieses Haus hat bauen lassen. Die Eltern meines Mannes waren Gutsbesitzer, aber bestimmt gab es im 19. Jahrhundert Notare, Advokaten, Ärzte und vorher Bauern. Ich weiß, daß vor hundertfünfzig Jahren an dieser Stelle ihr Gehöft stand.»

«Sie werden fragen? Sie wissen es nicht? Das interessiert Sie nicht, Madame?»

«Ich weiß nicht», sagte Lucile, «aber wann und von wem mein Geburtshaus erbaut worden ist, das könnte ich Ihnen sagen. Hier wurde ich nicht geboren. Ich lebe nur hier.»

«Und wo wurden Sie geboren?»

«Nicht sehr weit von hier, aber in einer anderen Provinz. In einem Haus im Wald …, wo die Bäume so dicht am Wohnzimmer wachsen, daß ihr grüner Schatten im Sommer alles wie in ein Aquarium taucht.»

«Auch in meiner Heimat gibt es Wälder», sagte der Offizier. «Große, sehr große Wälder. Man jagt den ganzen Tag. Ein Aquarium, ja, Sie haben recht», setzte er nach kurzem Nachdenken hinzu. «Alle Spiegel des Salons sind grün und dunkel, und trübe wie das Wasser. Es gibt auch Teiche, wo wir Wildenten jagen.»

«Werden Sie bald Urlaub bekommen, um nach Hause zu fahren?» fragte Lucile.

Ein Freudenschimmer erleuchtete das Gesicht des Offiziers.

«Madame, ich fahre in zehn, Montag in acht Tagen. Seit Beginn des Kriegs habe ich nur einen kurzen Weihnachtsurlaub gehabt, nicht einmal eine Woche. Ach, Madame, wie sehnlich wir auf diese Urlaube warten! Wie wir die Tage zählen. Wie wir hoffen! Und dann kommen wir an und sehen, daß wir nicht mehr dieselbe Sprache sprechen.»

«Manchmal», murmelte Lucile.

«Immer.»

«Leben Ihre Eltern noch?»

«Ja. Meine Mutter sitzt in diesem Augenblick wohl wie Sie mit einem Buch und einer Handarbeit im Garten.»

«Und Ihre Frau?»

«Meine Frau wartet auf mich», sagte er, «oder vielmehr sie wartet auf jemanden, der vor vier Jahren zum ersten Mal fortgegangen ist und der nie zurückkehren wird … als derselbe. Die Abwesenheit ist ein höchst merkwürdiges Phänomen!»

«Ja», seufzte Lucile.

Und sie dachte an Gaston Angellier. Aber es gibt diejenigen Frauen, die auf denselben Mann warten, und diejenigen, die auf einen anderen Mann warten als den, der fortgegangen ist, sagte sie sich, und beide sind enttäuscht. Sie zwang sich, an ihren Mann zu denken, der seit einem Jahr von ihr getrennt war, sich vorzustellen, wie er jetzt vermutlich geworden war, leidend, von Sehnsucht verzehrt (aber vermißte er seine Frau oder die Modistin aus Dijon?). Sie war ungerecht; bestimmt empfand er schmerzlich die Demütigung der Niederlage, den Verlust so vieler Dinge ... Plötzlich war ihr der Anblick des Deutschen (nein!, nicht des Deutschen selbst, aber seiner Uniform, der besonderen mandelgrünen, ins Grau spielenden Farbe seines Dolman, seiner glänzenden hohen Stiefel) unangenehm. Sie schob eine Hausarbeit vor und ging hinein. Von ihrem Zimmer aus sah sie ihn auf und ab gehen in der schmalen Allee zwischen den großen Birnbäumen, die ihre blütenschweren Zweige ausbreiteten. Welch milder Tag ... Nach und nach nahm das Licht ab, und die Zweige des Kirschbaums wurden bläulich und leicht wie Puderquasten. Der Hund lief brav neben dem Offizier her und legte zuweilen die Spitze seiner Schnauze auf die Hand des jungen Mannes; sanft kraulte ihn dieser mehrere Male. Er war barhaupt: Sein metallisch blondes Haar glänzte in der Sonne. Lucile sah, daß er das Haus betrachtete.

‹Er ist intelligent und gut erzogen›, dachte sie. ‹Aber ich bin froh, daß er bald abreist; meine arme Schwiegermutter leidet darunter, ihn im Zimmer ihres Sohnes einquartiert zu sehen. Leidenschaftliche Menschen sind einfach›, sagte sie sich noch, ‹sie haßt ihn, und damit ist alles gesagt. Glücklich, wer ungeheuchelt, unumwunden, vorbehaltlos lieben und hassen kann. Ich dagegen verkrieche mich an diesem schönen Tag in mein Zimmer, weil es diesem Herrn gefällt spazierenzugehen. Es ist zu dumm.›

Sie schloß das Fenster, warf sich auf ihr Bett und setzte die begonnene Lektüre fort. Sie hielt bis zum Abendessen durch, schlief jedoch halb ein über ihrem Buch, so sehr hatten die Hitze und der Glanz des Tages sie ermüdet. Als sie das Eßzimmer betrat, saß ihre Schwiegermutter bereits an ihrem gewohnten Platz, dem leeren Stuhl gegenüber, auf dem Gaston früher saß. Sie war so blaß, so steif, hatte so verweinte Augen, daß Lucile erschrocken fragte:

«Was ist passiert?»

«Ich frage mich ...», antwortete Madame Angellier, wobei sie ihre Hände so heftig aneinanderpreßte, daß Lucile ihre Fingernägel weiß werden sah. «Ich frage mich, warum Sie Gaston geheiratet haben.»

Das Unveränderlichste an einem Menschen ist die Art, wie er seinem Zorn Ausdruck verleiht; die Art von Madame Angellier war gewöhnlich unheimlich und scharf wie das Zischen der Schlange. Aber noch nie hatte Lucile einen so jähen, so harschen Angriff erlebt; sie war darüber weniger empört als bekümmert; mit einem Mal verstand sie, wie sehr ihre Schwiegermutter leiden mußte. Sie erinnerte sich an die stets wehklagende, scheinheilige, einschmeichelnde schwarze Katze, die schnurrend tückische Krallenhiebe austeilte. Ein einziges Mal war sie der Köchin in die Augen gesprungen, so daß sie fast erblindet wäre; es war am Tag, an dem man alle ihre Jungen ersäuft hatte, und dann war sie verschwunden.

«Was habe ich getan?» fragte Lucile leise.

«Wie konnten Sie hier in seinem Haus, unter seinen Fenstern, wo er nicht da ist, in Gefangenschaft, vielleicht krank, von diesen Bestien mißhandelt wird, wie konnten Sie da einen Deutschen anlächeln, mit einem Deutschen plaudern? Es ist unfaßbar!»

«Er hat mich um die Erlaubnis gebeten, im Garten Erdbeeren zu pflücken. Ich konnte es ihm nicht abschlagen. Sie vergessen, daß er zur Zeit der Herr ist, leider ... Noch merkt man ihm seine gute Erziehung an, aber er könnte sich auch nehmen, was ihm gefällt, überall eintreten, wo er will, und uns sogar vor die Tür setzen. Er zieht weiße Handschuhe an, um seine Rechte als Eroberer wahrzunehmen. Ich kann es ihm nicht verübeln. Ich finde, daß er recht hat. Hier ist kein Schlachtfeld. In unserm Innern mögen wir fühlen, was immer wir wollen, aber warum sollten wir zumindest äußerlich nicht höflich und freundlich sein? Diese Situation hat etwas Unmenschliches. Warum es noch übertreiben? Das ist nicht … das ist nicht vernünftig, Mutter», rief Lucile mit einer Heftigkeit, die sie selber überraschte.

«Vernünftig!» rief Madame Angellier. «Armes Mädchen, schon dieses Wort beweist, daß Sie Ihren Mann nicht lieben, daß Sie ihn nie geliebt haben und daß Sie ihn nicht vermissen! Meinen Sie, daß ich vernünftig denken soll? Ich kann diesen Offizier nicht ausstehen! Am liebsten würde ich ihm die Augen auskratzen! Ich wollte, er wäre tot. Das ist weder gerecht noch menschlich, noch christlich, aber ich bin eine Mutter, ich leide ohne meinen Sohn, ich verabscheue diejenigen, die ihn mir genommen haben, und wenn Sie eine richtige Frau wären, dann hätten Sie diesen Deutschen nicht in Ihrer Nähe ertragen können. Sie hätten keine Angst gehabt, vulgär, schlecht erzogen oder lächerlich zu erscheinen. Sie wären aufgestanden und hätten ihn stehen lassen, ob mit oder ohne Entschuldigung. Mein Gott! Diese Uniform, diese Stiefel, diese blonden Haare, diese Stimme und diese gesunde, glückliche Miene, während mein armer Sohn …»

Sie unterbrach sich und begann zu weinen.

«Aber, Mutter …»

Doch Madame Angellier wurde immer wütender.

«Ich frage mich, warum Sie ihn geheiratet haben!» schrie sie abermals. «Wegen des Geldes, wegen der Besitzungen wahrscheinlich, aber dann …»

«Das ist nicht wahr! Sie wissen genau, daß das nicht wahr ist! Ich habe geheiratet, weil ich eine kleine Gans war, weil Papa mir gesagt hat: ‹Er ist ein braver Junge. Er wird dich glücklich machen.› Ich konnte mir nicht vorstellen, daß er mich schon am Tag nach unserer Hochzeit mit einer Modistin aus Dijon betrügen würde!»

«Was soll das denn heißen? ... Was ist das für eine Geschichte?»

«Es ist die Geschichte meiner Ehe», sagte Lucile bitter. «In diesem Augenblick lebt in Dijon eine Frau, die für Gaston einen Pullover strickt, die Süßigkeiten für ihn herstellt, die ihm Päckchen schickt und ihm wahrscheinlich schreibt: ‹Die Zeit wird mir heute nacht recht lang, so ganz allein in unserer großen Heia, mein armer Wolf.›»

«Eine Frau, die ihn liebt», murmelte Madame Angellier, und ihre Lippen nahmen die Färbung einer welken Hortensie an, wurden dünn und scharf wie ein Faden.

‹In diesem Moment›, sagte sich Lucile, ‹würde sie mich wohl gern davonjagen und die Modistin an meinen Platz setzen›, und mit der Heimtücke, die auch die beste aller Frauen nie im Stich läßt, flüsterte sie:

«O ja, sie ist ihm teuer ... sehr teuer ... Sie brauchen sich bloß die Abschnitte seines Scheckhefts anzusehen. Ich habe sie in seinem Schreibtisch gefunden, als er fortgegangen ist.»

«Sie kostet ihn Geld?» rief Madame Angellier entsetzt.

«Ja. Mir ist das völlig egal.»

Es trat ein langes Schweigen ein. Man hörte die vertrauten Geräusche des Abends: das Radio des Nachbarn, das eine Reihe monotoner Töne von sich gab, klagend und schrill wie arabische Musik oder wie das Zirpen der Zikaden: Es war der durch feindliche Wellen gestörte BBC aus London; irgendwo in der Nacht das geheimnisvolle Murmeln einer Quelle; das beharrliche, durstige «Tio» der Kröte, die um Regen flehte. Im Eßzimmer erhellte die alte kupferne Hängelampe, von vielen Generationen so oft gescheuert und poliert, daß sie ihren rotgoldenen Glanz verloren und eine helle Farbe so bleich wie der Mond angenommen hatte, den Tisch und die beiden Frauen. Lucile empfand Traurigkeit und Reue.

‹Was ist nur in mich gefahren?› dachte sie. ‹Ich hätte mir ihre Vorwürfe anhören und schweigen sollen. Jetzt wird sie sich noch mehr quälen. Sie wird ihren Sohn entschuldigen, uns versöhnen wollen ... Großer Gott, was für ein Ärger!»

Die Mahlzeit ging zu Ende, ohne daß Madame Angellier den Mund auftat. Nach dem Essen setzten sie sich in den Salon, wo die Köchin den Besuch der Vicomtesse de Montmort ankündigte. Natürlich verkehrte diese Dame nicht mit den Bürgerlichen des Dorfs; sie lud sie ebensowenig zu sich ein wie ihre Pächter, doch wenn sie etwas brauchte, kam sie ins Haus und bat darum, mit einer Schlichtheit, einer Natürlichkeit, einer naiven Unverschämtheit, die bewiesen, daß sie wirklich «hochgeboren» war. Sie kam als Nachbarin, wie eine Zofe gekleidet, auf dem Kopf ein rotes Filzhütchen mit einer Fasanenfeder, das schon bessere Tage gesehen hatte; die Bürgerlichen waren nicht der Ansicht, daß sie durch diese Schlichtheit die tiefe Verachtung, die sie für sie empfand, stärker betonte, als Hochmut oder Förmlichkeit es getan hätten: Für sie brauchte man sich ebensowenig herauszuputzen, wie unterwegs in einem Bauernhof um ein Glas Milch zu bitten. Entwaffnet sagten sich die Bürgerlichen: «Sie ist nicht hochnäsig», was sie im übrigen nicht davon abhielt, sie mit ungeheurem Dünkel zu empfangen, der ebenso unbewußt war wie die angebliche Schlichtheit der Vicomtesse.

Madame de Montmort betrat das Wohnzimmer der Angelliers mit großen Schritten. Sie grüßte sie herzlich; sie entschuldigte sich nicht, zu so später Stunde zu kommen. Sie nahm Luciles Buch in die Hand und las laut den Titel: *Connaissance de l'Est* von Claudel.

«Sehr gut», sagte sie mit einem aufmunternden Lächeln zu ihr, so wie sie ein kleines Mädchen der Privatschule dazu beglückwünscht hätte, freiwillig die Geschichte Frankreichs zu lesen. «Sie lieben die ernste Lektüre, das ist sehr gut.»

Sie bückte sich, um das Wollknäuel der alten Madame Angellier aufzuheben, das diese hatte herunterfallen lassen.

Wie Sie sehen, schien die Vicomtesse zu sagen, bin ich dazu erzogen worden, alte Menschen zu achten; ihre Herkunft, ihre Bildung, ihr Vermögen zählen für mich nicht; ich sehe nur ihr weißes Haar.

Unterdessen wies Madame Angellier mit einem kühlen Kopfnicken und kaum die Lippen bewegend der Vicomtesse einen Stuhl, und alles in ihr schrie leise, wenn man so sagen darf: ‹Wenn Sie glauben, daß ich mich über Ihren Besuch geschmeichelt zeigen werde, dann täuschen Sie sich. Mag sein, daß mein Ururgroßvater Pächter der Vicomtes de Montmort gewesen ist, aber das ist lange her und niemand weiß es, während jedermann weiß, wieviel Hektar Ihr verstorbener Schwiegervater, der Geld brauchte, meinem verblichenen Mann abgetreten hat. Außerdem hat Ihr Gatte dafür gesorgt, aus dem Krieg zurückzukommen, während mein Sohn in Gefangenschaft ist. In mir müssen Sie die Schmerzensmutter achten.› Auf die Fragen der Vicomtesse antwortete sie mit schwacher Stimme, sie sei bei guter Gesundheit und habe letzthin Nachricht von ihrem Sohn erhalten.

«Haben Sie keine Hoffnung?» erkundigte sich die Vicomtesse und meinte «Hoffnung, daß er bald zurückkommt».

Madame Angellier schüttelte den Kopf und hob die Augen zum Himmel.

«Wie traurig!» sagte die Vicomtesse. «Wir sind schwer geprüft», setzte sie hinzu.

Sie sagte «wir» wegen des Schamgefühls, das uns veranlaßt, gegenüber einem Unglücklichen Leiden vorzutäuschen, die den seinen ähneln (aber der Egoismus entstellt unsere besten Absichten auf so naive Weise, daß wir in aller Unschuld zu einem Schwindsüchtigen im letzten Stadium sagen: «Sie tun mir leid, ich weiß, wie das ist, ich habe einen Schnupfen, den ich seit drei Wochen nicht loswerde»).

«Sehr schwer geprüft, Madame», murmelte Madame Angellier frostig und melancholisch. «Wir haben Gesellschaft, wie Sie wissen», setzte sie mit bitterem Lächeln hinzu und deutete auf das Nebenzimmer. «Einen dieser Herren … Sie beherbergen doch sicher auch welche?» sagte sie, obwohl ihr zu Ohren gekommen war, daß das Schloß dank den persönlichen Beziehungen des Vicomte frei von Deutschen war.

Die Vicomtesse antwortete nicht auf diese Frage, sondern sagte in entrüstetem Ton:

«Sie ahnen ja nicht, was zu fordern sie sich erdreistet haben! Den Zugang zum See, zum Angeln und Schwimmen. Ich, die ich meine besten Stunden auf dem Wasser verbrachte, kann mir das den ganzen Sommer lang wohl aus dem Kopf schlagen.»

«Sie verbieten Ihnen, dorthin zu gehen? Wirklich ein starkes Stück», rief Madame Angellier aus, ein wenig getröstet durch die Demütigung, die der Vicomtesse zugefügt worden war.

«Nein, nein», versicherte diese, «im Gegenteil, sie waren überaus korrekt: ‹Sagen Sie uns, zu welchen Zeiten wir kommen können, damit wir Sie nicht stören›, haben sie zu mir gesagt. Aber können Sie sich vorstellen, daß ich einem dieser Herren in sommerlichem Aufzug gegenüberstehe? Wissen Sie, daß sie sich sogar zum Essen halb nackt ausziehen? Sie belegen die Privatschule mit Beschlag und nehmen ihre Mahlzeiten im Hof ein, mit nacktem Oberkörper und nackten Beinen, nur mit einer Art Schlüpfer bekleidet! Wir müssen die Fensterläden im Klassenzimmer der Großen, das direkt auf diesen Hof geht, geschlossen halten, damit die Kinder nicht sehen ... was sie nicht sehen dürfen. Sie können sich denken, wie angenehm das bei dieser Hitze ist!»

Sie seufzte: Ihre Lage war sehr schwierig. Zu Beginn des Kriegs hatte sie sich als glühende Patriotin und Deutschenfeindin gezeigt, nicht, daß sie die Deutschen mehr als andere Ausländer verabscheute (sie bezog alle in dasselbe Gefühl der Abneigung, des Argwohns und der Verachtung ein), aber im Patriotismus und in der Deutschfeindlichkeit, wie im übrigen auch im Antisemitismus und später in der Verehrung für Marschall Pétain, lag etwas Theatralisches, das sie erregte. 1939 hatte sie in der Privatschule vor einer Versammlung, die aus den Nonnen des Hospitals, den Damen des Orts und den reichen Bäuerinnen bestand, eine Reihe von allgemeinverständlichen Vorträgen über die Hitlersche Psychologie gehalten, in denen sie alle Deutschen ausnahmslos als Irre, Sadisten und Verbrecher schilderte. Unmittelbar nach dem Debakel war sie bei ihrer Haltung geblieben, denn um so schnell umzuschwenken, fehlte es ihr an Flexibilität und geistiger Beweglichkeit. Damals hatte sie die berühmten Vorhersagen der heiligen Odile, die die Vernichtung der Deutschen für Ende 1941 prophezeite, in mehreren Dutzend Exemplaren eigenhändig auf der Maschine abgetippt und auf dem Land verteilt. Aber die Zeit war verstrichen, das Jahr war zu Ende gegangen, und die Deutschen waren immer noch da. Zudem war der Vicomte, da zum Bürgermeister seines Dorfs ernannt, eine Amtsperson geworden und gezwungen, sich den Ansichten der Regierung anzuschließen: Und diese neigte täglich mehr der sogenannten Politik der Kollaboration zu. Deshalb sah sich Madame de Montmort jeden Tag genötigt, ihre Zunge im Zaum zu halten, wenn sie von den Ereignissen sprach. Auch diesmal erinnerte sie sich daran, daß sie dem Sieger gegenüber keine bösen Gefühle an den Tag legen durfte, und so sagte sie duldsam (und befiehlt nicht Jesus, seine Feinde zu lieben?):

«Im übrigen verstehe ich, daß sie nach ihren anstrengenden Manövern leichte Kleidung anlegen. Schließlich sind es Menschen wie andere auch.»

Aber Madame Angellier weigerte sich, ihr auf dieses Gebiet zu folgen.

«Es sind schlechte Menschen, die uns verabscheuen. Sie haben gesagt, sie wären erst glücklich, wenn sie die Franzosen Gras fressen sähen.»

«Das ist abscheulich», sagte die Vicomtesse aufrichtig empört.

Und da es die Kollaborationspolitik schließlich erst wenige Monate gab, während die Deutschfeindlichkeit fast ein Jahrhundert alt war, verfiel Madame de Montmort instinktiv in die Sprache von einst.

«Unser armes Land ... ausgeplündert, unterdrückt, verloren ... Und welche Tragödien! Sehen Sie sich die Familie des Schmieds an: drei Söhne, einer gefallen, der andere in Gefangenschaft, der dritte in Mers el-Kebir vermißt ... Bei den Bérards ist die arme Frau, seit ihr Mann in Gefangenschaft ist, vor Erschöpfung und Kummer verrückt geworden. Nur der Großvater und ein dreizehnjähriges Mädchen sind noch da, um den Hof zu bewirtschaften. Bei den Cléments ist die Mutter vor lauter Arbeit umgekommen; die vier Kleinen wurden von Nachbarn aufgenommen. Unzählige Tragödien ... Armes Frankreich!»

Madame Angellier, die mit zusammengekniffenen bleichen Lippen strickte, stimmte ihr mit einem Kopfnicken zu. Doch bald sprachen sie und die Vicomtesse nicht mehr vom Elend der anderen, sondern unterhielten sich über ihre eigenen Widrigkeiten. Sie taten es in lebhaftem, leidenschaftlichem Ton, der im krassen Gegensatz stand zu der langsamen, emphatischen, förmlichen Sprechweise, deren sie sich bedient hatten, um an die Mißgeschicke ihrer Nächsten zu erinnern. So rezitiert ein Schüler ernst, ehrfürchtig und gelangweilt die Episode vom Tod Hippolytes, der ihn in keiner Weise berührt, während seine Stimme wie durch ein Wunder Überzeugungskraft und Wärme wiederfindet, wenn er sich unterbricht, um sich beim Lehrer darüber zu beschweren, daß ihm seine Murmeln geklaut worden sind.

«Es ist schändlich, schändlich», sagte Madame Angellier, «ich zahle für das Pfund Butter 27 Francs. Alles fließt in den Schwarzmarkt. Einverstanden, die Städte müssen leben, aber ...»

«Ach, wem sagen Sie das! Ich frage mich, zu welchem Preis die Lebensmittel wohl in Paris verkauft werden ... Für Leute, die Geld haben, ist das nicht schlimm, aber schließlich gibt es die Armen», sagte die Vicomtesse tugendhaft, und sie genoß das Vergnügen, gut zu sein, zu zeigen, daß sie die Elenden nicht vergaß, ein Vergnügen, das mit dem Gefühl gewürzt war, daß sie selber dank ihrem großen Vermögen niemals in die Lage kommen würde, beklagt zu werden.

«Wir denken nicht genug an die Armen», sagte sie.

Aber das alles war lediglich Geplänkel. Es war Zeit, zum Zweck ihres Besuchs zu kommen: Sie wollte sich Körner für ihr Federvieh beschaffen. Sie besaß einen in der Gegend berühmten Hühnerhof, und 1941 mußte der gesamte Weizen abgeliefert werden. Im Prinzip war es verboten, die Hühner damit zu füttern, aber «Verbot» hieß nicht «Unmöglichkeit, es zu umgehen», sondern nur «Schwierigkeit, es zu tun»; eine Frage des Takts, des Glücks und des Geldes. Die Vicomtesse hatte einen kleinen Artikel geschrieben, der von der lokalen Zeitung angenommen worden war, einem regierungsfreundlichen Blatt, an dem auch der Herr Pfarrer mitwirkte. Der Artikel trug die Überschrift: «Alles für den Marschall!» Er begann mit folgenden Worten: «Man muß es sich immer wieder sagen, es unter Strohdächern und in Spinnstuben ständig wiederholen! Ein Franzose, der diesen Namen verdient, wird seinen Hühnern kein einziges Korn mehr überlassen, seinem Schwein keine einzige Kartoffel mehr preisgeben; er wird Hafer und Kleie, Gerste und Raps sparen, doch nachdem er alle diese Reichtümer, diese mit Schweiß getränkten Früchte seiner Arbeit gesammelt hat, wird er sie mit einem Trikolore-Band, dem Symbol seiner Vaterlandsliebe, zu Garben binden und sie dem Ehrwürdigen Greis, der uns die Hoffnung zurückgegeben hat, zu Füßen legen!» Aber von all diesen Hühnerhöfen, in denen der Vicomtesse zufolge kein einziges Getreidekorn mehr bleiben durfte, nahm sie den ihren natürlich aus: Er war ihr ganzer Stolz und Gegenstand ihrer sorgfältigsten Pflege; es gab dort seltene, bei großen landwirtschaftlichen Ausstellungen prämierte Exemplare. Die Vicomtesse besaß die schönsten Landgüter der Gegend, wagte jedoch nicht, sich wegen einer so heiklen Angelegenheit an die Bauern zu wenden: man durfte sich den Proletariern gegenüber keine Blöße geben; sie würden sie jede Komplizenschaft dieser Art teuer zahlen lassen, während es bei Madame Angellier etwas anderes war. Es wäre immer möglich, sich zu arrangieren. Tief aufseufzend sagte Madame Angellier:

«Ich könnte vielleicht … ein oder zwei Sack … Und könnten Sie Ihrerseits, Madame, uns über den Herrn Bürgermeister nicht ein wenig Kohle zukommen lassen? Im Prinzip haben wir zwar keinen Anspruch darauf, aber …»

Lucile ließ sie allein und trat ans Fenster. Die Läden waren noch nicht geschlossen. Der Salon ging auf den Platz. Vor dem Gefallenendenkmal stand im Schatten eine Bank. Alles schien zu schlafen. Es war eine wunderbare Frühlingsnacht voll silbriger Sterne. Im Dunkel sah man die Dächer der Nachbarhäuser schwach leuchten: die Schmiede, in der ein alter Mann um seine drei verschwundenen Söhne trauerte, der kleine Laden des im Krieg gefallenen Schuhmachers, den eine arme Frau und ein sechzehnjähriger Junge nach besten Kräften ersetzten. Wenn man genau hinhorchte, hätte aus jedem dieser niedrigen, dunklen, ruhigen Wohnstätten eine Klage aufsteigen müssen, dachte Lucile. Aber … was hörte sie? Aus der Finsternis erhob sich ein Lachen, ein Rascheln von Röcken. Dann fragte eine Männerstimme, die Stimme eines Fremden:

«Wie das auf Französisch? Baiser? Oui? Oh, ça bon …»

Weiter entfernt irrten Schatten umher; undeutlich sah man das Weiß eines Mieders, eine Schleife in gelöstem Haar, das Schimmern eines Stiefels und einer Koppel. Der Wachtposten ging noch immer auf und ab vor dem «Lokal», dem man sich bei Todesstrafe nicht nähern durfte, aber seine Kameraden genossen ihre Freizeit und die schöne Nacht. Zwei Soldaten sangen in einer Gruppe junger Mädchen:

> *Trink mal noch ein Tröpfchen!*
> *Oh, Susanna …*

und die jungen Mädchen trällerten dann leise.

In einem Moment, als Madame Angellier und die Vicomtesse gerade schwiegen, vernahmen sie die letzten Töne des Lieds.

«Wer mag um diese Zeit wohl singen?»

«Frauen mit deutschen Soldaten.»

«Wie schauderhaft!» rief die Vicomtesse voller Entsetzen und

Ekel aus. «Ich möchte gern wissen, wer die Schamlosen sind. Ich werde den Herrn Pfarrer auf sie aufmerksam machen.»

Sie beugte sich vor und spähte gierig in die Nacht.

«Man sieht sie nicht. Am hellichten Tag würden sie es nicht wagen ... Ach, das ist schlimmer als alles andere! Jetzt verderben sie auch noch die Französinnen! Stellen Sie sich doch vor, ihre Brüder, ihre Männer sind in Gefangenschaft, und sie treiben es mit den Deutschen! Was haben einige Frauen bloß im Leib?» rief die Vicomtesse, deren Empörung viele Ursachen hatte: verletzte Vaterlandsliebe, Anstandsgefühl, Zweifel am Nutzen ihrer sozialen Rolle (sie hielt alle Samstage Vorträge über «das wahre christliche Mädchen»; sie hatte eine Dorfbibliothek eingerichtet und lud bisweilen die Jugend der Gegend zu sich ein, um ihr lehrreiche und erbauliche Filme wie «Ein Tag in der Abtei von Solesmes» oder «Von der Raupe zum Schmetterling» zu zeigen. Und wozu das alles? Um der Welt einen abscheulichen, würdelosen Anblick der französischen Frau zu bieten?), schließlich ein hitziges Temperament, das bestimmte Bilder aufwühlten, ohne daß sie auf irgendeine Linderung von seiten des Vicomte hoffen durfte, der sich aus Frauen im allgemeinen und aus der seinen im besonderen wenig machte.

«Es ist ein Skandal!» rief sie aus.

«Es ist traurig», sagte Lucile und dachte an alle diese Mädchen, deren Jugend so nutzlos verstrich: Die Männer waren abwesend, in Gefangenschaft oder tot. Der Feind nahm den Platz ein. Es war bedauerlich, aber morgen würde es niemand wissen. Es würde zu jenen Dingen gehören, die der Nachwelt unbekannt sind oder von denen sie sich schamhaft abwendet.

Madame Angellier läutete. Die Köchin kam, um die Läden und die Fenster zu schließen, und alles sank in die Nacht zurück: die Lieder, das Geräusch der Küsse, der sanfte Glanz der Sterne, der Schritt des Eroberers auf dem Pflaster und der Seufzer der durstigen Kröte, die den Himmel vergebens um Regen bat.

10

Der Deutsche war Lucile zwei- oder dreimal im halbdunklen Vestibül begegnet; wenn sie den an einem Hirschgeweih hängenden Gartenhut herabnahm, brachte sie eine Kupferplatte zum Klingen, die direkt unter dem Kleiderhaken die Wand schmückte. Der Deutsche schien in der Stille des Hauses ungeduldig auf dieses leise Geräusch zu warten. Er öffnete die Tür und kam heraus, um Lucile zu helfen: er trug ihren Korb, ihre Baumschere, ihr Buch, ihre Handarbeit, ihren Liegestuhl in den Garten, aber sie sprach nicht mit ihm. Sie begnügte sich damit, ihm mit einem Zeichen des Kopfes und einem gezwungenen Lächeln zu danken; sie meinte den Blick der alten Madame Angellier auf sich zu spüren, die hinter einer Jalousie auf der Lauer lag. Der Deutsche verstand; er ließ sich nicht mehr blicken. Fast jede Nacht zog er mit seinem Regiment ins Manöver; er kehrte erst um vier Uhr nachmittags zurück und schloß sich mit seinem Hund in seinem Zimmer ein. Wenn Lucile abends durch das Dorf ging, sah sie ihn manchmal in einem Café, allein, ein Buch in der Hand, ein Glas Bier vor sich auf dem Tisch. Er vermied es, sie zu grüßen, und wandte sich stirnrunzelnd ab. Sie zählte die Tage. ‹Montag reist er ab›, sagte sie sich. ‹Bei seiner Rückkehr hat das Regiment den Ort vielleicht schon verlassen. Jedenfalls hat er verstanden, daß ich ihn nicht mehr ansprechen werde.›

Jeden Morgen fragte sie die Köchin:

«Ist der Deutsche immer noch da, Marthe?»

«Meine Güte, ja, er scheint nicht bösartig zu sein», sagte die Köchin, «er hat gefragt, ob sich Madame nicht über Obst freuen würde. Er würde ihr sehr gern welches geben. Bei Gott, ihnen fehlt es an nichts! Sie haben Kisten voll Orangen. Das ist sehr erfrischend», setzte sie hinzu, hin und her gerissen zwischen einem

Gefühl des Wohlwollens gegenüber dem Offizier, der ihr Früchte anbot und der immer, wie sie sagte, «sehr nett, sehr liebenswürdig» war («vor dem braucht man keine Angst zu haben»), und einer Regung des Zorns beim Gedanken an diese Früchte, die die Franzosen entbehren mußten.

Dieser letzte Gedanke war vermutlich stärker, denn abschließend sagte sie voller Ekel:

«Trotzdem, was für eine widerliche Rasse! Ich jedenfalls nehme dem Offizier alles ab, was ich nur kann: sein Brot, seinen Zukker, sein Gebäck, das er von zu Hause bekommt (und es ist mit gutem Mehl gebacken, das versichere ich Ihnen, Madame), und seinen Tabak, den ich meinem Gefangenen schicke.»

«Oh, das ist nicht recht, Marthe!»

Aber die alte Köchin zuckte die Achseln.

«Da sie uns alles nehmen, ist es doch das mindeste ...»

Eines Abends, als Lucile aus dem Eßzimmer kam, öffnete Marthe die Küchentür und rief:

«Wenn Madame hereinkommen wollen? Da ist jemand, der Sie sprechen will.»

Lucile trat ein, voller Furcht, von Madame Angellier überrascht zu werden, die weder in diesem Raum noch in der Vorratskammer eine fremde Person zu sehen wünschte. Nicht, daß sie Lucile ernsthaft verdächtigte, die Konfitüre zu stibitzen, obwohl sie ostentativ in ihrer Gegenwart die Schränke inspizierte, sondern eher, weil sie die gereizte Scham eines Künstlers empfand, der in seinem Atelier, oder einer Dame von Welt, die vor ihrem Schminktisch gestört wird: Die Küche war ein heiliger Bereich, der ihr allein gehörte. Marthe war seit siebenundzwanzig Jahren in ihren Diensten. Und seit siebenundzwanzig Jahren verwandte Madame Angellier all ihre Sorgfalt darauf, Marthe niemals vergessen zu lassen, daß sie sich nicht in ihrem eigenen Haus befand, sondern bei anderen, daß sie in jedem Augenblick gezwungen werden konnte, ihre Besen, ihre Töpfe, ihren Herd zu verlassen, so wie sich der Gläubige, den Riten der christlichen

Religion zufolge, unablässig daran erinnern muß, daß die Güter dieser Welt ihm nur vorübergehend gewährt sind und ihm durch eine Laune des Schöpfers von heute auf morgen genommen werden können.

Marthe schloß die Tür hinter Lucile und sagte ihr in beruhigendem Ton:

«Madame ist beim Gebet.»

Die Küche war so weiträumig wie ein Ballsaal, mit zwei großen Fenstern zum Garten. Ein Mann saß am Tisch. Lucile sah einen prachtvollen Hecht, über dessen silbrigen Körper die letzten Zuckungen des Todeskampfs liefen; er lag auf dem Wachstuch zwischen einem großen Weißbrot und einer halb leeren Flasche Wein. Der Mann hob den Kopf: Lucile erkannte Benoît Labarie.

«Wo haben Sie das her, Benoît?»

«Aus dem Teich von Monsieur de Montmort.»

«Sie werden sich noch mal erwischen lassen.»

Der Mann antwortete nicht. Er hob den riesigen Fisch, der schwach atmete und seinen durchsichtigen Schwanz bewegte, an den Kiemen hoch.

«Ist das ein Geschenk?» fragte Marthe, die Köchin, die mit den Labaries verwandt war.

«Wenn Sie wollen.»

«Gib her, Benoît. Weiß Madame, daß die Fleischration noch weiter herabgesetzt wird? Das ist der Tod und das Ende der Welt», setzte sie achselzuckend hinzu und hakte einen großen Schinken ab, der am Gebälk hing. «Benoît, benutze die Gelegenheit, daß Madame nicht da ist, um Madame Gaston zu sagen, was dich herführt.»

«Madame», sagte Benoît mühsam, «bei uns ist ein Deutscher, der um meine Frau herumschleicht. Der Dolmetscher der Kommandantur, ein Bursche von neunzehn Jahren. Ich halte das nicht mehr aus.»

«Aber was kann ich denn tun?»

«Einer seiner Kameraden wohnt hier …»

«Ich spreche nie mit ihm.»

«Sagen Sie das nicht», sagte Benoît und hob die Augen.

Er näherte sich dem Herd und verbog zwischen seinen Fingern mechanisch den Schürhaken und begradigte ihn wieder; er war außergewöhnlich stark.

«Man hat Sie neulich im Garten mit ihm sprechen, lachen und Erdbeeren essen sehen. Ich werfe es Ihnen nicht vor, das ist Ihre Sache, aber ich flehe Sie an. Er soll seinen Kameraden zur Vernunft bringen, dafür sorgen, daß er ein anderes Quartier nimmt.»

‹Was für ein Land!› dachte Lucile unterdessen. ‹Die Leute haben Augen, die durch Mauern dringen.›

Im selben Augenblick brach ein seit mehreren Stunden drohendes Gewitter los, und nach einem einzigen kurzen, feierlichen Donnerschlag hörte man einen kalten raschen Regen niederprasseln. Der Himmel verdunkelte sich; alle Lichter gingen aus, wie es bei starkem Wind fast immer vorkam, und Marthe sagte zufrieden:

«Jetzt sitzt Madame in der Kirche fest.»

Sie nutzte die Gelegenheit, um Benoît eine Schale heißen Kaffee zu bringen. Blitze erhellten die Küche; über die Fensterscheiben rann glänzendes Wasser, das in diesem schwefligen Licht grün wirkte. Die Tür ging auf, und der deutsche Offizier, den das Gewitter aus seinem Zimmer vertrieben hatte, trat ein und bat um zwei Kerzen.

«Oh, Sie sind da, Madame?» fügte er hinzu, als er Lucile erkannte. «Ich bitte um Verzeihung, ich habe Sie in der Dunkelheit nicht gesehen.»

«Es gibt keine Kerzen», sagte Marthe bockig. «Es gibt in Frankreich keine Kerzen mehr, seit Sie hier sind.»

Sie war ungehalten, den Offizier in ihrer Küche zu sehen; in den anderen Räumen ließ es sich ertragen, aber hier, zwischen dem Herd und dem Vorratsschrank, kam es ihr skandalös, fast frevlerisch vor: Er entweihte das Herz des Hauses.

«Dann geben Sie mir wenigstens ein Streichholz», flehte der Offizier mit absichtlich wehleidiger Miene, um die Köchin zu entwaffnen, aber diese schüttelte den Kopf.

«Es gibt auch keine Streichhölzer mehr.»

Lucile begann zu lachen.

«Hören Sie nicht auf sie. Da sehen Sie, dort sind Streichhölzer, hinter Ihnen auf dem Herd. Außerdem ist gerade jemand da, der mit Ihnen sprechen wollte, Monsieur. Er beklagt sich über einen deutschen Soldaten.»

«Ach, wirklich? Ich höre», sagte der Offizier lebhaft. «Wir legen großen Wert darauf, daß sich die Soldaten der Reichswehr den Bewohnern gegenüber völlig korrekt verhalten.»

Benoît schwieg. Marthe ergriff das Wort.

«Er steigt seiner Frau nach», sagte sie in einem Ton, aus dem nicht herauszuhören war, was in ihr vorherrschte: tugendhafte Empörung oder Bedauern, nicht mehr in dem Alter zu sein, wo man solchen Widrigkeiten ausgesetzt ist.

«Mein Junge, Sie machen sich übertriebene Vorstellungen von der Macht der Vorgesetzten in der deutschen Armee; gewiß, ich kann den Burschen bestrafen, wenn er Ihre Frau belästigt, aber wenn er ihr gefällt ...»

«Scherzen Sie nicht!» knurrte Benoît, wobei er einen Schritt auf den Offizier zuging.

«Wie bitte?»

«Scherzen Sie nicht, sage ich. Wir haben sie nicht gebraucht, diese dreckigen ...»

Lucile stieß einen warnenden Angstschrei aus. Marthe stupste Benoît mit dem Ellbogen; sie ahnte, daß er das verbotene Wort «Boche» sagen würde, das die Deutschen mit Gefängnis bestraften. Benoît verstummte unter Mühen.

«Wir haben Sie bei unsern Frauen nicht gebraucht.»

«Aber, mein Freund, eure Frauen, die hättet ihr vorher verteidigen müssen», sagte der Offizier sanft.

Er war puterrot geworden, und sein Gesicht hatte einen hochmütigen, unangenehmen Ausdruck angenommen. Lucile schaltete sich ein.

«Ich bitte Sie», sagte sie leise, «dieser Mann ist eifersüchtig. Er leidet. Treiben Sie ihn nicht zum äußersten.»

«Wie heißt jener Mann?»

«Bonnet.»

«Der Dolmetscher der Kommandantur? Er untersteht mir nicht. Er hat denselben Rang wie ich. Ich kann unmöglich eingreifen.»

«Nicht einmal als Freund?»

Der Offizier zuckte die Achseln.

«Ausgeschlossen. Ich erkläre Ihnen, warum.»

Benoîts Stimme unterbrach ihn, ruhig und barsch.

«Zwecklos zu erklären! Einem Soldaten, einem armen Teufel kann man etwas verbieten. Verboten, wie Sie in Ihrer Sprache sagen. Aber weshalb die Vergnügungen der Herren Offiziere behindern? In allen Armeen der Welt ist es das gleiche.»

«Ich werde ganz bestimmt nicht mit ihm reden, weil ihn das erst recht anstacheln würde und ich Ihnen damit einen schlechten Dienst erwiese», antwortete der Deutsche, kehrte Benoît den Rücken und trat an den Tisch.

«Machen Sie mir einen Kaffee, gute Marthe, ich verlasse das Haus in einer Stunde.»

«Wieder Ihre Manöver? Das ist jetzt schon die dritte Nacht», rief Marthe aus, die ihre Gefühle gegenüber dem Feind nicht ins reine zu bringen vermochte und das eine Mal mit Befriedigung sagte, wenn sie das Regiment bei Tagesanbruch zurückkehren sah: «Wie sie schwitzen, wie müde sie sind … Ah, das freut einen», das andere Mal, wenn sie vergaß, daß es Deutsche waren, und eine Art mütterliches Mitleid in sich verspürte: «Alles, was recht ist, die armen Kerle, das ist doch kein Leben …»

Aus unerfindlichen Gründen überwog an diesem Abend diese vage weibliche Zärtlichkeit.

«Na, ich werde Ihnen trotzdem eine Tasse Kaffee machen.

Setzen Sie sich dorthin. Sie trinken doch sicher auch eine, Madame.»

«Nein ...», begann Lucile.

Unterdessen war Benoît verschwunden; lautlos war er aus dem Fenster gesprungen.

«Oh, ich bitte Sie», murmelte der Deutsche mit leiser Stimme. «Ich werde Sie jetzt nicht mehr lange belästigen: Übermorgen reise ich ab, und es ist die Rede davon, daß bei meiner Rückkehr das Regiment nach Afrika geschickt wird. Wir werden uns nie wiedersehen, und es wäre schön zu wissen, daß Sie mich nicht hassen.»

«Ich hasse Sie nicht, aber ...»

«Ich weiß. Ergründen wir das nicht tiefer. Bitte, leisten Sie mir Gesellschaft ...»

Währenddessen hatte Marthe mit einem gerührten, verschwörerischen, entrüsteten Lächeln, wie wenn man bestraften Kindern heimlich ein Butterbrot zusteckt, den Tisch gedeckt. Auf einem sauberen Tuch standen zwei große Fayence-Schalen mit Blümchenmuster, die heiße Kaffeekanne und eine alte Petroleumlampe, die sie aus einem Schrank geholt, gefüllt und angezündet hatte. Die sanfte gelbe Flamme beleuchtete die Wände voller Kupfergeschirr, das der Offizier neugierig betrachtete.

«Wie nennen Sie das, Madame?»

«Das da ist ein Bettwärmer.»

«Und das?»

«Ein Waffeleisen. Es ist fast hundert Jahre alt. Wir benutzen es nicht mehr.»

Marthe brachte eine riesige Zuckerdose, die mit ihren Bronzefüßen und ihrem gemeißelten Deckel einer Graburne ähnelte, sowie Konfitüre in einem geprägten Glas.

«Übermorgen also», sagte Lucile, «werden Sie um diese Zeit mit Ihrer Frau eine Tasse Kaffee trinken?»

«Ich hoffe es. Ich werde ihr von Ihnen erzählen. Ich werde ihr das Haus beschreiben.»

«Sie kennt Frankreich nicht?»

«Nein, Madame.»

Lucile hätte gern gewußt, ob Frankreich dem Feind gefiel, aber eine Art schamhafter Stolz hielt die Wörter auf ihren Lippen zurück. Sie tranken weiter schweigend ihren Kaffee, ohne sich anzusehen.

Dann erzählte der Deutsche von seiner Heimat, von den großen Alleen Berlins im Winter unter dem Schnee, von der rauhen, scharfen Luft, die über die Ebenen Mitteleuropas bläst, von den tiefen Seen, den Tannenwäldern und den Sandgruben.

Marthe brannte darauf, an der Unterhaltung teilzunehmen.

«Wird dieser Krieg lange dauern?» fragte sie.

«Ich weiß es nicht», sagte der Offizier lächelnd und leicht die Achsel zuckend.

«Aber was denken Sie?» sagte Lucile ihrerseits.

«Madame, ich bin Soldat. Soldaten denken nicht. Man befiehlt mir hinzugehen, und ich gehe hin. Zu kämpfen, und ich kämpfe. Mich töten zu lassen, und ich sterbe. Die Übung des Denkens würde die Schlacht schwieriger machen und den Tod schrecklicher.»

«Aber die Begeisterung …»

«Madame, verzeihen Sie, das ist ein weibliches Wort. Ein Mann tut seine Pflicht auch ohne Begeisterung. Genau daran erkennt man im übrigen einen wahren Mann.»

«Vielleicht.»

Man hörte den Regen im Garten zischeln; die letzten Tropfen fielen langsam von den Fliederbüschen; der Fischteich, der sich mit Wasser füllte, ließ ein träges Murmeln vernehmen. Die Eingangstür ging auf.

«Machen Sie, daß Sie wegkommen, das ist Madame!» hauchte Marthe entsetzt.

Und sie schob den Offizier und Lucile hinaus.

«Gehen Sie durch den Garten! Was wird sie mit mir schimpfen, heilige Muttergottes!»

Hastig goß sie den restlichen Kaffee ins Spülbecken, versteckte die Tassen und löschte die Lampe.

«Macht schnell, sage ich! Gut, daß es dunkel ist!»

Beide fanden sich draußen wieder. Der Offizier lachte. Lucile zitterte ein wenig. Im Dunkeln verborgen sahen sie Madame Angellier durch das Haus gehen, ihr voraus Marthe, die ein Licht trug, dann wurden alle Fensterläden geschlossen und die Eisenstangen befestigt; als er das Quietschen der Angeln, ein Geräusch rostiger Ketten und den schaurigen Ton der großen verriegelten Türen hörte, sagte der Deutsche:

«Wie bei einem Gefängnis. Wie kommen Sie ins Haus, Madame?»

«Durch die kleine Dienstbotentür. Marthe wird sie offengelassen haben. Und Sie?»

«Oh, ich springe über die Mauer.»

In der Tat überwand er sie mit einem behenden Sprung und sagte sanft:

«Gute Nacht. Schlafen Sie wohl.»

«*Gute Nacht*», antwortete sie.

Ihr Akzent brachte den Offizier zum Lachen. Sie lauschte einen Augenblick im Dunkeln diesem sich entfernenden Lachen. Ein Windstoß schüttelte die nassen Fliederzweige über ihrem Haar. Sie fühlte sich leicht und fröhlich; und sie rannte ins Haus.

11

Jeden Monat besichtigte Madame Angellier ihre Landgüter. Sie
wählte einen Sonntag, um «ihre Leute» zu Hause anzutreffen, was
die Pächter erbitterte; eilends versteckten sie, sobald sie auftauchte, den Kaffee, den Zucker und den Schnaps vom Ende des Mit-
tagessens. Denn Madame Angellier gehörte der alten Schule an:
sie betrachtete die Nahrung ihrer Leute als eine Minderung dessen, was ihr selbst hätte zukommen müssen; sie machte allen, die
beim Metzger Fleisch von guter Qualität holten, herbe Vorwürfe.
Sie hatte im Marktflecken ihre Polizei, wie sie sagte, und behielt
keinen Pächter, dessen Frau oder Tochter zu oft Seidenstrümpfe,
Parfums, Puderdosen oder Romane kaufte. Madame de Montmort
regierte ihre Welt nach ähnlichen Grundsätzen, aber da sie Ari-
stokratin war und anders als die gierige, materialistische Bourgeoisie, aus der Madame Angellier stammte, mehr auf die geistigen Werte achtete, sorgte sie sich vor allem um die religiöse Seite
des Problems; sie erkundigte sich, ob alle Kinder getauft waren,
ob man zweimal im Jahr zur Kommunion ging, ob die Frauen die
Messe besuchten (bei den Männern gab sie auf, es ließ sich nur
schwer durchsetzen). Daher wurde von den beiden Familien, die
sich das Land teilten – die Montmorts und die Angelliers –, erstere noch am meisten verabscheut.

Madame Angellier machte sich schon vor Tagesanbruch auf
den Weg. Durch das Gewitter vom Vorabend war das Wetter umgeschlagen: Es regnete in Strömen. Das Auto fuhr zwar nicht
mehr, da es weder eine Fahrerlaubnis noch Benzin gab, aber Madame Angellier hatte aus einem Schuppen eine seit dreißig Jahren dort stehende Art Kalesche hervorholen lassen, die, mit zwei
guten Pferden bespannt, noch eine recht ordentliche Strecke zurücklegen konnte. Das ganze Haus war auf den Beinen, um die

alte Dame abfahren zu sehen. In letzter Minute (und nur widerwillig) vertraute sie Lucile ihre Schlüssel an. Sie öffnete ihren Regenschirm; es goß immer stärker.

«Madame täte besser daran, bis morgen zu warten», sagte die Köchin.

«Schließlich muß jetzt ich mich um alles kümmern, da der Herr des Hauses ein Gefangener dieser Herrschaften ist», antwortete Madame Angellier sarkastisch und mit sehr lauter Stimme, vermutlich um zwei vorbeikommende deutsche Soldaten zu beschämen.

Sie warf ihnen einen Blick zu, wie ihn Chateaubriand erwähnt, als er über seinen Vater sagt, daß «sein funkelnder Augapfel herauszutreten und wie eine Kanonenkugel auf einen zuzufliegen schien».

Aber die Soldaten, die kein Wort Französisch verstanden, hielten diesen Blick wahrscheinlich für eine auf ihren schönen Wuchs, ihre stattliche Erscheinung, ihre perfekte militärische Haltung gemünzte Huldigung, denn sie lächelten mit verschämter Freundlichkeit. Angewidert schloß Madame Angellier die Augen. Der Wagen fuhr los. Ein Windstoß rüttelte an den Türen.

Etwas später am Vormittag begab sich Lucile zur Schneiderin, einer jungen Frau, die sich, so wurde gemunkelt, mit den Deutschen gemein machte. Sie brachte ihr ein Stück leichten Stoff für einen Morgenmantel. Die Schneiderin schüttelte den Kopf:

«Ein Glück für Sie, daß Sie noch solche Seide haben. Wir dagegen haben gar nichts mehr.»

Das sagte sie ohne erkennbaren Neid, vielmehr mit Wertschätzung, als hätte sie der Bourgeoisie nicht etwa ein Vorrecht, sondern eine Art natürliche Pfiffigkeit zugestanden, die es ihr ermöglichte, vor den anderen bedient zu werden, so wie der Bewohner des Flachlands über den Bergbewohner sagt: «Keine Gefahr, daß er den Boden unter den Füßen verliert! Er lebt von Kindesbeinen an in den Alpen.» Wahrscheinlich meinte sie sogar, daß Lucile durch ihre Herkunft, durch eine atavistische Gabe befähigter sei als sie selbst, Gesetze und Vorschriften zu umgehen, denn augenzwinkernd sagte sie mit einem freundlichen Lächeln:

«Sie wissen sich zu helfen, das sieht man. Großartig.»

In diesem Augenblick bemerkte Lucile auf dem Bett das abgeschnallte Koppel eines deutschen Soldaten. Die Augen der beiden Frauen begegneten sich. Die der Schneiderin nahmen einen listigen, wachsamen, unerbittlichen Ausdruck an; sie glich einer Katze, die, wenn man ihr den Vogel, den sie gleich töten wird, aus den Klauen reißen will, die Schnauze hebt und arrogant maunzt, als wollte sie sagen: «Na, so was! Gehört das gute Stück mir oder dir?»

«Wie können Sie nur!» murmelte Lucile.

Die Schneiderin schwankte zwischen mehreren Verhaltensweisen. Ihr Gesicht trug eine unverschämte, verständnislose, lügnerische Miene zur Schau. Doch plötzlich senkte sie den Kopf.

«Na und? Ob Deutscher oder Franzose, Freund oder Feind, zuerst ist er ein Mann, und ich bin eine Frau. Er ist sanft zu mir, zärtlich, aufmerksam … Er ist ein Junge aus der Stadt; er ist gepflegt, nicht wie die Burschen von hier. Er hat eine schöne Haut, weiße Zähne. Wenn er küßt, ist sein Atem frisch, er stinkt nicht nach Alkohol wie die Burschen aus der Gegend. Mir genügt das. Nach etwas anderem suche ich gar nicht. Man macht uns das Leben schon schwer genug mit all den Kriegen und dem ganzen Trara. Zwischen einem Mann und einer Frau spielt das alles keine Rolle. Auch wenn er Engländer wäre oder ein Neger und er mir gefiele, würde ich ihn mir gönnen, wenn ich könnte. Ich widere Sie an? Natürlich, Sie sind reich, Sie haben Freuden, die ich nicht habe …»

«Freuden!» unterbrach Lucile mit unfreiwilliger Bitterkeit, und sie fragte sich, was die Schneiderin an einem Leben wie dem der Angelliers wohl erfreulich finden mochte: wahrscheinlich, ihre Ländereien zu besichtigen und ihr Geld anzulegen.

«Sie sind gebildet. Sie sehen Leute. Uns dagegen bleibt nur Arbeit und Schinderei. Wenn die Liebe nicht wäre, könnte man sich gleich in den Brunnen stürzen. Und wenn ich Liebe sage, dann müssen Sie nicht glauben, daß ich nur an das eine denke. Sehen Sie, dieser Deutsche, neulich war er in Moulins und hat mir eine kleine Tasche aus Krokodil-Imitat gekauft; ein andermal hat er mir Blumen, einen Strauß aus der Stadt mitgebracht, wie für eine Dame. Es ist unsinnig, wenn man bedenkt, daß es auf dem Land nicht an Blumen fehlt, aber es ist eine Gefälligkeit, die Freude macht. Bei mir waren die Männer bisher nur für das eine da. Aber dieser hier, wie soll ich Ihnen sagen, für den würde ich alles tun, ich würde ihm überallhin folgen. Und er, er liebt mich ... Oh, ich habe genug Erfahrung mit Männern, um zu wissen, daß es einen gibt, der nicht lügt. Also werden Sie verstehen, daß es mich kalt läßt, wenn man zur mir sagt: ‹Ein Deutscher, ein Deutscher, er ist ein Deutscher.› Es sind Leute wie wir.»

«Ja, aber wenn gesagt wird: ‹ein Deutscher›, dann weiß zwar jeder, daß er einfach ein Mann ist, weder besser noch schlechter als alle andern, doch worauf damit angespielt wird und was schrecklich ist, ist die Tatsache, daß er Franzosen getötet hat, daß sie unsere Männer gefangenhalten, daß sie uns aushungern   »

«Glauben Sie, daß ich nie daran denke? Manchmal liege ich neben ihm und sage mir: ‹Vielleicht war es ja sein Vater, der deinen umgebracht hat.› Wie Sie wissen, ist Papa im anderen Krieg gefallen ... Ich denke sehr wohl daran, und dann ist es mir im Grunde egal. Auf der einen Seite gibt es ihn und mich; auf der anderen die Leute. Die Leute scheren sich nicht um uns; sie bombardieren uns und lassen uns leiden und töten uns schlimmer als Kaninchen. Nun gut, wir scheren uns nicht um sie. Verstehen Sie, wenn man wirklich für die andern marschieren müßte, dann wären wir schlimmer als Tiere. In der Gegend sagt man, ich sei eine Hündin. Nein! Die Hunde sind diejenigen, die im Rudel laufen und beißen, wenn man ihn befiehlt zu beißen. Ich und Willy ...»

Sie unterbrach sich, seufzte.

«Ich liebe ihn», sagte sie schließlich.

«Aber das Regiment wird abziehen.»

«Ich weiß, Madame, aber nach dem Krieg wird Willy mich zu sich kommen lassen, das hat er mir gesagt.»

«Und Sie glauben ihm?»

«Ja, ich glaube ihm», antwortete sie trotzig.

«Sie sind verrückt», sagte Lucile, «er wird Sie vergessen, sobald er weg ist. Sie haben Brüder in Gefangenschaft, wenn sie zurückkommen … Glauben Sie mir, nehmen Sie sich in acht, was Sie da tun, ist sehr gefährlich. Gefährlich und schlecht.»

«Wenn sie denn zurückkommen …»

Sie sahen einander schweigend an. In diesem geschlossenen, von schweren Bauernmöbeln vollgestellten Raum atmete Lucile einen tiefen, verborgenen Geruch, der sie mit sonderbarem Unbehagen erfüllte.

Als sie ging, begegnete sie auf der Treppe verdreckten Knirpsen, die die Stufen hinunterstürzten.

«Wohin rennt ihr denn so?» fragte Lucile.

«Wir wollen im Perrin-Garten spielen.»

Die Perrins waren eine reiche Familie des Marktfleckens, die im Juni 1940 die Flucht ergriffen hatte und in ihrer übermäßigen Angst alle Türen ihres Hauses sperrangelweit hatte offenstehen lassen, mitsamt dem Tafelsilber in den Schubladen, den Kleidern in den Schränken; die Deutschen hatten es geplündert, und der verlassene, verwüstete, zertrampelte Garten ähnelte einem Dschungel.

«Erlauben das euch die Deutschen?»

Sie antworteten nicht und liefen lachend davon.

Lucile ging im Regen nach Hause. Sie sah den Perrin-Garten: Zwischen den Zweigen huschten trotz des eisigen Regens die kleinen blauen und rosa Kittel der Dorfkinder hin und her. Dann und wann sah sie eine schmutzige, glänzende Wange schimmern, über die der Regen rann und die vor Wasser triefend strahlte wie ein Pfirsich. Kinder rissen die Kirschblüten und den Flieder ab, verfolgten einander auf dem Rasen. Hoch oben auf einer Zeder hockte ein kleiner Junge in roter Hose und pfiff wie eine Amsel.

Sie zerstörten vollends, was noch übrig war von dem einst so gepflegten, so geliebten Garten, wo die Familie Perrin sich nicht mehr in der Abenddämmerung auf eiserne Stühle setzte, die Männer in schwarzer Joppe und die Frauen in langen raschelnden Kleidern, um gemeinsam die Erdbeeren und die Melonen reifen zu sehen. Ein ganz kleiner Junge in rosa Kittel ging am Gitter entlang, wobei er zwischen den Eisenstäben balancierte.

«Du wirst hinfallen, Kleiner», sagte Lucile.

Er starrte sie an, ohne zu antworten. Mit einem Mal beneidete sie diese Kinder, die sich vergnügten, ohne sich um das Wetter, den Krieg, das Unglück zu kümmern. Ihr schien, als wären sie in einem Volk von Sklaven als einzige frei, ‹wahrhaft frei›, sagte sie sich.

Nur ungern kehrte sie in das trübselige, stumme, vom strömenden Regen gepeitschte Haus zurück.

12

Lucile war überrascht, den Briefträger aus ihrem Haus kommen zu sehen: sie erhielt wenig Post. Es lag eine Karte auf ihren Namen auf dem Vorzimmertisch.

Madame, erinnern Sie sich an das alte Ehepaar, das Sie im letzten Juni bei sich beherbergt haben? Wir haben seither oft an Sie gedacht, Madame, an Ihren freundlichen Empfang, an jene Rast in Ihrem Haus im Laufe einer unseligen Reise. Wir würden uns freuen, von Ihnen zu hören. Ist Ihr Mann wohlbehalten aus dem Krieg zurückgekehrt? Wir selbst hatten das große Glück, unseren Sohn wiederzufinden. Mit vorzüglicher Hochachtung.

Jeanne und Maurice Michaud
12, rue de la Source, Paris (XVIᵉ)

Lucile verspürte eine Regung der Freude. Die braven Leute … Sie waren glücklicher als sie … Sie liebten sich, sie hatten gemeinsam allen Gefahren getrotzt … Sie versteckte die Karte in ihrem Sekretär und begab sich ins Eßzimmer. Es war wirklich ein guter Tag trotz dem immer noch prasselnden Regen. Es lag nur ein einziges Gedeck auf; wieder freute sie sich über die Abwesenheit von Madame Angellier: Sie könnte beim Mittagessen lesen. Sie aß sehr schnell, trat dann ans Fenster und sah dem strömenden Regen zu. Das Wetter war innerhalb von achtundvierzig Stunden umgeschlagen und hatte den strahlendsten Frühling in eine Art unbestimmte, grausame, bizarre Jahreszeit verwandelt, in der der letzte Schnee und die ersten Blumen sich mischten und die Apfelbäume in einer einzigen Nacht all ihre Blüten verloren hatten. Die Rosenstöcke waren erfroren und schwarz; der Wind hatte die Blumentöpfe zerbrochen, in denen die Geranien und die Wicken wuchsen. «Alles wird verderben, wir werden kein Obst haben», stöhnte Marthe, als sie den Tisch abräumte. «Ich mache Feuer im Eßzimmer», fügte sie hinzu. «Die Kälte ist ja nicht zum Aushalten. Der Deutsche hat mich gebeten, seinen Kamin anzuzünden, aber er ist nicht gefegt worden und wird rauchen. Pech für ihn. Ich habe es ihm gesagt, aber er will nicht hören, er glaubt, es ist böser Wille, als ob wir ihnen nach allem, was sie uns genommen haben, nicht noch zwei oder drei Holzscheite geben würden … Da, er hustet! Heilige Jungfrau! Was für ein Elend, Boches bedienen zu müssen. Ja, ich gehe ja schon!» sagte sie schlecht gelaunt.

Lucile hörte, wie sie die Tür öffnete und dem Deutschen antwortete, der in gereiztem Ton sprach:

«Wie ich Ihnen gesagt habe! Bei dem Wind drückt ein Kamin, der nicht gefegt worden ist, den Rauch nach innen.»

«Und warum ist er denn nicht gefegt worden, *mein Gott*?» rief der Deutsche außer sich.

«Warum, warum? Ich weiß es nicht. Ich bin nicht die Hausherrin. Glauben Sie etwa, bei Ihrem Krieg können wir machen, was wir wollen?»

«Gute Frau, wenn Sie meinen, ich lasse mich hier wie ein Kaninchen räuchern, dann täuschen Sie sich! Wo sind die Damen? Sie brauchen mich nur im Salon unterzubringen, wenn Sie mir kein bewohnbares Zimmer bieten können. Machen Sie Feuer im Salon.»

«Das geht nicht, Monsieur, ich bedaure», sagte Lucile, die herbeigekommen war. «In unseren Provinzhäusern ist der Salon ein Prunkraum, in dem man sich nicht aufhält. Der Kamin ist falsch, wie Sie selber feststellen können.»

«Was? Dieses Kunstwerk aus weißem Marmor mit gemeißelten Putten, die sich die Finger wärmen?»

«Hat nie dazu gedient, Feuer zu machen», sagte Lucile lächelnd. «Aber ich lade Sie ins Eßzimmer ein, wenn Sie wollen: der Ofen ist angezündet. Ihr Zimmer ist tatsächlich in einem traurigen Zu-

stand», fügte sie hinzu, als sie die daraus hervorquellenden Rauch-
schwaden sah.

«Oh, Madame, ich wäre fast erstickt! Das Soldatenhandwerk
ist entschieden voller Gefahren! Doch um nichts auf der Welt
möchte ich Ihnen zur Last fallen. Unten im Ort gibt es staubige
Billard-Cafés, in denen Wolken von Kreide schweben ... Ihre
Frau Schwiegermutter ...»

«Sie ist den Tag über außer Haus.»

«Oh, dann danke ich Ihnen sehr, Madame. Ich werde Sie nicht
stören. Ich habe dringende Arbeiten zu erledigen», sagte er und
zeigte auf eine Karte und Pläne.

Er nahm an dem abgeräumten Tisch Platz, und Lucile setzte
sich in einen Sessel ans Feuer. Sie streckte die Hände in die Wärme und rieb sie von Zeit zu Zeit zerstreut aneinander. ‹Ich habe
die Bewegungen einer alten Frau›, dachte sie plötzlich voller Traurigkeit, ‹die Bewegungen und das Leben einer alten Frau.›

Sie ließ ihre Hände auf ihre Knie sinken. Als sie den Kopf hob,
sah sie, daß der Offizier seine Landkarten im Stich gelassen hatte;
er stand am Fenster, hob den Vorhang hoch und betrachtete im
grauen Himmel die gekreuzigten Birnbäume.

«Was für ein tristes Land», murmelte er.

«Was macht denn Ihnen das aus?» antwortete Lucile. «Sie verlassen es doch morgen.»

«Nein», sagte er, «ich verlasse es nicht.»

«Ach, ich glaubte ...»

«Alle Urlaube sind verschoben worden.»

«So? Und warum?»

Er zuckte die Achseln.

«Das wissen wir nicht. Einfach verschoben. So ist eben das Soldatenleben.»

Sie hatte Mitleid mit ihm: Er hatte sich so auf diesen Urlaub
gefreut.

«Das ist sehr ärgerlich», sagte sie mitfühlend, «aber aufgeschoben ist nicht aufgehoben ...»

«Für drei Monate, sechs Monate, für immer ... Es betrübt mich vor allem wegen meiner Mutter. Sie ist alt und gebrechlich. Eine weißhaarige kleine alte Dame mit einem Gartenhut, den ein Windhauch wegwehen würde ... Sie erwartet mich für morgen abend und wird nur ein Telegramm bekommen.»

«Sind Sie ein Einzelkind?»

«Ich hatte drei Brüder. Einer ist während des Polenfeldzugs gefallen, ein anderer vor einem Jahr, als wir gerade in Frankreich eingerückt sind. Der dritte ist in Afrika.»

«Das ist sehr traurig, auch für Ihre Frau ...»

«Oh, meine Frau ... Meine Frau wird darüber hinwegkommen. Wir haben sehr jung geheiratet; wir waren fast noch Kinder. Was halten Sie von diesen Ehen, die nach zwei Wochen Bekanntschaft und Ausflugsfahrten auf den Seen geschlossen werden?»

«Darüber weiß ich nichts! In Frankreich kommen Ehen nicht auf diese Weise zustande.»

«Immerhin ist es doch nicht mehr so wie früher, als man nach zwei Begegnungen bei Freunden der Familie heiratete, wie bei eurem Balzac?»

«Vielleicht nicht ganz, aber der Unterschied ist nicht so groß, zumindest nicht in der Provinz ...»

«Meine Mutter riet mir davon ab, Edith zu heiraten. Aber ich war verliebt. *Ach, Liebe* ... Man sollte zusammen groß werden, zusammen altern können ... Aber dann kommen die Trennung, der Krieg, die Prüfungen, und man sieht sich an ein Kind gebunden, das immer noch achtzehn Jahre alt ist, während man selber ...»

Er hob die Arme, ließ sie wieder sinken.

«... manchmal zwölf und manchmal hundert Jahre alt ist.»

«Oh, Sie übertreiben.»

«Nein, ein Soldat bleibt auf der einen Seite immer ein Kind, und auf der andern ist er so alt, so alt. Er hat kein Alter mehr. Er ist Zeitgenosse der ältesten Dinge der Erde, er lebt zur Zeit von

Kains Mord an Abel, zur Zeit der kannibalischen Festgelage, in der Steinzeit ... Doch sprechen wir nicht mehr von diesen Dingen. Jetzt bin ich hier eingesperrt, in diesem Ort, der wie ein Grab ist ... Nein! ... Ein Grab auf einem Dorffriedhof voll von Blumen, Vögeln und lieblichen Schatten, aber dennoch ein Grab ... Wie können Sie das ganze Jahr hier leben?»

«Vor dem Krieg sind wir manchmal ausgegangen ...»

«Aber Sie sind nie gereist, wette ich? Sie kennen weder Italien noch Mitteleuropa ... nicht einmal Paris richtig ... Denken Sie nur, was uns alles fehlt ... Museen, Theater, große Konzerte ... Ach, vor allem vermisse ich die Konzerte. Und hier habe ich nur ein armseliges Instrument, auf dem ich nicht einmal zu spielen wage, weil ich fürchte, Ihre berechtigten französischen Empfindlichkeiten zu verletzen», sagte er voller Groll.

«Aber spielen Sie doch alles, was Sie wollen, Monsieur ... Sehen Sie, Sie sind traurig, und auch ich bin nicht fröhlich! ... Setzen Sie sich ans Klavier und spielen Sie. Wir wollen das schlechte Wetter, die Abwesenheit, all unser Unglück vergessen ...»

«Wirklich? Sie haben nichts dagegen? Ich muß arbeiten», sagte er mit Blick auf seine Landkarten. «Ach was! Sie werden eine Handarbeit oder ein Buch nehmen, sich neben mich setzen und mir zuhören! Ich spiele nur gut, wenn ich Publikum habe. Ich bin ein ... wie sagt man in Frankreich? ‹Cabot› – Schmierenschauspieler? Das ist es.»

«Ja. ‹Cabot›. Kompliment für Ihre Französischkenntnisse ...»

Er setzte sich ans Klavier, der Ofen wärmte, schnurrte leise und verbreitete einen milden Geruch nach Rauch und gerösteten Kastanien. Dicke Regentropfen rannen wie Tränen an den Fensterscheiben herab; das Haus war still und leer, die Köchin bei der Vesper.

‹Ich müßte auch hingehen›, dachte Lucile, ‹aber sei's drum! Es regnet zu stark.› Sie sah zu, wie die mageren weißen Finger über die Tasten liefen. Der mit einem dunkelroten Stein versehene Ring, den er am Finger trug, störte ihn beim Spielen. Er zog ihn ab und reichte ihn ganz mechanisch Lucile; sie nahm ihn und hielt ihn, noch warm von der Berührung mit seiner Haut, einen Augenblick in ihrer Hand. Sie ließ ihn im fahlen grauen Licht schillern, das aus dem Fenster fiel. Durchscheinend sah sie zwei gotische Buchstaben und ein Datum. Sie dachte an ein Liebespfand. Aber nein! … Das Datum war 1775 oder 1795, sie konnte es nicht genau erkennen, wahrscheinlich ein Familienstück; sie legte es behutsam auf den Tisch. Sie sagte sich, daß er vermutlich abends bei seiner Frau so spielte … Wie hieß sie? Edith? Wie gut er spielte! Sie erkannte bestimmte Stücke wieder. Schüchtern fragte sie:

«Bach, nicht wahr? Mozart?»

«Ach, Sie sind Musikerin?»

«Nein, nein! Ich verstehe nichts davon. Vor meiner Heirat habe ich ein bißchen gespielt, aber ich habe alles vergessen! Ich liebe die Musik, Sie haben viel Talent, Monsieur!»

Er sah sie an und sagte ernst, mit einer Traurigkeit, die sie überraschte:

«Ja, ich glaube, ich habe Talent.»

Er entlockte den Tasten eine Reihe leichter, spöttischer Arpeggien. Dann:

«Hören Sie nun dies.»

Leise fügte er hinzu:

«Das hier ist die Zeit des Friedens, und dies das Lachen junger Mädchen, die fröhlichen Klänge des Frühlings, der Anblick der ersten Schwalben, die aus dem Süden zurückkehren … Es ist in einer Stadt in Deutschland, im März, wenn der Schnee langsam zu schmelzen beginnt. Und dies hier das Geräusch des schmelzenden Schnees, dem einer Quelle gleich, wenn er die alten Straßen entlangrinnt. Und jetzt ist der Friede zu Ende … Die Trommeln, die Lastwagen, die Schritte der Soldaten … Hören Sie es? Hören Sie es? Dieses langsame, dumpfe, unerbittliche Stampfen … Ein marschierendes Volk … Der Soldat verliert sich darin. An dieser Stelle muß ein Chor kommen, eine Art religiöser Gesang, der noch nicht beendet ist. Und jetzt, hören Sie, die Schlacht ... die Musik ist ernst, tief, schrecklich.»

«Oh, das ist schön,» sagte Lucile sanft. «Wie schön das ist!»

«Der Soldat stirbt, und im Augenblick seines Todes hört er von neuem den Chor, nicht mehr den der Erde, sondern der himmlischen Heerscharen ... Etwa so, hören Sie ... Das muß lieblich und schallend zugleich sein. Hören Sie die himmlischen Posaunen? Hören Sie die Klänge dieser Instrumente, die die Mauern zum Einsturz bringen? Aber alles entfernt sich, flaut ab, verstummt, entschwindet ... Der Soldat ist tot.»

«Haben Sie das komponiert? Ist das Ihr Werk?»

«Ja! Ich hatte mich der Musik verschrieben. Jetzt ist das vorbei!»

«Warum? Der Krieg wird doch ...»

«Die Musik ist eine anspruchsvolle Geliebte. Man kann sie nicht vier Jahre lang im Stich lassen. Wenn man zu ihr zurückkehrt, ist sie entflohen. Woran denken Sie?» fragte er, als er Luciles unverwandt auf ihn gerichteten Blick sah.

«Ich denke ... daß das Individuum nicht auf diese Art geopfert werden dürfte. Ich spreche für uns alle. Man hat uns alles genommen! Liebe, Familie ... Es ist zuviel!»

«Ach, Madame, das ist das größte Problem unserer Zeit: Individuum oder Gemeinschaft, denn der Krieg ist ja das Gemeinschaftswerk schlechthin, nicht wahr? Wir Deutschen glauben an den Geist der Gemeinschaft, so wie man sagt, bei den Bienen herrsche der Geist des Bienenstocks. Ihm verdanken wir alles: Saft, Glanz, Duft, Liebe ... Aber das sind recht ernste Betrachtungen. Hören Sie, ich werde Ihnen eine Sonate von Scarlatti spielen. Kennen Sie sie?»

«Nein, ich glaube nicht, nein!»

Sie dachte: ‹Individuum oder Gemeinschaft? ... Ach, mein Gott, das ist doch nicht neu, sie haben nichts erfunden. Auch unsere zwei Millionen Tote während des anderen Kriegs sind dem «Geist des Bienenstocks» geopfert worden! Sie sind tot ... und fünfundzwanzig Jahre später ... Was für ein Schwindel! Welche Überheblichkeit! ... Es gibt Gesetze, die das Schicksal der Bienenstöcke und der Völker regeln, das ist alles! Der Geist des Volkes selbst wird vermutlich von Gesetzen gelenkt, die uns entgehen, oder von Launen, die wir nicht kennen. Arme Welt, so schön und so absurd ... Sicher aber ist, daß in fünf, zehn oder zwanzig Jahren dieses Problem, das ihm zufolge das Problem unserer Zeit ist, nicht mehr existieren, durch andere ersetzt sein wird ... Während diese Musik, dieses Geräusch des Regens auf den Fensterscheiben, dieses unheimliche Knacken der Zeder im Garten gegenüber, diese inmitten des Kriegs so friedliche, so sonderbare Stunde, sich nicht verändern wird ... Das ist ewig ...›

Er hörte abrupt zu spielen auf und sah sie an:

«Sie weinen?»

Rasch wischte sie ihre Tränen ab.

«Ich bitte Sie ihm Verzeihung. Die Musik ist indiskret. Vielleicht erinnert Sie die meine an ... einen Abwesenden?»

Gegen ihren Willen murmelte sie.

«Nein, an niemanden Gerade deswegen ... niemand ...»

Sie schwiegen. Er klappte den Klavierdeckel zu.

«Madame, nach dem Krieg werde ich wiederkommen. Erlauben Sie mir wiederzukommen. Alle die Zwistigkeiten zwischen Frankreich und Deutschland werden dann der Vergangenheit angehören ... vergessen sein ... für mindestens fünfzehn Jahre. Eines Abends werde ich an der Tür läuten. Sie werden mir öffnen und mich nicht wiedererkennen, denn ich werde Zivilkleider tragen. Und ich werde sagen: Ich bin doch ... der deutsche Offizier ... erinnern Sie sich? Jetzt herrscht Frieden, das Glück, die Freiheit. Ich entführe Sie. Ja, wir werden zusammen fortgehen. Ich werde Ihnen viele Länder zeigen. Und ich werde natürlich ein berühmter Komponist sein, und Sie werden genauso hübsch sein wie jetzt ...»

«Und Ihre Frau, und mein Mann, was machen wir mit ihnen?» sagte sie und bemühte sich zu lachen.

Er pfiff leise durch die Zähne.

«Wer weiß, wo sie sein werden! Und wir selbst? Aber ich meine es sehr ernst, Madame. Ich werde wiederkommen.»

«Spielen Sie noch etwas», sagte sie nach einem kurzen Schweigen.

«Nein, genug! Zuviel Musik ist gefährlich … Und jetzt seien Sie die Dame von Welt. Laden Sie mich zum Tee ein.»

«In Frankreich gibt es keinen Tee mehr, mein Herr. Ich kann Ihnen nur Wein aus Frontignan und Kekse anbieten. Mögen Sie?»

«O ja! Aber bitte rufen Sie nicht Ihre Hausangestellte. Gestatten Sie, daß ich Ihnen helfe, den Tisch zu decken. Sagen Sie mir, wo die Tischdecken sind. In dieser Schublade? Erlauben Sie mir die Auswahl: Sie wissen doch, daß wir Deutsche keinerlei Taktgefühl haben. Ich möchte das rosafarbene … nein! … das weiße mit den gestickten Blümchen, von Ihnen gestickt?»

«Aber ja!»

«Alles andere überlasse ich Ihnen.»

«Zum Glück», sagte sie lachend. «Wo ist Ihr Hund? Ich sehe ihn gar nicht mehr.»

«Er ist in Urlaub gefahren: er gehört dem ganzen Regiment, allen Kameraden. Einer von ihnen, Bonnet, der Dolmetscher, über den Ihr ungehobelter Freund sich beschwert hat, hat ihn mitgenommen. Sie sind vor drei Tagen nach München gefahren, aber die neuen Anordnungen werden sie zurückbeordern.»

«Da Sie Bonnet erwähnen – haben Sie mit ihm gesprochen?»

«Mein Freund Bonnet ist kein schlichtes Gemüt, Madame. Was für ihn bisher lediglich eine harmlose Zerstreuung war, das kann er, wenn der Ehemann ihn reizt, durchaus mit mehr Leidenschaft betreiben, aus reiner Schadenfreude, verstehen Sie? Er kann sich sogar ernsthaft verlieben, und wenn die junge Frau leichtsinnig ist …»

«Davon kann keine Rede sein», sagte Lucile.

«Liebt Sie denn diesen Grobian?»

«Bestimmt. Übrigens dürfen Sie nicht glauben, bloß weil gewisse Mädchen sich hier von Ihren Soldaten den Hof machen lassen, daß alle so sind. Madeleine Labarie ist eine anständige Frau und eine gute Französin.»

«Ich habe verstanden», sagte der Offizier mit einer Neigung des Kopfes.

Er half Lucile, den Spieltisch ans Fenster zu rücken. Sie stellte Gläser aus altem Kristall mit großen geschliffenen Facetten sowie die Karaffe mit dem Vermeil-Stöpsel und gemusterte kleine Motivteller darauf, die aus dem Ersten Kaiserreich stammten und mit militärischen Szenen bemalt waren: Napoleon an der Spitze der Truppen, in Lichtungen biwakierende goldschimmernde Husaren, eine Parade auf dem Marsfeld. Der Deutsche bewunderte die frischen, naiven Farben.

«Was für schöne Uniformen! Ich hätte gern so einen goldbestickten Dolman wie dieser Husar!»

«Nehmen Sie von diesen Keksen, mein Herr! Sie sind hausgemacht.»

Er hob die Augen und lächelte.

«Madame, haben Sie schon von jenen Zyklonen gehört, die in der Südsee wehen? Wenn ich recht verstanden habe, bilden sie eine Art Kreis, dessen Ränder aus Stürmen bestehen und dessen Mittelpunkt völlig ruhig ist, so daß ein Vogel oder ein Schmetterling, der sich im Herzen des Unwetters befände, nichts davon spüren würde; seine Flügel würden nicht einmal beben, während rings um ihn die ärgsten Verwüstungen toben. Schauen Sie dieses Haus an! Schauen Sie uns an, die wir Wein aus Frontignan trinken und Kekse essen, und denken Sie an das, was in der Welt geschieht!»

«Ich denke lieber nicht daran», sagte Lucile traurig.

Dennoch spürte sie in ihrer Seele eine Art noch nie empfundene Wärme. Sogar ihre Bewegungen waren leichter, geschickter als sonst, und ihre Stimme klang in ihren Ohren wie die einer Fremden. Sie war leiser als gewöhnlich, diese Stimme, tiefer und warm; sie erkannte sie nicht wieder. Und köstlicher als alles andere war diese Abgeschiedenheit inmitten des feindseligen Hauses und diese seltsame Sicherheit: Niemand würde kommen; es würde weder Briefe noch Besuche, noch Telefon geben. Sogar die Uhr, die sie heute morgen aufzuziehen vergessen hatte (was würde die alte Madame Angellier sagen – «Natürlich, wenn ich nicht da bin, geht alles drunter und drüber»), sogar die Uhr, deren ernste, melancholische Schläge sie fürchtete, war verstummt. Schließlich hatte das Gewitter ein weiteres Mal das Elektrizitätswerk zerstört; für ein paar Stunden war die Gegend ohne Licht und ohne Radio. Das stumme Radio ... welche Erholung ... Es war unmöglich, der Versuchung nachzugeben. Auf der dunklen Skala würde man nicht mehr Paris, London, Berlin, Boston suchen. Man würde nicht mehr hören, wie diese verfluchten, unsichtbaren, düsteren Stimmen von gesunkenen Schiffen, verbrannten Flugzeugen, zerstörten Städten sprechen, die Toten aufzählen und die nächsten Massaker ankündigen ... Glückseliges Vergessen ... Nichts bis zum Abend, träge Stunden, eine menschliche Gegenwart, ein leichter, duftender Wein, Musik, lange Momente des Schweigens, das Glück ...

13

Einen Monat später, an einem regnerischen Nachmittag wie jenem, den der Deutsche und Lucile zusammen verbracht hatten, kündigte Marthe einen Besuch für die Damen Angellier an. Diese baten drei verschleierte Personen in langen schwarzen Mänteln und Hüten in den Salon. Ihr Trauerflor, der vom Kopf fast bis auf die Erde fiel, schloß sie in eine Art düsteren, undurchdringlichen Käfig ein. Die Angelliers empfingen nicht oft Besuch; in ihrer Aufregung hatte die Köchin vergessen, den Besucherinnen ihre Schirme abzunehmen, daher behielt jede den ihren in der Hand, halbgeöffnet und ausgebaucht wie ein Kelch, so daß die letzten Regentropfen von ihren Schleiern in ihn herabrannen, so wie die Klageweiber auf den Gräbern der Helden ihre Tränen in steinerne Urnen fließen lassen. Madame Angellier hatte einige Mühe, die drei schwarzen Gestalten zu erkennen. Dann sagte sie überrascht:

«Ah, die Damen Perrin!»

Die Familie Perrin (die Besitzer des von den Deutschen verwüsteten schönen Anwesens) war «die Zierde der Region». Madame Angellier empfand gegenüber den Trägern dieses Namens ein ähnliches Gefühl, wie es die Mitglieder der Königsfamilie einander gegenüber hegen: die ruhige Gewißheit, daß man sich unter Menschen gleichen Bluts mit den gleichen Ansichten befindet, die vorübergehende Meinungsverschiedenheiten zwar trennen können, die jedoch trotz den Kriegen oder den Entgleisungen der Minister durch ein unauflösliches Band vereint bleiben, so daß ein Thron in Spanien nicht gestürzt werden kann, ohne daß nicht auch der von Schweden ins Wanken geriete. Als die Perrins, nachdem sich ein Notar aus Moulins aus dem Staub gemacht hatte, neunhunderttausend Francs verloren hatten, hatten die Angelliers gezittert. Und als Madame Angellier ein Stück Land, das «seit jeher» im Besitz der Montmorts war, für ein Butterbrot erworben hatte, da hatten sich die Perrins gefreut. Diese Klassenzusammengehörigkeit ließ sich in keiner Weise mit jenem gereizten Respekt vergleichen, den die Montmorts den Bürgerlichen einflößten.

Mit herzlicher Ehrerbietung bat Madame Angellier Madame Perrin, die sich leicht von ihrem Sitz erhoben hatte, als sie sie kommen sah, doch bitte sitzenzubleiben. Sie empfand nicht jenen unangenehmen Schauder, der sie überkam, wenn Madame de Montmort ihr Haus betrat. Sie wußte, daß in Madame Perrins Augen all das gut war: der falsche Kamin, der Kellergeruch, die halb geschlossenen Jalousien, die Schonbezüge auf den Möbeln, die olivgrüne Tapete mit den silbernen Palmen. Alles war schicklich; gleich würde sie ihren Besucherinnen eine Karaffe Orangeade und verstaubte Kekse anbieten. Madame Perrin wäre ob dieses knauserigen Imbisses nicht schockiert; sie sähe darin einen weiteren Beweis für den Reichtum der Angelliers, denn je reicher, desto geiziger ist einer. Sie würde darin ihren eigenen Sinn für Sparsamkeit und jenen Hang zur Askese erkennen, der tief in der französischen Bourgeoisie steckt und ihre geheimen, beschämenden Freuden voll belebender Bitternis verrät.

Madame Perrin erzählte vom Heldentod ihres beim deutschen Vormarsch in der Normandie gefallenen Sohnes; sie hatte die Erlaubnis erhalten, sein Grab zu besuchen. Sie klagte ausgiebig über die Kosten dieser Reise, und Madame Angellier pflichtete ihr bei. Die Mutterliebe und das Geld waren zwei völlig verschiedene Dinge. Die Perrins wohnten in Lyon.

«Das Elend in der Stadt ist groß. Ich habe gesehen, wie Raben für fünfzehn Francs das Stück verkauft wurden. Mütter haben ihren Kindern Krähenbouillon vorgesetzt. Glauben Sie nur nicht, ich spreche von Arbeitern! Nein, Madame! Es handelt sich um Leute wie Sie und ich!»

Madame Angellier seufzte schmerzvoll; sie stellte sich Personen aus ihrem Bekanntenkreis, ihrer Familie vor, wie sie sich zum

Abendessen einen Raben teilten. Der Gedanke hatte etwas Groteskes, Schimpfliches (während man, wenn es sich um Arbeiter gehandelt hätte, im Grunde nur «die armen Leute» hätte zu sagen brauchen, um dann von etwas anderem zu reden).

«Wenigstens sind Sie frei! Sie haben keine Deutschen bei sich, während wir einen beherbergen. Einen Offizier! Ja, Madame, in diesem Haus, hinter dieser Wand», sagte sie und deutete auf die olivgrüne Tapete mit den silbernen Palmen.

«Wir wissen es», sagte Madame Perrin ein wenig verlegen. «Wir haben es von der Frau des Notars erfahren, die letztens die Linie passiert hat. Und gerade in dieser Sache suchen wir Sie auch auf.»

Alle Blicke wandten sich unwillkürlich Lucile zu.

«Sprechen Sie, meine Damen», sagte die alte Madame Angellier kalt.

«Dieser Offizier, so hat man mir gesagt, verhält sich absolut korrekt?»

«Das ist richtig.»

«Und man hat ihn sogar mehrfach sehr höflich mit Ihnen sprechen sehen?»

«Er richtet das Wort nicht an mich», sagte Madame Angellier hochmütig. «Das würde ich mir verbitten. Ich gebe zu, daß das kein sehr *vernünftiges* Verhalten ist, wie man mir zu verstehen gab, aber ich bin die Mutter eines Gefangenen, und als solche wird man mich nicht um alles Gold der Welt dazu bringen, einen dieser Herren anders als einen Todfeind zu betrachten. Doch sind einige Personen vielleicht ... wie soll ich sagen? ... anpassungsfähiger, realistischer ... insbesondere meine Schwiegertochter ...»

«In der Tat, ich antworte ihm, wenn er mich anspricht», sagte Lucile.

«Da haben Sie völlig recht, tausendmal recht!» rief Madame Perrin aus. «Meine liebe Kleine, ich setze alle meine Hoffnungen auf Sie. Es geht um unser armes Haus! Es ist ziemlich beschädigt, nicht wahr?»

«Ich habe nur den Garten gesehen … durch das Gitter …»

«Liebes Kind, können Sie uns nicht ein paar Gegenstände aushändigen lassen, die sich darin befinden und an denen uns besonders viel liegt?»

«Ich, Madame, aber …»

«Lehnen Sie nicht ab! Es ginge nur darum, diese Herren aufzusuchen und ein gutes Wort für uns einzulegen. Natürlich ist vielleicht alles zerbrochen oder verbrannt, aber ich kann nicht glauben, daß der Vandalismus so weit getrieben wurde und daß es unmöglich ist, Porträts, Familienbriefe oder Möbel wiederzufinden, die lediglich Erinnerungswert haben …»

«Madame, wenden Sie sich doch selbst an die Deutschen, die das Haus besetzen und …»

«Niemals», sagte Madame Perrin, sich hoch aufrichtend. «Niemals werde ich die Schwelle meines Hauses betreten, solange der Feind sich darin befindet. Es ist eine Frage der Würde und auch der Gesinnung … Sie haben meinen Sohn getötet, einen Sohn, der gerade unter den sechs ersten in die École Polytechnique aufgenommen worden war … Bis morgen werde ich mit meinen Töchtern im Hôtel des Voyageurs wohnen. Wenn Sie es einrichten könnten, bestimmte Gegenstände, deren Liste ich Ihnen geben werde, herauszubekommen, wäre ich Ihnen ewig dankbar. Würde ich einem Deutschen gegenüberstehen, dann wäre ich imstande (ich kenne mich!), die *Marseillaise* zu singen», sagte Madame Perrin mit bebender Stimme, «und mich nach Preußen deportieren zu lassen. Das wäre gewiß keine Schande, im Gegenteil, aber ich habe Töchter! Ich muß meiner Familie erhalten bleiben. Daher bitte ich Sie inständig, liebe Lucile, alles für mich zu tun, was Sie können.»

«Hier ist die Liste», sagte die zweite Tochter von Madame Perrin.

Sie entfaltete sie und las:

«Eine Waschschüssel und ein Wasserkrug aus Porzellan mit unserem Monogramm und einem Schmetterlingsmotiv, ein Salatkorb, das weiß-goldene Teeservice (28 Teile, die Zuckerdose hatte keinen Deckel mehr), zwei Porträts von Großpapa:

1. auf den Knien seiner Amme,

2. auf seinem Totenbett.

Das Hirschgeweih im Vorzimmer, ein Erinnerungsstück meines Onkels Adolphe, der Suppenteller von Großmama (Porzellan und Vermeil), das Ersatzgebiß von Papa, das er im Waschraum vergessen hatte, das Kanapee im Salon, schwarz und rosa. Schließlich in der linken Schublade des Schreibtischs (hier der Schlüssel dazu):

Die erste geschriebene Seite meines Bruders, die Briefe von Papa an Mama während der Kur, die Papa 1924 in Vittel machte (diese Briefe sind mit einem rosa Band verschnürt), alle unsere Porträts.»

Sie las in einer Totenstille. Madame Perrin weinte leise unter ihrem Schleier.

«Es ist hart, sehr hart, wenn einem alle diese Dinge genommen werden, an denen man so hing ... Ich bitte Sie, meine kleine Lucile, scheuen Sie keine Mühe. Seien Sie beredsam, gewandt ...»

Lucile sah ihre Schwiegermutter an.

«Dieser ... dieser Soldat», sagte Madame Angellier, kaum die Lippen öffnend, «ist noch nicht zurückgekommen. Heute abend werden Sie ihn nicht sehen, Lucile, es ist zu spät, aber Sie können sich gleich morgen früh an ihn wenden und ihn um seine Unterstützung bitten.»

«Einverstanden. Ich werde es tun.»

Madame Perrin zog Lucile mit ihren behandschuhten Händen an sich.

«Danke! Vielen Dank, liebes Kind ... Und jetzt werden wir uns zurückziehen.»

«Nicht bevor Sie eine Erfrischung zu sich genommen haben», sagte Madame Angellier.

«O meine Damen, wir machen Ihnen Umstände ...»

«Sie scherzen ...»

Es kam zu einem leisen, höflichen Gemurmel rings um die Karaffe Orangeade und die Kekse, die Marthe gebracht hatte. Ein wenig beruhigt sprachen die Damen über den Krieg. Zwar fürchteten sie den Sieg der Deutschen, wollten aber auch nicht den Sieg der Engländer. Kurzum, sie wünschten, daß alle Welt besiegt werde. Die Schuld an allen ihren Übeln gaben sie der Genußsucht, die sich des Volkes bemächtigt habe. Dann wurde die Unterhaltung wieder persönlich. Madame Perrin und Madame Angellier sprachen von ihren Krankheiten. Madame Perrin ließ sich lang und breit über ihren letzten Rheumatismusanfall aus, Madame Angellier hörte ihr ungeduldig zu, und sobald Madame Perrin innehielt, um Luft zu holen, sagte sie: «Wie bei mir ...», und sprach von ihrem eigenen Rheumatismusanfall.

Die Töchter von Madame Perrin aßen diskret ihre Kekse. Draußen fiel der Regen.

14

Am nächsten Morgen hatte der Regen aufgehört. Die Sonne schien auf eine warme, feuchte, glückliche Erde. Schon zu früher Stunde saß Lucile, die wenig geschlafen hatte, auf einer Gartenbank und wartete darauf, daß der Deutsche vorbeikam. Sobald sie ihn das Haus verlassen sah, ging sie auf ihn zu und trug ihm ihr Anliegen vor. Beide fühlten sich von der alten Madame Angellier und der Köchin belauert, ganz zu schweigen von den Nachbarinnen, die hinter ihren geschlossenen Jalousien das mitten auf einer Allee stehende Paar betrachteten.

«Wenn Sie mich zur Wohnung dieser Damen begleiten wollen», sagte der Deutsche, «werde ich in Ihrer Gegenwart nach all den Gegenständen suchen lassen, die sie verlangen. Doch einige unserer Kameraden sind in dieses von ihren Besitzern verlassene Haus einquartiert worden, und ich glaube, es wurde stark mitgenommen. Sehen wir nach.»

Sie gingen durch den Ort, Seite an Seite, fast ohne miteinander zu sprechen.

Lucile sah an einem Fensterkreuz des Hôtel des Voyageurs den schwarzen Schleier von Madame Perrin wehen. Man betrachtete Lucile und ihren Begleiter mit neugieriger, aber verschwörerischer und vage beifälliger Miene. Vermutlich wußten alle, daß sie dem Feind einen kleinen Teil seiner Beute (in Form eines Gebisses, eines Porzellanservices und anderer Gegenstände von hauswirtschaftlichem oder persönlichem Wert) entreißen wollte. Eine alte Frau, die die deutsche Uniform nicht ohne Entsetzen ansehen konnte, näherte sich Lucile dennoch und sagte leise zu ihr:

«Das ist gut ... Recht so ... Wenigstens Sie haben keine Angst vor ihnen ...»

Der Offizier lächelte.

«Sie halten Sie für Judith, die Holofernes in seinem Zelt entgegentreten wird. Ich hoffe, Sie haben nicht ebenso finstere Absichten wie diese Dame! Da sind wir. Bemühen Sie sich bitte herein, Madame.»

Er stieß das schwere Gittertor auf, und über ihm ertönte ein melancholisches Glöckchen, jenes, das den Perrins früher die Ankunft von Besuchern ankündigte. Innerhalb eines Jahres hatte der Garten ein verwahrlostes Aussehen angenommen, bei dem so manchem an einem weniger schönen Tag als dem heutigen das Herz geblutet hätte. Aber es war ein Maimorgen, der Tag nach einem Gewitter. Das Gras glitzerte, die Alleen waren von Margeriten, Kornblumen, allen möglichen nassen, wilden Blumen überwuchert, die in der Sonne glänzten. Die Sträucher waren kreuz und quer gewachsen, und frische Fliederrispen strichen Lucile, als sie an ihnen vorbeiging, sanft über die Wangen. Das Haus war von etwa einem Dutzend junger Soldaten in Beschlag genommen worden sowie von allen Kindern des Dorfs, die zauberhafte Tage im Vestibül verbrachten (ebenso wie das der Angelliers war es dunkel, mit einem leichten Schimmelgeruch, grünlichen Spiegeln und Jagdtrophäen an den Wänden). Lucile erkannte die beiden kleinen Mädchen des Stellmachers, die auf den Knien eines blonden Soldaten mit breitem lachenden Mund saßen. Der kleine Junge des Tischlers spielte rittlings auf dem Rücken eines anderen Soldaten. Vier Knirpse zwischen zwei und sechs Jahren, uneheliche Kinder der Schneiderin, die auf dem Parkett lagen, flochten Kränze aus Vergißmeinnicht und jenen duftenden kleinen weißen Nelken, die früher so artig die Beete säumten.

Die Soldaten sprangen auf und standen vorschriftsmäßig stramm, mit erhobenem, vorgerecktem Kinn und so angespanntem Körper, daß man ihre Halsadern leicht beben sah.

Der Offizier sagte zu Lucile:

«Haben Sie die Güte, mir Ihre Liste zu überreichen? Wir werden zusammen suchen.»

Er las sie und lächelte.

«Beginnen wir mit dem Kanapee, es muß sich im Salon befinden. Der Salon ist hier, nehme ich an?»

Er öffnete eine Tür und betrat einen sehr großen Raum voller Möbel, die einen umgeworfen, die anderen zerbrochen; Tische waren entlang den Wänden zusammengerückt, einige mit dem Absatz eingetreten. Auf dem Boden lagen Zeitungspapier, Stroh (wahrscheinlich Überreste der Flucht im Juni 1940) und von den Eindringlingen zurückgelassene halb gerauchte Zigarren. Auf einem Sockel stand noch eine ausgestopfte Bulldogge mit einem Kranz verblichener Blumen und zerbrochener Schnauze.

«Was für ein Anblick!» sagte Lucile betrübt.

Trotz allem entbehrte dieser Raum nicht einer gewissen Komik, vor allem nicht die verlegene Miene der Soldaten und des Offiziers. Dieser bemerkte Luciles vorwurfsvollen Blick, und er sagte lebhaft:

«Meine Eltern hatten eine Villa am Rhein; Ihre Soldaten haben sie während des anderen Kriegs besetzt. Sie haben die seltenen, kostbaren Musikinstrumente zerstört, die seit zweihundert Jahren im Besitz der Familie waren, und die Bücher zerrissen, die Goethe gehört hatten.»

Lucile konnte sich ein Lächeln nicht verkneifen; er verteidigte sich in dem schroffen, beleidigten Ton eines kleinen Jungen, den man einer Übeltat bezichtigt und der entrüstet sagt: «Aber Madame, nicht ich habe angefangen, es waren die andern ...»

Sie empfand ein durchaus weibliches Vergnügen, eine Art sinnliche Heiterkeit beim Anblick dieses kindlichen Ausdrucks auf einem Gesicht, das immerhin das Gesicht eines unversöhnlichen Feindes, eines harten Kriegers war. ‹Denn wir müssen uns darüber im klaren sein›, dachte sie, ‹daß wir alle in seiner Hand sind. Wir sind wehrlos. Wenn unser Leben und unser Hab und Gut verschont bleiben, dann nur, weil er es so will.› Fast hatte sie Angst vor den Gefühlen, die in ihr erwachten und die der Empfindung glichen, die sie beim Streicheln eines wilden Tiers gehabt hätte, etwas Herbes und Köstliches, eine Mischung aus Rührung und Schrecken.

Sie wollte dieses Spiel noch länger spielen und runzelte die Stirn.

«Sie sollten sich schämen! Diese leeren Häuser standen unter dem Schutz der deutschen Armee und ihrer Ehre!»

Er hörte ihr zu, wobei er mit einer Reitgerte leicht gegen die Stulpe seines Stiefels schlug. Er wandte sich seinen Soldaten zu und fuhr sie barsch an. Lucile verstand, daß er ihnen befahl, Ordnung im Haus zu schaffen, wieder instand zu setzen, was kaputt war, den Fußboden und die Möbel zu säubern. Wenn er deutsch sprach, vor allem in diesem Befehlston, dann nahm seine Stimme einen klirrenden, metallischen Klang an, der Luciles Ohren ein ähnliches Vergnügen bereitete wie ein etwas derber Kuß, der mit einem Biß endet. Langsam hob sie ihre Hände an ihre glühenden Wangen und sagte zu sich selbst: ‹Hör auf! Wende deine Gedanken von ihm ab, du bist auf einem gefährlichen Weg …›

Sie machte ein paar Schritte zur Tür.

«Ich bleibe nicht hier. Ich gehe nach Hause. Sie haben die Liste und können Ihre Soldaten nach den verlangten Gegenständen suchen lassen.»

Mit einem Sprung war er bei ihr.

«Ich flehe Sie an, gehen Sie nicht im Ärger fort … Alles wird im Rahmen des Möglichen repariert werden, ich gebe Ihnen mein Wort. Hören Sie. Lassen wir sie suchen; sie laden dann alles auf einen Schubkarren und legen es unter Ihrer Aufsicht den Damen Perrin zu Füßen. Ich werde Sie begleiten und um Entschuldigung bitten. Mehr kann ich nicht tun. Kommen Sie unterdessen in den Garten. Wir gehen eine Weile spazieren, und ich werde schöne Blumen für Sie pflücken.»

«Nein! Ich gehe nach Hause!»

«Unmöglich! Sie haben den Damen versprochen, ihnen ihre Sachen zurückzubringen. Sie müssen die Ausführung Ihrer Befehle überwachen», sagte er und nahm sie am Arm.

Sie hatten das Haus verlassen. Sie befanden sich auf einer mit blühendem Flieder gesäumten Allee. Abertausend Bienen, Hummeln und Wespen flogen um sie herum, drangen in die Blüten ein, saugten daran und setzten sich sodann auf Luciles Arme und Haare. Ihr war nicht ganz geheuer; sie lachte nervös.

«Gehen wir von hier weg. Es wird immer gefährlicher.»

«Kommen Sie nach hinten.»

Am Ende des Gartens trafen sie wieder auf die Dorfkinder. Die einen spielten inmitten der zertrampelten Beete, andere waren auf die Birnbäume geklettert und brachen Zweige ab.

«Die kleinen Barbaren», sagte Lucile. «Es wird kein Obst geben.»

«Ja, aber die Blüten sind so schön.»

Er streckte die Arme zu den Kindern aus, die ihm Büschel zarter Blüten zuwarfen.

«Nehmen Sie sie, Madame, in einer Vase auf dem Tisch wird es bezaubernd aussehen.»

«Niemals werde ich es wagen, mit Zweigen von Obstbäumen durch das Dorf zu gehen», protestierte Lucile lachend … «Wartet nur, ihr Schlingel! Der Feldhüter wird euch erwischen!»

«Keine Bange», sagte ein kleines Mädchen in schwarzem Kittel.

Sie biß in ein Stück Brot und kletterte auf einen Baum, den sie mit ihren staubigen kleinen Beinen umschlang.

«Keine Bange … die Bo… die Deutschen werden ihn nicht reinlassen.»

Der Rasen, der zwei Sommer lang nicht gemäht worden war, war mit Butterblumen übersät. Der Offizier setzte sich ins Gras und warf seinen blaßgrünen, ins Grau spielenden, mandelfarbenen großen Umhang auf den Boden. Die Kinder waren ihnen gefolgt. Das kleine Mädchen im schwarzen Kittel pflückte Schlüsselblumen; sie faßte sie zu dicken frischgelben Kugeln zusammen, in die sie ihr Näschen steckte, aber ihre verschmitzten und zugleich unschuldigen schwarzen Augen blieben unverwandt auf die Erwachsenen gerichtet. Sie betrachtete Lucile voller Neugier, aber auch mit einem gewissen kritischen Blick: einem Blick von Frau zu Frau. ‹Sie scheint Angst zu haben›, dachte das kleine Mädchen. ‹Ich frage mich, warum sie Angst hat. Der Offizier ist nicht böse. Ich kenne ihn gut, er gibt mir Geld, und neulich hat er meinen Ball geholt, der in den Zweigen der großen Zeder hängengeblieben war. Wie schön dieser Offizier ist! Schöner als Papa und alle Jungen hier. Die Dame hat ein hübsches Kleid an!›

Leise näherte sie sich und berührte mit ihrem schmutzigen kleinen Finger einen Volant des leichten, schlichten Kleids aus grauem Musselin, das lediglich ein kleiner Kragen sowie Manschetten aus plissiertem Leinen schmückten. Sie zog ziemlich heftig an dem Stoff, und Lucile drehte sich jäh um. Das kleine Mädchen sprang zurück, aber Lucile sah sie mit weit aufgerissenen Augen an, als erkennte sie sie nicht. Das kleine Mädchen sah, daß die Dame sehr blaß war und daß ihr Mund zuckte. Ja wirklich, sie hatte Angst, hier mit dem Deutschen allein zu sein. Als ob er ihr Böses antun wollte! Er sprach sehr nett mit ihr. Aber zum Beispiel hielt er ihre Hand so fest, daß sie nicht daran denken konnte zu entwischen. Das kleine Mädchen sagte sich dunkel, daß alle Jungen, ob klein oder groß, gleich seien! Sie neckten die Mädchen gern und jagten ihnen gern Angst ein. Sie legte sich der Länge nach ins hohe Gras, so daß sie darin verschwand; sie fühlte sich ganz klein und unsichtbar, und die Gräser kitzelten sie am Hals, an den Beinen und den Lidern, es war köstlich!

Der Deutsche und die Dame sprachen mit leiser Stimme. Auch er war jetzt weiß wie ein Handtuch. Hin und wieder hörte sie seine schrille, verhaltene Stimme, als ob er schreien oder weinen wollte und es nicht wagte. Seine Worte hatten für das kleine Mädchen keinerlei Sinn. Undeutlich verstand sie, daß er von seiner Frau und dem Ehemann der Dame sprach. Sie hörte, daß er mehrmals wiederholte: «Wenn Sie wenigstens glücklich wären … Ich weiß, wie Sie leben … Ich weiß, daß Sie allein sind, daß Ihr Mann Sie vernachlässigte … Ich habe mich bei den Leuten hier erkundigt.» Glücklich? Sie war also nicht glücklich, die Dame, die so hübsche Kleider, ein schönes Haus hatte? Jedenfalls lag ihr nichts daran, bedauert zu werden, sie wollte gehen. Sie befahl ihm, sie in Ruhe zu lassen und zu schweigen. Wahrhaftig, sie hatte keine Angst mehr, jetzt war vielmehr er es, der trotz seinen großen Stiefeln und seiner stolzen Miene eingeschüchtert zu sein schien. In diesem Augenblick setzte sich ein Marienkäfer auf die Hand des kleinen Mädchens; sie beobachtete ihn eine ganze Weile; sie hatte Lust, ihn zu töten, aber sie wußte, daß es Unglück bringt, einen Herrgottskäfer zu töten. Sie begnügte sich damit, auf das Tierchen zu blasen, zuerst ganz sachte, um die durchsichtigen zarten Flügel anzuheben, dann mit aller Kraft, so daß es sich wie ein Schiffbrüchiger auf einem Floß in einem tosenden Meer fühlen mußte, aber der Marienkäfer flog davon. «Er ist auf Ihrem Arm, Madame!» schrie das kleine Mädchen. Wieder drehten der Offizier und die Dame den Kopf und betrachteten sie, ohne sie zu sehen. Der Offizier indes machte eine ungeduldige Handbewegung, als verscheuchte er eine Fliege. ‹Ich werde nicht weggehen›, sagte sich das kleine Mädchen trotzig. ‹Was tun sie hier überhaupt? Ein Herr und eine Dame: Sollen sie doch im Salon bleiben!› Mißmutig spitzte sie die Ohren. Was redeten sie da? «Niemals», sagte der Offizier mit leiser, heiserer Stimme, «niemals werde ich Sie vergessen!»

Eine dicke Wolke bedeckte die Hälfte des Himmels; die Blüten, die frischen glänzenden Farben des Rasens, alles erlosch. Die Dame riß ein paar von den kleinen lila Kleeblüten ab und zerrupfte sie.

«Es ist unmöglich», sagte sie, und Tränen zitterten in ihrer Stimme.

Was ist unmöglich? fragte sich das kleine Mädchen.

«Auch ich habe gedacht … ich gebe es zu, ich spreche nicht von … Liebe … aber ich hätte gern einen Freund wie Sie gehabt … Ich hatte nie einen Freund. Ich habe niemanden! Aber es ist unmöglich.»

«Wegen der Leute?» sagte der Offizier voller Verachtung.
Aber sie sah ihn stolz an.

«Die Leute? Wenn ich mich mir selbst gegenüber unschuldig
fühlen würde ... Nein! Zwischen uns kann es nichts geben.»

«Es gibt bereits vieles, was Sie niemals auslöschen können: unser Tag unter dem Regen, das Klavier, jener Morgen, unsere Spaziergänge im Wald ...»

«Ach, ich hätte es nicht tun sollen ...»

«Es ist aber geschehen! Es ist zu spät ... Sie können es nicht
ändern! Alles das war ...»

Das kleine Mädchen legte sein Gesicht auf seine gebeugten
Arme und hörte nur noch ein fernes Murmeln wie das Summen
einer Biene. Diese dicke Wolke, diese sengenden Sonnenstrahlen
kündigten Regen an. Wenn es nun plötzlich zu regnen anfinge,
was würden die Dame und der Offizier dann machen? Es wäre
spaßig, sie unter dem Wolkenbruch rennen zu sehen, sie mit ihrem
Strohhut und er mit seinem schönen grünen Umhang! Aber sie
könnten sich im Garten verstecken. Wenn sie ihr folgen wollten,
würde sie ihnen eine Laube zeigen, wo man vor allen Blicken geschützt ist. ‹Es ist Mittag›, sagte sie sich, als sie das Angelusläu-
ten hörte. ‹Werden sie zum Essen heimgehen? Was diese reichen
Leute wohl essen? Quark wie wir? Brot? Kartoffeln? Bonbons?
Und wenn ich sie um Bonbons bitten würde?› Schon näherte sie
sich ihnen und wollte sie an der Hand ziehen und sie um Bonbons bitten – die kleine Rose war ein keckes Mädchen –, als sie
die beiden aufspringen und zitternd stehen bleiben sah. Ja, dieser
Herr und diese Dame zitterten, wie wenn man auf den Kirschbaum der Schule geklettert ist und dann, den Mund noch voller
Kirschen, die Stimme der Lehrerin hört, die befiehlt: «Rose, du
kleine Diebin, komm sofort da runter!» Aber was sie sahen, war
nicht die Lehrerin, sondern einen strammstehenden Soldaten, der
sehr schnell in einer unverständlichen Sprache redete; die Wörter machten in seinem Mund das Geräusch eines Sturzbaches in
einem Kieselbett.

Der Offizier entfernte sich von der bleichen, aufgelösten Dame.

«Was ist los? Was sagt er?» murmelte sie.

Der Offizier schien ebenso verstört zu sein wie sie, er hörte zu, ohne zu begreifen. Endlich erhellte ein Lächeln sein bleiches Gesicht.

«Er sagt, daß alles wiedergefunden wurde ... aber daß das Gebiß des alten Herrn zerbrochen ist, weil die Kinder damit gespielt haben: sie wollten es der ausgestopften Bulldogge ins Maul stekken.»

Beide – der Offizier und die Dame – schienen sich nach und nach aus einer Art Ritus zu reißen und zur Erde zurückzukehren. Sie senkten ihre Augen auf die kleine Rose und sahen sie diesmal. Der Offizier zog sie am Ohr.

«Was habt ihr getrieben, ihr Rangen?»

Aber seine Stimme war unsicher, und aus dem Lachen der Dame hörte man so etwas wie ein ersticktes Schluchzen heraus. Sie lachte so wie Leute, die große Angst gehabt haben und, obwohl sie lachen, noch nicht vergessen können, daß sie einer tödlichen Gefahr entronnen sind. Die kleine Rose, die sich sehr unwohl fühlte, versuchte vergeblich wegzulaufen. ‹Das Gebiß ... ja ... natürlich ... Wir wollten bloß sehen, ob die Bulldogge mit ganz neuen schönen weißen Zähnen aussehen würde, als ob sie beißt ...› Aber sie fürchtete den Zorn des Offiziers (von nahem sah er sehr groß und erschreckend aus) und sagte lieber weinerlich:

«Wir haben gar nichts getan, nein ... wir haben Ihr Gebiß nicht mal gesehen.»

Im übrigen kamen von überall die Kinder angelaufen. Ihre frischen, durchdringenden Stimmen vermischten sich. Die Dame flehte:

«Nein! Nein! Lassen Sie nur! Es macht nichts! Es ist schon wunderbar, daß man alles andere gefunden hat.»

Eine Stunde später verließen den Garten der Perrins eine Schar Knirpse in besudelten Kitteln, dann zwei deutsche Soldaten mit einem Schubkarren: Dieser enthielt Porzellantassen in einem Korb, ein Kanapee, von dessen vier in die Luft ragenden Beinen eines zerbrochen war, ein Plüschalbum, einen Kanarienvogelkäfig, den die Deutschen für den von den Besitzern reklamierten Salatkorb gehalten hatten, und noch viele andere Gegenstände. Dann kamen Lucile und der Offizier und beschlossen den Zug. Sie durchquerten den ganzen Marktflecken unter den neugierigen Blicken der Frauen, die bemerkten, daß sie nicht miteinander sprachen, sich nicht einmal ansahen und leichenblaß waren; der Offizier hatte eine eisige, undurchdringliche Miene. Die Frauen tuschelten:

«Sie muß ihm die Meinung gesagt haben ... daß es eine Schande ist, ein Haus so zuzurichten. Er ist wütend. Ha! Sie sind es nicht gewohnt, daß man ihnen die Stirn bietet! Sie hat recht. Wir sind keine Hunde! Sie ist tapfer, die kleine Angellier, sie hat keine Angst», sagten die Frauen.

Und eine von ihnen, die eine Ziege hütete (die kleine Alte, die am Ostersonntag nach der Vesper zu den Damen Angellier gesagt hatte: «Diese Deutschen da, das ist das Allerschlimmste»), eine winzige, einfältige Frau mit weißem Haar und blauen Augen, flüsterte Lucile im Vorbeigehen zu:

«Nur zu, Madame! Zeigen Sie ihnen, daß wir keine Angst haben! Ihr Gefangener wäre stolz auf Sie», fügte sie hinzu, und sie begann zu weinen, nicht weil sie selber einen Gefangenen gehabt hätte, denn sie war schon viel zu alt, um einen Mann oder einen Sohn im Krieg zu haben, sondern weil die Vorurteile alle Leidenschaften überdauern und weil sie patriotisch und sentimental war.

15

Wenn die alte Madame Angellier und der Deutsche sich zufällig einmal begegneten, machten beide unwillkürlich eine Rückzugsbewegung, die auf seiten des Offiziers als affektierte Höflichkeit gelten mochte, als Wunsch, die Hausherrin nicht mit seiner Anwesenheit zu belästigen, und eher dem Scheuen eines Vollblutpferdes vor einer Giftnatter zu seinen Füßen ähnelte, während Madame Angellier sich nicht einmal die Mühe machte, den Schauder zu unterdrücken, der sie schüttelte, und in jener Haltung des Entsetzens erstarrte, wie die Berührung eines gefährlichen, ekligen Tiers sie hervorrufen kann. Aber das dauerte nur einen Augenblick: Die gute Erziehung ist ja gerade dazu da, die Reflexe der menschlichen Natur abzumildern. Der Offizier richtete sich noch mehr auf, verlieh allen seinen Zügen die Starrheit und den Ernst eines Automaten, neigte den Kopf und schlug die Hacken zusammen (oh, dieser preußische Gruß! murmelte Madame Angellier, ohne zu bedenken, daß man bei einem in Ostdeutschland geborenen Mann immerhin eher auf diesen Gruß hätte gefaßt sein müssen als auf den Handkuß eines Arabers oder das Shakehands eines Engländers). Madame Angellier jedenfalls verschränkte die Hände über ihrem Bauch wie eine Nonne, die bei einem Toten gewacht hat und sich erhebt, um ein Familienmitglied zu begrüßen, das im Verdacht des Antiklerikalismus steht, was ganz unterschiedliche Schatten über ihr Gesicht huschen ließ: scheinbare Hochachtung («Sie sind der Herr»), Tadel («Aber die Welt kennt Sie Ungläubigen!»), Unterwürfigkeit («Opfern wir unseren Widerwillen dem Herrn») und schließlich ein Aufblitzen wilder Freude («Warte, Freundchen, du wirst in der Hölle schmoren, während ich an Jesu Herzen ruhe»), wobei dieser letzte Gedanke bei Madame Angellier im übrigen ersetzt wurde durch den Wunsch, den sie jedesmal in ihrem Innern äußerte, wenn sie ein Mitglied der Besatzungsarmee erblickte: ‹Ich hoffe, er liegt bald auf dem Grund des Ärmelkanals›, denn zu jener Zeit erwartete man täglich einen Invasionsversuch Englands. Madame Angellier, die ihre Wünsche für die Wirklichkeit nahm, meinte sogar den Deutschen in Form einer fahlen, aufgedunsenen, von den Fluten angespülten Wasserleiche zu sehen, und allein dies ermöglichte es ihr, wieder menschliche Gestalt anzunehmen und über ihre Lippen ein bleiches Lächeln irren zu lassen, gleich dem letzten Strahl eines erlöschenden Sterns, und dem ihr Gegenüberstehenden, der sich nach ihrem Befinden erkundigte, zu antworten: «Ich danke Ihnen. Mir geht es so gut wie möglich», mit einer düsteren Betonung der letzten Wörter, die bedeutete: so gut der verheerende Zustand Frankreichs es erlaubt.»

Hinter Madame Angellier kam Lucile. Sie war in letzter Zeit kälter, zerstreuter und widerspenstiger als gewöhnlich. Schweigend senkte sie die Stirn, wenn sie den Deutschen verließ, der zwar auch nichts sagte, ihr aber im Glauben, nicht gesehen zu werden, lange nachblickte. Doch Madame Angellier schien Augen im Rücken zu haben. Ohne den Kopf zu wenden, flüsterte sie Lucile zornig zu: «Achten Sie nicht auf ihn. Er ist immer noch da.» Sie atmete erst wieder auf, wenn die Tür sich hinter ihnen geschlossen hatte, und dann durchbohrte sie ihre Schwiegertochter mit einem tödlichen Blick: «Sie sind heute nicht so frisiert wie sonst …», oder: «Sie haben Ihr neues Kleid angezogen? Es steht Ihnen nicht.»

Doch ungeachtet des Hasses, den sie bisweilen gegen Lucile hegte, nur weil sie da war und ihr Sohn abwesend, ungeachtet all dessen, was sie hätte erraten, ahnen können, meinte sie nicht, daß es zwischen ihrer Schwiegertochter und dem Deutschen zärtliche Gefühle geben könnte. Schließlich beurteilt jeder die Welt nur nach dem eigenen Herzen. Nur der Geizige sieht den Eigennutz, nur der Lüstling die Begehrlichkeit der Menschen. Für Madame Angellier war ein Deutscher kein Mann, sondern die Verkörperung der Grausamkeit, der Perversität und des Hasses. Daß andere sich ein abweichendes Urteil bilden könnten, war ausgeschlossen, unwahrscheinlich … Sie konnte sich eine in einen Deutschen verliebte Lucile ebensowenig vorstellen wie die Paarung einer Frau mit einem Fabelwesen wie dem Einhorn oder dem Drachen. Auch der Deutsche schien ihr nicht in Lucile verliebt zu sein, denn sie sprach ihm jedes menschliche Gefühl ab. Sie meinte, daß er mit seinen Blicken eher diese von ihm geschändete französische Wohnung beleidigen wollte, daß er ein unbändiges Vergnügen daran fand, die Mutter und die Frau eines französischen Gefangenen ihm ausgeliefert zu sehen. Was sie Luciles «Gleichgültigkeit» nannte, erzürnte sie über die Maßen: ‹Sie probiert neue Frisuren aus, sie zieht neue Kleider an! Begreift sie denn nicht, daß der Deutsche glauben wird, es sei seinetwegen! Welch ein Mangel an Würde!› Am liebsten hätte sie Luciles Gesicht mit einer Maske verhüllt und sie in einen Sack gekleidet. Sie litt darunter, sie schön und gesund zu sehen. Ihr Herz blutete: ‹Während mein Sohn, mein eigener Sohn …›

Eines Tages erlebte sie einen Moment der Freude, als sie dem Deutschen im Vestibül begegneten: Sie sahen, daß er sehr blaß war und den Arm in einer Schlinge trug, und zwar ostentativ, wie Madame Angellier meinte. Sie war empört, als sie Lucile rasch, fast unfreiwillig fragen hörte:

«Was ist Ihnen zugestoßen, mein Herr?»

«Ich bin vom Pferd gefallen. Ein schwieriges Tier, das ich zum ersten Mal geritten habe.»

«Sie sehen sehr schlecht aus», sagte Lucile mit Blick auf das angegriffene Gesicht des Deutschen. «Legen Sie sich doch hin.»

«O nein, das ist nur eine Schramme, und außerdem …»

Er bedeutete ihr, auf das Regiment zu lauschen, das unter den Fenstern vorbeizog.

«Manöver …»

«Wie? Immer noch?»

«Wir sind im Krieg», sagte er.

Er lächelte flüchtig und verließ nach einem kurzen Gruß das Haus.

«Was machen Sie?» rief Madame Angellier scharf.

Lucile hatte den Vorhang hochgehoben und schaute den sich entfernenden Soldaten nach.

«Haben Sie denn überhaupt kein Anstandsgefühl. Die Deutschen müssen vor geschlossenen Fenstern und herabgelassenen Jalousien vorbeimarschieren … wie im Jahr '70 …»

«Ja, wenn sie zum ersten Mal in eine Stadt einziehen, aber da sie fast jeden Tag durch unsere Straßen marschieren, wären wir zu ewiger Dunkelheit verurteilt, wenn wir die Traditionen buchstabengetreu befolgen wollten», antwortete Lucile ungeduldig.

Es war ein gewittriger Abend; alles war in ein schwefliges Licht getaucht, alle diese erhobenen Gesichter, diese offenen Münder, aus denen ein Marschlied drang, halblaut, gleichsam verhalten, gedämpft gesungen, das aber bald zu einem düsteren, großartigen Chor anschwellen würde. Die Leute der Gegend sagten:

«Sie haben ulkige Lieder, die einen mitreißen, fast wie Gebete!»

Im Westen zuckte ein roter Blitz, der diese behelmten Köpfe mit dem Sturmriemen am Kinn, diese grünen Uniformen sowie den Offizier, der die Abteilung zu Pferd befehligte, wie mit Blut zu färben schien. Sogar Madame Angellier war beeindruckt. Sie murmelte:

«Wenn das ein Vorzeichen sein könnte …»

Die Manöver endeten um Mitternacht. Lucile hörte das Geräusch des geöffneten und wieder geschlossenen Hoftors. Sie erkannte die Schritte des Offiziers auf den Fliesen des Vestibüls. Sie seufzte. Sie konnte nicht schlafen. Noch eine schlechte Nacht! Sie ähnelten einander jetzt alle; qualvolle Schlaflosigkeit und wirre Alpträume … Um sechs Uhr war sie auf den Beinen. Aber das machte die Dinge auch nicht besser! Dadurch wurden die Tage nur noch länger, noch öder.

Die Köchin berichtete den Damen Angellier, daß der Offizier

krank heimgekommen sei, daß der Major ihn besucht, ihn fiebrig angetroffen und ihm befohlen habe, das Bett zu hüten. Zur Mittagszeit kamen zwei deutsche Soldaten mit einer Mahlzeit, die der Verwundete aber nicht einnehmen wollte. Er hatte sich in seinem Zimmer eingeschlossen; er blieb nicht liegen. Man hörte ihn im Zimmer auf und ab gehen, und das eintönige Stampfen irritierte Madame Angellier so sehr, daß sie sich nach dem Mittagessen entgegen ihrer Gewohnheit gleich zurückzog, denn normalerweise machte sie im Eßzimmer bis vier Uhr ihre Abrechnungen oder strickte, im Sommer am Fenster, im Winter am Feuer. Erst nach vier Uhr ging sie in den zweiten Stock hinauf, wo sie wohnte und wo kein Geräusch sie erreichen konnte. Dann atmete Lucile auf, bis sie von neuem einen leisen Schritt hörte, der die Treppe herunterkam, im Haus umherirrte, wie es schien, und sich dann in den Tiefen des zweiten Stockwerks verlor. Sie hatte sich manchmal gefragt, was ihre Schwiegermutter dort oben im Dunkeln wohl tat, denn sie schloß die Läden und die Fenster und machte kein Licht. Also las sie nicht. Im übrigen las sie nie. Vielleicht strickte sie ja im Finstern weiter! Es waren Schals für die Gefangenen, lange gerade Bahnen, die sie ohne hinzuschauen, mit der Sicherheit einer Blinden herstellte. Betete sie? Schlief sie? Um sieben Uhr kam sie wieder herunter, ohne daß auch nur ein Haar ihrer Frisur in Unordnung war, kerzengerade und stumm in ihrem schwarzen Kleid.

An jenem Tag und den folgenden hörte Lucile, wie sie den Schlüssel ihrer Zimmertür umdrehte, dann nichts mehr. Das Haus schien tot zu sein; nur der regelmäßige Schritt des Deutschen durchbrach die Stille. Aber er gelangte nicht bis zu den Ohren der alten Madame Angellier hinter ihren dicken Mauern und ihren Vorhängen, die alle Laute erstickten. Es war ein dunkler, mit Möbeln überfüllter großer Raum. Madame Angellier begann damit, die Dunkelheit noch zu vertiefen, indem sie die Fensterläden schloß und die Vorhänge zuzog, setzte sich dann in einen grünbezogenen großen Sessel und legte ihre durchsichtigen Hände auf ihren Knien übereinander. Sie schloß die Augen. Manchmal rannen einige wenige glänzende Tränen über ihre Wangen, jene Alterstränen, die widerwillig hervorzuquellen scheinen, als hätte das Alter endlich die Sinnlosigkeit, die Vergeblichkeit jedweder Klage eingesehen. Sie wischte sie mit einer fast heftigen Handbewegung ab. Sie richtete sich wieder auf und sprach halblaut mit sich selbst. «Komm her, bist du nicht müde? Du bist nach dem Essen schon wieder gerannt, mitten bei der Verdauung. Du bist ja schweißgebadet. Komm her, Gaston, nimm deinen kleinen Schemel. Setz dich neben Mama. Komm, ich werde dich etwas lesen lassen. Aber du kannst dich ein wenig ausruhen, du kannst dein Köpfchen auf Mamas Knie legen», sagte sie, und sanft, zärtlich strich sie über imaginäre Locken.

Es war weder ein Delirium noch beginnender Wahnsinn; nie war sie hellsichtiger und sich ihrer selbst bewußter gewesen. Aber sie spielte sich willentlich eine Art Komödie vor, da nur sie ihr ein wenig Erleichterung verschaffte, ähnlich wie Wein oder Morphium. In der Dunkelheit, in der Stille erschuf sie die Vergangenheit von neuem; sie zog Augenblicke ans Licht, die sie für immer vergessen zu haben glaubte; sie grub Schätze aus; sie fand dieses oder jenes Wort ihres Sohnes wieder, eine bestimmte Intonation seiner Stimme, eine Bewegung seiner molligen Babyhändchen, was eine Sekunde lang wirklich die Zeit aufhob. Es war keine Einbildung mehr, sondern die Wirklichkeit selbst war ihr zurückgeschenkt worden mit allem, was unvergänglich an ihr war, denn nichts konnte es ungeschehen machen. Die Abwesenheit, sogar der Tod waren außerstande, die Vergangenheit auszulöschen. Ein rosa Kittel, den ihr Sohn getragen hatte, die Bewegung, mit der er ihr weinend seine von einer Brennessel gestochene Hand hingehalten hatte – das alles hatte existiert, und solange sie noch lebte, stand es in ihrer Macht, daß es von neuem existierte. Dazu bedurfte es lediglich der Einsamkeit, der Dunkelheit und dieser Möbel, all dieser Dinge um sie herum, die ihr Sohn gekannt hatte. Sie wandelte ihre Halluzinationen nach Belieben ab. Sie begnügte sich nicht mit der Vergangenheit; sie stellte sich die Zukunft vor. Auch die Gegenwart veränderte sie nach Lust und Laune; sie belog und täuschte sich selbst, aber da ihre Lügen ihr eigenes Werk waren, hing sie an ihnen. Für kurze Augenblicke war sie glücklich. Und ihrem Glück wurden von der Wirklichkeit keine Schranken mehr gesetzt. Alles war möglich, alles erreichbar. Als erstes war der Krieg zu Ende. Das war der Ausgangspunkt des Traums, das Sprungbrett, von dem aus sie sich zu grenzenloser Glückseligkeit aufschwang. Der Krieg war zu Ende ... Es war ein Tag wie jeder andere ... Warum nicht morgen? Bis zur letzten Minute würde sie von nichts wissen; sie las keine Zeitungen mehr, hörte kein Radio. Es bräche wie ein Donnerschlag los. Eines Morgens sähe sie, wenn sie in die Küche hinunterginge, Jeanne mit weit aufgerissenen Augen: «Madame weiß es noch nicht?» Genauso hatte sie die Kapitulation des Königs von Belgien, die Einnahme von Paris, die Ankunft der Deutschen, den Waffenstillstand erfahren ... Warum also nicht auch den Frieden? Warum nicht: «Madame, es scheint vorbei zu sein! Es scheint, daß nicht mehr gekämpft wird, daß kein Krieg mehr ist, daß die Gefangenen zurückkommen!» Ob nun Sieg der Engländer oder der Deutschen, es war ihr einerlei! Sie sorgte sich allein um ihren Sohn. Fahl, mit bebenden Lippen und geschlossenen Augen malte sie sich im Geiste das Bild aus, mit jener Fülle an Details, die man in den Gemälden der Irren findet. Sie sah jedes Fältchen auf Gastons Gesicht, seine Frisur, seine Kleidung, die Schnürsenkel seiner Soldatenstiefel; sie vernahm jede Modulation seiner Stimme. Sie streckte die Hände aus und flüsterte: «Na los! Tritt ein, erkennst du dein Haus nicht mehr?»

Lucile träte in diesen ersten Augenblicken, die allein ihr gehören würden, in den Hintergrund. Sie würde es mit ihren Küssen und Tränen nicht übertreiben. Sie würde ihm ein gutes Mittagessen bereiten, dann ein Bad, und gleich darauf: «Weißt du, ich habe mich gut um deine Geschäfte gekümmert. Jenes Landgut in der Nähe von Étang-Neû, auf das du ein Auge geworfen hattest, das habe ich erworben, es gehört dir. Ich habe auch die Wiese der Montmorts gekauft, die an die unsere angrenzt und die der Vicomte uns um nichts auf der Welt abtreten wollte. Ich habe den günstigen Moment abgewartet, und ich habe bekommen, was ich wollte. Bist du zufrieden? Ich habe dein Gold, dein Tafelsilber, den Familienschmuck in Sicherheit gebracht. Das alles habe ich ganz allein bewältigt. Wenn ich auf deine Frau hätte zählen müssen … Bin nicht ich deine einzige Freundin? Die einzige, die dich versteht? Aber geh nur, mein Sohn! Geh zu deiner Frau. Erwarte nicht zuviel von ihr. Sie ist ein kaltes, störrisches Geschöpf. Aber uns beiden zusammen wird es besser gelingen, ihr unseren Willen aufzuzwingen, als ich allein es vermochte, als sie sich mir durch ihr langes Schweigen entzog. Du aber, du darfst sie fragen: ‹Woran denkst du?› Du bist der Herr und kannst eine Antwort verlangen. Geh zu ihr, geh! Nimm von ihr alles, was dir gehört: ihre Schönheit, ihre Jugend … Man hat mir gesagt, daß in Dijon … Tu das nicht, mein Kleiner! Eine Geliebte kostet viel Geld. Doch durch diese lange Abwesenheit wird dir unser altes Haus noch teurer geworden sein … Oh, wie viele schöne, friedliche Tage werden wir gemeinsam hier verbringen», murmelte Madame Angellier. Sie war aufgestanden und ging leise durch das Zimmer. Sie hielt eine imaginäre Hand; sie lehnte sich an eine erträumte Schulter. «Komm, laß uns hinuntergehen. Ich habe im Eßzimmer einen Imbiß bereiten lassen, du bist mager geworden, mein Sohn. Du mußt dich stärken, komm.»

Mechanisch öffnete sie die Tür, ging die Treppe hinunter. Ja, so verließe sie abends ihr Zimmer. Sie würde die Kinder überraschen. Sie träfe Gaston in einem Sessel am Fenster an und seine Frau neben ihm, im Begriff, ihm etwas vorzulesen. Es war ihre Pflicht, ihre Rolle, ihn zu behüten, zu zerstreuen. Als er damals vom Typhus genas, las Lucile ihm die Zeitungen vor. Ihre Stimme war sanft und angenehm im Ohr, und sie selbst lauschte ihr bisweilen mit Vergnügen. Eine sanfte, tiefe Stimme … Aber hörte sie sie nicht gerade? Ach was, sie träumte! Sie hatte ihren Traum über die erlaubten Grenzen hinausgetrieben. Sie versteifte sich, machte ein paar Schritte, betrat den Speisesaal und sah in dem ans Fenster gerückten Sessel, den kranken Arm auf der Lehne, die Pfeife im Mund, die Füße auf dem Schemel, auf dem Gaston als Kind gesessen hatte, sie sah in seiner grünen Uniform den Eindringling, den Feind, den Deutschen, und neben ihm Lucile, die mit lauter Stimme aus einem Buch las.

Es trat ein Moment der Stille ein. Beide standen auf. Lucile ließ den Band, den sie in der Hand hielt, zu Boden fallen. Der Offizier hob ihn schnell auf; er legte ihn auf den Tisch und murmelte:

«Madame, Ihre Schwiegertochter hat mir freundlicherweise gestattet, ihr einige Augenblicke Gesellschaft zu leisten.»

Die alte Frau, sehr bleich, neigte den Kopf.

«Sie sind der Herr.»

«Und da man mir aus Paris ein Paket neuer Bücher geschickt hatte, habe ich mir erlaubt …»

«Sie sind hier der Herr», wiederholte Madame Angellier.

Sie wandte sich ab und ging hinaus. Lucile hörte sie zu der Köchin sagen:

«Jeanne, ich werde mein Zimmer nicht mehr verlassen. Bringen Sie mir mein Essen hinauf.»

«Heute, Madame?»

«Heute, morgen und solange diese Herrschaften hier sein werden.»

Als sie sich entfernt hatte und ihre Schritte in den Tiefen des Hauses nicht mehr zu hören waren, sagte der Deutsche mit leiser Stimme: «Es wird das Paradies sein.»

16

Die Vicomtesse de Montfort litt unter Schlaflosigkeit. Sie dachte in kosmischen Dimensionen; alle großen Probleme der Zeit fanden ein Echo in ihrer Seele. Wenn sie an die Zukunft der weißen Rasse, an die deutsch-französischen Beziehungen, an die Gefahr der Freimaurerei und an den Kommunismus dachte, floh sie der Schlaf. Eisige Wellen liefen durch ihren Körper. Sie stand auf. Sie ging hinaus in den Park, nachdem sie eine mottenzerfressene alte Pelzmütze auf ihr Haar gesetzt hatte. Sie legte keinen Wert auf ihre Kleidung, vielleicht weil sie die Hoffnung aufgegeben hatte, eine Verbindung recht mißlicher Eigenschaften – eine lange rote Nase, ein fast häßlicher Wuchs, eine pickelige Haut – durch ein schönes Kleid zu mildern, vielleicht aus einem natürlichen Hochmut, der an seine strahlenden Verdienste glaubt und sich nicht vorstellen kann, daß sie anderen verborgen bleiben, auch nicht unter einem verbeulten Filzhut oder einem spinatgrünen und kanariengelben Strickmantel, den ihre Köchin entsetzt von sich gewiesen hätte, vielleicht aber auch aus Verachtung für Nebensächlichkeiten. «Welche Bedeutung hat das schon, mein Freund?» sagte sie sanftmütig zu ihrem Gatten, wenn er ihr vorwarf, bei Tisch in Schuhen zu erscheinen, die nicht zum selben Paar gehörten. Doch stieg sie sofort von ihrem hohen Roß herab, wenn es galt, die Dienstboten zur Arbeit anzuhalten oder ihre Besitzungen zu beaufsichtigen.

Während ihrer schlaflosen Nächte ging sie Verse rezitierend in ihrem Park spazieren oder machte einen Abstecher zum Hühnerstall und prüfte die drei riesigen Schlösser, die dessen Eingang schützten. Sie sah nach den Kühen: Seit dem Krieg wurden auf dem Rasen zwar keine Blumen mehr gepflanzt, dafür verbrachte das Vieh dort die Nacht; dann schritt sie im Mondschein den Gemüsegarten ab und zählte die Maispflanzen. Man bestahl sie. Vor dem Krieg war der Maisanbau fast unbekannt in dieser reichen Gegend, die ihr Geflügel mit Weizen und Hafer fütterte. Jetzt aber durchsuchten die Requisitionsbeamten alle Speicher nach Getreidesäcken, und die Hausfrauen hatten keine Körner mehr für ihre Hühner. Man hatte sich an das Schloß gewandt, um Setzlinge zu bekommen, doch die Montmorts behielten sie zunächst für sich selbst, dann für alle ihre Freunde und Bekannten, die die Region bevölkerten. Die Bauern schimpften. «Wir wollen ja bezahlen», sagten sie. Sie hätten im übrigen nichts bezahlt, aber darum ging es gar nicht. Sie fühlten es dunkel; sie ahnten, daß sie gegen eine Art Freimaurerei stießen, eine Klassensolidarität, die ihnen zu verstehen gab, daß sie und ihr Geld weit hinter dem Vergnügen zurückstanden, dem Baron von Montrefaut oder der Comtesse von Pignepoule gefällig zu sein. Da die Bauern nichts kaufen konnten, nahmen sie es sich. Im Schloß gab es keine Aufseher mehr; sie befanden sich in Gefangenschaft und waren nicht ersetzt worden; dem Land fehlte es an Männern. Ebenso unmöglich war es, Arbeiter und Material zu finden, um die zerfallenden Mauern wiederaufzubauen. Die Bauern schlüpften durch die Breschen, wilderten, fischten im Teich, nahmen Hühner, Tomaten- oder Maissetzlinge mit, bedienten sich also nach ihrem Ermessen. Die Lage von Monsieur de Montmort war heikel. Einerseits war er der Bürgermeister und wollte seine Untergebenen nicht gegen sich aufbringen. Andererseits hing er natürlicherweise an seinem Besitz. Dennoch hätte er sich darauf verlegt, die Augen zu schließen, wenn seine Frau nicht aus Prinzip jeden Kompromiß, jede Schwäche abgelehnt hätte. «Sie wollen doch nur Ihren Frieden», sagte sie bitter zu ihrem Gatten. «Sogar unser Herr hat gesagt: ‹Ich bin nicht gekommen, Frieden zu bringen, sondern das Schwert.›» – «Aber Sie sind nicht Jesus Christus», antwortete Amaury mürrisch, doch in der Familie stand schon seit langem fest, daß die Vicomtesse die Seele eines Apostels hatte und daß ihre Ansichten prophetisch waren. Amaury war um so geneigter, sich den Urteilen der Vicomtesse anzuschließen, als sie für das Vermögen des Haushalts gesorgt hatte und das Geld zusammenhielt. Er unterstützte sie also loyal und führte einen erbitterten Krieg gegen die Wilderer und die Marodeure, gegen die Lehrerin, die nicht zur Messe ging, und gegen den Postbeamten, der im Verdacht stand, zur «Volksfront» zu gehören, obwohl er an der Tür der Telefonkabine ostentativ ein Plakat mit dem Porträt des Marschall Pétain anbrachte.

Die Vicomtesse ging also in einer schönen Juninacht in ihrem Park spazieren und rezitierte Verse, die sie ihre Schützlinge der Privatschule am Muttertag aufsagen lassen wollte. Gern hätte sie selbst welche geschrieben; aber sie war eher für die Prosa begabt (beim Schreiben war der Andrang der Gedanken in ihr so stark, daß sie häufig die Feder niederlegen und ihre Hände in kaltes Wasser tauchen mußte, um das Blut, das ihr in den Kopf gestiegen war, wieder herabfließen zu lassen) und weniger für die Verse. Daher beschloß sie, das Gedicht, das sie zum Ruhm der französischen Mutter gerne verfaßt hätte, durch eine Anrufung in Prosa zu ersetzen: «O Mutter!» würde eine weißgekleidete Schülerin der unteren Klasse mit einem Blumenstrauß in der Hand sagen: «O Mutter! Dein liebes Gesicht über mein Bettchen gebeugt zu sehen, während draußen der Sturm tost. Der Himmel ist schwarz über der Welt, doch ein strahlender Morgen wird anbrechen. Lächele, o zärtliche Mutter! Siehe, dein Kind folgt dem Marschall, der den Frieden und das Glück an der Hand hält. Tritt mit mir ein in den fröhlichen Reigen, den alle Kinder und alle Mamas von Frankreich um den ehrwürdigen Greis bilden, der uns die Hoffnung zurückgibt!»

Madame de Montmort sprach diese Worte mit lauter Stimme, so daß sie im stillen Park widerhallten. Wenn die Inspiration über sie kam, war sie nicht mehr Herrin ihrer selbst. Mit großen Schritten ging sie hin und her. Dann ließ sie sich auf das feuchte Moos sinken, und den Pelz um ihre mageren Schultern ziehend meditierte sie lange. Rasch nahm die Meditation bei ihr die Form leidenschaftlicher Forderungen an. Warum gab es, begabt wie sie war, um sie herum weder bewundernde Wärme noch Liebe? Warum war sie ihres Geldes wegen geheiratet worden? Warum war sie unbeliebt? Wenn sie durch den Ort ging, versteckten sich die Kinder oder kicherten hinter ihrem Rücken. Sie wußte, daß man sie «die Verrückte» nannte. Es war sehr hart, verabscheut zu werden, bei all der Mühe, die sie sich für die Bauern gegeben hatte ... Die Bibliothek (all diese mit Liebe ausgesuchten Bücher – gute Lektüre, die die Seele erhebt – ließen sie kalt; die Mädchen verlangten nach Romanen von Maurice Dekobra, was für eine Generation ...), die Lehrfilme (auch sie hatten wenig Erfolg ...), jedes Jahr ein Fest im Park mit einem von den Kindern der Privatschule aufgeführten Theaterstück, aber es waren ihr heftige Kritiken daran zu Ohren gekommen. Man verübelte es ihr, daß, falls das Wetter es nicht erlauben sollte, unter den Bäumen herumzutollen, stattdessen Stühle in der Garage aufgestellt worden waren. Was wollten diese Leute eigentlich? Sollte sie ihnen etwa das Schloß öffnen? Dort würden sie sich als erste unwohl fühlen. Ach, der neue Geist, der beklagenswerte Geist, der über Frankreich wehte! Sie allein vermochte ihn zu erkennen und ihm einen Namen zu geben. Das Volk wurde bolschewistisch. Sie hatte geglaubt, daß ihm die Niederlage heilsam wäre, es von seinen gefährlichen Irrtümern abbringen, es zwingen würde, seine Vorgesetzten wieder zu respektieren, aber nein! Es war schlimmer denn je.

Manchmal passierte es, daß sie, diese glühende Patriotin, sich zur Anwesenheit des Feindes beglückwünschte, wenn sie auf der Straße, die den Park säumte, den Schritten der deutschen Wachtposten lauschte. In Vierergruppen streiften sie die ganze Nacht durch das Land; man hörte Kirchenglocken, ein sanftes, vertrautes Geräusch, das die Leute in ihren Träumen wiegte, und zugleich das Hämmern der Stiefel und das Klirren der Waffen wie in einem Gefängnishof. Ja, mit der Vicomtesse de Montmort war es so weit gekommen, daß sie sich fragte, ob man dem lieben Gott nicht dafür danken solle, das Eindringen der Deutschen in Frankreich zugelassen zu haben. Nicht, daß sie sie liebte, Gott bewahre! Sie konnte sie nicht ausstehen, aber ohne sie ... wer weiß? ... Auch wenn Amaury ihr immer wieder sagte: «Die Leute von hier sollen Kommunisten sein? Sie sind doch reicher als Sie ...» Aber es war nicht nur eine Frage des Geldes oder der Besitzungen, sondern auch und vor allem der Leidenschaft. Sie fühlte es dunkel, ohne es erklären zu können. Vielleicht hatten sie ja nur einen vagen Begriff von dem, was der Kommunismus wirklich war, aber er kam ihrem Wunsch nach Gleichheit entgegen, einem Wunsch, den der Besitz von Geld und Ländereien noch weiter schürte, statt ihn zu befriedigen. Es ging ihnen gegen den Strich, wie sie sagten, ein Vermögen an Vieh zu besitzen, ihren Söhnen ein Studium und ihren Töchtern Seidenstrümpfe zahlen zu können und sich dennoch den Montmorts unterlegen zu fühlen. Die Bauern fanden, daß man ihnen nie genügend Achtung erwies, vor allem seit der Vicomte hier Bürgermeister war ... Der alte Bauer, der dieses Amt vor ihm bekleidet hatte, duzte jedermann, er war geizig, grob, hart, er beschimpfte seine Untergebenen ... und man ließ ihm alles durchgehen! Dem Vicomte dagegen warfen sie vor, hochmütig zu sein, und so etwas kannte kein Pardon ... Meinten die Bauern etwa, er sollte aufstehen, sobald sie den Rathaussaal betraten, und sie dann zur Tür begleiten, oder was? Sie ertrugen keinerlei Überlegenheit, weder der Geburt noch des Vermögens. Was immer man sagen mochte, die Deutschen hatten durchaus Verdienste. Ja, ein diszipliniertes, gehorsames Volk, dachte Madame Montmort, als sie fast mit Vergnügen dem sich entfernenden Gleichschritt und der rauhen Stimme lauschte, die in der Ferne «Achtung» schrie ... Es müßte angenehm sein, in Deutschland große Ländereien zu besitzen, während hier ...

Die Sorgen quälten sie. Doch die Nacht rückte vor, und sie wollte gerade ins Haus gehen, als sie sah – zu sehen glaubte –, daß ein Schatten an der Mauer entlangglitt, sich bückte und beim Gemüsegarten verschwand. Endlich würde sie einen der Maisdiebe erwischen. Sie bebte vor Behagen. Bezeichnenderweise hatte sie keinen Augenblick Angst. Amaury fürchtete sich vor Scherereien, sie nicht ... Die Gefahr weckte ihr Jagdfieber. Sie folgte dem Schatten, indem sie sich hinter den Baumstämmen verbarg, doch hatte sie zuvor den Fuß der Mauer untersucht und unter dem Moos versteckt ein Paar Holzschuhe gefunden. Der Dieb lief auf Socken, um weniger Lärm zu machen. Sie sorgte dafür, daß er, als er den Gemüsegarten verließ, direkt vor ihr stand. Er machte eine jähe Fluchtbewegung, aber sie rief ihm mit verächtlicher Stimme zu:

«Ich habe deine Holzschuhe, mein Freund. Die Gendarmen werden schnell herausfinden, wem sie gehören.»

Da blieb der Mann stehen, kam auf sie zu, und sie erkannte Benoît Labarie. Schweigend standen sie einander gegenüber.

«Das ist ja eine schöne Geschichte», sagte die Vicomtesse schließlich mit vor Haß zitternder Stimme.

Sie verabscheute ihn. Von allen Bauern war er der unverschämteste, der störrischste; wegen des Heus, des Viehs, der Einzäunungen, wegen allem und jedem führten das Schloß und das Gehöft einen heimlichen, ständigen Kleinkrieg. Empört sagte sie:

«Also, mein Junge, ich kenne jetzt den Dieb und werde auf der Stelle den Bürgermeister unterrichten. Das wird dich teuer zu stehen kommen!»

«Sagen Sie mal, duze ich Sie etwa? Da haben Sie Ihre Setzlinge», sagte Benoît und warf sie auf den Boden, wo sie sich im Mondschein verstreuten. «Weigern wir uns zu zahlen? Glauben Sie, wir haben nicht genug Geld? Wie lange bitten wir Sie nun schon um einen Gefallen ... für das bißchen, was Sie das kosten würde ... Aber nein! Sie wollen, daß wir krepieren.»

«Dieb, Dieb, Dieb!» schrie unterdessen die Vicomtesse mit schriller Stimme. «Der Bürgermeister ...»

«Ha, ich pfeife auf den Bürgermeister! Sie brauchen ihn bloß zu holen. Ich werde es ihm ins Gesicht sagen.»

«Sie wagen es, in diesem Ton mit mir zu sprechen?»

«Weil wir es hier satt haben, wenn Sie es genau wissen wollen! Ihr habt alles, und ihr behaltet alles! Eure Wälder, euer Obst, eure Fische, euer Wild, eure Hühner – davon würdet ihr für kein Gold und kein Silber der Welt etwas verkaufen, etwas abtreten. Der Herr Bürgermeister schwingt große Reden über gegenseitige Hilfe und so weiter. Scheiß drauf! Ihr Schloß ist voll vom Keller bis zum Dachboden, das ist allgemein bekannt, man hat es gesehen. Bitten wir Sie etwa um Almosen? Aber genau das kränkt Sie, denn Almosen würden Sie uns ja noch geben, weil es Ihnen Spaß macht, einen Armen zu demütigen, aber wenn man kommt und Sie von gleich zu gleich um einen Gefallen bittet: ‹Ich zahle und nehme es mit›, dann ist keiner mehr da. Warum haben Sie mir Ihre Setzlinge nicht verkaufen wollen?»

«Das ist meine Sache, meines Wissens bin ich hier zu Hause, Unverschämter!»

«Dieser Mais war nicht für mich bestimmt, das schwöre ich Ihnen! Lieber würde ich krepieren, als Leute Ihres Schlages um etwas zu bitten. Es war für die Louise, weil ihr Mann in Gefangenschaft ist, um ihr gefällig zu sein, weil ich nämlich gern gefällig bin!»

«Indem Sie stehlen?»

«Was sollen wir denn sonst tun? Sie sind zu hart, auch zu geizig! Was sollen wir denn sonst tun?» wiederholte er wütend. «Ich bin nicht der einzige, der sich bei Ihnen bedient. Was Sie uns grundlos, aus schierer Bosheit verweigern, das nehmen wir uns. Und es ist noch nicht zu Ende. Warten Sie nur auf den Herbst! Der Herr Bürgermeister wird mit den Deutschen auf die Jagd gehen …»

«Das ist nicht wahr! Das ist eine Lüge! Noch nie ist er mit den Deutschen auf die Jagd gegangen.»

Zornig stampfte sie mit dem Fuß auf; sie raste vor Wut. Schon wieder diese törichte Verleumdung! Freilich hatten die Deutschen sie beide im letzten Winter zu einer ihrer Jagden eingeladen. Sie hatten abgelehnt, waren jedoch nicht darum herumgekommen, an dem Essen teilzunehmen, das den Tag beschloß. Wohl oder übel mußte man der Politik der Regierung folgen. Und außerdem waren diese deutschen Offiziere immerhin wohlerzogene Leute! Was die Menschen trennt oder vereint, sind nicht die Sprache, die Gesetze, die Sitten, die Prinzipien, sondern die Art und Weise, wie man mit Messer und Gabel umgeht!

Benoît fuhr fort:

«Im Herbst wird er mit den Deutschen auf die Jagd gehen, ich aber werde wieder in Ihren Park kommen und mir weder bei den Hasen noch bei den Füchsen Zwang antun. Sie können mir gern den Verwalter, die Aufseher und die Hunde auf den Hals hetzen! Sie werden nicht so schlau sein wie Benoît Labarie! Den ganzen Winter sind sie ja schon hinter mir her gewesen, ohne mich zu erwischen!»

«Ich werde weder den Verwalter noch die Aufseher holen, sondern die Deutschen. Die machen Ihnen wohl Angst, was? Sie markieren den starken Mann, aber sobald Sie eine deutsche Uniform sehen, geben Sie klein bei!»

«Na, die Boches, die hab ich aus nächster Nähe gesehen, in Belgien und an der Somme! Ganz anders als Ihr Mann! Wo war der denn im Krieg? In den Büros, wo er ständig alle Leute angeschissen hat!»

«Sie ordinäre Person!»

«In Chalon-sur-Saône war er, Ihr Mann, seit September, bis zu dem Tag, an dem die Deutschen gekommen sind. Und da ist er getürmt. So sieht er aus, sein Krieg!»

«Sie sind ... Sie sind erbärmlich! Gehen Sie oder ich schreie. Gehen Sie oder ich rufe!»

«Genau, rufen Sie die Boches! Sie sind doch heilfroh, daß sie da sind, was? Die spielen Polizei, bewachen Ihre Besitzungen. Beten Sie zum lieben Gott, daß sie noch lange bleiben, denn an dem Tag, wo sie weg sein werden ...»

Er sprach nicht zu Ende. Jäh riß er ihr die Holzschuhe, das Beweisstück, aus der Hand, zog sie an, schlüpfte durch die Mauer und verschwand. Fast gleich darauf hörte man die Schritte der näherkommenden Deutschen.

‹Oh, ich hoffe sehr, daß sie ihn geschnappt haben! Ich hoffe sehr, dass sie ihn getötet haben›, sagte sich die Vicomtesse und rannte zum Schloß. ‹Was für ein Mensch! Was für ein Gelichter! Was für schändliche Leute! Genau das ist der Bolschewismus, genau das! Mein Gott! Was ist bloß aus dem Volk geworden! Zu Papas Zeiten weinte ein Wilderer, den man im Wald aufgriff, und bat um Vergebung. Natürlich vergab man ihm. Papa, der die Güte selbst war, schrie, tobte und ließ ihm dann in der Küche ein Glas Wein geben … In meiner Kindheit habe ich das mehr als einmal erlebt! Aber damals war der Bauer arm. Seit er Geld hat, scheinen alle seine bösen Triebe wiedererwacht zu sein. Das Schloß ist voll vom Keller bis zum Dachboden!›, wiederholte sie wütend. ‹Na und! Und bei ihm? Sie sind doch noch reicher als wir. Was wollen sie denn? Sie werden vom Neid, von ihrer niederen Gesinnung zerfressen. Dieser Labarie ist gefährlich. Er hat sich gebrüstet, bei uns jagen zu kommen! Also hat er sein Gewehr nicht abgegeben! Er ist zu allem fähig. Wenn er etwas anstellt, wenn er einen Deutschen umbringt, dann ist die ganze Gegend hier für das Attentat verantwortlich und der Bürgermeister als erster! Leute wie er sind schuld an all unserm Unglück. Es ist unsere Pflicht, ihn anzuzeigen. Ich werde Amaury davon überzeugen, und … wenn es sein muß, werde ich selbst zur Kommandantur gehen. Entgegen den Vorschriften streicht er nachts durch den Wald, er hat eine Feuerwaffe, das reicht!›

Sie rannte ins Schlafzimmer, weckte Amaury, erzählte ihm, was geschehen war, und sagte:

«So weit ist es mit uns gekommen! Man verhöhnt, bestiehlt, beleidigt mich auf meinem eigenen Grund und Boden! Oh, das alles ist unwichtig! Können mir die Beleidigungen eines Bauern denn etwas anhaben? Aber er ist ein gefährlicher Mann. Er ist zu allem fähig. Ich bin sicher, wenn ich nicht so geistesgegenwärtig gewesen wäre zu schweigen, wenn ich die Deutschen gerufen hätte, die gerade auf der Straße vorbeimarschierten, dann wäre er imstande gewesen, sich mit Fäusten auf sie zu stürzen oder aber ...»

Sie schrie auf und erbleichte.

«Er hatte ein Messer in der Hand. Ich sah eine Messerklinge aufblitzen, da bin ich mir sicher! Können Sie sich vorstellen, was dann passiert wäre? Die Ermordung eines Deutschen, nachts in unserem Park? Beweisen Sie mal, daß Sie nichts damit zu tun haben. Amaury, Ihre Pflicht liegt klar auf der Hand. Sie müssen handeln. Dieser Mann hat Waffen bei sich zu Hause, da er sich gebrüstet hat, den ganzen Winter im Park gejagt zu haben. Waffen! Wo die Deutschen doch immer wieder gesagt haben, daß sie keine mehr dulden! Wenn er sie bei sich aufbewahrt, dann deshalb, weil er etwas im Schilde führt, bestimmt ein Attentat! Können Sie sich das vorstellen?»

In der Nachbarstadt war ein deutscher Soldat getötet worden, und die Notabeln (der Bürgermeister an der Spitze) waren bis zur Entdeckung des Schuldigen als Geiseln in Haft genommen worden. In einem kleinen Dorf, elf Kilometer von hier, hatte ein betrunkener Sechzehnjähriger einem Wachtposten, der ihn nach der Sperrstunde festnehmen wollte, einen Faustschlag versetzt. Der Junge war erschossen worden. Aber wenn es nur das gewesen wäre! Denn hätte er sich an die Vorschriften gehalten, dann wäre nichts geschehen, aber fast hätte auch der Bürgermeister, den seine Untergebenen für verantwortlich hielten, dran glauben müssen.

«Ein Taschenmesser», brummte Amaury, aber sie hörte ihm nicht zu.

«Ich glaube fast», sagte Amaury, während er sich mit zitternden Händen ankleidete (es war gegen acht Uhr), «ich glaube fast, ich hätte dieses Amt nicht annehmen sollen.»

«Sie werden doch hoffentlich bei der Gendarmerie Strafanzeige erstatten?»

«Bei der Gendarmerie? Sie sind verrückt! Wir hätten das ganze

Land gegen uns. Sie wissen doch, daß es in den Augen dieser Leute kein Diebstahl ist, wenn einer sich nimmt, was gegen bares Geld abzutreten man sich weigert. Was für eine Posse. Man wird uns das Leben zur Hölle machen. Nein, ich gehe auf der Stelle zur Kommandantur und bitte sie, die Sache geheimzuhalten, was sie bestimmt auch tun werden, denn sie sind diskret und werden die Situation verstehen. Man wird bei den Labaries eine Hausdurchsuchung vornehmen und bestimmt eine Waffe finden ...»

«Sind Sie sicher, daß man sie da finden wird? Diese Leute ...»

«Diese Leute halten sich für sehr schlau, aber ihre Verstecke, die kenne ich ... Sie prahlen im Wirthaus damit, wenn sie getrunken haben ... Es ist der Speicher, der Keller oder der Schweinestall. Man wird den Benoît verhaften, ich nehme den Deutschen das Versprechen ab, ihn nicht allzu hart zu bestrafen. Er wird mit ein paar Monaten Gefängnis davonkommen. Solange sind wir ihn los, und danach, dafür verbürge ich mich, wird er sich ruhig verhalten. Die Deutschen verstehen sich darauf, sie in Schach zu halten. Aber was haben sie denn nur?» rief der Vicomte plötzlich aus, der in diesem Augenblick im Hemd dastand, dessen Schöße um seine nackten Waden flatterten, «was haben sie denn nur im Leib? Warum können sie keine Ruhe geben? Was verlangt man denn von ihnen? Zu schweigen, sich ruhig zu verhalten. Aber nein! Sie nörgeln, sie meckern, sie prahlen. Und was haben sie davon, frage ich Sie? Wir sind besiegt worden, nicht wahr? Damit müssen wir uns abfinden. Man könnte meinen, sie tun es mit Absicht, nur um mich zu ärgern. Nach vielen Mühen war es mir endlich gelungen, mit den Deutschen auf gutem Fuß zu stehen. Bedenken Sie nur, daß kein einziger von ihnen bei uns im Schloß einquartiert wurde. Eine große Vergünstigung. Und dann das Land hier ... ich tue für es, was ich kann ... es bringt mich um den Schlaf ... Die Deutschen verhalten sich allen gegenüber korrekt. Sie grüßen die Frauen, sie streicheln die Kinder. Sie zahlen bar. Aber nein! Das reicht immer noch nicht! Was möchte man denn noch? Daß sie Elsaß und Lothringen zurückgeben? Daß sie sich unter der Präsidentschaft von Léon Blum zur Republik be-kehren? Oder was? Was?»

«Regen Sie sich nicht auf, Amaury. Sehen Sie mich an, ich bin ruhig. Tun Sie Ihre Pflicht, ohne anderswo als im Himmel auf Be-lohnung zu hoffen. Glauben Sie mir, Gott liest in unseren Her-zen.»

«Ich weiß, ich weiß, aber trotzdem ist es schwer», seufzte der Vicomte bitter.

Und ohne sich Zeit zum Essen zu nehmen (seine Kehle sei so zugeschnürt, daß kein einziger Brotkrümel hindurchpasse, sagte er zu seiner Frau), verließ er das Haus und bat in der Komman-dantur unter höchster Geheimhaltung um eine Unterredung.

17

Die deutsche Armee hatte die Requirierung von Pferden angeordnet: damals war eine Stute etwa sechzig- bis siebzigtausend Francs wert; die Deutschen zahlten die Hälfte (versprachen es zumindest). Die Zeit der größten Feldarbeiten nahte, und voll Bitterkeit fragten die Bauern den Bürgermeister, wie sie denn zurechtkommen sollten:

«Nur mit unsern Armen? … Aber eines sagen wir Ihnen, wenn man uns nicht arbeiten läßt, dann werden die Städte verhungern.»

«Aber, liebe Freunde, daran kann ich doch nichts ändern!» murmelte der Bürgermeister.

Auch wenn die Bauern wußten, daß er tatsächlich nichts daran ändern konnte, so gaben sie ihm insgeheim doch die Schuld daran. «Er selbst wird sich schon zu helfen wissen, er wird sich schon arrangieren, seine verdammten Pferde rührt bestimmt keiner an!» Alles lief schlecht. Seit dem Vortag blies ein gewittriger Wind. Die Gärten waren regengetränkt, die Felder verhagelt. Als Bruno frühmorgens vom Haus der Angelliers losritt, um sich in die benachbarte Stadt zu begeben, wo die Requirierung vor sich gehen sollte, erblickte er eine verwüstete, vom strömenden Regen gepeitschte Landschaft. Die großen Lindenbäume an der Promenade wurden vom Sturm geschüttelt und ächzten und knarrten wie Schiffsmasten. Bruno jedoch empfand ein Gefühl der Freude, als er auf der Landstraße galoppierte; diese kalte, rauhe, reine Luft erinnerte ihn an die Luft Ostpreußens. Ach, wann nur sähe er diese Ebenen wieder, diese blassen Gräser, diese Moore, die außergewöhnliche Schönheit des Frühlingshimmels … den späten Frühling der Länder des Nordens … Bernsteinhimmel, Perlmuttwolken, Binsen, Schilfrohr, Birkenhaine …? Wann würde er wieder den Reiher und den Brachvogel jagen? Unterwegs begegnete er Pferden und ihren Führern, die sich aus allen Dörfern, allen Marktflecken, allen Landgütern der Region in die Stadt begaben. ‹Gute Tiere›, dachte er, ‹aber schlecht gepflegt.› Die Franzosen – im übrigen alle Zivilisten – verstanden nichts von Pferden.

Er blieb einen Moment stehen, um sie vorbeizulassen. Sie gingen in kleinen Gruppen im Zickzack. Bruno betrachtete die Tiere mit aufmerksamem Blick; er suchte nach solchen, die sich für den Krieg eigneten. Die meisten würde man zu Feldarbeiten nach Deutschland schicken, einige jedoch würden die Sturmangriffe im Sand Afrikas oder auf den Hopfenfeldern von Kent kennenlernen. Gott allein wußte, wo der Wind des Krieges in Zukunft wehen würde. Bruno erinnerte sich an das Wiehern der erschreckten Pferde im brennenden Rouen. Es regnete. Die Bauern gingen mit gesenktem Kopf und hoben ihn ein wenig, als sie diesen regungslosen Reiter mit seinem grünen Umhang über den Schultern sahen. Einen Augenblick begegneten sich ihre Blicke. ‹Wie langsam sie sind›, dachte Bruno, ‹wie ungeschickt! Sie werden mit zwei Stunden Verspätung ankommen, und wann werden wir dann zu Mittag essen können? Zuerst wird man sich um die Pferde kümmern müssen. Los, los, macht schon›, murmelte er und schlug ungeduldig mit der Reitgerte auf seine Stiefel, wobei er an sich hielt, um nicht lauthals Befehle zu brüllen wie beim Manöver. Alte Männer gingen an ihm vorbei, Kinder und sogar ein paar Frauen; alle aus demselben Dorf blieben zusammen. Dann gab es eine Lücke. Der Raum, die Stille wurde nun nur von den jähen Windböen ausgefüllt. Bruno nutzte diese Lücke, um sein Pferd in Richtung Stadt galoppieren zu lassen. Hinter ihm bildete sich der geduldige Zug von neuem. Die Bauern schwiegen. Man hatte ihnen die jungen Männer genommen; man hatte ihnen das Brot, das Korn, das Mehl und die Kartoffeln genommen; man hatte ihnen das Benzin und die Autos genommen; jetzt waren die Pferde dran. Und was morgen? Manche von ihnen waren seit Mitternacht unterwegs. Sie gingen mit gesenktem Kopf, gebeugtem Rücken, undurchdringlicher Miene. Sie mochten dem Bürgermeister noch so oft sagen, es sei zu Ende und sie würden überhaupt nichts mehr tun, sie wußten genau, daß die Arbeit erledigt, die Ernte eingebracht werden mußte. Schließlich muß man essen. ‹Wenn man dran denkt, wie glücklich wir waren›, dachten sie. ‹Die Deutschen … ein Haufen gemeiner Kerle … Freilich muß man gerecht sein … Es ist Krieg … trotzdem, wie lange wird das noch dauern, mein Gott? Wie lange wird das noch dauern?› murmelten die Bauern und sahen hinauf zum stürmischen Himmel.

Unter Luciles Fenster waren den ganzen Tag über Pferde und Menschen vorbeigezogen. Sie hielt sich die Ohren zu, um sie nicht mehr zu hören. Sie wollte nichts mehr davon wissen. Sie hatte genug von diesen Kriegserscheinungen, von diesen düsteren Bildern! Sie verwirrten sie, zerrissen ihr das Herz, erlaubten ihr nicht, glücklich zu sein. Glücklich, mein Gott! ‹Ja, ja, der Krieg›, sagte sie sich, ‹ja, ja, die Gefangenen, die Witwen, das Elend, der Hunger, die Besatzung. Was weiter? Ich tue doch nichts Böses. Er ist der ehrbarste Freund, die Bücher, die Musik, unsere langen Gespräche, unsere Spaziergänge im Wald der Maie … Was sie schuldig macht, ist nur die Idee des Krieges, dieses weltweiten Unglücks. Aber er ist dafür nicht verantwortlicher als ich! Es ist nicht unsere Schuld. Man soll uns in Ruhe lassen … Man soll uns lassen!› Manchmal erschrak sie und wunderte sich sogar, in ihrem Herzen eine solche Auflehnung zu spüren – gegen ihren Ehemann, ihre Schwiegermutter, die öffentliche Meinung, diesen «Geist des Bienenstocks», von dem Bruno sprach. Ein grollender, bösartiger Schwarm, der unbekannte Zwecke verfolgt … Sie haßte ihn … ‹Sollen sie doch gehen, wohin sie wollen; ich jedenfalls werde tun, was ich möchte. Ich will frei sein. Ich verlange nicht so sehr die äußere Freiheit, die Freiheit zu reisen, dieses Haus zu verlassen (obwohl das ein unvorstellbares Glück wäre!), als innerlich frei zu sein, meinen eigenen Weg zu gehen, mich daran zu halten und nicht dem Schwarm zu folgen. Ich hasse diesen Gemeinschaftssinn, mit dem man uns dauernd in den Ohren liegt. Alle, die Deutschen, die Franzosen, die Gaullisten sind sich in einem Punkt einig: man muß mit den anderen leben, denken, lieben, bezogen auf einen Staat, ein Land, eine Partei. O mein Gott! Ich will nicht! Zwar bin ich nur eine unnütze arme Frau, die nichts weiß, aber ich will frei sein! Alle werden wir zu Sklaven›, dachte sie noch, ‹der Krieg schickt uns hierhin oder dorthin, raubt uns das Wohlbefinden, nimmt uns das Brot aus dem Mund. Man soll mir wenigstens das Recht lassen, über mein Schicksal zu entscheiden, mich über es hinwegzusetzen, ihm zu trotzen, ihm zu entgehen, wenn ich kann. Ein Sklave? Das ist immer noch besser als ein Hund, der sich für frei hält, wenn er hinter seinem Herrn hertrottet. Sie sind sich ihrer Sklaverei nicht einmal bewußt›, sagte sie sich, während sie dem Geräusch der Menschen und der Pferde lauschte, ‹und ich würde ihnen ähneln, wenn das Mitleid, die Solidarität, der «Geist des Bienenstocks» mich dazu zwängen, das Glück auszuschlagen.› Diese Freundschaft zwischen ihr und dem Deutschen, dieses Geheimnis, eine im Innern des feindseligen Hauses verborgene Welt, wie süß das war, mein Gott! Sie fühlte sich nun als menschliches Wesen, stolz und frei. Sie würde es keinem erlauben, in ihren ureigenen Bereich einzudringen. ‹Niemand! Das geht niemand etwas an! Sollen sie einander bekämpfen, sollen sie sich hassen! Mögen sein und mein Vater früher einander bekämpft haben! Mag er mit eigener Hand meinen Mann gefangengenommen haben (ein Gedanke, der meine arme Schwiegermutter peinigt! Was macht das schon? Er und ich sind Freunde.› Freunde? Sie ging durch das dunkle Vestibül; sie trat an den auf der Kommode stehenden Spiegel, einen Spiegel in einem schwarzen Holzrahmen; sie betrachtete ihre dunklen Augen und ihren bebenden Mund; sie lächelte. ‹Freunde? Er liebt mich›, flüsterte sie. Sie näherte ihre Lippen dem Spiegel und küßte sanft ihr Bild. ‹Ja, er liebt dich. Diesem Ehemann, der dich betrogen, alleingelassen hat, dem schuldest du nichts. Er ist in Gefangenschaft, dein Mann ist in Gefangenschaft und du läßt zu, daß ein

Deutscher sich dir nähert, den Platz des Abwesenden einnimmt? Ja! Na und? Den Abwesenden, den Gefangenen, den Ehemann habe ich nie geliebt. Soll er doch sterben! Soll er verschwinden! Aber sieh doch, denk nach›, fuhr sie fort, die Stirn an den Spiegel gedrückt, und es schien ihr, als spräche sie wirklich zu einem bisher unbekannten, unsichtbaren Teil ihrer selbst, den sie zum ersten Mal wahrnahm, einer Frau mit braunen Augen, schmalen bebenden Lippen, glühenden Wangen, die sie war und doch nicht ganz sie … ‹Sieh doch nur, denk nach … die Vernunft … die Stimme der Vernunft … du bist eine vernünftige Französin … wo wird dich das alles hinführen? Er ist Soldat, er ist verheiratet, er wird fortgehen … wo wird dich das hinführen? Und wenn es nur zu einem Augenblick des Glücks wäre? Ja nicht einmal des Glücks, der Lust? Weißt du überhaupt, was das ist?› Die Betrachtung ihres Spiegelbildes faszinierte sie; es gefiel ihr und machte ihr angst.

Sie hörte die Schritte der Köchin in der Vorratskammer nahe dem Vestibül. Sie zuckte erschrocken zusammen und begann ziellos durch das Haus zu wandern. Was für ein riesiges, leeres Haus, mein Gott! Wie sie versprochen hatte, verließ ihre Schwiegermutter ihr Zimmer nicht mehr; man brachte ihr das Essen nach oben. Aber sogar wenn sie nicht da war, glaubte man sie zu sehen. Dieses Haus war das Abbild ihrer selbst, der wahrhaftigste Teil ihres Wesens, so wie der wahrhaftigste Teil von Lucile jene schmale, verliebte, kühne, fröhliche, verzweifelte junge Frau war, die ihr vorhin in dem Spiegel mit dem schwarzen Rahmen zulächelte … (sie war verschwunden, hatte nur ein lebloses Phantom hinterlassen, jene Lucile Angellier, die durch die Zimmer irrte, ihr Gesicht an die Scheiben preßte, mechanisch die häßlichen, nutzlosen Gegenstände zurechtrückte, die den Kamin zierten). Was für ein Wetter! Die Luft war schwül, der Himmel grau. Die blühenden Lindenbäume wurden von kalten Böen geschüttelt. ‹Ein Zimmer, ein Haus für mich allein›, dachte Lucile, ‹ein vollkommenes, fast kahles Zimmer, eine schöne Lampe … Und wenn ich nun die Läden hier schlösse und Licht machte, um dieses Wetter nicht sehen zu müssen! Dann würde Jeanne kommen und mich fragen, ob ich krank sei; sie würde meine Schwiegermutter in Kenntnis setzen, die die Lampen löschen ließe und die Vorhänge aufzöge, weil der Strom teuer ist. Ich darf nicht Klavier spielen: das wäre eine Verunglimpfung des Abwesenden. Ich könnte ja trotz des Regens in den Wald gehen, aber alle würden es wissen. Sie würden sagen: «Lucile Angellier ist verrückt geworden.» Das genügt, um in einem Land wie dem unsern eine Frau einzusperren.› Sie lachte, als sie sich an ein junges Mädchen erinnerte, von dem man ihr erzählt hatte und das seine Eltern in einer Klinik eingesperrt hatten, weil sie in Mondnächten entwischte und zum See rannte. «Mit einem Jungen zusammen wäre das ja noch verständlich! Es wäre schlechtes Betragen ... Aber allein? Sie ist verrückt ...» Der See, die Nacht ... Der See im strömenden Regen. Oh, irgendwo, nur weit weg von hier ... Anderswo ... Diese Pferde, diese Menschen, diese armen gebeugten, schicksalsergebenen Rücken unter der Sturzflut! Sie entfernte sich entschlossen vom Fenster. Auch wenn sie sich immer wieder sagte: ‹Es gibt zwischen ihnen und mir nichts Gemeinsames!›, so fühlte sie doch die Anwesenheit eines unsichtbares Bandes.

Sie betrat Brunos Zimmer. Mehr als einmal war sie abends mit klopfendem Herzen zu ihm geschlüpft. Er lag dann völlig angekleidet auf seinem Bett; er las oder schrieb, und sein metallblondes Haar glänzte unter der Lampe. In einer Ecke lagen auf einem Sessel der schwere Gürtel mit seiner auf das Koppelschloß gravierten Inschrift *Gott mit uns*, eine schwarze Pistole, eine flache Mütze und ein großer mandelgrüner Mantel. Und diesen Mantel legte er dann auf Luciles Knie, weil seit letzter Woche die Nächte mit ihren ständigen Gewittern kalt waren. Sie waren allein – glaubten sich allein – in dem großen schlafenden Haus. Kein Geständnis, kein Kuß, Stille ... Dann fieberhafte, leidenschaftliche Gespräche, in denen sie über ihr jeweiliges Land sprachen, über ihre Familien, über Musik, Bücher ... Das seltsame Glück, das sie empfanden ... diese Hast, einander ihr Herz zu öffnen ... die Hast eines Liebenden, die bereits ein Geschenk ist, das erste, das Geschenk der Seele vor dem des Körpers. ‹Lerne mich kennen, sieh mich an. So bin ich. So habe ich gelebt, dies habe ich geliebt. Und du? Und du, mein Geliebter?› Doch bisher kein Liebesschwur. Wozu auch? Sie sind unnütz, wenn die Stimmen sich verändern, wenn die Lippen beben, wenn jenes tiefe Schweigen eintritt … Behutsam berührte Lucile die Bücher auf dem Tisch, deutsche Bücher, in jener gotischen Schrift gedruckt, die bizarr und abstoßend wirkt. Deutsche, Deutsche … Ein Franzose hätte mich nicht so gehen lassen, mir zum Abschied nicht nur die Hände und das Kleid geküßt …

Sie lächelte, zuckte leicht die Achseln. Sie wußte, daß das weder Schüchternheit noch Gefühlskälte war, sondern jene tiefe, herbe deutsche Geduld, die der des wilden Tieres ähnelt, das auf seine Stunde wartet, darauf wartet, daß die faszinierte Beute sich von selbst fangen läßt. «Im Krieg kam es vor», sagte Bruno, «daß wir ganze Nächte im Wald der Mœuvre im Hinterhalt lagen. Dann ist das Warten erotisch …» Sie hatte über dieses Wort gelacht. Jetzt erschien es ihr weniger komisch. Was tat sie heute denn anderes? Sie wartete. Sie wartete auf ihn. Sie schlich in diesen leblosen Zimmern umher. Noch zwei, drei Stunden. Dann das einsame Abendessen. Dann das Geräusch des Schlüssels, der die Tür ihrer Schwiegermutter abschlösse. Dann Jeanne, die mit einer Laterne durch den Garten ginge, um das Gittertor zu schließen. Dann wieder das Warten, brennend, sonderbar … Und endlich das Wiehern des Pferdes auf der Straße, ein Waffenklirren, Befehle an den Stallknecht, der sich mit dem Tier entfernt. Auf der Schwelle das Geräusch von Sporen … Dann, in dieser Nacht, dieser Gewitternacht, mit diesem stürmischen kalten Wind in den Lindenbäumen und dem fernen Donnergrollen, da würde sie ihm endlich sagen – o nein, sie war keine Heuchlerin, sie würde ihm in gutem Französisch klar und deutlich sagen –, daß die begehrte Beute ihm gehöre. «Und morgen? Morgen?» murmelte sie, und ein verschmitztes, kühnes, wollüstiges Lächeln verklärte sie plötz-

vor ihrer Nase entflohene Gefangene untergebracht worden. Die Louise würde ihn ja gern verstecken, aber da sind die Kinder, und die Kinder, die spielen mit den Deutschen, die fürchten sich nicht vor ihnen, die plappern, und sie sind auch zu klein, um sich belehren zu lassen. Die Louise hat mir gesagt: ‹Ich weiß, was ich riskiere. Ich tue es von Herzen gern für deinen Mann, so wie du es für meinen getan hättest, aber man sollte doch lieber ein anderes Haus finden, wo man ihn unterbringen kann, bis er eine Gelegenheit hat, das Land zu verlassen.› Jetzt werden natürlich alle Wege überwacht! Aber die Deutschen sind ja nicht für alle Ewigkeit hier. Was nötig wäre, ist ein großes Haus, in dem keine Kinder sind.»

«Hier?» sagte Lucile und sah sie an.

«Hier, das hatte ich gedacht, ja …»

«Sie wissen, daß ein deutscher Offizier bei uns wohnt?»

«Die sind doch überall. Der Offizier rührt sich doch wohl kaum von hier weg? Und außerdem, man hat mir gesagt … verzeihen Sie, Madame Lucile, man hat mir gesagt, daß er in Sie verliebt ist und daß Sie mit ihm machen, was Sie wollen. Ich kränke Sie doch nicht? Es sind Männer wie alle andern, und sie langweilen sich. Wenn Sie ihm also sagen: ‹Ich will nicht, daß Ihre Soldaten hier alles durcheinanderbringen. Das ist lächerlich. Sie wissen genau, daß ich niemand verstecke. Ich hätte viel zuviel Angst …› Dinge, wie Frauen sie sagen können. Und außerdem ist es in diesem großen, leeren Haus doch leicht, eine kleine Ecke, ein Versteck zu finden. Jedenfalls ist es eine Chance zur Rettung. Die einzige! Sie werden mir sagen, daß Sie das Gefängnis riskieren, wenn Sie entdeckt werden … vielleicht sogar den Tod … Bei diesen Bestien ist das schon möglich. Aber wenn wir uns unter Franzosen nicht helfen, wer soll uns denn sonst helfen? Die Louise, die hat Kinder, und sie hat keine Angst gehabt. Sie dagegen sind allein.»

«Ich habe keine Angst», sagte Lucile langsam.

Sie dachte nach: ob bei ihr oder anderswo, die Gefahr für Benoît war die gleiche. ‹Für sie? für mich? für mein Leben? Was ich daraus mache?› dachte sie mit unwillkürlicher Verzweiflung. Es hatte wirklich keinerlei Bedeutung. Plötzlich erinnerte sie sich an die Tage vom Juni 1940 (zwei Jahre, genau zwei Jahre war es jetzt her). Auch damals hatte sie im Aufruhr, in der Gefahr nicht an sich selbst gedacht. Sie hatte sich gleichsam von der schnellen Strömung eines Flusses mitreißen lassen. Sie murmelte:

«Da ist noch meine Schwiegermutter, aber sie verläßt ihr Zimmer nicht mehr. Sie wird nichts sehen. Aber auch Jeanne ist noch da.»

«O Madame, Jeanne gehört zur Familie. Sie ist eine Kusine meines Mannes. Von ihr droht keine Gefahr. In der Familie vertrauen wir uns. Aber wo ihn verstecken?»

«Ich dachte an das blaue Zimmer neben dem Dachboden, das ehemalige Spielzimmer, das eine Art Alkoven hat … Trotzdem, meine arme Madeleine, trotzdem dürfen Sie sich keine Illusionen machen. Hier wie anderswo werden sie ihn finden, wenn das Schicksal gegen uns ist, und wenn Gott will, wird er ihnen entkommen. Immerhin hat es in Frankreich schon einige Attentate auf deutsche Soldaten gegeben, und die Schuldigen sind nie gefunden worden. Wir müssen unser Bestes tun, um ihn zu verstecken … und … hoffen, nicht wahr?»

«Ja, Madame, hoffen …», sagte Madeleine, während ihr die Tränen, die sie nicht länger zurückhalten konnte, langsam über die Wangen liefen.

Lucile nahm sie bei den Schultern und umarmte sie.

«Holen Sie ihn. Gehen Sie durch den Wald der Maie. Es regnet immer noch. Es wird niemand draußen sein. Mißtrauen Sie allen, den Franzosen wie den Deutschen, glauben Sie mir. Ich werde an der kleinen Gartentür auf Sie warten. Und Jeanne Bescheid sagen.»

«Danke, Madame», stammelte Madeleine.

«Kommen Sie, schnell. Beeilen Sie sich.»

Madeleine öffnete geräuschlos die Tür und schlüpfte in den

verlassenen, nassen Garten, in dem die Bäume weinten. Eine Stunde später ließ Lucile durch die grüngestrichene kleine Tür, die auf den Wald der Maie ging, Benoît herein. Das Gewitter war vorüber, aber noch immer blies ein wütender Wind.

19

In ihrem Zimmer hörte die alte Madame Angellier den Feldhüter
auf dem Rathausplatz rufen:

Bekanntmachung
Anordnung der Kommandantur

An jedem Fenster erschienen besorgte Gesichter: ‹Was haben sie
sich jetzt wieder einfallen lassen?› dachten die Leute voller Angst
und Haß. Ihre Furcht vor den Deutschen war so groß, daß sie sich
selbst dann, wenn die Kommandantur durch die Stimme des Feld-
hüters nur die Vertilgung der Ratten oder die Impfpflicht für die
Kinder anordnete, erst lange nachdem der letzte Trommelwirbel
verklungen war, beruhigten und erst nachdem sie sich von gebildeten Leuten wie dem Apotheker, dem Notar oder dem Chef der
Gendarmerie hatten bestätigen lassen, was soeben gesagt worden
war:

«Ist das alles? Ist das wirklich alles? Sie nehmen uns nichts
mehr weg?»

Dann beruhigten sie sich allmählich:

«Ach so! Gut, na dann! Aber ich frage mich, in was sie sich
einmischen …»

Es fehlte nicht viel und sie hätten hinzugefügt:

«Es sind unsere Ratten und unsere Kinder. Mit welchem Recht
wollen sie die einen vertilgen und die andern impfen? Geht sie
das was an?»

Die Deutschen, die sich auf dem Platz befanden, kommentier-
ten die Anordnungen.

«Jetzt alle gesund, die Franzosen und die Deutschen …»

Mit gespielter Unterwürfigkeit (oh, dieses Sklavenlächeln,

dachte die alte Madame Angellier) stimmten die Bauern eilig zu:

«Sicher ... Sehr gut ... Es ist im Interesse aller ... Wir verstehen das.»

Und zu Hause warf ein jeder sogleich das Rattengift ins Feuer, ging dann rasch zum Arzt und bat ihn, das Kind nicht zu impfen, «weil es gerade Mumps hatte, weil es ganz schwach ist bei der schlechten Ernährung». Andere sagten offen: «Es wäre uns sogar lieber, wenn es ein oder zwei Kranke gäbe, vielleicht würde das die Fritzen ja vertreiben!» Die allein auf dem Platz zurückgebliebenen Deutschen schauten sich wohlgefällig um und dachten, daß zwischen den Besiegten und ihnen das Eis allmählich schmolz.

An jenem Tag aber lächelte kein Deutscher, und keiner sprach mit den Einheimischen. Sie standen sehr gerade da, ein wenig blaß, mit hartem, starrem Blick. Der Feldhüter, der die Wichtigkeit der Worte, die er sagen sollte, offensichtlich genoß, übrigens ein schöner Mann aus dem Süden, stets erfreut, die Aufmerksamkeit der Frauen zu erregen, hatte soeben einen letzten Trommelwirbel ausgeführt; mit der Anmut und Geschicklichkeit eines Zauberkünstlers hatte er seine beiden Stöcke unter den Arm geschoben und las nun mit einer schönen, satten, männlichen Stimme, die in der Stille tönte, vor:

«Ein Mitglied des deutschen Heeres ist einem Attentat zum Opfer gefallen: Ein Offizier der Wehrmacht wurde feige ermordet von einem gewissen SABARIE Benoît, wohnhaft in ..., Gemeinde von Bussy.
Dem Verbrecher ist es gelungen, die Flucht zu ergreifen. Jedem, der ihm Unterschlupf, Hilfe oder Schutz gewährt oder der sein Versteck kennt, es jedoch nicht innerhalb von achtundvierzig Stunden der Kommandantur meldet, dem droht dieselbe Strafe wie dem Mörder, nämlich DIE SOFORTIGE ERSCHIESSUNG.»

Madame Angellier hatte das Fenster ein wenig geöffnet. Als der Feldhüter sich entfernt hatte, beugte sie sich hinaus und betrachtete den Platz. Die Leute murmelten, wie betäubt. Endlich! Tags zuvor hatte man von nichts anderem als von der Requirierung der Pferde gesprochen, und dieses neuerliche Unglück weckte zusammen mit dem alten in den schwerfälligen Köpfen der Bauern eine Art Ungläubigkeit: «Der Benoît! Der Benoît soll das getan haben? Nicht möglich!» Das Geheimnis war also gewahrt worden: Die Einwohner des Marktfleckens wußten nicht, was draußen auf dem Land, auf jenen großen, eifersüchtig bewachten Gütern vor sich ging. Die Deutschen dagegen waren besser unterrichtet. Nun verstand man den Grund für jenen Lärm, für jene Pfiffe in der Nacht, für das Verbot, das am Vortag ergangen war, nach acht Uhr abends das Haus zu verlassen: «Bestimmt haben sie die Leiche geholt und wollten nicht, daß man sie sieht.» In den Cafés unterhielten sich die Deutschen mit leiser Stimme. Auch sie hatten ein Gefühl von Unwirklichkeit und Grauen. Seit drei Monaten lebten sie nun mit diesen Franzosen, hatten sich unter sie gemischt; sie hatten ihnen nichts Böses getan, und durch viel Rücksichtnahme und gutes Betragen war es ihnen endlich gelungen, zwischen Eindringlingen und Besiegten menschliche Beziehungen zu knüpfen! Und da stellte die Tat eines Verrückten alles wieder in Frage. Das Verbrechen selbst berührte sie im übrigen weniger als diese Solidarität, diese Komplizenschaft, die sie um sich herum spürten (denn damit ein Mann einem Regiment entwischen kann, das ihm auf den Fersen ist, muß die ganze Gegend ihm helfen, ihn schützen, ihm zu essen geben, falls er sich nicht im Wald vergraben hat – aber den hatte man die ganze Nacht durchkämmt – oder, noch wahrscheinlicher, die Gegend verlassen hat, aber auch das konnte nur mit der aktiven oder passiven Hilfe der Leute geschehen). ‹Wenn mich also morgen ein Franzose tötet›, dachte jeder Soldat, ‹mich, den man bei sich empfängt, mich, dem man zulächelt, mich, dem man bei Tisch Platz macht, mich, dem man erlaubt, die Kinder auf seine Knie zu nehmen, dann wird mich keine einzige Stimme beklagen, und alle werden ihr Möglichstes tun, um den Mörder zu decken!› Diese ruhigen Bauern mit den undurchdringlichen Mienen, diese Frauen, die ihnen gestern zulächelten, mit ihnen sprachen und die heute, wenn sie an ihnen vorbeigingen, verlegen ihren Blick abwandten, das war eine Ansammlung von Feinden! Sie konnten es kaum glauben: so anständige Leute ... Lacombe, der Holzschuhmacher, der letzte Woche den Deutschen eine Flasche Weißwein geschenkt hatte, weil seine Tochter ihre Abschlußprüfung bestanden hatte und er nicht wußte, wie er seiner Freude Ausdruck verleihen sollte; Georges, der Schreiner, ein Kämpfer des anderen Kriegs, der gesagt hatte: «Daß Frieden ist und jeder zu Hause! Mehr wollen wir nicht»; die jungen Mädchen, die immer bereit waren zu lachen, zu singen, sich heimlich umarmen zu lassen, wir sind also für immer Feinde?

Die Franzosen dagegen sagten sich: ‹Dieser Willy, der um die Erlaubnis gebeten hat, mein Kind zu umarmen, weil er in Bayern eine Tochter im gleichen Alter hätte, und dieser Fritz, der mir geholfen hat, meinen kranken Mann zu pflegen, dieser Erwald, der Frankreich so schön findet, und der andere, der vor dem Porträt des 1915 gefallenen Vaters seine Mütze abgenommen hat, er wird mich also, wenn er morgen den Befehl erhält, festnehmen und mich ohne Bedauern mit eigener Hand töten? ... Der Krieg ... ja, wir wissen, was das ist. Aber im Grunde ist die Besatzung noch schlimmer, weil man sich an die Leute gewöhnt, man sagt sich: «Eigentlich sind sie wie wir», aber nein, ganz und gar nicht. Wir sind ganz verschiedene Menschen, unversöhnlich, für immer Feinde.›

Madame Angellier kannte sie so gut, ihre Bauern, daß sie ihnen die Gedanken von ihren Gesichtern abzulesen meinte. Sie feixte. Sie jedenfalls hatte sich nichts vorgemacht! Sie hatte sich nicht kaufen lassen! Denn alles stand zum Verkauf in dem kleinen Marktflecken Bussy wie im übrigen Frankreich. Den einen boten die Deutschen Geld (jenen Weinhändlern, die den Mitgliedern

der Wehrmacht für eine Flasche Chablis hundert Francs abver-
langten, jenen Bauern, die ihre Eier für fünf Francs das Stück ver-
kauften), den anderen, den jungen Leuten und den Frauen, Vergnügungen … Man langweilte sich nicht mehr, seit die Deutschen
da waren. Endlich hatte man jemanden, mit dem man sprechen
konnte. Gott … sogar ihre Schwiegertochter! … Sie schloß halb
die Augen und streckte vor ihren gesenkten Lidern eine lange,
durchsichtige weiße Hand aus, als weigerte sie sich, einen nackten Körper anzusehen. Ja! Auf diese Weise meinten die Deutschen
Toleranz und Vergessen kaufen zu können. Und es gelang ihnen.
Voll Bitterkeit ließ Madame Angellier alle Notabeln des Orts Re-
vue passieren, alle hatten nachgegeben, alle hatten sich verfüh-
ren lassen: die Montmorts … sie empfingen die Deutschen; man
erzählte, daß die Deutschen im Park des Vicomte, auf dem See,
ein Fest organisierten. Zwar sagte Madame de Montmort jedem,
der es hören wollte, sie sei empört, sie würde dann ihre Fenster
schließen, um die Musik nicht hören und das bengalische Feuer
unter den Bäumen nicht sehen zu müssen. Aber als Leutnant von
Falk und Bonnet, der Dolmetscher, sie aufgesucht hatten, um
Stühle, Gläser, Tischdecken von ihr auszuleihen, da hatte sie über
zwei Stunden mit ihnen verbracht. Das wußte Madame Angellier von der Köchin, die es vom Verwalter wußte. Genaugenommen waren diese Adligen eigentlich selber halbe Fremde. Floß
in ihren Adern nicht bayerisches, preußisches (o Schande!) oder
rheinisches Blut? Die Adelsfamilien heirateten ohne Rücksicht
auf Grenzen untereinander, aber im Grunde waren die Großbürger nicht viel besser. Man flüsterte die Namen derer, die mit den
Deutschen Handel trieben (und gab diese Namen jeden Abend
laut im englischen Rundfunk bekannt), die Maltêtes aus Lyon,
die Péricans in Paris, die Bank Corbin … und viele andere … Am
Ende sah sich Madame Angellier als einzige ihrer Art, unzugäng-
lich, unnachgiebig wie eine Festung, leider die einzige Festung,
die in Frankreich noch stand, die jedoch nichts auf der Welt zu
überwältigen oder zu unterwerfen vermochte, denn ihre Bastio-

nen bestanden nicht aus Steinen, übrigens auch nicht aus Fleisch und Blut, sondern aus dem Stofflosesten und zugleich Unbesiegbarsten, das es gibt: Liebe und Haß.

Rasch und leise lief sie im Zimmer umher. Sie murmelte: «Es nützt nichts, die Augen zu schließen. Lucile ist nahe daran, diesem Deutschen in die Arme zu sinken.» Und was konnte sie tun? Die Männer haben Waffen, wissen zu kämpfen. Sie aber konnte nur spähen, nur beobachten, nur lauschen, in der Stille der Nacht auf Schritte, auf einen Seufzer lauern, damit wenigstens dies hier weder verziehen noch vergessen werde, damit Gaston bei seiner Rückkehr ... Sie bebte vor wilder Freude. Gott! wie sehr sie Lucile verabscheute! Wenn alles im Haus endlich schlief, machte sie ihre Runde, wie sie es nannte. Dann entging ihr nichts. Sie zählte in den Aschenbechern die Zigarettenkippen, die Spuren von Lippenstift trugen; sachte hob sie ein zerknülltes, parfümiertes Taschentuch, eine weggeworfene Blume, ein offenes Buch auf. Oft vernahm sie die Klänge des Klaviers oder die sehr tiefe, sehr sanfte Stimme des Deutschen, der eine Melodie trällerte. Dieses Klavier ... Wie nur kann man die Musik lieben? Jeder Ton schien an ihren blankliegenden Nerven zu zerren und entriß ihr ein Stöhnen. Da waren ihr ihre langen Gespräche noch lieber, deren gedämpftes Echo sie hörte, wenn sie sich aus dem Fenster lehnte, direkt über dem des Arbeitszimmers, das sie in diesen schönen Sommernächten offenließen. Sogar das Schweigen war ihr lieber, das mitunter zwischen ihnen eintrat, oder Luciles Lachen (lachen! wenn der Ehemann in Gefangenschaft ist! ... Schamloses Weibsstück, niederträchtige Seele!). Alles war besser als die Musik, denn nur die Musik hebt die Unterschiede der Sprache oder der Sitten zwischen zwei Menschen auf und berührt etwas Unzerstörbares in ihnen. Einige Male hatte sich Madame Angellier dem Zimmer des Deutschen genähert. Sie hatte seinem Atem, seinem leichten Raucherhusten gelauscht. Sie war durch das Vestibül gegangen, wo unter dem ausgestopften Hirschkopf der große Offiziersumhang hing, und sie hatte ein paar Heidekrautreiser in dessen Tasche gesteckt, denn das bringt Unglück, sagten die Leute. Zwar glaubte sie nicht daran ... aber man kann es immerhin versuchen ...

Seit einigen Tagen, genau seit vorgestern, schien die Atmosphäre des Hauses noch bedrohlicher zu sein. Das Klavier war verstummt. Madame Angellier hatte Lucile und die Köchin lange leise miteinander sprechen hören. (Auch die verrät mich wohl?) Die Glocken begannen zu läuten. (Ah, die Beerdigung des getöteten Offiziers ...) Da sind die Soldaten in Waffen, da kommt der Sarg, da sind die roten Blumenkränze ... Die Kirche war beschlagnahmt worden. Die Franzosen durften sie nicht betreten. Man hörte einen Chor wunderbarer Stimmen einen religiösen Gesang anstimmen; er kam aus der Kapelle der Jungfrau. Die Kinder des Religionsunterrichts hatten in diesem Winter eine Scheibe eingeschlagen, die nicht ersetzt worden war. Der Gesang drang aus diesem offenen kleinen Fenster hinter dem Altar der Jungfrau, das der große Lindenbaum auf dem Platz ein wenig verdunkelte. Wie fröhlich die Vögel sangen! Ihre hellen Stimmen überdeckten bisweilen fast die Hymne der Deutschen. Madame Angellier kannte weder den Namen noch das Alter des Toten. Die Kommandantur hatte nur gesagt: «Ein Offizier der Wehrmacht.» Das genügte. Bestimmt war er jung. Sie waren alle jung. ‹Na, für dich ist alles vorbei. Was willst du? Es ist Krieg.› Auch seine Mutter wird es endlich begreifen, murmelte Madame Angellier und spielte nervös mit ihrem Trauerkollier, der Halskette aus Gagat und Ebenholz, die sie beim Tod ihres Mannes angelegt hatte.

Bis zum Abend blieb sie regungslos, wie festgenagelt an ihrem Platz und folgte mit den Augen allen, die über die Straße gingen. Am Abend ... kein einziges Geräusch. ‹Man hört nicht einmal das leise Knarren auf der dritten Treppenstufe, die verrät, daß Lucile ihr Zimmer verlassen hat und in den Garten hinuntergeht, denn komplizenhaft quietschen die Türen nicht, aber diese treue alte Stufe warnt mich›, denkt Madame Angellier. ‹Nein, man hört nichts. Sind sie schon beisammen? Oder treffen sie sich erst später?›

Die Nacht verging. Brennende Neugier packt Madame Angellier. Sie schlüpft aus ihrem Zimmer. Sie preßt ihr Ohr an die Tür des Eßzimmers. Nichts. Auch aus dem Zimmer des Deutschen dringt kein Laut. Sie könnte meinen, daß er noch nicht zurückgekommen ist, hätte sie nicht früher am Abend den Schritt eines Mannes im Haus gehört. Man kann sie nicht täuschen. Eine männliche Anwesenheit, die nicht die ihres Sohnes ist, kränkt sie; erbleichend atmet sie den fremden Tabakgeruch, hebt ihre Hände an die Stirn wie eine Frau, der gleich übel wird. Wo ist dieser Deutsche? Näher bei ihr als sonst, da der Rauch durch das offene Fenster dringt. Besichtigt er etwa das Haus? Sie stellt sich vor, daß er bald fortgeht, daß er es weiß und daß er sich Möbel aussucht: seinen Teil der Beute. Haben die Preußen 1870 nicht alle Pendeluhren gestohlen? Die von heute werden sich nicht sehr geändert haben! Sie denkt an frevlerische Hände, die den Dachboden, die Vorratskammer und den Keller durchwühlen! Genaugenommen zittert Madame Angellier vor allem um den Keller. Sie trinkt niemals Wein; sie erinnert sich, bei der Erstkommunion von Gaston und auf seiner Hochzeit einen Schluck Champagner getrunken zu haben. Doch ist der Wein gewissermaßen ein Teil des Erbes und in dieser Hinsicht heilig wie alles, was dazu bestimmt ist, nach unserem Tod fortzudauern. Dieser Château-d'Yquem, dieser … sie hat sie von ihrem Mann erhalten, um sie ihrem Sohn weiterzugeben. Man hat die besten Flaschen im Sand vergraben, aber dieser Deutsche … wer weiß? … vielleicht von Lucile geführt? … Sehen wir nach … Da ist der Keller, seine mit Eisen gepanzerte Tür wie die einer Festung. Hier das Versteck, das nur sie an einem Zeichen in Form eines Kreuzes an der Mauer erkennt. Nein, auch hier scheint alles unberührt zu sein. Und doch schlägt Madame Angelliers Herz sehr heftig. Erst vor wenigen Augenblicken muß Lucile im Keller gewesen sein, denn ihr Parfum schwebt noch in der Luft. Madame Angellier geht der Spur dieses Parfums nach, steigt wieder hinauf, geht durch die Küche, das Eßzimmer, und begegnet endlich Lucile, die mit einem Teller, einem Glas und einer leeren Flasche, die Essen und Wein enthalten haben, die Treppe herunterkommt. Deshalb also war sie im Keller und in der Vorratskammer gewesen, wo Madame Angellier Schritte gehört zu haben glaubte.

«Ein kleines Liebesmahl?» sagt Madame Angellier mit leiser Stimme, so schneidend wie ein Peitschenriemen.

«Ich flehe Sie an, seien Sie still! Wenn Sie wüßten ...»

«Mit einem Deutschen! Unter meinem Dach! Im Haus Ihres Mannes, Elende ...»

«So seien Sie doch still! Der Deutsche ist noch nicht zurückgekehrt, nicht wahr? In jeder Minute kann er da sein. Lassen Sie mich vorbei und das hier wegräumen. Gehen Sie unterdessen hinauf, öffnen Sie die Tür des ehemaligen Spielzimmers und sehen Sie nach, wer dort ist ... Dann, wenn Sie ihn gesehen haben, kommen Sie zu mir ins Eßzimmer. Sie werden mir sagen, was Sie zu tun gedenken. Ich habe einen Fehler, einen großen Fehler gemacht, ohne Ihr Wissen zu handeln, denn ich hatte nicht das Recht, Ihr Leben aufs Spiel zu setzen ...»

«Sie haben diesen Bauern bei mir versteckt ... der eines Verbrechens angeklagt ist?»

In diesem Augenblick hörte man den Lärm des vorbeiziehenden Regiments, die rauhen deutschen Stimmen, die Befehle schrien, und fast gleich darauf den Schritt des Deutschen auf den Stufen der Freitreppe, der sich unmöglich mit dem Schritt eines Franzosen verwechseln ließ wegen des Hämmerns der Stiefel, des Klirrens der Sporen und vor allem, weil dieser Gang nur der eines Siegers sein konnte, der stolz auf sich ist, das feindliche Pflaster mit Füßen tritt und freudig die eroberte Erde zertrampelt.

Madame Angellier öffnete die Tür ihres eigenen Zimmers, bat Lucile herein, folgte ihr und schob den Riegel vor. Sie nahm Lucile den Teller und das Glas aus den Händen, spülte sie im Waschraum, trocknete sie sorgfältig ab und stellte die Flasche weg, nachdem sie sich das Etikett angeschaut hatte. Gewöhnlicher Wein? Ja, so ist's recht! ‹Sie will sich zwar gern erschießen lassen›, dachte Lucile, ‹weil sie den Mann, der einen Deutschen getötet hat, bei sich versteckt hielt, aber eine Flasche alten Burgunder würde sie ihm nicht opfern. Glücklicherweise war es dunkel im Keller, so daß ich durch Zufall einen billigen Rotwein erwischt habe.› Sie schwieg und wartete mit angespannter Neugier auf die ersten Worte von Madame Angellier. Sie hätte ihr die Anwesenheit eines Fremden nicht länger verheimlichen können: Diese alte Frau schien durch die Mauern hindurchzublicken.

«Haben Sie geglaubt, ich würde diesen Mann an die Kommandantur verraten?» fragte Madame Angellier. Ihre schmalen Nasenflügel bebten, ihre Augen glänzten. Sie schien glücklich, exaltiert, ein wenig verrückt zu sein, wie eine alte Schauspielerin, die die Rolle wiedergefunden hat, in der sie früher einmal geglänzt hat und deren Intonationen und Bewegungen ihr zur zweiten Natur geworden sind.

«Ist er schon lange hier?»

«Drei Tage.»

«Warum haben Sie mir nichts gesagt?»

Lucile antwortete nicht.

«Sie sind verrückt, ihn im blauen Zimmer zu verstecken. Hier bei mir muß er bleiben. Da man mir meine Mahlzeiten hochbringt, riskieren Sie nicht mehr, überrascht zu werden: die Entschuldigung ist sogleich gefunden. Er wird auf dem Sofa schlafen, im Waschraum.»

«Mutter, überlegen Sie doch! Wenn man ihn in Ihrem Haus entdeckt, sind Sie in schrecklicher Gefahr. Ich dagegen kann die Sache auf mich nehmen, sagen, ich hätte ohne Ihr Wissen gehandelt, was ja auch die Wahrheit ist, während in Ihrem Zimmer …»

Madame Angellier zuckte die Achseln.

«Erzählen Sie mir», sagte sie mit einer Lebhaftigkeit, die Lucile schon lange nicht mehr bei ihr erlebt hatte. «Erzählen Sie mir genau, wie es passiert ist. Ich weiß nur, was der Feldhüter ver-

kündet hat. Wen hat er getötet? Nur einen Deutschen? Hat er
keine andern verletzt? War es wenigsten einer von Rang … ein
höherer Offizier?»

‹Wie wohl es ihr ist›, dachte Lucile, ‹wie rasch sie auf all diese
Aufrufe zum Mord, zum Blutvergießen antwortet … Die Mütter und die Verliebten, blutrünstige Weiber … Ich, die ich weder
Mutter noch verliebt bin (Bruno? Nein … ich darf jetzt nicht an
Bruno denken, ich darf nicht …), ich kann diese Geschichte nicht
auf diese Weise betrachten. Ich bin gelassener, kälter, ruhiger, zivi-
lisierter, das glaube ich noch immer. Und außerdem … ich kann
mir nicht vorstellen, daß wir alle drei wirklich unsern Kopf riskieren … Das erscheint mir übertrieben, melodramatisch, und doch
ist Bonnet tot … getötet von diesem Bauern, den die einen als
Verbrecher, die anderen als Held bezeichnen werden … Und ich?
Ich muß Partei ergreifen. Ich habe schon Partei ergriffen … gegen meinen Willen. Und ich hielt mich für frei …›

«Das werden Sie Sabarie selber fragen, Mutter», sagte sie. «Ich
werde ihn holen und zu Ihnen bringen. Halten Sie ihn vom Rauchen ab, denn dem Leutnant könnte im Haus ein Tabakgeruch
auffallen, der nicht der seine ist. Ich glaube, das ist die einzige Gefahr. Sie werden das Haus nicht durchsuchen; sie glauben wohl
nicht mehr, daß jemand gewagt hat, den Mann im Ort selbst zu
verstecken. Sie werden sich die Gehöfte vornehmen. Aber wir
können denunziert werden.»

«Franzosen verraten einander nicht», sagte die alte Frau stolz.
«Das haben Sie vergessen, meine Kleine, seit Sie die Deutschen
kennen.»

Lucile erinnerte sich, was ihr Leutnant von Falk einmal im
Vertrauen gesagt hatte: «Am Tag, an dem wir eintrafen, erwartete uns in der Kommandantur ein Packen anonymer Briefe. Die
Leute beschuldigten sich gegenseitig der englischen und gaulli-
stischen Propaganda, der Hamsterei und der Spionage. Wenn wir
dem hätten Rechnung tragen wollen, dann säße das ganze Land
im Gefängnis! Ich habe alles ins Feuer werfen lassen. Mit den

Menschen ist es nicht weit her, und die Niederlage weckt ihre schlechtesten Eigenschaften. Bei uns ist es genauso.» Aber Lucile schwieg und ließ ihre Schwiegermutter, die um zwanzig Jahre jünger geworden war, munter und mit Feuereifer das Sofa im Waschraum als Bett herrichten. Mit ihrer eigenen Matratze, ihrem Kopfkissen, den feinsten Laken bereitete sie liebevoll Benoît Sabarie das Lager.

20

Schon seit langem hatten die Deutschen alle Vorkehrungen getroffen, um in der Nacht vom 21. auf den 22. Juni im Schloß von Montmort ein Fest zu organisieren. Es war der Jahrestag des Einzugs des Regiments in Paris, aber kein Franzose erfuhr den genauen Grund, warum ausgerechnet dieser Tag gewählt worden war. Die Chefs hatten die Losung ausgegeben, den Nationalstolz der Franzosen zu schonen. Die Völker kennen ihre eigenen Fehler sehr genau; sie kennen sie sogar besser als der böswilligste fremde Beobachter. In einem freundschaftlichen Gespräch, das Bruno von Falk kürzlich mit einem jungen Franzosen geführt hatte, hatte dieser gesagt:

«Wir vergessen alles sehr schnell, das ist unsere Schwäche, aber gleichzeitig auch unsere Stärke! Nach 1918 haben wir vergessen, daß wir die Sieger waren, und genau das war unser Verderben. Und nach 1940 werden wir vergessen, daß wir besiegt worden sind, was uns vielleicht retten wird!»

«Was uns Deutsche betrifft, so ist unser nationaler Fehler und gleichzeitig unser großer Vorzug der Mangel an Takt, das heißt die Phantasielosigkeit. Wir sind unfähig, uns an die Stelle des anderen zu versetzen; wir verletzen ihn mutwillig. Wir machen uns verhaßt, aber das ermöglicht es uns, unbeugsam und ohne Schwäche zu handeln.»

Und da die Deutschen vor diesem Mangel an Takt auf der Hut waren, achteten sie ganz besonders auf jedes ihre Worte, wenn sie sich mit den Einheimischen unterhielten, was diese ihnen als Heuchelei ankreideten. Sogar Bruno hatte auf Luciles Frage, aus welchem Anlaß dieses Fest denn nun stattfinde, ausweichend geantwortet: bei ihnen zu Hause pflege man sich etwa um den 24. Juni herum, der kürzesten Nacht des Jahres, zu versammeln, doch da für den 24. Manöver angesetzt worden seien, habe man das Datum vorverlegt.

Alles war bereit. Im Park sollten Tische aufgestellt werden, und die Einwohner waren gebeten worden, für ein paar Stunden ihre schönsten Tischtücher herzugeben. Ehrerbietig und mit unendlicher Sorgfalt hatten die Soldaten unter Brunos persönlicher Aufsicht ihre Auswahl unter den Stapeln an Damastwäsche getroffen, die aus tiefen Schränken hervorkamen. Die Bürgersfrauen, die Augen zum Himmel erhoben – als erwarteten sie, so dachte Bruno boshaft, daß von dort oben die heilige Genoveva persönlich herabstiege, um die frevlerischen Deutschen zu zerschmettern, die sich an diesem Familienschatz, an diesen feinen Leinen, Hohlsäumen und aus Blumen und Vögeln gestickten Monogrammen vergriffen –, die Bürgersfrauen also standen Wache und zählten vor ihren Augen die Handtücher. «Ich hatte vier Dutzend davon: achtundvierzig, Herr Leutnant, jetzt finde ich nur noch siebenundvierzig.» – «Erlauben Sie, daß ich mit Ihnen zähle, Madame. Ich bin sicher, daß Ihnen nichts gestohlen worden ist, die Aufregung verwirrt Sie, Madame. Hier ist das achtundvierzigste Handtuch, es ist direkt vor Ihnen heruntergefallen. Gestatten Sie, daß ich es aufhebe und Ihnen zurückgebe.» – «Ach ja, ich sehe, verzeihen Sie, Monsieur», sagte die Bürgersfrau mit ihrem säuerlichsten Lächeln, «wenn man alles so durcheinanderwirft, dann verschwinden die Sachen, sobald man nicht aufpaßt.» Doch hatte er ein Mittel gefunden, sie zu besänftigen, er sagte mit einer schönen Verbeugung: «Natürlich haben wir nicht das Recht, Sie darum zu bitten. Sie verstehen, das fällt nicht unter die Kriegsabgaben …»

Er deutete sogar an, daß, wenn der General es wüßte … «Er ist ja so streng … er könnte uns schelten, weil wir uns sträflicherweise so ungeniert benehmen … Aber wir langweilen uns schrecklich. Wir möchten ein schönes Fest feiern. Wir bitten Sie also nur um einen Gefallen, Madame. Es steht Ihnen völlig frei abzulehnen.» Magische Worte! Die verdrießlichste Miene hellte sich sofort durch den Anflug eines Lächelns auf (eine bleiche, bittere Wintersonne, dachte Bruno, auf einem ihrer stattlichen und verfallenen alten Häuser).

«Aber, Monsieur, warum Ihnen keine Freude machen? Sie passen doch gut auf die Tischtücher auf, die ich als Mitgift bekommen habe?»

«O Madame, ich schwöre Ihnen, daß wir Sie Ihnen mit Seife gewaschen und gebügelt unversehrt zurückgeben …»

«Nein, nein! Geben Sie sie mir so zurück, wie sie sind! Danke! Meine Tücher mit Seife waschen! Wir geben sie doch nicht in die Wäscherei, Monsieur! Das Dienstmädchen wäscht alles vor meinen Augen! Wir verwenden feine Asche …»

Und nun brauchte er nur noch mit einem sanften Lächeln zu sagen:

«Sieh an, wie meine Mutter …»

«Ach, wirklich? Auch Ihre Frau Mutter? … Merkwürdig … Vielleicht brauchen Sie ja auch Servietten?»

«Madame, ich wagte nicht, Sie darum zu bitten.»

«Ich gebe Ihnen zwei, drei, vier Dutzend. Wollen Sie Gedecke?»

Und die Soldaten verließen das Haus die Arme voll frischer, duftender Wäsche, die Taschen voller Dessertmesser, trugen irgendeine alte Punschschale, irgendeine Napoleon-Kaffeekanne mit laubverziertem Henkel in der Hand wie das Allerheiligste. Das alles lag nun in den Küchen des Schlosses und wartete auf das Fest.

Die jungen Mädchen fragten die Soldaten lachend:

«Wie stellt ihr es an, ohne Frauen zu tanzen?»

«Wir werden es wohl müssen, Mesdemoiselles. Es ist Krieg.»

Die Musiker würden im Gewächshaus spielen. Man hatte am Eingang des Parks einige mit Girlanden geschmückte Säulen und Masten aufgestellt, an denen die Fahnen flattern würden – die des Regiments, das die Feldzüge in Polen, Belgien und Frankreich mitgemacht und siegreich drei Hauptstädte durchquert hatte, dann die Hakenkreuzfahne, die, wie Lucile leise sagen sollte, mit allem Blut Europas gefärbt war. Ja, leider ganz Europas, einschließlich Deutschlands, dem edelsten, dem jüngsten, dem heißesten Blut, dem, das bei den Kämpfen als erstes fließt, und mit dem, das übrigbleibt, muß dann die Welt wiederbelebt werden. Deshalb sind die Zeiten nach einem Krieg so schwierig …

Aus Chalon-sur-Saône, Moulins, Nevers, Paris und Épernay trafen täglich Militärlastwagen mit Champagnerkisten ein. Wenn es schon keine Frauen gab, dann sollte es immerhin Wein geben und Musik und ein Feuerwerk auf dem See.

«Das werden wir uns anschauen», hatten die jungen Französinnen gesagt. «Trotz der Ausgangssperre in dieser Nacht. Hört ihr? Wenn ihr euren Spaß habt, dann ist es das mindeste, daß auch wir uns ein bißchen amüsieren. Wir gehen auf die Straße am Park und sehen euch beim Tanzen zu.»

Lachend probierten die Männer Kotillonhüte, Hauben aus silbriger Spitze, Masken, Kopfbedeckungen aus Papierblumen an. Für welche Feste mögen sie wohl bestimmt gewesen sein? Das alles war ein wenig zerknittert, ein wenig abgeblaßt, war schon getragen worden oder gehörte zu einem Warenlager, das irgendein Nachtklubbesitzer in Cannes oder Deauville vor dem September 1939 in der Hoffnung auf künftige Zeiten in Sicherheit gebracht hatte.

«Komisch werdet ihr damit aussehen», sagten die Frauen.

Die Soldaten stolzierten Grimassen schneidend einher.

Champagner, Musik, Tanz, ein Hauch von Vergnügen … genug, um für eine kleine Weile den Krieg und die verstreichende Zeit zu vergessen. In Sorge war man nur wegen eines möglichen Gewitters an diesem Abend. Aber die Nächte waren so klar … Und nun plötzlich dieses große Unglück! Ein toter Kamerad, ruhmlos gefallen, feige getroffen von irgendeinem betrunkenen Bauern. Man hatte in Erwägung gezogen, das Fest abzusagen. Aber nein! Hier herrschte der kriegerische Geist. Der Geist, der stillschweigend zuläßt, daß die Kameraden bei Todesstrafe über deine He den, deine Stiefel verfügen und die ganze Nacht Karten spielen, während du in einer Ecke des Zelts liegst … falls man deine Überreste gefunden hat! Aber auch der Geist, der den Tod des anderen als etwas Natürliches akzeptiert, als das gewöhnliche Los des Soldaten, und sich weigert, ihm auch nur die kleinste Zerstreuung zu opfern. Im übrigen mußten die Offiziere vor allem an die Untergebenen denken, die es so schnell wie möglich aus ihren entmutigenden Gedanken über die künftigen Gefahren, über die Kürze des Lebens herauszureißen galt. Nein! Bonnet war gestorben, ohne allzu sehr zu leiden. Man hatte ihm ein schönes Begräbnis bereitet. Er selbst hätte nicht gewollt, daß die Kameraden seinetwegen enttäuscht wären. Das Fest würde am festgesetzten Tag stattfinden.

Bruno überließ sich dieser ein wenig verrückten und zugleich fast verzweifelten kindlichen Erregung, die sich des Soldaten in den Momenten bemächtigt, wo die Waffen schweigen und er auf ein wenig Abwechslung im tägliche Einerlei hofft. Er wollte nicht an Bonnet denken, auch nicht wissen, was in diesen grauen, kalten, feindseligen Häusern mit den geschlossenen Fensterläden geflüstert wurde. Wie ein Kind, dem man eine Zirkusvorstellung versprochen hat und das nun unter dem Vorwand, daß eine betagte, langweilige Verwandte krank sei, zu Hause bleiben soll, wollte er sich sagen: ‹Das hat doch nichts miteinander zu tun. Was gehen mich eure Geschichten an? Geht mich das etwas an?› Und ging es ihn, Bruno von Falk, denn etwas an? Er war nicht nur Soldat des Reichs. Ihn bewegten nicht allein die Interessen des Regiments und des Vaterlands. Er war ein Mensch. Er dachte, daß er wie alle Menschen nach dem Glück, der freien Entfaltung seiner Fähigkeiten strebte und daß (wie leider bei allen Menschen in diesen Zeiten) dieser legitime Wunsch ständig von einer Art Staatsräson durchkreuzt wurde, die sich Krieg nannte, öffentliche Sicherheit, Notwendigkeit, das Ansehen der siegreichen Armee ı bewahren. Ein wenig wie die Kinder der Fürsten, die lediglich die Absichten der Könige, ihrer Väter, existieren. Er spürte dieses Königtum, diesen Widerschein der Größe der deutschen Macht auf seinem Körper, wenn er durch die Straßen von Bussy ging, wenn er durch ein Dorf ritt und wenn er seine Sporen auf der Schwelle eines französischen Hauses klirren ließ. Aber was die Franzosen nicht hätten verstehen können, war die Tatsache, daß er weder hochmütig noch arrogant war, sondern aufrichtig bescheiden, erschrocken über die Größe seiner Aufgabe.

Aber gerade heute wollte er nicht daran denken. Er zog es vor, mit dem Gedanken an diesen Ball zu spielen oder von undurchführbaren Dingen zu träumen, zum Beispiel von einer Lucile, die ihm ganz nahe wäre, von einer Lucile, die ihn auf das Fest begleiten könnte ... Ich phantasiere, sagte er sich lächelnd. Pah, und wenn schon! In meiner Seele bin ich frei. Und in seinem Geist entwarf er ein Kleid für Lucile, kein Kleid der heutigen Zeit, sondern ähnlich wie auf einer romantischen Radierung; ein weißes Kleid mit großen Musselin-Volants, ausgebaucht wie ein Blütenkelch, damit er, wenn er sie in Armen haltend mit ihr tanzte, dann und wann an seinen Beinen den wirbelnden Schaum ihrer Spitzen spüren könnte. Er erbleichte und biß sich auf die Lippen. Sie war so schön ... Diese Frau an seiner Seite, in einer Nacht wie dieser, im Park von Montmort, mit der Musikkapelle und dem Feuerwerk in der Ferne ... Eine Frau vor allem, die alles begriffe, die jenen fast religiösen Schauder der Seele teilte, jenen aus der Einsamkeit, der Finsternis und dem Bewußtsein jener dunklen, schrecklichen Menge – des Regiments, der Soldaten in der Ferne – erwachsenen Schauder, und in noch weiterer Ferne der leidenden, kämpfenden Armee und der in den Städten kampierenden siegreichen Armee.

‹Mit dieser Frau wäre ich ein Genie›, sagte er sich. Er hatte viel gearbeitet. Er lebte in ständiger schöpferischer Erregung, versessen auf Musik, sagte er sich lachend. Ja, mit dieser Frau und mit ein wenig Freiheit, ein wenig Frieden hätte er große Dinge vollbringen können. ‹Wie schade›, seufzte er, ‹wie schade ... In den nächsten Tagen wird der Abmarschbefehl kommen, und vo▪

neuem der Krieg, andere Leute, andere Länder, eine so große körperliche Müdigkeit, daß es mir nie gelingen wird, mein Soldatenleben zu beenden. Und sie möchte doch empfangen werden ... Auf der Schwelle drängen sich Tonsätze, köstliche Akkorde, subtile Dissonanzen ... geflügelte, scheue Geschöpfe, die der Waffenlärm verscheucht. Schade. Liebte Bonnet noch anderes als Kämpfe? Ich weiß es nicht. Niemals kennt man jemanden ganz und gar. Aber wenn ... das so ist ..., dann hat er, der mit neunzehn Jahren gestorben ist, mehr verwirklicht als ich, der ich noch lebe.›

Er blieb vor dem Haus der Angelliers stehen. Er war zu Hause. Innerhalb von drei Monaten hatte er sich angewöhnt, alles hier als das Seine zu betrachten: diese eisenbewehrte Tür und ihr Gefängnisschloß, dieses Vorzimmer mit seinem Kellergeruch und dem Garten dahinter, den in Mondlicht getauchten Garten und die Wälder in der Ferne. Es war ein wunderbar milder Juniabend; die Rosen öffneten sich, aber ihr Duft war weniger stark als der des Heus und der Erdbeeren, der seit dem Vortag über dem Land schwebte, denn es war die Zeit der großen Feldarbeiten. Der Leutnant war auf der Straße Wagen mit frischem Heu begegnet, gezogen von Ochsen, da es an Pferden mangelte. Stumm hatte er den langsamen, majestätischen Schritt der Ochsen an der Spitze ihrer duftenden Fracht bewundert. Die Bauern wandten sich ab, wenn er vorbeikam; er hatte es genau gesehen ... aber ... Jetzt fühlte er sich wieder wohlgemut und leicht. Er ging in die Küche und bat um etwas zu Essen. Die Köchin bediente ihn mit ungewohnter Hast, doch ohne auf seine Scherze einzugehen.

«Wo ist Madame?» sagte er schließlich.

«Ich bin hier», sagte Lucile.

Sie war lautlos eingetreten, während er gerade ein dickes Stück Brot mit einer Scheibe rohen Schinken darauf aß. Er hob die Augen zu ihr:

«Wie blaß Sie sind», sagte er mit zärtlicher, besorgter Miene.

«Blaß? Nein. Aber es war den ganzen Tag recht heiß.»

«Wo ist die Frau Mutter?» fragte er lächelnd. «Machen wir

doch einen kleinen Spaziergang. Kommen Sie mir in den Garten nach.»

Etwas später, als er langsam auf der großen Allee zwischen den Obstbäumen einherging, erblickte er sie. Mit gesenktem Kopf kam sie auf ihn zu. Einige Schritte von ihm entfernt zögerte sie, dann ging sie wie gewöhnlich, sobald der große Lindenbaum sie vor aller Augen verbarg, zu ihm und nahm seinen Arm. Schweigend machten sie ein paar Schritte.

«Man hat die Wiesen gemäht», sagte sie endlich.

Mit geschlossenen Augen atmete er den Duft ein. Der Mond war honigfarben an einem trüben, milchigen Firmament, über das leichte Wolken zogen. Es war noch hell.

«Wir werden morgen schönes Wetter haben für unser Fest.»

«Es ist morgen? Ich glaubte …»

Sie unterbrach sich.

«Warum nicht?» sagte er stirnrunzelnd.

«Nichts, ich glaubte …»

Mit der Reitgerte, die er in der Hand hielt, peitschte er nervös die Blumen.

«Was redet man in der Gegend?»

«Worüber …?»

«Das wissen Sie doch. Über das Verbrechen.»

«Ich weiß nicht. Ich habe niemand gesehen.»

«Und Sie selbst, was halten Sie davon?»

«Daß es schrecklich ist, natürlich.»

«Schrecklich und unverständlich. Denn was haben wir den Leuten als Menschen eigentlich getan? Wenn wir sie manchmal stören, dann ist das nicht unsere Schuld, wir führen nur Befehle aus; wir sind Soldaten. Aber ich bin mir bewußt, daß das Regiment alles getan hat, um sich korrekt, menschlich zu verhalten, nicht wahr?»

«Sicher», sagte Lucile.

«Natürlich würde ich das einer anderen nicht sagen … Unter uns versteht es sich von selbst, daß man das Los eines getötet

Soldaten nicht beklagen soll. Das widerspricht dem militärischen Geist, der verlangt, daß wir uns einzig und allein als Teil eines Ganzen betrachten. Mögen die Soldaten untergehen, wenn nur das Regiment bestehen bleibt! Deshalb verschieben wir das morgige Fest nicht», fuhr er fort. «Doch Ihnen, Lucile, darf ich es sagen. Mein Herz blutet bei dem Gedanken an diesen ermordeten neunzehnjährigen Jungen. Er war entfernt mit mir verwandt. Unsere Familien kannten sich ... Und da ist noch etwas Dummes, was mich empört. Warum hat er diesen Hund getötet, unser Maskottchen, unseren armen Bubi? Sollte man diesen Mann jemals finden, wird es mir ein Vergnügen sein, ihn mit eigenen Händen niederzuschießen.»

«Das hat er sich wahrscheinlich selber lange gesagt!» sagte Lucile leise. «Sollte mir einer dieser Deutschen in die Hände fallen oder statt ihrer einer ihrer Hunde, was für ein Vergnügen!»

Bestürzt sahen sie sich an. Die Worte waren ihnen fast ohne ihr Wissen über die Lippen gekommen. Schweigen hätte sie nur noch verschlimmert.

«Es ist die alte Geschichte», sagte Bruno, wobei er versuchte, einen leichten Ton anzuschlagen. «Der Sieger versteht nicht, warum man ihn ablehnt. Nach 1918 habt ihr euch vergeblich bemüht, uns davon zu überzeugen, daß wir einen schlechten Charakter hätten, nur weil wir unsere versenkte Flotte, unsere verlorenen Kolonien, unser zerstörtes Reich nicht vergessen konnten. Wie aber kann man den Groll eines großen Volkes mit dem blinden Haßausbruch eines Bauern vergleichen?»

Lucile pflückte ein paar Resedablüten, atmete ihren Duft ein, zerrieb sie in ihrer Hand.

«Hat man ihn noch nicht gefunden?»

«Nein. Oh, er ist jetzt weit weg. Keiner dieser braven Leute hier wird es gewagt haben, ihn zu verstecken. Sie wissen zu gut, was sie riskieren, und sie hängen am Leben, nicht wahr? Fast so sehr wie an ihrem Geld ...»

Mit einem kleinen Lächeln betrachtete er alle diese niedrigen, gedrungenen, verschwiegenen, in der Dämmerung dösenden Häuser, die von allen Seiten den Garten bedrängten. Man sah, daß er sie sich voll geschwätziger, gefühlsduseliger alter Frauen vorstellte, voll bedächtiger, kleinlicher, raffgieriger Bürgersfrauen, und das Land dahinter voller Bauern, die Tieren ähnelten. Es war beinahe die Wahrheit, ein Teil der Wahrheit. Was blieb, war jener Teil an Dunkelheit, Finsternis, Geheimnis, der sich nicht mitteilen läßt und über den, so dachte Lucile plötzlich, sich an eine Schullektüre erinnernd, «auch der grausamste Tyrann niemals Gewalt hat».

«Gehen wir weiter», sagte er.

Die Allee war von Lilien gesäumt; die langen seidigen Knospen waren in den letzten Sonnenstrahlen aufgesprungen, und jetzt öffneten sich die stolzen, starren, duftenden Blüten dem Abendwind. In den drei Monaten, seit sie sich kannten, hatten Lucile und der Deutsche viele gemeinsame Spaziergänge gemacht, aber noch nie bei einem so schönen, der Liebe so günstigen Wetter. In beiderseitigem Einvernehmen versuchten sie alles zu vergessen, was sie nicht selbst betraf. ‹Das geht uns nichts an, es ist nicht unsere Schuld. Im Herzen jedes Mannes und jeder Frau besteht noch eine Art Garten Eden, in dem es weder Tod noch Kriege gibt, in dem die Löwen friedlich mit den Rehen spielen. Es geht allein darum, dieses Paradies wiederzufinden und vor allem anderen die Augen zu schließen. Wir sind ein Mann und eine Frau. Wir lieben uns.›

Sie sagten sich, daß die Vernunft, ja sogar das Herz sie zu Feinden machen konnte, aber daß es ein Einvernehmen der Sinne gab, das nichts würde zerstören können, die stumme Komplizenschaft, die durch ein gemeinsames Begehren den verliebten Mann und die einwilligende Frau vereint. Im Schatten eines mit Früchten beladenen Kirschbaums neben dem kleinen Brunnen, aus dem die durstige Klage der Kröten aufstieg, wollte er sie nehmen. Er umarmte sie mit einer Heftigkeit, deren er nicht mehr Herr wa¨ zerriß ihre Kleider, drückte ihre Brüste. Sie stieß einen Sch aus: «Niemals, nein! Nein! Niemals!» Niemals würde sie ihm gehören. Sie hatte Angst vor ihm. Sie wünschte seine Liebkosungen nicht mehr. Sie war nicht verdorben genug (vielleicht zu jung!), als daß gerade aus dieser Angst Wollust hätte erwachsen können. Die Liebe, die sie so bereitwillig entgegengenommen hatte, daß sie sich geweigert hatte, sie für sträflich zu halten, erschien ihr mit einem Mal als ein schändlicher Wahn. Sie log; sie verriet ihn. Konnte man das Liebe nennen? Was dann? Nur eine Stunde der Lust? … Aber sogar Lust zu empfinden war sie außerstande. Was sie zu Feinden machte, waren weder die Vernunft noch das Herz, sondern jene dunklen Regungen des Bluts, auf die sie sich für ihre Vereinigung verlassen hatten und über die sie keine Macht hatten. Er berührte sie mit schönen, feingliedrigen Händen, aber diese Hände, deren Liebkosung sie herbeigesehnt hatte, spürte sie nun nicht, während die Kälte des an ihre Brust gedrückten Koppelschlosses sie bis ins Herz gefrieren ließ. Er flüsterte ihr deutsche Worte ins Ohr. Fremder! Fremder! Feind, trotz allem und für immer Feind mit seiner grünen Uniform, seinem schönen blonden Haar, einem Blond, das nicht von hier war, und seinem vertrauensvollen Mund. Mit einem Mal war er es, der sie von sich stieß.

«Ich werde Sie nicht mit Gewalt nehmen. Ich bin kein betrunkener Landsknecht … Gehen Sie.»

Aber der Musselingürtel ihres Kleids hatte sich an den Metallknöpfen des Offiziers verhakt. Mit zitternden Händen löste er ihn sanft ab. Sie jedoch schaute voller Angst auf das Haus. Die ersten Lichter gingen an. Würde die alte Madame Angellier daran denken, daß die doppelten Vorhänge zugezogen werden mußten, damit der Schatten des Flüchtigen nicht auf der Fensterscheibe erschien? Man nahm sich vor diesen schönen Juniabenden nicht genug in acht! Sie verrieten die Geheimnisse der schutzlos geöffneten Fenster, in die fremde Blicke eindrangen. Man nahm sich ɔr nichts in acht. Aus einem Nachbarhaus war deutlich der eng- ʰe Rundfunk zu hören; der Karren, der auf der Landstraße vorbeifuhr, war mit Schmuggelwaren beladen; in jeder Wohnung waren Waffen versteckt. Mit gesenktem Kopf hielt Bruno die langen Bänder des flatternden Gürtels in Händen. Er wagte nicht mehr, sich zu rühren noch zu sprechen. Schließlich sagte er traurig:

«Ich glaubte …»

Er sprach nicht zu Ende, zögerte, fuhr dann fort:

«… Sie empfänden für mich … ein wenig Zärtlichkeit …»

«Auch ich glaubte es.»

«Und es ist nicht so?»

«Nein. Es ist unmöglich.»

Sie trat zurück und blieb einige Schritte von ihm entfernt stehen. Einen Augenblick lang sahen sie sich an. Die durchdringenden Signale einer Trompete ertönten: die Sperrstunde. Die deutschen Soldaten gingen zwischen den beisammenstehenden Grüppchen über den Platz. «Los, ins Bett!» sagten sie ohne Schroffheit. Die Frauen protestierten und lachten. Ein zweites Mal erklang die Trompete. Die Einwohner gingen nach Hause. Die Deutschen blieben allein zurück. Bis zum nächsten Tag würde nur das Geräusch ihres eintönigen Rundgangs den Schlaf stören.

«Die Sperrstunde», sagte Lucile mit matter Stimme. «Ich muß ins Haus. Ich muß alle Fenster schließen. In der Kommandantur sagte man mir gestern, die Lichter im Salon seien nicht genügend abgedunkelt.»

«Solange ich da bin, brauchen Sie sich keine Sorgen zu machen. Man wird Sie in Ruhe lassen.»

Sie antwortete nicht. Sie reichte ihm die Hand, die er küßte, und begab sich ins Haus. Noch lange nach Mitternacht ging er im Garten umher. Sie hörte die kurzen eintönigen Rufe der Wachtposten auf der Straße und unter ihren Fenstern diesen langsamen, gemessenen Schritt eines Kerkermeisters. Manchmal dachte sie: ‹Er liebt mich, er argwöhnt nichts›, und manchmal: ‹Er ist auf der Hut, er lauert, er wartet.›

‹Wie schade›, dachte sie plötzlich in einem Anflug von Arichtigkeit. ‹Wie schade, es war eine schöne Nacht … wie geschaffen für die Liebe … ich hätte sie nicht versäumen dürfen. Alles andere ist unwichtig.› Aber sie machte keine Anstalten, ihr Bett zu verlassen und ans Fenster zu treten. Sie fühlte sich – gefesselt, gefangen – solidarisch mit diesem geknebelten Land, das vor Ungeduld ganz leise seufzte und träumte. Sie ließ die Nacht unnütz verstreichen.

21

Schon am frühen Nachmittag zeigte der Ort ein fröhliches Gesicht. Die Soldaten hatten die Masten auf dem Platz mit Laub und Blumen geschmückt, und auf dem Balkon des Rathauses wehten unter der Hakenkreuzfahne Banderolen aus rotem und schwarzem Papier mit Inschriften in gotischen Buchstaben. Es war herrliches Wetter. Ein leichter frischer Wind bewegte Fahnen und Bänder. Zwei rotwangige junge Soldaten zogen einen Karren voller Rosen.

«Sind die für die Tische?» fragten die neugierigen Frauen.

«Ja», antworteten stolz die Soldaten. Einer von ihnen wählte eine kaum aufgeblühte Knospe und überreichte sie mit einer tiefen Verbeugung einem errötenden jungen Mädchen.

«Es wird ein schönes Fest.»

«Wir hoffen es. Wir geben uns große Mühe», antworteten die Soldaten.

Die Köche arbeiteten unter freiem Himmel an den Pasteten und Torten für das Abendessen. Sie hatten sich, vor Staub geschützt, unter den großen Lindenbäumen rings um die Kirche niedergelassen. Der Küchenchef, in Uniform, aber mit einer hohen Mütze und einer strahlendweißen Schürze über seinem Dolman, legte letzte Hand an einen Kuchen. Er verzierte ihn mit Arabesken aus Schlagsahne und kandierten Früchten. Der Geruch nach Zucker erfüllte die Luft. Die Kinder jauchzten vor Freude. Der Chef, der vor Stolz platzte, es aber nicht zeigen wollte, runzelte die Stirn und sagte streng zu den Kindern: «Weg da, macht ein bißchen Platz, so kann man doch nicht arbeiten!» Anfangs hatten die Frauen so getan, als interessierten sie sich nicht für den Kuchen: «Pah! … das wird doch nichts Gescheites … sie haben nicht das richtige Mehl …» Nach und nach traten sie näher, zuer

schüchtern, dann selbstsicher, und dann gaben sie nach Frauen-
art respektlos ihre Meinung kund.

«He, Monsieur, auf dieser Seite ist er nicht verziert genug …
Monsieur, Sie brauchen Engelswurz.»

Schließlich legten sie mit Hand an. Sie schoben die Kinder beiseite und machten sich mit den Deutschen am Tisch zu schaffen.
Eine von ihnen hackte die Mandeln, die andere zerstieß den Zucker.

«Ist das für die Offiziere? Oder bekommen die Soldaten auch
was davon ab?» fragten sie.

«Alle, alle.»

Sie kicherten.

«Außer uns!»

Der Chef hob die Steingutplatte mit dem riesigen Kuchen in
die Höhe und präsentierte ihn mit einer kleinen Verbeugung der
Menge, die lachte und applaudierte. Mit unendlicher Vorsicht
wurde der Kuchen auf ein großes Brett gelegt, das zwei Soldaten
trugen (der eine vorne, der andere hinten), und auch er nahm den
Weg ins Schloß. Unterdessen trafen von überall die Offiziere der
in der Nachbarschaft einquartierten Regimenter ein, die zum Fest
eingeladen worden waren. Ihre langen grünen Umhänge flatterten hinter ihnen. Lächelnd erwarteten die Kaufleute sie auf den
Türschwellen. Seit dem frühen Morgen hatten sie die letzten Wa-
renbestände aus den Kellern geholt: Die Deutschen kauften alles,
was sie kriegen konnten, und zahlten gut. Ein Offizier riß die letzten Flaschen Benediktiner-Likör an sich, ein anderer nahm für
zwölfhundert Francs Frauenunterwäsche. Die einfachen Soldaten
drängten sich vor den Auslagen und betrachteten gerührt rosa und
blaue Lätzchen. Schließlich konnte einer von ihnen nicht mehr
an sich halten und rief, sobald sich der Offizier entfernt hatte, die
Verkäuferin und deutete auf Babysachen: Es war ein ganz junger
Soldat mit blauen Augen.

«Junge? Mädchen?» fragte die Verkäuferin.

«Ich weiß nicht», sagte er naiv. «Meine Frau schreibt mir, es
▪mmt vom letzten Urlaub vor einem Monat.»

Alle um ihn herum brachen in Lachen aus. Er errötete, schien jedoch sehr zufrieden zu sein. Man empfahl ihm eine Klapper und ein Kleidchen. Triumphierend überquerte er die Straße.

Die Kapelle probte auf dem Platz, und neben dem Kreis, den die Trommeln, die Trompeten und die Querpfeifen bildeten, umringte ein anderer Kreis den Militärbriefträger. Die Franzosen sahen mit offenem Mund und hoffnungsvoll glänzenden Augen zu und nickten mit herzlicher, melancholischer Miene, wobei sie dachten: ‹Wir wissen, wie das ist … wenn man auf Nachrichten von zu Hause wartet … Wir alle haben das mitgemacht …› Unterdessen betrat ein junger Deutscher, ein Hüne mit riesigen Schenkeln und einem dicken Hintern, der seine wie ein Handschuh sich darüber spannende Reithose fast zum Platzen zu bringen schien, zum dritten Mal das Hôtel des Voyageurs und bat, auf das Barometer schauen zu dürfen. Das Barometer stand immer noch auf «schön». Freudestrahlend sagte der Deutsche:

«Nichts zu fürchten. Kein Gewitter heute abend. *Gott mit uns.*»

«Ja, ja», pflichtete die Kellnerin bei.

Diese kindliche Freude färbte auch auf den Wirt (der anglophil gesinnt war) und die Gäste ab. Alle standen auf und näherten sich dem Barometer: «Nichts zu fürchten! Nichts. Gut das, schönes Fest», sagten sie im Bemühen, einfach zu sprechen, um besser verstanden zu werden, und der Deutsche klopfte mit einem breiten Lächeln allen auf die Schultern und wiederholte:

«*Gott mit uns.*»

«Natürlich, natürlich, God miou, hat getrunken, der Fritz», murmelten sie hinter seinem Rücken mit einem Ausdruck der Sympathie, «wir wissen, wie das ist. Hat es seit gestern begossen, sein Fest … Ein strammer Bursche … Na was! Warum sollten sie Trübsal blasen. Schließlich sind es Männer!»

Nachdem er durch sein Auftreten und seine Worte eine freundliche Atmosphäre geschaffen und kurz hintereinander drei Flaschen Bier getrunken hatte, zog sich der Deutsche strahlend zurück. Und im Verlauf des Tages begannen alle Einwohner s wohl und berauscht zu fühlen, als würden auch sie am Fest teilnehmen. In den Küchen spülten die jungen Mädchen sehnsüchtig die Gläser ab und lehnten sich ständig aus den Fenstern, um die Deutschen in Gruppen zum Schloß hinaufgehen zu sehen.

«Hast du den Leutnant gesehen, der im Pfarrhaus wohnt? Wie schön er ist und wie gut rasiert! Und das da ist der neue Dolmetscher der Kommandantur! Was meinst du, wie alt er ist? Für mich ist er höchstens zwanzig, der Knabe! Sie sind ja alle recht jung. Oh, da kommt der Offizier der Damen Angellier. Für diesen jungen Mann könnte ich glatt Torheiten begehen. Das schöne Pferd! Mein Gott, was für schöne Pferde sie haben», seufzten die jungen Mädchen.

Und die säuerliche Stimme irgendeines am Ofen dösenden Greises erhob sich:

«Das will ich meinen, es sind ja unsere!»

Der Alte spuckte in die Asche, Verwünschungen grummelnd, die die jungen Mädchen nicht hörten. Sie hatten nur eines im Sinn: rasch das Geschirr fertig zu spülen und den Deutschen im Schloß zuzuschauen. Ein von Akazien, Linden und schönen Espen mit ständig zitternden Blättern gesäumter Weg führte am Park entlang. Zwischen den Zweigen konnte man den See erkennen, den Rasen, auf dem die Tische standen, und auf einer Anhöhe das Schloß mit geöffneten Fenstern und Türen, wo die Kapelle des Regiments spielen sollte. Um acht Uhr war der ganze Ort da. Die jungen Mädchen hatten ihre Eltern mitgeschleppt, und die jungen Frauen hatten ihre Kinder nicht im Haus zurücklassen wollen. Einige Kinder schliefen im Arm der Mütter, andere rannten herum, schrien und spielten mit Steinen, andere schoben die zarten Zweige der Akazien beiseite und betrachteten neugierig das Schauspiel: die auf der Terrasse untergebrachten Musikanten, die im Gras liegenden oder langsam zwischen den Bäumen spazierenden deutschen Offiziere, die mit blendend weißen Tüchern bedeckten Tische, auf denen das Tafelsilber in den letzten Sonnenstrahlen schimmerte, und hinter jedem Stuhl ein regungsloser

Soldat wie bei der Parade – die mit der Bedienung beauftragten Ordonnanzen. Schließlich spielte die Musik eine besonders fröhliche, mitreißende Weise; die Offiziere nahmen Platz. Bevor sie sich setzten, stieß der, der den Platz am Kopf der Tafel einnahm («den Ehrenplatz ... ein General», flüsterten die Franzosen) sowie alle strammstehenden Offiziere, ihre Gläser erhebend, einen langen Schrei aus: «Heil Hitler!» Er verhallte nur langsam; mit metallischem, wildem, reinem Klang schwang er in der Luft. Dann hörte man das Stimmengewirr der Unterhaltungen, das Klappern der Gedecke und den Gesang der säumigen Vögel.

Die Franzosen versuchten in der Ferne bekannte Gesichter zu erkennen. Neben dem weißhaarigen General mit dem feingeschnittenen Gesicht und der langen Hakennase saßen die Offiziere der Kommandantur.

«Der da, den du auf der linken Seite siehst, das ist der, der mir den Wagen weggenommen hat, der gemeine Hund! Der kleine rosige Blonde daneben, der ist nett, er spricht gut Französisch. Wo ist der Deutsche der Angelliers? Bruno heißt er ... Ein hübscher Name ... Schade, bald ist es dunkel, und dann sehen wir nichts mehr ... Der Fritz vom Holzschuhmacher hat mir gesagt, sie würden Fackeln anzünden! O Mama, wie hübsch das sein wird! Bis dahin bleiben wir hier. Und was sagen die Schloßherren dazu? Die werden heute nacht nicht schlafen können! Wer wohl die Reste essen wird? Sag, Mama? Der Herr Bürgermeister? Sei doch still, Dummerchen, es gibt keine Reste, sie haben großen Appetit!»

Nach und nach erfaßte der Schatten den Rasen; man sah noch, jedoch abgeschwächt, die goldenen Dekorationen an den Uniformen, die blonden Haare der Deutschen und die Blechinstrumente der Musikanten auf der Terrasse glänzen. Die ganze Helligkeit des Tages schien die Erde zu fliehen und einen kurzen Augenblick am Himmel Zuflucht zu suchen. Muschelförmige rosa Wolken umgaben den Vollmond, der eine sonderbare Farbe hatte, ein sehr blasses Grün wie ein Pistaziensorbet, hart und durchsichtig wie Eis: Er spiegelte sich im See. Köstliche Gerüche nach Gras, schem Heu und Walderdbeeren erfüllten die Luft. Die Musik spielte noch immer. Plötzlich flammten die Fackeln auf; sie wurden von Soldaten gehalten und beleuchteten den abgedeckten Tisch, die leeren Gläser, denn die Offiziere drängten sich rings um den See, sangen und lachten. Man hörte das lebhafte, fröhliche Knallen der Champagnerkorken.

«Oh, die Schweinehunde», sagten die Franzosen, jedoch ohne großen Groll, weil jede Fröhlichkeit ansteckend ist und den Haß beschwichtigt, «wenn man bedenkt, daß es unser Wein ist, den sie da trinken …»

Im übrigen schien den Deutschen dieser Champagner so gut zu schmecken (und sie bezahlten ihn so teuer!), daß sich die Franzosen vage geschmeichelt fühlten.

«Sie amüsieren sich, glücklicherweise ist nicht immer Krieg. Nur keine Bange, sie werden noch einiges durchmachen … Sie sagen, es wäre in diesem Jahr zu Ende. Sicher ist es ein Unglück, wenn sie gewinnen, aber so oder so, es muß ein Ende haben. In den Städten ist man gar zu elend dran … und auch unsere Gefangenen müssen uns zurückgegeben werden.»

Die jungen Mädchen tanzten auf dem Weg, fassten sich um die Taille, während die Musik spielte, schwungvoll und leicht. Die Trommeln und die Blechbläser verliehen diesen Melodien, dem Walzer und der Operette einen schmetternden Klang, etwas Siegreiches, Heldenhaftes und zugleich Fröhliches, das die Herzen höher schlagen ließ. Und manchmal erhob sich plötzlich zwischen diesen beschwingten Tönen ein tiefer, langer, mächtiger Windhauch gleich dem Echo eines fernen Unwetters.

Als die Nacht vollends hereingebrochen war, ertönten Chöre. Gruppen von Soldaten antworteten einander von der Terrasse bis zum Park und von den Ufern bis zur Mitte des Sees, auf dem blumengeschmückte Boote glitten. Gegen ihren Willen verzaubert, lauschten die Franzosen. Es war fast Mitternacht, aber niemand ~chte daran, seinen Platz im hohen Gras oder zwischen den Zwei~ zu verlassen.

Nur die Fackeln, das bengalische Feuer beleuchteten die Bäume. Diese herrlichen Stimmen erfüllten die Nacht. Plötzlich trat tiefe Stille ein. Man sah die Deutschen wie Schatten vor diesem Hintergrund aus grünen Flammen und Mondlicht hin und her rennen.

«Das wird das Feuerwerk sein! Bestimmt kommt jetzt das Feuerwerk! Ich weiß es. Die Fritzen haben's mir gesagt», schrie ein Kind.

Seine durchdringende Stimme hallte über den See. Seine Mutter schalt ihn.

«Sei still. Man darf sie nicht Fritz oder Boches nennen. Niemals! Das mögen sie nicht. Sei still und schau zu.»

Aber man sah nur noch ein Hin und Her sich bewegender Schatten. Von der Terrasse schrie jemand etwas herunter, was man nicht hörte; ein lang anhaltendes, dumpfes Geheul antwortete ihm wie ein Donnergrollen.

«Was schreien sie? Habt ihr gehört? Das muß ‹Heil Hitler, Heil Göring! Heil dem Dritten Reich!› oder so was ähnliches sein. Man hört nichts mehr. Sie sagen nichts mehr. Sieh an, die Musikanten gehen fort! Haben sie vielleicht eine Nachricht erhalten? Sollten sie etwa in England gelandet sein? Ich glaube eher, es ist ihnen draußen zu kalt geworden und sie wollen im Schloß weiterfeiern», meinte mit vielsagender Miene der Apotheker, der wegen seines Rheumatismus die abendliche Feuchtigkeit fürchtete.

Er nahm seine junge Frau am Arm.

«Wenn auch wir jetzt heimgingen, Linette?»

Aber die Apothekersfrau wollte nichts davon hören.

«Ach, bleiben wir noch ein bißchen. Gleich werden sie wieder singen, es war so hübsch.»

Die Franzosen warteten, aber der Gesang hob nicht wieder an. Soldaten, Fackelträger rannten vom Schloß zum Park, als ob sie Befehle weitergäben. Hin und wieder hörte man einen kurzen Ruf. Die Boote schwammen leer im Mondschein auf dem See;

Offiziere waren alle an Land gesprungen. Sie gingen laut diskutierend am Ufer auf und ab. Man konnte ihre Worte hören, aber keiner verstand sie. Die bengalischen Lichter erloschen eines nach dem andern. Die Zuschauer begannen zu gähnen. «Es ist spät. Gehen wir heim. Bestimmt ist das Fest zu Ende.»

In kleinen Gruppen machte man sich auf den Weg ins Dorf: zuerst die jungen Mädchen, sich an den Armen haltend, dahinter die Eltern, die übermüdeten Kinder, die sich kaum noch auf den Beinen halten konnten. Vor dem ersten Haus saß Pfeife rauchend am Rande des Wegs ein alter Mann auf einem Strohstuhl.

«Na?» fragte er. «Ist das Fest zu Ende?»

«Aber ja. Oh, sie haben sich gut amüsiert.»

«Lange werden sie sich nicht mehr amüsieren», sagte der Alte in gelassenem Ton. «Im Radio wurde gerade gemeldet, daß sie mit Rußland im Krieg sind.»

Mehrmals klopfte er am Holz seines Stuhls die Asche aus der Pfeife und murmelte mit einem Blick zum Himmel:

«Morgen bleibt's wieder trocken. Am Ende leiden noch die Gärten unter diesem Wetter!»

22

Sie rücken ab!

Seit mehreren Tagen wartete man auf den Abzug der Deutschen. Sie selbst hatten ihn angekündigt: sie wurden nach Rußland geschickt. Bei dieser Nachricht beobachteten die Franzosen sie neugierig («Sind sie froh, beunruhigt? Werden sie verlieren oder gewinnen?»). Und ihrerseits versuchten die Deutschen zu erraten, was man über sie dachte: Freuten sich die Franzosen, daß sie weggingen? Wünschten sie ihnen im Grunde ihres Herzens insgeheim den Tod? Bedauerten sie einige von ihnen? Würde man sie vermissen? Nicht als Deutsche, als Eroberer (sie waren nicht naiv genug, sich diese Frage zu stellen), sondern würden sie Paul, Siegfried oder Oswald vermissen, Männer, die drei Monate unter ihrem Dach gelebt hatten, die ihnen Fotos von ihrer Frau oder ihrer Mutter gezeigt hatten, die mehr als eine Flasche Wein mit ihnen getrunken hatten? Doch Franzosen wie Deutsche blieben undurchschaubar; sie wechselten höfliche, knappe Worte – «Das ist der Krieg … Man kann nichts dran ändern … nicht wahr? Es wird nicht lange dauern, hoffentlich!» Sie verabschiedeten sich voneinander wie die Passagiere eines Schiffs im letzten Hafen. Man werde sich schreiben. Eines Tages sähe man sich wieder. Immer werde man die gemeinsam verbrachten Wochen in guter Erinnerung behalten. Mehr als ein Soldat flüsterte im Dunkeln einem nachdenklichen jungen Mädchen ins Ohr: «Nach dem Krieg komme ich wieder.» Nach dem Krieg … Wie fern war das!

Sie zogen heute ab, am 1. Juli 1941. Was die Franzosen vor allem beschäftigte, war die Frage, ob der Marktflecken andere Soldaten beherbergen würde; denn dann, dachten sie voll Bitterkeit, war der Wechsel nicht der Mühe wert. Man hatte sich an diese gewöhnt. Wer weiß, ob man bei dem Tausch nicht verlor?

Lucile schlüpfte in das Zimmer von Madame Angellier, um ihr zu sagen, daß es entschieden sei, daß den Deutschen Befehle erteilt worden seien und daß sie noch in dieser Nacht abziehen würden. Bevor neue Soldaten kämen, dürfe man vernünftigerweise auf ein paar Stunden Ruhe hoffen und müsse die Gelegenheit nutzen, Benoît außer Landes zu schaffen. Es war ausgeschlossen, ihn bis zum Ende des Kriegs zu verstecken, auch ausgeschlossen, ihn nach Hause zu schicken, solange das Land noch besetzt war. Es blieb nur eine Hoffnung – die Demarkationslinie zu passieren, aber sie wurde scharf bewacht und würde noch schärfer bewacht werden, solange die Truppenbewegungen andauerten.

«Es ist sehr, sehr gefährlich», murmelte Lucile. Sie war blaß und schien müde zu sein: Seit mehreren Nächten schlief sie kaum noch. Sie sah Benoît an, der vor ihr stand, und sie empfand ihm gegenüber ein seltsames Gefühl, das aus Furcht, Unverständnis und Neid bestand: Sein unerschütterlicher, strenger, fast harter Ausdruck schüchterte sie ein. Er war ein hochgewachsener, muskulöser Mann mit gesunder Gesichtsfarbe; unter dichten Brauen hatten seine hellen Augen einen mitunter unerträglichen Blick. Seine gebräunten, rissigen Hände waren die Hände eines Landarbeiters und Soldaten, die unterschiedslos in der Erde und im Blut wühlten, dachte Lucile. Sie war sich sicher: Weder Reue noch Angst trübten seinen Schlaf, für diesen Mann war alles einfach.

«Ich habe gründlich nachgedacht, Madame Lucile», sagte er mit leiser Stimme.

Trotz diesen Festungsmauern und diesen verriegelten Türen fühlten sich alle drei, wenn sie beisammen waren, belauert und sagten, was sie zu sagen hatten, sehr schnell und fast flüsternd.

«Im Augenblick wird mich niemand über die Demarkationslinie bringen. Es ist zu riskant. Ja, ich muß weg, aber ich möchte nach Paris gehen.»

«Nach Paris?»

«In meiner Regimentszeit hatte ich Kumpel …»

Er zögerte.

«Wir waren zusammen gefangengenommen worden. Wir sind zusammen ausgebrochen. Sie arbeiten in Paris. Wenn ich sie ausfindig machen kann, werden sie mir helfen. Einer von ihnen wäre heute nicht mehr am Leben, ohne …»

Er betrachtete seine Hände und verstummte.

«Ich muß bloß nach Paris kommen, ohne unterwegs geschnappt zu werden, und jemand Zuverlässigen finden, der mich ein oder zwei Tage unterbringt, bis ich meine Kumpel gefunden habe.»

«Ich kenne niemand in Paris», murmelte Lucile. «Aber auf jeden Fall brauchen Sie Papiere.»

«Sobald ich die Freunde gefunden habe, werde ich Papiere haben, Madame Lucile.»

«Wie das? Was machen Ihre Freunde denn?»

«Politik», sagte Benoît kurz angebunden.

«Aha, Kommunisten», murmelte Lucile, sich an bestimmte Gerüchte erinnernd, die in der Gegend über Benoîts Ideen und Handlungen kursierten. «Auf die Kommunisten wird jetzt Jagd gemacht. Sie setzen Ihr Leben aufs Spiel.»

«Das ist weder das erste noch das letzte Mal, Madame Lucile», sagte Benoît. «Man gewöhnt sich dran.»

«Und wie wollen Sie nach Paris kommen? Mit der Eisenbahn ist es ausgeschlossen: Überall werden Sie steckbrieflich gesucht.»

«Zu Fuß. Mit dem Fahrrad. Als ich ausgebrochen bin, war ich zu Fuß unterwegs, das schreckt mich nicht.»

«Die Gendarmen …»

«Die Leute, bei denen ich vor zwei Jahren geschlafen habe, werden mich wiedererkennen und mich nicht an die Gendarmen verraten. Das ist sicherer als hier, wo mich viele Leute hassen. Das Schlimmste ist die Heimat. Anderswo werde ich weder geliebt noch gehaßt. Das ist einfacher.»

«Dieser lange Weg, allein zu Fuß …»

Madame Angellier, die bisher nichts gesagt hatte und am Fenster mit ihren blassen Augen das Hin und Her der Deutschen auf dem Platz betrachtete, hob warnend die Hand.

«Sie kommen herauf.»

Alle drei verstummten. Lucile schämte sich für ihr Herzklopfen; es war so stark, daß die anderen es bestimmt hören müßten. Die alte Frau und der Bauer verzogen keine Miene. Unten hörten sie Brunos Stimme; er suchte Lucile, öffnete mehrere Türen. Er fragte die Köchin:

«Wissen Sie, wo die junge Madame ist?»

«Sie ist ausgegangen», antwortete Jeanne.

Lucile holte tief Luft.

«Ich muß runter», sagte sie. «Bestimmt sucht er mich, um sich von mir zu verabschieden.»

«Nutzen Sie die Gelegenheit», sagte Madame Angellier mit einemmal, «und bitten Sie ihn um eine Benzinmarke und eine Fahrerlaubnis. Nehmen Sie den alten Wagen: den, der nicht beschlagnahmt worden ist. Sagen Sie dem Deutschen, daß Sie einen Ihrer erkrankten Pächter in die Stadt fahren müssen. Mit einer Erlaubnis der Kommandantur wird man Sie unterwegs nicht anhalten, so daß Sie gefahrlos nach Paris kommen.»

«Oh!» sagte Lucile angewidert. «So zu lügen …»

«Was tun Sie seit zehn Tagen denn anderes?»

«Und wo sollen wir ihn in Paris verstecken, bis er seine Freunde findet? Wo Leute finden, die mutig, selbstlos genug sind? Es sei denn, daß …»

Sie erinnerte sich an etwas.

«Ja», sagte sie plötzlich. «Es ist möglich … Jedenfalls ist es eine Chance, die man nutzen sollte. Erinnern Sie sich an jene Pariser Flüchtlinge, die im Juni 1940 bei uns angehalten haben? Ein schon älteres Ehepaar, Bankangestellte, aber voller Ausdauer und Mut. Sie haben mir neulich geschrieben: Ich habe ihre Adresse. Sie heißen Michaud. Ja, Jeanne und Maurice Michaud. Vielleicht wären sie einverstanden … Bestimmt sind sie es … Aber man müßte ihnen schreiben und die Antwort abwarten … oder aber alles aufs Spiel setzen … Ich weiß nicht …»

«Bitten Sie auf jeden Fall um eine Fahrerlaubnis», riet Madame Angellier. Und mit einem bleichen, spitzen Lächeln setzte sie hinzu: «Das ist das einfachste.»

«Ich will es versuchen», murmelte Lucile.

Sie fürchtete sich vor dem Augenblick, mit Bruno allein zu sein. Dennoch beeilte sie sich hinunterzugehen. Um es hinter sich zu bringen. Ahnte er etwas? Ach, und wenn schon! Es war eben Krieg. Sie würde dem Gesetz des Krieges unterliegen. Sie hatte vor nichts Angst. Ihre leere, müde Seele wünschte sich dunkel irgendeine große Gefahr.

Sie klopfte an die Tür des Deutschen. Sie war überrascht, ihn nicht allein zu finden. Der neue Dolmetscher der Kommandantur, ein magerer rothaariger Junge mit knochigem, hartem Gesicht und blonden Wimpern sowie ein sehr junger Offizier, ein kleiner, molliger, rosiger Mann mit dem Blick und dem Lächeln eines Kindes waren bei ihm zu Besuch. Alle drei schrieben Briefe und packten Pakete: Sie schickten all die Nippsachen nach Hause, die ein Soldat kauft, sobald er sich eine Weile am selben Platz aufhält, wie um sich die Illusion einer Häuslichkeit zu schaffen, und die ihn im Wege sind, sobald er ins Feld zieht: Aschenbecher, eine kleine Pendeluhr, Gravuren, vor allem Bücher. Lucile wollte gleich wieder gehen, aber man bat sie zu bleiben. Sie setzte sich in einen Sessel, den Bruno ihr hinschob, und sah den drei Deutschen zu, die, nachdem sie sich entschuldigt hatten, ihre Arbeit fortsetzten: «Denn wir möchten, daß das alles noch mit der Fünf-Uhr-Post weggeht», sagten sie.

Sie sah eine Geige, eine kleine Lampe, ein französisch-deutsches Wörterbuch, französische, deutsche und englische Bände und einen schönen romantischen Kupferstich, der ein Segelschiff auf dem Meer darstellte.

«Den habe ich in Autun bei einem Trödler gefunden», sagte Bruno.

Er zögerte.

«Und dann, nein ... ich schicke ihn nicht weg ... Ich habe keinen passenden Karton. Er würde kaputtgehen. Wollen Sie m:

den großen Gefallen tun, ihn anzunehmen, Madame? Er würde sich an den Wänden dieses ein wenig dunklen Zimmers sehr gut ausnehmen. Ein passendes Sujet. Sehen Sie nur. Ein bedrohliches Wetter, schwarz, ein sich entfernendes Schiff … und ganz in der Ferne eine helle Linie am Horizont … ein vager, sehr blasser Hoffnungsschimmer … Akzeptieren Sie ihn als Andenken an einen Soldaten, der fortgeht und Sie nicht wiedersehen wird.»

«Ich werde ihn aufheben, *mein Herr*, wegen dieser weißen Linie am Horizont», sagte Lucile leise.

Er verneigte sich und nahm seine Vorbereitungen wieder auf. Eine Kerze brannte auf dem Tisch; er hielt das Siegelwachs über die Flamme, versiegelte das verschnürte Paket und preßte den Ring, den er von seinem Finger abgestreift hatte, auf das heiße Wachs. Während Lucile ihm zuschaute, erinnerte sie sich an den Tag, als er für sie Klavier gespielt hatte und sie den von der Berührung seiner Haut noch warmen Ring in Händen gehalten hatte.

«Ja», sagte er, jäh die Augen hebend. «Mit dem Glück ist es vorbei.»

«Glauben Sie, daß dieser neue Krieg lange dauern wird?» fragte sie und bereute sofort, diese Frage gestellt zu haben. Als fragte man einen Menschen, ob er gedächte, noch lange zu leben! Was verkündete, was verhieß dieser neue Krieg? Eine Reihe rascher Siege oder die Niederlage, einen langen Kampf? Wer konnte das wissen? Wer wagte es, in die Zukunft zu blicken? Obwohl niemand etwas anderes tat … und stets vergeblich …

Er schien ihre Gedanken zu lesen.

«Jedenfalls viele Leiden, Schmerzen und Blut», sagte er.

Wie er selbst brachten auch seine beiden Kameraden ihre Sachen in Ordnung. Der kleine Offizier verpackte mit größter Sorgfalt einen Tennisschläger und der Dolmetscher in gelbes Leder gebundene große schöne Bücher: «Lehrbücher über Gartenbau», erklärte er Lucile, «denn im zivilen Leben», fügte er in leicht pompösem Ton hinzu, «bin ich Gartenarchitekt, für Gärten aus einer Zeit, unter Ludwig XIV.»

Wie viele Deutsche mochten es wohl sein, die jetzt im ganzen Ort, in den Cafés, in den Bürgerhäusern, in denen sie gewohnt hatten, an ihre Frauen, ihre Verlobten schrieben, sich von ihrem irdischen Besitz trennten wie kurz vor dem Tod? Lucile empfand tiefes Mitleid. Sie sah auf der Straße die vom Schmied und vom Sattler zurückkehrenden Pferde, vermutlich schon zum Abmarsch bereit. Eine seltsame Vorstellung, daß diese Frankreichs Äckern entrissenen Pferde ans andere Ende der Welt geschickt wurden. Der Dolmetscher, der Luciles Blickrichtung gefolgt war, sagte ernst:

«Wo wir hingehen, ist es ein sehr schönes Land für die Pferde …»

Der kleine Leutnant schnitt eine Grimasse.

«Etwas weniger schön für die Menschen …»

Lucile dachte, daß die Idee dieses neuen Kriegs sie offensichtlich mit Traurigkeit erfüllte. Sie wollte nicht unter dem Deckmantel der Rührung einige Anwandlungen dessen entdecken, was man «die Moral des Kämpfers» genannt hätte. Es war fast das Geschäft eines Spions; sie hätte sich dessen geschämt. Im übrigen kannte sie sie jetzt gut genug, um zu wissen, daß sie auf jeden Fall tapfer kämpfen würden! … Und außerdem liegt ein Abgrund zwischen dem jungen Mann, den ich hier sehe, und dem Krieger von morgen, sagte sie sich. Man weiß doch, daß der Mensch ein komplexes, vielschichtiges, gespaltenes Wesen voller Überraschungen ist, aber es bedarf einer Zeit des Krieges oder großer Umwälzungen, um es zu erkennen. Es ist das erregendste und schrecklichste Schauspiel, dachte sie noch; das schrecklichste, weil es wahrer ist; man kann sich nicht rühmen, das Meer zu kennen, ohne es bei Sturm wie bei Windstille erlebt zu haben. Nur der kennt die Menschen, der sie in einer Zeit wie dieser beobachtet hat, dachte sie. Nur der kennt sich selbst. Wie hätte sie sich für fähig halten können, in diesem natürlichen, unbefangenen, so aufrichtig klingenden Ton zu Bruno zu sagen:

«Ich war gekommen, um Sie um eine große Vergünstigung zu bitten.»

«Sprechen Sie, Madame, womit kann ich Ihnen dienen?»

«Können Sie bei einem der Herren in der Kommandantur ein Wort für mich einlegen, damit ich möglichst schnell eine Fahrerlaubnis und eine Benzinmarke erhalte. Ich muß nämlich …»

Während sie sprach, überlegte sie: ‹Wenn ich von einem kranken Pächter spreche, wird er sich wundern: Es gibt gute Kliniken in der näheren Umgebung, im Creusot, in Paray oder in Autun …›

«Ich muß einen meiner Bauern nach Paris fahren. Seine Tochter ist dort in Dienst und schwer krank, sie verlangt nach ihm. Mit dem Zug würde der arme Mann zuviel Zeit verlieren. Wie Sie wissen, ist gerade die Zeit der großen Feldarbeiten. Wenn Sie mir gewähren, worum ich bitte, können wir an einem Tag hin- und zurückfahren.»

«Sie brauchen sich nicht an die Kommandantur zu wenden, Madame Angellier», sagte lebhaft der kleine Offizier, der ihr von fern schüchterne Blicke voller Bewunderung zuwarf. «Ich habe uneingeschränkte Vollmacht, Ihnen zu geben, was Sie verlangen. Wann wollen Sie fahren?»

«Morgen.»

«Ah, gut!» murmelte Bruno. «Morgen … dann sind Sie also da, wenn wir fortgehen.»

«Um welche Uhrzeit wird das sein?»

«Um elf Uhr. Wir sind nachts unterwegs, wegen der Luftangriffe. Diese Vorsichtsmaßnahme scheint zwar sinnlos zu sein, denn der Mond scheint taghell. Aber das Militär lebt von Traditionen.»

«Ich werde Sie jetzt verlassen», sagte Lucile, nachdem sie die beiden von dem Deutschen bekritzelten Zettel an sich genommen hatte: wahrscheinlich das Leben und die Freiheit eines Mannes. Sie faltete sie ruhig zusammen und steckte sie in ihren Gürtel, ohne daß die geringst Hast ihre Verwirrung verriet.

«Ich werde dasein, um Sie fortgehen zu sehen.»

Bruno sah sie an, und sie verstand seine stumme Bitte:

«Werden Sie sich von mir verabschieden, *Herr Leutnant?* Ich gehe aus, bin aber um sechs Uhr wieder da.»

Die drei jungen Leute erhoben sich und schlugen die Hacken zusammen. Früher hatte sie diese altmodische, ein wenig affektierte Höflichkeit der Soldaten des Reichs komisch gefunden. Jetzt dachte sie, daß sie dieses leichte Klirren der Sporen, diese Handküsse, diese Art von Bewunderung vermissen würde, die ihr diese Soldaten ohne Familie, ohne Frau (wenn nicht der niedersten Sorte) fast gegen ihren Willen entgegenbrachten. In der Ehrerbietung ihr gegenüber lag ein Hauch gerührter Melancholie: als fänden sie durch sie ein wenig von jenem früheren Leben wieder, in dem Freundlichkeit, gute Erziehung, Höflichkeit gegenüber den Frauen Tugenden waren, die höher geschätzt wurden als maßloses Trinken oder die Erstürmung einer feindlichen Position. Es lag Dankbarkeit und Wehmut in ihrem Verhalten; sie ahnte es und war davon bewegt. In tiefer Bangigkeit erwartete sie acht Uhr. Was würde er ihr sagen? Wie würden sie auseinandergehen? Es gab zwischen ihnen eine Fülle wirrer, unausgesprochener Nuancen, etwas so Zerbrechliches wie kostbares Kristall, das ein einziges Wort zerbrechen konnte. Sicherlich spürte er es, denn er blieb nur einen kurzen Augenblick mit ihr allein. Er nahm seine Mütze ab (vielleicht seine letzte Geste als Zivilist, dachte Lucile mit einem zärtlichen und schmerzhaften Gefühl), nahm ihre beiden Hände. Bevor er diese küßte, drückte er einen Moment seine Wange darauf, mit einer sanften und zugleich gebieterischen Bewegung – eine Besitzergreifung? ein Versuch, ihr wie ein Siegel den glühenden Stempel einer Erinnerung aufzudrücken?

«Leben Sie wohl», sagte er, «leben Sie wohl. Ich werde Sie nie vergessen.»

Sie antwortete nicht. Als er sie anblickte, sah er, daß ihr Tränen in den Augen standen. Er wandte den Kopf ab.

«Hören Sie», sagte er kurz darauf. «Ich will Ihnen die Adresse eines meiner Onkel geben, er ist ein von Falk wie ich, ein Bruder meines Vaters. Er hatte eine glänzende Karriere gemacht und befindet sich in Paris bei …»

Er sagte einen sehr langen deutschen Namen.

«Bis zum Ende des Kriegs ist er der Kommandant von Groß-Paris, also eine Art Vizekönig, und er stützt sich in allen Angelegenheiten auf meinen Onkel. Ich habe ihm von Ihnen erzählt und ihn gebeten, Ihnen im Rahmen seiner Möglichkeiten zu helfen, falls sie einmal in Schwierigkeiten sein sollten (wir haben Krieg, und nur Gott weiß, was uns allen noch zustoßen wird …).»

«Sie sind sehr gütig, Bruno», sagte sie leise.

In diesem Augenblick schämte sie sich nicht, ihn zu lieben, weil ihr Begehren erloschen war und sie für ihn lediglich Mitleid und eine tiefe, fast mütterliche Zärtlichkeit empfand. Sie bemühte sich zu lächeln.

«Wie die chinesische Mutter, die ihren Sohn in den Krieg schickte und ihm riet, vorsichtig zu sein, ‹weil der Krieg nicht ohne Gefahren ist›, bitte ich Sie, zur Erinnerung an mich soweit irgend möglich Ihr Leben zu schonen.»

«Weil es Ihnen teuer ist?» fragte er ängstlich.

«Ja. Weil es mir teuer ist.»

Langsam gaben sie sich die Hand. Sie begleitete ihn bis zur Freitreppe. Dort wartete eine Ordonnanz, Brunos Pferd am Zügel haltend. Es war spät, aber niemand dachte an Schlaf. Alle wollten den Abzug der Deutschen sehen. In diesen letzten Stunden verband eine Art Melancholie, eine Art menschliche Sanftmut die Besiegten mit den Siegern; der dicke Erwald mit den kräftigen Schenkeln, der so tüchtig trank, der so komisch und so robust war, der flinke und fröhliche kleine Willy, der französische Lieder gelernt hatte (angeblich war er im zivilen Leben ein Clown), der arme Johann, der bei einem Luftangriff seine ganze Familie verloren hatte, «außer meiner Schwiegermutter, weil ich nie Glück gehabt habe!» sagte er traurig – sie alle würden dem Feuer, den Kugeln, dem Tod ausgesetzt sein. Wie viele würden in den russischen Ebenen ihr Grab finden? So schnell und glücklich der Krieg mit Deutschland auch enden mochte, wie viele arme Menschen würden dieses gesegnete Ende, diesen Tag der Auferstehung nicht erleben? Es war eine wunderbare, reine, mondhelle Nacht ohne einen Windhauch. Es war die Jahreszeit, in der die Zweige der Linden geschnitten werden. Die Männer und die Buben klettern auf die Äste der schönen Bäume mit dem dichten Laub und plündern sie; die Frauen und Mädchen, dieses duftende Grün zu Füßen, pflücken die Blüten ab, die dann den Sommer über in den Speichern der Provinz trocknen und aus denen man im Winter Tee macht. Ein köstlicher, berauschender Duft schwebte in der Luft. Wie schön, wie friedlich alles war! Die Kinder spielten und liefen einander nach; sie kletterten auf die Stufen des alten Kalvarienbergs und betrachteten die Landstraße.

«Sieht man sie?» fragten die Mütter.

«Noch nicht.»

Das Regiment sollte sich vor dem Schloß versammeln und dann in Marschordnung durch den Marktflecken ziehen. Hier und da hörte man im Schatten einer Tür ein Murmeln, ein Geräusch von Küssen ... Abschiedsworte, von denen einige zärtlicher waren als andere. Die Soldaten trugen ihre Felduniformen, ihre erdrückenden Helme, ihre Gasmasken auf der Brust. Schließlich vernahm man einen kurzen Trommelwirbel. Die Männer erschienen, in Achterreihen marschierend, und in dem Maße, wie sie vorrückten, beeilten sich die Nachzügler, nach einem letzten Lebewohl, einem mit spitzen Lippen geformten Kuß, ihren im voraus bestimmten Platz einzunehmen, den Platz, an dem das Schicksal sie anträfe. Hier und dort gab es noch ein Lachen, einige zwischen den Soldaten und der Menge gewechselte Scherze, doch bald verstummte alles. Der General war da. Er schritt zu Pferd die Front der Truppen ab. Er grüßte sie leicht, er grüßte auch die Franzosen und ritt los. Hinter ihm kamen die Offiziere, dann die Motorradfahrer, die ein graues Auto bewachten, in dem sich die Kommandantur befand. Dann zog die Artillerie vorbei, die Kanonen auf ihren Fahrgestellen, auf denen jeweils ein Mann lag, das Gesicht in Höhe der Lafette, die Maschinengewehre, all das leichte, mörderische Gerät, das man bei den Manövern hatte vorüberziehen sehen, das ohne Angst, ja gleichgültig zu betrachten man sich angewöhnt hatte und das man mit einemmal nicht anschauen konnte, ohne zu erschauern, die zum Himmel gerichteten Flugabwehrkanonen. Der randvoll mit frischgebackenen und duftenden dicken Schwarzbrotlaiben beladene Lastwagen, die noch leeren Rot-Kreuz-Fahrzeuge … Die Gulaschkanone, die am Ende des Zugs hüpfte wie ein Kochtopf an einem Hundeschwanz. Die Männer begannen zu singen, ein ernstes, getragenes Lied, das sich in der Nacht verlor. Bald blieb auf der Straße an der Stelle des deutschen Regiments nur noch ein wenig Staub.

I

Irène Némirovskys
Notizen über den Zustand Frankreichs
und ihr Projekt *Suite française*

Mein Gott! Was tut dieses Land mir an? Da es mich von sich stößt, betrachten wir es kalten Bluts und schauen wir zu, wie es seine Ehre und sein Leben verliert. Und was bedeuten mir die anderen? Die Reiche vergehen. Nichts ist wichtig. Ob man es nun aus mystischer oder persönlicher Sicht betrachtet, es ist alles eins. Bewahren wir einen kühlen Kopf. Verhärten wir unser Herz. Warten wir.

21. JUNI. Gespräch mit Pied-de-Marmite. Frankreich wird mit Deutschland Hand in Hand gehen. Bald wird man auch hier mobil machen, «aber nur die jungen Leute». Das sagt er wohl mit Rücksicht auf Michel. Eine Armee durchquert Rußland, die andere kommt aus Afrika. Suez ist eingenommen. Japan schlägt Amerika mit seiner riesigen Flotte. England bittet um Gnade

25. JUNI. Unerhörte Hitze. Der Garten ist mit den Farben des Juni geschmückt: himmelblau, zartgrün und rosa. Ich habe meinen Füller verloren. Es gibt noch andere Sorgen wie z. B. drohendes Konzentrationslager, Status der Juden usw. Unvergeßlicher Sonntag. Der Donnerschlag Rußland, der unsere Freunde nach ihrer «verrückten Nacht» am Ufer des Sees getroffen hat. Und um den [...] mit ihnen zu machen, sind alle betrunken. Werde ich das einmal beschreiben?

28. JUNI. Sie ziehen ab. Sie waren 24 Stunden lang niedergeschlagen, jetzt sind sie fröhlich, besonders wenn sie zusammen sind. Der kleine Liebling sagt traurig, daß «die glücklichen Zeiten vorbei» sind. Sie schicken ihre Pakete nach Hause. Sie sind übererregt, das sieht man. Wunderbare Disziplin und, wie ich glaube, im Grunde ihres Herzens keine Auflehnung. Hiermit schwöre ich, daß ich meinen Groll, so gerechtfertigt er sein mag, nie mehr auf eine Masse von Menschen übertragen werde, unabhängig von Rasse, Religion, Überzeugung, Vorurteilen, Irrtümern. Ich bedaure diese armen Kinder. Individuen dagegen kann ich nicht verzeihen, denjenigen, die mich verstoßen, denjenigen, die uns kaltblütig fallenlassen, denjenigen, die bereit sind, dir gegenüber jede Gemeinheit zu begehen. Diese da ... wenn ich die eines Tages zu fassen kriege ... Wann wird das

enden? Die Truppen, die letzten Sommer hier waren, sagten «Weihnachten», dann Juli. Jetzt Ende 41. Man spricht hier davon, das Territorium zu befreien, außer der verbotenen Zone und den Küsten. In der freien Zone pfeift man angeblich auf den Krieg. Die aufmerksame Lektüre des *Journal officiel* bringt mich wieder in die Stimmung von neulich,

> *Um zu tragen solch schwere Last,*
> *Bedarf es, Sisyphos, deiner Kraft.*
> *Zwar fehlt mir nicht der Mut zur Tat,*
> *Doch weit ist das Ziel und die Zeit nur kurz*
> *Der Wein der Einsamkeit*
> von Irène NÉMIROVSKY für Irène NÉMIROVSKY

1942

Die Franzosen waren der Republik überdrüssig wie einer alten Ehefrau. Die Diktatur war für sie ein Seitensprung, ein Ehebruch. Sie wollten ihre Frau zwar gern betrügen, nicht aber sie umbringen. Jetzt sehen sie, daß sie tot ist, ihre Republik, ihre Freiheit. Sie trauern um sie.

Alles, was seit einigen Jahren in einer bestimmten Gesellschaftsklasse in Frankreich stattfindet, hat nur einen einzigen Beweggrund: die Angst. Sie hat den Krieg verursacht, die Niederlage und den derzeitigen Frieden. Der Franzose dieser Kaste empfindet gegen niemanden Haß; er ist weder von Neid noch von enttäuschtem Ehrgeiz, noch von wirklichem Rachedurst erfüllt. Er hat Schiß. Wer wird ihm am wenigsten weh tun (nicht in der Zukunft, nicht abstrakt, sondern sofort und in Form von Tritten in den Arsch und Ohrfeigen)? Die Deutschen? Die Engländer? Die Russen? Die Deutschen haben ihn geschlagen, aber die Züchtigung ist vergessen, und die Deutschen können ihn verteidigen. Deshalb ist er «für die Deutschen». In der Schule zieht der schwächste Schüler die Unterdrückung durch einen einzigen der Unabhängigkeit vor; der Tyrann schikaniert ihn, verbietet jedoch den anderen, ihm seine Murmeln zu klauen, ihn zu schlagen. Wenn er dem Tyrannen entwischt, ist er allein und verlassen im Getümmel.

Es liegt ein Abgrund zwischen der Kaste unserer derzeitigen Führer und dem Rest der Nation. Die anderen Franzosen, die weniger besitzen, haben weniger Angst. Da die Feigheit in der Seele nicht die guten Gefühle erstickt, können diese (Patriotismus, Freiheitsliebe usw.) ans Licht kommen. Zwar sind in letzter Zeit im Volk viele Vermögen gebildet worden, aber es ist ein Vermögen an entwertetem Geld, das sich unmöglich in reale Güter, Land, Schmuck, Gold usw. umwandeln läßt. Unser Metzger, der fünfhunderttausend Francs in einer Währung verdient hat, deren Kurs im Ausland er kennt (genau null), hängt weniger an seinem Geld als ein Péricand, ein Corbin an ihren Besitztümern, ihren Banken usw. Mehr und mehr ist die Welt in Besitzende und Nichtbesitzende geteilt. Erstere wollen nichts aufgeben und letztere alles nehmen. Wer wird die Oberhand gewinnen?

Die verhaßtesten Männer Frankreichs 1941:
Philippe Henriot[1] und Pierre Laval. Ersterer als der Tiger, letzterer als die Hyäne: In der Nähe des ersteren atmet man den Geruch nach frischem Blut und in der des zweiten den Gestank des Aases.

Mers el-Kebir	schmerzhafte Bestürzung
Syrien	Gleichgültigkeit
Madagaskar	noch größere Gleichgültigkeit. Kurz, es zählt nur der

erste Schock. Man gewöhnt sich an alles; alles, was in der besetzten Zone geschieht: die Massaker, die Verfolgung, die organisierte Plünderung sind wie Pfeile, die sich in den Schlamm bohren! ... In den Schlamm der Herzen.

Man will uns einreden, daß wir in einem kommunitären Zeitalter leben, in dem das Individuum untergehen muß, damit die Gesellschaft lebe, und wir wollen nicht sehen, daß die Gesellschaft untergeht, damit die Tyrannen leben.
Dieses Zeitalter, das sich für «kommunitär» hält, ist individualistischer als das der Renaissance oder des Feudalismus. Alles sieht so aus, als gäbe es eine bestimmte Summe an Freiheit und Macht in der Welt, die bald zwischen Millionen, bald zwischen *einem einzigen* und Millionen verteilt ist. «Nehmt meine Reste», sagen die Diktatoren. Man erzähle mir also nichts vom Gemeinschaftsgeist. Ich will gerne sterben, jedoch als Franzose und denkender Mensch, ich will verstehen, warum ich sterbe, und ich, Jean-Marie Michaud, ich gehe für P. Henriot und P. Laval und andere Her-

---

[1] Philippe Henriot (1889–1944), katholischer Abgeordneter aus der Gironde, einer der einflußreichsten Propagandisten des Vichy-Regimes. Mitglied der Miliz seit ihrer Gründung im Jahre 1943, trat er Anfang 1944 in die Regierung Laval ein und predigte dort die uneingeschränkte Kollaboration. Er wurde im Juni 1944 von der Résistance erschossen. (Wenn nicht anders vermerkt, stammen die Anmerkungen vom Originalverlag)

ren zugrunde, so wie ein Huhn abgeschlachtet wird, um auf dem Teller dieser Verräter zu landen. Und ich behaupte, daß das Huhn mehr wert ist als diejenigen, die es essen. Ich weiß, daß ich, was das Gute betrifft, intelligenter, besser, kostbarer bin als die oben Genannten. Sie haben die Macht, jedoch eine vorübergehende und illusorische Macht. Sie wird ihnen von der Zeit genommen werden, von der Niederlage, einem Schicksalsschlag, der Krankheit (wie es bei Napoleon der Fall war). Und die Welt wird sich wundern: Wie? Davor haben wir gezittert! werden die Leute sagen. Tatsächlichen Gemeinschaftsgeist habe ich nur dann, wenn ich meinen Teil und den Teil aller vor der Gier schütze. Das Individuum hat einen Wert nur dann, wenn es die anderen Menschen spürt, heißt es. Aber nur wenn es «die anderen Menschen» sind, nicht «ein Mensch». Auf dieser Verwechslung gründet sich die Diktatur. Napoleon sagte, er wünsche nichts anderes als die Größe Frankreichs, aber Metternich ruft er zu: «Ich schere mich einen Dreck um das Leben von Millionen Menschen.»

Hitler: «Ich arbeite nicht für mich, sondern für Europa.» (Zuerst sagte er: «Ich arbeite nicht für das deutsche Volk.») Er denkt wie Napoleon: «Ich schere mich einen Dreck um das Leben von Millionen Menschen.»

FÜR *STURM IM JUNI*:
Nötig wäre:
1. Eine sehr detaillierte Karte Frankreichs oder ein Guide Michelin.
2. Sämtliche Nummern mehrerer französischer und ausländischer Zeitungen zwischen dem 1. Juni und dem 1. Juli.
3. Ein Handbuch über Porzellan.
4. Die Vögel im Juni, ihre Namen und ihre Gesänge.
5. Ein mystisches Buch (das von Parrain), Abbé Bréchard.

Kommentare zu dem bereits Geschriebenen:
1. Testament – Er spricht zuviel.
2. Tod Priester – Melodrama.
3. Nîmes? Warum nicht Toulouse, das ich kenne?
4. Im allgemeinen nicht einfach genug!
[Auf russisch hat Irène Némirovsky hinzugefügt: «Im allgemeinen sind es häufig zu hoch gestellte Personen.»]

30. JUNI 1941. Auf die Figuren der Michauds zurückkommen. Diejenigen, die immer den kürzeren ziehen und die einzigen wirklich edlen Menschen sind. Merkwürdig, daß die Masse, die hassenswerte Masse, mehrheitlich

aus diesen anständigen Leuten besteht. Das macht sie nicht besser und die Leute nicht schlechter.

Welche Bilder verdienen es, der Nachwelt überliefert zu werden?
1. Die Schlangen bei Tagesanbruch.
2. Die Ankunft der Deutschen.
3. Die Attentate und die erschossenen Geiseln sehr viel weniger als die tiefe Gleichgültigkeit der Leute.
4. Wenn ich etwas Auffallendes schreiben will, dann werde ich nicht das Elend zeigen, sondern den neben ihm bestehenden Wohlstand.
5. Wenn Hubert aus dem Gefängnis ausbricht, in das man die Unglücklichen gebracht hat, sollte ich nicht den Tod der Geiseln beschreiben, sondern das Fest in der Oper und nur die Männer, die Plakate an die Mauern kleben: Dieser oder jener ist im Morgengrauen erschossen worden. Ebenso nach dem Krieg und ohne Corbin hervorzuheben. Ja! Es muß durch Gegensätze klar werden: ein Wort für das Elend, zehn für den Egoismus, die Feigheit, die Kumpanei, das Verbrechen. Noch nie ist etwas so schick gewesen! Freilich atme ich diese Luft. Es ist einfach, sich das vorzustellen: die Obsession der Nahrung.
6. Auch an die Messe in der Rue de la Source denken, frühmorgens in der stockfinsteren Nacht. Gegensätze! Ja, darin liegt etwas, irgend etwas, was sehr stark und sehr neu sein kann. Warum mache ich in *Dolce* so wenig Gebrauch davon? Statt mich über Madeleine zu verbreiten: zum Beispiel kann das ganze Kapitel Madeleine–Lucile wegfallen, in ein paar erklärenden Zeilen zusammengefaßt werden, die in das Kapitel Madame Angellier–Lucile eingehen könnten. Dagegen in allen Einzelheiten die Vorbereitungen für das Fest der Deutschen beschreiben. Vielleicht ist das *an impression of ironic contrast, to receive the force of the contrast. The reader has only to see and hear.*

Personen in der Reihenfolge ihres Erscheinens (soweit ich mich erinnere):
Die Péricands – Die Cortes – Die Michauds – Die Eigentümer – Lucile – Die Gauner? – Die Bauern usw. – Die Deutschen – Die Adligen.
Gut, an den Anfang müßte man stellen: Hubert, Corte, Jules Blanc, aber das würde die Einheit meines Tonfalls für *Dolce* zerstören. Ich glaube also, daß *Dolce* so bleiben muß, wie es ist, daß aber alle Personen aus *Sturm* wieder auftreten sollten, freilich so, daß sie zwangsläufig einen

entscheidenden Einfluß auf Lucile, Jean-Marie und die anderen (und auf Frankreich) haben.

Ich glaube, daß (als praktisches Ergebnis) *Dolce* kurz sein muß. Denn gegenüber den 80 Seiten von *Sturm* wird *Dolce* vermutlich etwa sechzig haben, nicht mehr. *Gefangenschaft* dagegen bis 100. Nehmen wir also:

STURM	80 Seiten
DOLCE	60 "
GEFANGENSCHAFT	100 "
Die beiden anderen	50 "

390^2, sagen wir 400 Seiten, multipliziert mit 4. Großer Gott! Das macht 1600 Schreibmaschinenseiten! Well, well, if I live in it! Sollten schließlich am 14. Juli alle kommen, die es versprochen haben, dann wird das unter anderem zwei oder zumindest einen Teil weniger zur Folge haben.

Tatsächlich ist es wie bei der Musik, wo man manchmal das Orchester, manchmal nur die Geige hört. Wenigstens sollte es so sein. [Zwei russische Wörter] und die individuellen Gefühle verbinden. Mich interessiert hier die Geschichte der Welt.

Achtung: Die Veränderungen der Charaktere nicht vergessen. Natürlich ist die verstrichene Zeit sehr kurz. Die drei ersten Teile jedenfalls werden lediglich einen Zeitraum von drei Jahren umfassen. Was die beiden letzten betrifft, so ist das ein Geheimnis Gottes, und ich gäbe viel darum, es zu kennen. Aber wegen der Intensität, der Wichtigkeit der Erfahrungen müssen die Menschen, denen diese Dinge zustoßen, sich verändern (…)

Meine Vorstellung ist, daß alles wie ein Film abrollt, aber die Versuchung ist mitunter groß, und ich bin ihr in kurzen Worten oder in der Episode nach der Sitzung in der Privatschule erlegen, indem ich meinen eigenen Standpunkt darlege. Soll das gnadenlos verfolgt werden?

Auch darüber nachdenken: *the famous «impersonality» of Flaubert and his kind lies only in the greater fact with which they express their feelings – dramatizing them, embodying them in living form, instead of stating them directly?*

---

[2] Der Rechenfehler steht im Manuskript.

Such ... es gibt Fälle, wo man nicht zu wissen braucht, was Lucile im Herzen hat, sondern wo man sie mit den Augen anderer zeigen muß.

APRIL 1942

Es muß zu *Sturm, Dolce, Gefangenschaft* eine Fortsetzung geben. Das Gehöft Desjours muß durch das Gehöft der Mounains ersetzt werden. Ich möchte es gern in Montferroux ansiedeln. Doppelter Vorteil: *Sturm* wird mit *Dolce* verbunden und alles Unschöne im Hause Desjours beseitigt. Man muß etwas Großes schaffen und sich nicht länger fragen, wozu.

Sich keine Illusionen machen: Es ist kein Text für heute. Also braucht man sich nicht zurückzuhalten, sondern muß mit aller Kraft dreinschlagen, wo man will.

Für *Gefangenschaft*: Die aufeinanderfolgenden Verhaltensweisen von Corte: nationale Revolution, Notwendigkeit eines Führers. Opfer (da alle Welt sich über die Notwendigkeit des Opfers einig ist, vorausgesetzt, es handelt sich um das des Nachbarn), dann der lapidare Satz, der seinen Ruhm begründet, denn anfangs war Corte ziemlich schlecht angesehen: Er macht sich eine allzu französische Haltung zu eigen, merkt jedoch an kleinen bedrohlichen Zeichen, daß das nicht das Richtige ist. Ja, er ist Patriot, aber dann: *Heute fließt der Rhein durch den Ural, er zögert kurz, aber schließlich übertrifft das alle geographischen Phantasien, die in den letzten Jahren im Schwange waren – die englische Grenze befindet sich am Rhein, und am Ende liegen die Maginot-Linie und die Siegfried-Linie beide in Rußland, die letzte Erfindung von Horace (down him).*

Zu L.[3] Es müßte sich um ihn handeln, denn er ist ein Schurke. Und in der Zeit, in der wir leben, ist ein Schurke mehr wert als ein Ehrenmann.

Gefangenschaft – kein Getue. Erzählen, was aus den Leuten wird, mehr nicht.

Heute am 24. April zum erstenmal seit langem ein wenig Ruhe, sich fest davon überzeugen, daß die Reihe der *Stürme*, wenn ich so sagen darf, ein Meisterwerk ist. Unermüdlich daran arbeiten.

---

[3] Gemeint ist zweifellos Laval.

Corte ist einer jener Schriftsteller, deren Nützlichkeit sich in den Jahren nach der Niederlage so glänzend erweisen sollte; er war unübertrefflich im Erfinden dezenter Formulierungen zur Ausschmückung unangenehmer Tatsachen. Beispiel: Die französische Armee ist nicht zurückgewichen, sie hat sich zurückgezogen! Wenn man den Deutschen die Stiefel küßt, beweist man Realitätssinn. Gemeinschaftsgeist bedeutet Hamstern zum ausschließlichen Gebrauch einiger weniger.

Ich glaube, daß man die Erdbeeren durch Mimosen ersetzen sollte. Es scheint unmöglich zu sein, die Zeit der Kirschblüte und die der reifen Erdbeeren zusammenzulegen.

Ein Mittel finden, Lucile mit *Sturm* zu verbinden. Wenn sich die Michauds nachts auf der Landstraße ausruhen: diese Oase und dieses Frühstück und alles, was so köstlich wirken muß – die Porzellantassen, der dichte Strauß feuchter Rosen auf dem Tisch (die Rosen mit dem schwarzen Herz), die in bläulichen Dunst gehüllte Kaffeekanne usw.

Über die Literaten herziehen. Beispiel A.C., der A.R., der einen Artikel mit der Überschrift «Ist die *Tristesse d'Olympio*[4] ein Meisterwerk?» geschrieben hat. Über bestimmte Literaten vom Schlage A.B. usw. ist noch nie jemand hergefallen (eine Krähe hackt der andern kein Auge aus).

Also am 13. Mai 1942 bereits fertige Kapitel:
1. Die Ankunft – 2. Madeleine – 3. Madeleine und ihr Mann – 4. Die Vesper – 5. Das Haus – 6. Die Deutschen im Städtchen – 7. Die Privatschule – 8. Der Garten und der Besuch der Vicomtesse – 9. Die Küche – 10. Abfahrt von Madame Angellier. Erster Blick auf den Garten der Perrins – 11. Der Regentag.

NOCH ZU SCHREIBEN:
12. Der kranke Deutsche – 13. Die Wälder der Maie – 14. Die Damen Perrin – 15. Der Garten der Perrins – 16. Madeleines Familie – 17. Die Vicomtesse und Benoît – 18. Die Denunziation? – 19. Die Nacht – 20. Die Katastrophe bei Benoît – 21. Madeleine bei Lucile – 22. Das Fest auf dem Wasser – 23. Der Würfel.

---

[4] Berühmtes Gedicht von Victor Hugo. (Anm. d. Ü.)

Bleiben noch: 12, die Hälfte von 13, 16, 17 und das Folgende.
Madeleine bei Lucile – Lucile bei Madame Angellier – Lucile mit dem
Deutschen – Das Fest auf dem Wasser – Der Abzug.

FÜR *GEFANGENSCHAFT* FÜR DAS KONZENTRATIONSLAGER DIE
BLASPHEMIE DER GETAUFTEN JUDEN «UND VERGIB UNS UNSERE
SCHULD, WIE WIR VERGEBEN» – Die Märtyrer hätten das natürlich
nicht gesagt.

Um es gut zu machen, müßten 5 Teile geschrieben werden:
  1. *Sturm*
  2. *Dolce*
  3. *Gefangenschaft*
  4. *Schlachten?*
  5. *Der Frieden?*

Allgemeiner Titel: Sturm oder Stürme, und der 1. Teil könnte Schiffbruch
heißen.
Trotz allem: was alle diese Menschen miteinander verbindet, ist die
Epoche, nur die Epoche. Reicht das aus? Ich meine: Ist die Verbindung
spürbar genug?

Nachdem Benoît also Bonnet getötet hat (oder versucht hat, ihn zu töten,
denn ich muß noch überlegen, ob es für die Zukunft nicht besser ist, ihn
am Leben zu lassen), bringt er sich in Sicherheit; er versteckt sich in den
Wäldern der Maie, dann, da Madeleine fürchtet, daß man ihr folgt, wenn
sie ihm Essen bringt, bei Lucile. Schließlich in Paris bei den Michauds, zu
denen Lucile ihn geschickt hat. Als er verfolgt wird, flieht er rechtzeitig,
aber die Gestapo durchsucht die Wohnung der Michauds, findet Notizen, die Jean-Marie für ein künftiges Buch gemacht hat, hält sie für Flug-
blätter und steckt ihn ins Gefängnis. Dort trifft er Hubert wieder, der sich
wegen irgendwelcher Dummheiten hat schnappen lassen. Mit Hilfe der
Beziehungen seiner höchst kollaborationistischen Familie könnte Hubert
ohne weiteres das Gefängnis verlassen, aber aus Kinderei, Abenteuerlust
usw. riskiert er lieber den Tod, indem er mit Jean-Marie ausbricht. Benoît
und Freunde helfen ihnen. Später, sehr viel später, denn in der Zwischen-
zeit müssen Jean-Marie und Lucile einander lieben, Flucht aus Frankreich.
So müßte *Gefangenschaft* enden, und wie ich sagte:
  – Benoît   Kommunist
  – Jean-Marie   Bourgeois

Jean-Marie stirbt heldenhaft. Aber wie? Und was ist heutzutage Heldentum? Parallel zu diesem Tod müßte man den des Deutschen in Rußland zeigen, beide voll schmerzlichen Edelmuts.

Adagio: Man müßte alle diese musikalischen Begriffe wiederfinden (*presto, prestissimo, adagio, andante, con amore* usw.).

Musik: das Adagio aus op. 106, das ungeheure Gedicht der Einsamkeit – die 20. Diabelli-Variation, diese Sphinx mit den düsteren Brauen, die in den Abgrund schaut – das Benedictus der *Missa solemnis* und die letzten Szenen von *Parsifal*.

Er kommt von dort: Die wahren Liebenden sind Lucile und Jean-Marie. Was tun mit Hubert? Vager Plan: Nachdem er Bonnet getötet hat, bringt sich Benoît in Sicherheit. Man versteckt ihn bei Lucile. Nach dem Abzug der Deutschen hat Lucile Angst, ihn im Ort zu lassen, und denkt plötzlich an die Michauds.

Andererseits möchte ich, daß J. Marie und Hubert aus unterschiedlichen Gründen von den Deutschen eingesperrt werden. So könnte man den Tod des Deutschen hinausschieben. Lucile könnte auf die Idee kommen, sich an ihn zu wenden, um J. Marie zu retten? Das alles ist sehr vage. Abwarten.

Einerseits möchte ich eine Art von allgemeiner Idee. Andererseits … verdirbt zum Beispiel Tolstoi alles mit einer Idee. Nötig sind Menschen, menschliche Reaktionen, das ist alles …

Begnügen wir uns mit den großen Geschäftsmännern und den berühmten Schriftstellern. Alles in allem sind sie die wahren Könige.

Für *Dolce*: «Ein edles Weib darf ohne Schamesröte gestehen, daß sie ihrer Sinne Lockung besiegte durch die Stimme der Vernunft», wie Pauline sagt (Corneille).[5]

2. JUNI 1942: Nie vergessen, daß der Krieg einmal zu Ende ist und der ganze historische Teil verblassen wird. Versuchen, soviel wie möglich zu beschreiben, Debatten …, die noch im Jahre 1952 oder 2052 die Leute interessieren können. Tolstoi wieder lesen. Unnachahmlich die nicht historischen Schilderungen. Darauf bestehen. Zum Beispiel in *Dolce* die Deutschen im Dorf. In «Gefangenschaft» die Erstkommunion von Jacqueline und der Abend bei Arlette Corail.

---

[5] Aus *Polyeucte Martyr*, Trauerspiel von Pierre Corneille. (Anm. d. Ü.)

2. JUNI 1942 – Muß mir allmählich über die Form des Romans Gedanken machen, wenn er fertig sein wird! Wenn ich bedenke, daß ich den 2. Teil noch nicht beendet habe, daß ich den 3. vor mir sehe? Aber daß der 4. und der 5. noch in den Sternen stehen! Es liegt wirklich in der Hand der Götter, da es davon abhängt, was geschehen wird. Und die Götter können sich den Spaß erlauben und 100 Jahre Pause machen oder 1000 Jahre, wie es heute so schön heißt: Und ich werde weit weg sein. Aber diesen Streich werden die Götter mir nicht spielen. Ich baue auch stark auf die Prophezeiung von Nostradamus.

1944 Oh! God.

Warten auf die Form ... auf den Rhythmus, sollte ich eher sagen: den Rhythmus im kinematographischen Sinn ... Beziehungen der Teile untereinander. Der *Sturm, Dolce*, Sanftmut und Tragödie. *Gefangenschaft?* Etwas Dumpfes, Stickiges, so böse wie möglich. Danach weiß ich nicht.

Das Wichtige – die Beziehungen zwischen den Teilen des Werks. Wenn ich mich mit Musik besser auskennen würde, würde mir das vermutlich helfen. In Ermangelung von Musik das, was man im Kino Rhythmus nennt. Kurz, Sorge um Vielfalt einerseits und um Harmonie andererseits. Im Kino muß ein Film eine Einheit, einen Ton, einen Stil haben. Z. B.: jene amerikanischen Filme der Straße, wo man immer die Wolkenkratzer sieht, wo man die heiße, dumpfe, schmutzige Atmosphäre einer Seite von New York erahnt. Also Einheit für den ganzen Film, aber Vielfalt zwischen den Teilen. Verfolgung – die Liebenden – Lachen, Tränen usw. Genau diese Art Rhythmus möchte ich gern erreichen.

Jetzt eine alltäglichere Frage, auf die ich keine Antwort finde: Wird man von einem Buch zum andern nicht die Helden vergessen? Gerade um das zu vermeiden, möchte ich kein Werk in mehreren Bänden schreiben, sondern einen dicken Band von 1000 Seiten.

3. JULI 1942 – Wahrhaftig, und falls die Dinge nicht andauern und während ihres Andauerns nicht komplizierter werden! Aber möge es ein Ende nehmen, ob im Guten oder im Bösen!

Es sind nur 4 Sätze nötig. Im 3., *Gefangenschaft*, sind das Gemeinschaftsschicksal und das individuelle Schicksal eng miteinander verflochten. Im 4. geht das individuelle Schicksal, unabhängig vom Resultat (ICH WEISS, WAS ICH SAGEN WILL!), aus dem anderen hervor. Auf der einen Seite das Schicksal des Volkes, auf der andern Jean-Marie und Lucile, ihre Liebe, die Musik des Deutschen usw.

Und so habe ich es mir jetzt vorgestellt:

1. Benoît wird während einer Revolution oder während einer Schlägerei oder beim Versuch eines Aufstands getötet, je nachdem, was die Realität vorgibt.

2. Corte. Ich glaube, das wird vielleicht gut sein. Corte hat große Angst vor den Bolschewiki. Er ist ein glühender Kollaborationist, aber infolge eines auf seinen Freund verübten Attentats oder aus enttäuschter Eitelkeit hat er die Vorstellung, daß die Deutschen verloren sind. Er will sich den Ultralinken andienen! Zuerst denkt er an Jules Blanc, aber als er ihn gesehen hat, findet er ihn [unleserliches russisches Wort] und wendet sich entschlossen einer Gruppe aktiver junger Leute zu, die …

Für *Gefangenschaft*:

Beginnen mit: Corte, Jules Blanc bei Corte.

Dann ein Kontrast: Lucile vielleicht bei den Michauds.

Dann: die Péricands.

So oft wie möglich nicht historische Versammlungen, aber Menschenmengen, Geselligkeiten oder Kriege auf der Straße oder etwas in dieser Richtung!

Ankunft

Morgen

Aufbruch

Diese drei Episoden müssen stärker hervorgehoben werden. Dieses Buch muß sich durch die Bewegungen der Menge auszeichnen.

Für den 4. Teil weiß ich nur den Tod des Deutschen in Rußland.

Ja, um es gut zu machen, müßte es fünf Teile von jeweils 200 Seiten geben. Ein Buch von 1000 Seiten. Ah! God!

Anmerkung. Der Diebstahl von Cortes Abendessen durch die Proletarier muß einen großen Einfluß auf die Zukunft haben. Normalerweise müßte Corte ein glühender Nazi werden, aber ich kann ihn auch, wenn ich will, wenn ich es brauche, sagen lassen: «Man darf sich keine Illusionen machen: Die Zukunft gehört denen, die Zukunft gehört dieser brutalen Gewalt, die mir mein Essen entrissen hat. Also zwei Positionen: sie bekämpfen oder sich im Gegenteil schon jetzt an die Spitze der Bewegung stellen. Sich von der Flut tragen lassen, aber in der ersten Reihe? Lieber versuchen, sie zu lenken? Der offizielle Schriftsteller der Partei. Der gro-ße Mann der Partei, ha, ha, ha!», zumal Deutschland auf gutem Fuß mit Rußland steht und es mehr und mehr wird dulden müssen. Solange der Krieg dauert, wäre es von seiten Deutschlands tatsächlich Wahnsinn usw. Später wird es anders sein ... Aber später wird man sehen. Man wird dem Stärkeren zu Hilfe eilen. Kann ein Corte derart zynische Gedanken haben? Ja doch, in bestimmten Augenblicken. Wenn er getrunken hat oder wenn er sich der Liebe hingegeben hat, und zwar auf die Weise, die er bevorzugt und von der sich der gewöhnliche Sterbliche nur eine blasse Vorstellung machen kann, die ihn jedoch, wüßte er denn Bescheid, in Bestürzung und Panik versetzen würde. Das Schwierige dabei ist wie immer die praktische Seite der Sache. Eine Zeitung, eine Art Radio. Freiheit, heimliche Sub-ventionierung durch die Deutschen. Prüfen.

All action is a battle, the only business is peace.

Heißt das, the pattern is less ein Rad als vielmehr eine Welle, die steigt und fällt, und auf ihrem Kamm findet man bald eine Möwe, bald den Geist des Bösen und bald eine tote Ratte. Genau die Wirklichkeit, *unsere* Wirk-lichkeit (kein Grund, stolz darauf zu sein!).

Der Rhythmus muß hier in den Massenbewegungen liegen, an allen Stel-len, wo man im 1. Band die Menge sieht, die Flucht, die Flüchtlinge, die Ankunft der Deutschen im Dorf.

In *Dolce*: die Ankunft der Deutschen, aber sie muß überarbeitet wer-den, der Morgen, der Aufbruch. In *Gefangenschaft* die 1. Kommunion, eine Kundgebung (die des 11. November 1941), ein Krieg? Prüfen. So-weit bin ich noch nicht, und ich nähere mich dem Diktat der Wirklich-keit.

Wenn ich Leute zeige, die auf diese Ereignisse «einwirken», dann ist es ein Fehlgriff. Wenn ich Leute zeige, die handeln, dann kommt es der Realität zwar nahe, jedoch auf Kosten des Interesses. Dennoch muß man es dabei bewenden lassen.

Es ist sehr richtig (und im übrigen banal, aber bewundern und lieben wir die Banalität), was Percy sagt – daß nämlich die besten historischen Szenen (siehe *Krieg und Frieden*) diejenigen sind, die mit den Augen der Personen gesehen werden. In *Sturm* habe ich versucht, mich daran zu hal-ten, aber in *Dolce* kann und muß alles, was sich auf die Deutschen bezieht, abgesondert sein.

Gut wäre also – aber ist es machbar? –, in den Szenen, die nicht mit den Augen der Personen gesehen werden, *immer* den Vormarsch der deutschen Armee zu zeigen. In *Sturm* müßte man also mit dem Bild eines Kampfes in Frankreich beginnen.

Schwierig.

Ich glaube, was *Krieg und Frieden* jene von Forster erwähnte Ausdehnung verleiht, ist ganz einfach die Tatsache, daß in Tolstois Geist *Krieg und Frieden* nur ein erster Band ist, dem *Die Dekabristen* folgen sollte, aber was er unbewußt getan hat (vielleicht, denn natürlich weiß ich es nicht, ich stelle es mir nur vor), was er also bewußt oder unbewußt getan hat, ist sehr wichtig in einem Buch wie *Sturm* usw.; auch wenn bestimmte Personen zu einer Schlußfolgerung kommen, muß doch das Buch selbst den Eindruck erwecken, als wäre es nur eine Episode ... was unsere Epoche ja tatsächlich ist, wie natürlich alle Epochen.

22. JUNI 1942 – Ich habe bereits vor einiger Zeit eine Technik entdeckt, die mir gute Dienste geleistet hat – die indirekte Methode. Jedesmal, wenn eine Schwierigkeit der Behandlung auftaucht, rettet mich diese Methode, gibt der ganzen Geschichte Frische und Kraft. Ich bediene mich ihrer jedesmal, wenn Madame Angellier auf der Bühne steht. Aber die Methode des Erscheinens, die ich noch nicht verwendet habe, ist überaus entwicklungsfähig.

1. JULI 1942, folgendes für *Gefangenschaft* gefunden:

Wenn man immer stärker vereinheitlicht und vereinfacht, muß das Buch (in seiner Gesamtheit) auf einen Kampf zwischen dem individuellen Schicksal und dem Gemeinschaftsschicksal hinauslaufen. Man braucht keine Meinung zu äußern.

Meine Meinung: Das von dem leider am Boden zerstörten England repräsentierte bürgerliche Regime muß zumindest erneuert werden, denn im Grunde ist es dem Wesen nach unwandelbar; aber es wird sich wahrscheinlich erst nach meinem Tod erholen. Bleiben also heute zwei Formen von Sozialismus. Zwar gefällt mir weder die eine noch die andere, aber there are facts! Eine von ihnen stößt mich von sich, folglich ... die zweite ... Aber das gehört nicht zur Sache. Als Schriftstellerin muß ich das Problem korrekt stellen.

Zu diesem Kampf zwischen den beiden Schicksalen kommt es jedesmal, wenn eine Umwälzung stattfindet, es ist nicht durchdacht, sondern instinktiv; ich glaube, daß man dabei eine Menge Federn läßt, aber nicht alle. Die Rettung liegt im allgemeinen darin, daß die Zeit, die uns zufällt, länger

ist als die, die der Krise zufällt. Anders, als man glaubt, vergeht das Allgemeine, die Partei als Ganzes bleibt bestehen, das Gemeinschaftsschicksal
ist kürzer als das des einfachen Individuums (das stimmt nicht ganz. Es ist
ein anderer Maßstab der Zeit: Wir interessieren uns nur für die Erschütterungen; entweder töten uns die Erschütterungen, oder sie dauern weniger lang als wir).

Um auf mein Thema zurückzukommen: J. Marie nimmt zunächst eine
überlegte, gelassene Haltung gegenüber dieser großen Schachpartie ein.
Natürlich möchte er die Revanche Frankreichs, aber ihm wird klar, daß
das kein Ziel ist, denn wer Revanche sagt, sagt Haß und Rache, meint den
ewigen Krieg, und einen Christen stört die Vorstellung der Hölle und der
ewigen Strafe. Ihn selbst stört die Idee, daß es immer einen Stärkeren
und einen Schwächeren geben wird; also plädiert er für die Vereinheit-
lichung … Was er begehrt, worauf er Lust hat, ist Eintracht und Frieden.
Doch der derzeit praktizierte Kollaborationismus widert ihn an, und auf
der anderen Seite sieht er den Kommunismus, der einem Benoît angemessen ist, aber nicht ihm. Also versucht er, so zu leben, als ob sich das große
und dringende gemeinsame Problem nicht stellte, als hätte er nur seine
eigenen Probleme zu lösen. Aber da erfährt er, daß Lucile einen Deutschen
geliebt hat und vielleicht noch immer liebt. Und schon ergreift er Partei,
denn die Abstraktion hat mit einemmal die Gestalt des Hasses angenommen. Er haßt einen Deutschen und in ihm, durch ihn haßt er eine Form
des Geistes oder glaubt sie zu hassen, was dasselbe ist. In Wirklichkeit vergißt er sein eigenes Schicksal und verwechselt es mit dem eines anderen.
Praktisch lieben Lucile und J. Marie einander am Ende von *Gefangenschaft*; diese Liebe ist schmerzhaft, unvollendet, uneingestanden, mitten
im Kampf! J. Marie flieht, um gegen die Deutschen zu kämpfen – falls das
Ende '42 noch möglich ist!

Der 4. Teil sollte die Rückkehr, wenn nicht der Triumph des Kapitels sein,
in dem J. Marie auftaucht. Nie vergessen, daß das Publikum es liebt, daß
man ihm das Leben der «Reichen» beschreibt.
    Kurz gesagt: Kampf zwischen dem individuellen Schicksal und dem
Gemeinschaftsschicksal. Am Schluß liegt die Betonung auf der Liebe zwischen Lucile und Jean-Marie und auf dem ewigen Leben. Das musikalische Meisterwerk des Deutschen. Auch an Philippe müßte kurz erinnert
werden. *Was alles in allem meiner tiefen Überzeugung entspräche. Was
bleibt:*

1. *Unser bescheidenes tägliches Leben*
2. *Die Kunst*
3. *Gott*

WALD DER MAIE: 11. JULI 1942

Die Kiefern um mich herum. Ich sitze auf meinem blauen Sweater in-mitten eines Meeres verfaulter, vom Gewitter der letzten Nacht durch-weichter Blätter wie auf einem Floß, die Beine unter mir angewinkelt! Ich habe den 2. Band von Anna Karenina, *die Zeitung von K. M. und eine Orange in meine Tasche gesteckt. Meine Freunde, die Hummeln, diese reizenden Insekten, scheinen mit sich zufrieden zu sein, und ihr Summen ist tief und ernst. Ich liebe die tiefen, ernsten Töne in den Stimmen und in der Natur. Das spitze «chirrup, chirrup» der kleinen Vögel in den Zwei-gen macht mich nervös ... Nachher werde ich versuchen, den verlorenen See wiederzufinden.*

Gefangenschaft:
1. Reaktion von Corte.
2. Attentat der Freunde von Benoît, das Corte entsetzt.
3. Corte erfährt es durch den geschwätzigen Hubert ...
4. Durch Arlette Corail usw.
5. Ihre Koketterien.
6. Denunziation. Hubert und J. Marie werden mit vielen anderen ein-gesperrt.
7. Dank den Bemühungen seiner reichen, gesinnungstreuen Familie wird Hubert freigelassen; J. Marie wird zum Tode verurteilt?
8. Hier schaltet sich Lucile ein, der Deutsche. J. Marie wird begnadigt (hier das Gefängnis zusammenfassen oder etwas in dieser Art).
9. Benoît verhilft ihm zur Flucht. Aufsehenerregender Ausbruch.
10. Reaktion von J. Marie auf Deutschland und die Deutschen.
11. Er und Hubert fliehen nach England.
12. Tod von Benoît. Wild und voller Hoffnung.

Zwischen alledem muß Luciles Liebe zu Jean-Marie durchscheinen.

Das Wichtigste und Interessanteste ist hier folgendes: Die historischen, revolutionären usw. Tatsachen müssen gestreift werden, während der All-tag, das Gefühlsleben und vor allem dessen Komödie vertieft wird.

II

Korrespondenz 1936–1945

7. OKTOBER 1936
Irène Némirovsky an Albin Michel.

Ich danke Ihnen für den Scheck über 4000 F. Erlauben Sie mir, Sie bei dieser Gelegenheit an meinen Besuch zu erinnern, den ich Ihnen im letzten Frühjahr abgestattet habe und bei dem ich fragte, ob es Ihnen möglich wäre, irgendeine Regelung für die Zukunft ins Auge zu fassen, denn Sie verstehen, daß die Lage für mich jetzt sehr schwierig geworden ist. Sie hatten mir damals geantwortet, Sie würden ihr Bestes tun, um mich zufriedenzustellen, und ich solle volles Vertrauen zu Ihnen haben. Sie wollten mir seinerzeit nicht sagen, auf welche Weise Sie die Dinge zu regeln beabsichtigten, aber Sie versprachen, mir spätestens in zwei Monaten Bescheid zu geben. Dennoch habe ich seit dieser Unterredung, also seit etwa vier Monaten, nichts mehr von Ihnen gehört. Deshalb frage ich Sie heute nochmal nach Ihren Absichten, denn sicher verstehen Sie, in welcher Notlage jemand ist, der wie ich leider keinerlei Vermögen besitzt und nur von dem lebt, was er mit Schreiben verdient.

10. OKTOBER 1938
Éditions Genio (Mailand) an Albin Michel.

Wir wären Ihnen überaus dankbar, wenn Sie uns sagen könnten, ob Madame I. Némirovsky von israelitischer Rasse ist. Nach dem italienischen Gesetz darf jemand, dessen Vater oder Mutter Arier ist, nicht als Israelit betrachtet werden.

28. AUGUST 1939
Michel Epstein[1] an Albin Michel.

Meine Frau ist augenblicklich mit den Kindern in Hendaye (Villa Ene Exea, Hendaye-Plage). Ich bin in diesen schweren Zeiten sehr um sie be-

---

[1] Ehemann von Irène Némirovsky. Wie sie russischer Emigrant, der vor der bolschewistischen Revolution geflohen ist, um in Paris zu leben, wo er Bevollmächtigter der Banque des Pays du Nord war. Er wurde im Oktober 1942 festgenommen, zunächst nach Drancy deportiert und kam wenig später in Auschwitz ums Leben.

sorgt, denn sie hat niemand, der ihr im Notfall zu Hilfe kommt. Darf ich mich auf Ihre Freundschaft verlassen und Sie bitten, mir, falls es Ihnen möglich ist, ein Empfehlungsschreiben zukommen zu lassen, von dem sie eventuell bei den dortigen Behörden und Zeitungen (Basses-Pyrénées, Landes, Gironde) Gebrauch machen könnte?

28. AUGUST 1939
Albin Michel an Michel Epstein.

Der Name Irène Némirovsky sollte genügen, ihr alle Türen zu öffnen! Dessen ungeachtet bin ich herzlich gern bereit, Ihrer Frau ein paar Zeilen zur Einführung bei den Zeitungen, die ich kenne, auf den Weg zu geben. Allerdings benötige ich dazu einige nähere Auskünfte, die nur Sie mir geben können. Deshalb bitte ich Sie, mich heute im Laufe des Abends aufzusuchen.

28. SEPTEMBER 1939
Robert Esménard[2] an Irène Némirovsky.

Wir durchleben im Augenblick beklemmende Stunden, die von heute auf morgen tragisch werden können. Sie sind Russin und Israelitin, und es könnte sein, daß diejenigen, die Sie nicht kennen – was jedoch in Anbetracht Ihres Rufs als Schriftstellerin nur wenige sein dürften –, Ihnen Ärger bereiten. Und da man auf alles gefaßt sein muß, habe ich gedacht, daß mein Zeugnis als Verleger Ihnen nützen könnte.

Ich bin also bereit zu bezeugen, daß sie eine hochtalentierte Schriftstellerin sind, was im übrigen der Erfolg Ihrer Werke sowohl in Frankreich wie im Ausland beweist, wo einige Ihrer Werke übersetzt worden sind. Desgleichen bin ich bereit zu erklären, daß ich seit Oktober 1933 – also seit Sie zu mir gekommen sind, nachdem Sie bei meinem Kollegen Grasset einige Bücher veröffentlicht hatten, von denen eines, *David Golder*, eine aufsehenerregende Entdeckung war und einen bemerkenswerten Film veranlaßte – neben unseren Verlagsbeziehungen stets im herzlichsten Verhältnis zu Ihnen und Ihrem Mann stand.

21. DEZEMBER 1939
Vorläufige Reiseerlaubnis vom 24. Mai bis zum 23. August 1940 (für Irène Némirovsky)

---

[2] Leiter des Verlags Albin Michel und Schwiegersohn von Albin Michel, der zu jener Zeit aus gesundheitlichen Gründen sein Verlagshaus nicht mehr allein leitete.

Nationalität: russisch
Befugt, sich nach Issy-l'Évêque zu begeben
Art der genehmigten Fortbewegung: Eisenbahn
Grund: Besuch bei ihren evakuierten Kindern

12. JULI 1940
Irène Némirovsky an Robert Esménard.

Erst seit zwei Tagen funktioniert die Post in dem kleinen Dorf, in dem ich mich befinde, wieder einigermaßen. Ich schreibe Ihnen auf gut Glück an Ihre Pariser Adresse. Ich hoffe von ganzem Herzen, daß Sie diese schrecklichen Augenblicke gut überstanden haben und daß Sie sich um keinen Ihrer Angehörigen zu ängstigen brauchen. Was mich angeht, so sind wir von den militärischen Operationen verschont geblieben, obwohl sie sich ganz in unserer Nähe abgespielt haben. Derzeit ist meine größte Sorge, mir Geld zu beschaffen.

9. AUGUST 1940
Irène Némirovsky an Mademoiselle Le Fur[3].

Ich hoffe, Sie haben meinen Brief bekommen, in dem ich Ihnen den Erhalt von 9000 F bestätige. Hier der Grund, warum ich mich heute an Sie wende. Stellen Sie sich vor, in einer kleinen Zeitung der hiesigen Region habe ich folgende Notiz gelesen:

Aufgrund eines kürzlich gefaßten Beschlusses darf kein Ausländer an der neuen Zeitung mitarbeiten.

Zu dieser Maßnahme hätte ich gern nähere Auskünfte, und ich dachte, daß vielleicht Sie sie mir geben könnten.

Glauben Sie, daß das auch für eine Ausländerin gilt, die wie ich seit 1920 in Frankreich wohnt? Handelt es sich nur um politische Schriftsteller oder auch um Verfasser von Werken der Phantasie?

Im allgemeinen bin ich, wie Sie wissen, von der Welt völlig abgeschnitten und weiß nichts von den Maßnahmen, die in letzter Zeit möglicherweise in der Presse ergriffen worden sind.

Wenn Sie meinen, daß mich etwas interessieren könnte, dann seien Sie bitte so nett und lassen es mich wissen. Aber das ist nicht alles. In Erinnerung an Ihre Freundlichkeit und Hilfsbereitschaft werde ich Sie noch einmal in Anspruch nehmen. Ich möchte gerne wissen, welche Schriftsteller, deren Namen in den erscheinenden Zeitungen auftauchen, in Paris sind.

---

[3] Sekretärin von Kurt Esménard.

Könnten Sie herausfinden, ob *Gringoire* und *Candide* sowie die großen Zeitschriften vorhaben, nach Paris zurückzukehren? Und die Verlagshäuser? Welche sind geöffnet?

8. SEPTEMBER 1940
Irène Némirovsky an Mademoiselle Le Fur.

Was mich betrifft, so lassen mich die Gerüchte, die hier beharrlich kursieren, vermuten, daß wir uns demnächst in der freien Zone befinden könnten, und ich frage mich, wie ich dann an meine Monatszahlungen kommen werde.

4. OKTOBER 1940
Gesetz über die Staatsangehörigen jüdischer Rasse:

Die ausländischen Staatsangehörigen jüdischer Rasse können ab der Veröffentlichung des vorliegenden Gesetzes auf Beschluß des Präfekten des Departements ihres Wohnsitzes in besonderen Lagern interniert werden.

Den Staatsangehörigen jüdischer Rasse kann vom Präfekten des Departements ihres Wohnsitzes jederzeit ein Zwangswohnsitz zugewiesen werden.

14. APRIL 1941
Irène Némirovsky an Madeleine Cabour[4].

Jetzt kennen Sie all die Widrigkeiten, die mir zugestoßen sind. Außerdem beherbergen wir seit einigen Tagen eine erhebliche Anzahl dieser Herren. Das macht sich in jeder Hinsicht bemerkbar. Mit Vergnügen würde ich deshalb die kleine Ortschaft in Erwägung ziehen, die Sie mir nennen, aber darf ich Sie um ein paar Auskünfte bitten.

1. Größe von Jailly im Hinblick auf Einwohner und Lieferanten.
2. Gibt es dort einen Arzt und einen Apotheker?
3. Gibt es dort Besatzungstruppen?
4. Kann man sich ausreichend versorgen? Haben Sie Butter und Fleisch? Dies ist für mich jetzt besonders wichtig wegen der Kinder, von denen eines, wie Sie wissen, gerade operiert worden ist.

---

[4] Madeleine Cabour, geb. Avot, ist eine enge Freundin von Irène Némirovsky, mit der sie als junges Mädchen in ausgedehntem Briefwechsel stand. Ihr Bruder, René Avot, hat später Irènes Tochter Élisabeth in seine Obhut genommen, als die gesetzliche Pflegemutter der beiden Schwestern in die Vereinigten Staaten zurückkehrte. Sie blieb bis zu ihrer Volljährigkeit bei ihnen.

10. MAI 1941

Irène Némirovsky an Robert Esménard.

Lieber Herr Esménard, Sie erinnern sich, daß ich am 30. Juni gemäß unserer Übereinkunft 24 000 F erhalten soll. Im Augenblick brauche ich dieses Geld nicht, aber ich gestehe, daß mich die letzten Anordnungen in bezug auf die Juden fürchten lassen, daß es bei der Auszahlung dieser Summe in sechs Wochen Schwierigkeiten geben könnte, was für mich eine Katastrophe wäre. Daher bitte ich Sie, so freundlich zu sein, die Zahlung vorzuziehen und die Summe schon jetzt meinem Schwager Paul Epstein in Form eines auf ihn ausgestellten Schecks zu schicken. Im übrigen bitte ich ihn, Sie anzurufen, damit er sich mit Ihnen abspricht. Selbstverständlich werden Sie eine von ihm unterschriebene Empfangsbestätigung von mir erhalten. Es tut mir sehr leid, Sie abermals zu belästigen, aber ich bin sicher, daß Sie die Gründe für meine Besorgnis verstehen. Ich hoffe, Sie haben noch immer gute Nachrichten von A. Michel.

17. MAI 1941

Irène Némirovsky an Robert Esménard.

Lieber Monsieur Esménard, mein Schwager hat mir mitgeteilt, daß Sie ihm die 24 000 F, die Sie mir am 30. Juni überweisen sollten, übergeben haben. Ich danke Ihnen sehr für die große Liebenswürdigkeit, die Sie mir erweisen.

2. SEPTEMBER 1941

Michel Epstein an den Unterpräfekten von Autun.[5]

Man schreibt mir aus Paris, daß die mit Juden gleichgestellten Personen die Gemeinde, in der sie wohnen, nicht ohne die Genehmigung des Präfekten verlassen dürfen.

Dies trifft auf mich und auf meine Frau zu, da wir, obwohl Katholiken, jüdischer Herkunft sind. Ich erlaube mir also, Sie zu bitten, meiner Frau, geborene Irène Némirovsky, sowie mir selbst zu gestatten, sechs Wochen in Paris zu verbringen, wo wir ebenfalls eine Wohnung haben, 10, Avenue Constant-Coquelin, und zwar in der Zeit vom 20. September bis zum 5. November 1941.

Diesem Gesuch liegt die Notwendigkeit zugrunde, die Angelegenheiten meiner Frau mit ihrem Verleger zu regeln, den Augenarzt aufzusuchen,

---

[5] Da das Departement Saône-et-Loire durch die Demarkationslinie geteilt war, vertrat der Unterpräfekt von Autun die Stelle des Präfekten für den besetzten Teil, in dem sich die Gemeinde von Issy-l'Évêque befand.

der sie immer behandelt hat, sowie die Ärzte, die uns behandeln, Professor Vallery-Radot und Prof. Delafontaine. Wir beabsichtigen, unsere beiden Kinder im Alter von 4 und 11 Jahren in Issy zu lassen, und möchten natürlich sicher sein, daß unserer Rückkehr nach Issy nichts im Wege steht, sobald unsere Pariser Angelegenheiten geregelt sind.

Arzt in Issy: A. Bendit-Gonin.

8. AUGUST 1941

In *Le Progrès de l'Allier*, Nr. 200.

Obligatorische Anwesenheitsurkunde für sowjetische, litauische, estnische und lettische Staatsbürger:

Alle männlichen Staatsbürger über 15 Jahren sowjetischer, litauischer, estnischer und lettischer Herkunft sowie alle Staatenlose, die vormals die sowjetische, litauische, estnische und lettische Staatsbürgerschaft besaßen, müssen sich spätestens am Samstag, dem 9. August 1941 (Mittag), unter Vorlage ihrer Ausweispapiere bei der Kreiskommandantur ihres Bezirks melden. Jeder, der dieser Meldepflicht nicht nachkommt, wird gemäß der diesen Anwesenheitserlaß betreffenden Verfügung bestraft.

Der Feldkommandant.

9. SEPTEMBER 1941

Irène Némirovsky an Madeleine Cabour.

Letztlich habe ich hier das Haus gemietet, das ich wollte, das bequem ist und einen schönen Garten hat. Ich soll am 11. November dort einziehen, wenn uns diese Herren nicht zuvorkommen, denn sie werden von neuem erwartet.

13. OKTOBER 1941

Irène Némirovsky an Robert Esménard.

Voller Freude habe ich heute morgen Ihren Brief erhalten, nicht nur, weil er meine Hoffnung bestätigt, daß Sie alles in Ihrer Macht stehende tun werden, um mir zu helfen, sondern weil er mir auch die Gewißheit gibt, daß man an mich denkt, was ein großer Trost ist.

Wie Sie sich denken können, ist das Leben hier sehr trist, und wenn die Arbeit nicht wäre ... Aber auch die Arbeit wird mühsam, wenn man nicht weiß, was die Zukunft bringt ...

14. OKTOBER 1941
Irène Némirovsky an André Sabatier[6].

Lieber Freund, Ihr liebenswürdiger Brief hat mich sehr bewegt. Glauben Sie bitte nicht, daß ich Ihre und Monsieur Esménards Freundschaft nicht genügend schätze; andererseits aber weiß ich über die Schwierigkeiten der Situation genau Bescheid. Bisher habe ich soviel Geduld und Mut aufgebracht, wie ich konnte. Aber es gibt nun einmal sehr harte Momente. Die Tatsachen sind: Unmöglichkeit zu arbeiten und Notwendigkeit, für den Lebensunterhalt von 4 Personen zu sorgen. Hinzu kommen unsinnige Schikanen – ich darf nicht nach Paris fahren; ich darf die lebensnotwendigsten Dinge wie Decken, Betten für die Kinder usw. nicht herkommen lassen, ebensowenig meine Bücher. In bezug auf alle von meinesgleichen bewohnten Wohnungen ist ein allgemeines, absolutes Verbot erlassen worden. Ich erzähle Ihnen das nicht, um Ihr Mitleid zu erregen, sondern um Ihnen zu erklären, warum ich nur schwarze Gedanken haben kann [...]

27. OKTOBER 1941
Robert Esménard an Irène Némirovsky.

Ich habe meinem Schwiegervater Ihre Lage geschildert und ihm auch Ihre letzten an mich gerichteten Briefe übergeben.

Wie ich Ihnen schon sagte, ist A. Michel von Herzen gern bereit, Ihnen im Rahmen des Möglichen gefällig zu sein, und er bat mich, Ihnen für das Jahr 1942 monatliche Zahlungen in Höhe von 3000 F anzubieten, also entsprechend denjenigen, die Ihnen leistete, als er die Möglichkeit hatte, Ihre Werke zu veröffentlichen und aus deren Verkauf einen regelmäßigen Erlös zu erzielen. Bitte seien Sie so freundlich, mir Ihr Einverständnis zu bestätigen.

Allerdings muß ich Sie darauf hinweisen, daß wir laut den überaus präzisen Hinweisen, die wir vom Verlegerverband hinsichtlich der Interpretation der Vorkehrungen erhalten haben, die sich aus der deutschen Verordnung vom 26. April, Artikel 5, ergeben, verpflichtet sind, alle Zahlungen, die israelitischen Autoren zustehen, auf deren «Sperrkonto» zu überweisen. Dementsprechend heißt es, daß «die Verleger die den israelitischen Autoren geschuldeten Urheberrechte auf deren Konto bei einer Bank einzahlen müssen, nachdem sie von dieser Bank die Versicherung erhalten haben, daß dieses Konto gesperrt ist».

Außerdem schicke ich Ihnen den Brief zurück, den Sie von den GIBE-

---

[6] Literarischer Leiter des Verlags Albin Michel.

Films erhalten haben (ich behalte eine Kopie davon). Aus den Informationen, die ich aus sicherer Quelle erhalten habe, geht hervor, daß ein solches Geschäft nur getätigt werden kann, wenn der Autor des Romans, der sich zur Verfilmung eignet, arischer Herkunft ist, und zwar sowohl in der hiesigen Zone hier wie in der anderen. Ich kann ein solches Geschäft also erst dann abschließen, wenn mir der Autor des zu verfilmenden Werks die förmlichsten Garantien hierüber gibt.

30. OKTOBER 1941
Irène Némirovsky an Robert Esménard.

Soeben erhalte ich Ihren Brief vom 27. Oktober, in dem Sie mir für das Jahr 1942 monatliche Zahlungen von 3000 F anbieten. Ich weiß Monsieur Michels Haltung mir gegenüber sehr zu schätzen. Ich danke ihm und auch Ihnen sehr herzlich dafür, und Ihrer beider treue Freundschaft ist mir ebenso wertvoll wie die materielle Unterstützung, die Sie mir auf diese Weise gewähren wollen. Freilich werden Sie verstehen, daß mir dieses Geld von keinerlei Nutzen sein kann, wenn es auf einer Bank gesperrt werden muß.

Ich frage mich, ob es unter diesen Umständen nicht einfacher wäre, diese monatlichen Zahlungen meiner Freundin, Mademoiselle Dumot[7], zukommen zu lassen, die bei mir wohnt und die Verfasserin des Romans *Les Biens de ce monde* ist, von dem Monsieur Sabatier das Manuskript hat. [...]

Mademoiselle Dumot ist unbestreitbar arisch und kann Ihnen dafür alle Nachweise liefern. Sie ist eine Person, die ich seit meiner Kindheit kenne, und wenn sie sich in bezug auf diese Monatszahlungen mit Ihnen verständigen könnte, würde sie sich meiner annehmen. [...]

13. JULI 1942
Telegramm von Michel Epstein an Robert Esménard und André Sabatier.

Irène heute plötzlich abgefahren nach Pithiviers (Loiret) – hoffe, Sie können sofort eingreifen – versuche vergeblich zu telefonieren. Michel Epstein.

---

[7] Irène Némirovsky und ihr Mann Michel Epstein hatten Julie Dumot für den Fall, daß sie verhaftet werden sollten, nach Issy-l'Évêque kommen lassen. Sie war bei den Großeltern mütterlicherseits der Kinder Gesellschafterin gewesen.

JULI 1942

Telegramm von Robert Esménard und André Sabatier an Michel Epstein.

Soeben Ihr Telegramm erhalten. Sofort gemeinsame Schritte unternommen von Morand, Grasset, Albin Michel. Der Ihre.

Die beiden letzten Briefe von Irène Némirovsky[8]:

Toulon S/Arroux 13. Juli 1942 – 5 Uhr [mit Bleistift geschrieben und nicht abgestempelt]

Mein Gelieber, im Augenblick bin ich in der Gendarmerie, wo ich schwarze und rote Johannisbeeren gegessen habe, während ich darauf wartete, daß man mich abholt. Sei vor allem ruhig, ich bin überzeugt, daß es nicht lange dauern wird. Ich habe gedacht, daß man sich auch an Caillaux und an Abbé Dimnet wenden könnte. Was meinst du?

Ich bedecke meine geliebten Mädchen mit Küssen, meine Denise soll brav und vernünftig sein … Ich drücke dich an mein Herz und auch Babet, möge Gott euch beschützen. Ich selbst fühle mich ruhig und stark.

Wenn ihr mir etwas schicken könnt, ich glaube, meine 2. Brille ist im andern Koffer (in der Brieftasche) geblieben. Bücher bitte, wenn möglich auch ein wenig gesalzene Butter. Auf Wiedersehen, mein Geliebter!

Donnerstag morgen – Juli 42 Pithiviers [mit Bleistift geschrieben und nicht abgestempelt]

Mein Geliebter, meine kleinen Herzliebsten, ich glaube, daß wir heute abfahren. Mut und Hoffnung. Ihr seid in meinem Herzen, meine Vielgeliebten. Möge Gott uns allen helfen.

14. JULI 1942

Michel Epstein an André Sabatier.

Ich habe gestern vergeblich versucht, Sie telefonisch zu erreichen. Ich habe Ihnen und Monsieur Esménard telegrafiert. Gestern hat die Gendarmerie meine Frau abgeholt. Bestimmungsort, wie es scheint – das Konzentrationslager Pithiviers (Loiret). Der Grund: allgemeine Maßnahme gegen die staatenlosen Juden zwischen 16 und 45 Jahren. Meine Frau ist katholisch, und unsere Kinder sind Franzosen. Kann man etwas für sie tun?

---

[8] Der erste wurde vermutlich großmütig von einem Gendarmen und der zweite von einem auf dem Bahnhof von Pithiviers getroffenen Reisenden weitergeleitet.

Antwort von André Sabatier:
Auf jeden Fall werden mehrere Tage nötig sein. Ihr Sabatier.

15. JULI 1942
André Sabatier an J. Benoist-Méchin, Staatssekretär im Amt des stellvertretenden Ministerpräsidenten.
Unsere Autorin und Freundin I. Némirovsky wurde soeben von Issyl'Évêque, wo sie wohnte, nach Pithiviers gebracht. Ihr Mann hat es mir gerade mitgeteilt. Sie ist Weißrussin (Israelitin, wie du weißt), war nie politisch tätig, ist eine hochtalentierte Romanschriftstellerin, die ihrer Wahlheimat stets die größte Ehre gemacht hat, Mutter zweier kleiner Mädchen im Alter von 5 und 10 Jahren. Ich bitte dich inständig, alles zu tun, was du kannst. Dank im voraus und stets der Deine.

16. JULI 1942
Telegramm von Michel Epstein an Robert Esménard und André Sabatier.
Meine Frau vermutlich in Pithiviers angekommen – Halte es für sinnvoll, sich an Präfekten der Region Dijon zu wenden – Unterpräfektur Autun und Behörden Pithiviers. Michel Epstein.

16. JULI 1942
Telegramm von Michel Epstein an André Sabatier.
Danke lieber Freund – ich hoffe auf Sie. Michel Epstein.

17. JULI 1942
Telegramm von Michel Epstein an André Sabatier.
Rechne damit, daß Sie mir gute oder schlechte Nachrichten telegrafieren. Danke lieber Freund.

17. JULI 1942
Lebrun[9] (Pithiviers) an Michel Epstein – Telegramm.
Unnötig Päckchen zu schicken, da ich Ihre Frau nicht sehen konnte.

18. JULI 1942
Telegramm von Michel Epstein an André Sabatier.
Keine Nachricht von meiner Frau – Weiß nicht, wo sie ist – Versuchen Sie sich zu erkundigen und mir die Wahrheit zu telegrafieren – mit Voranmeldungen können Sie mich jederzeit anrufen. 3e ISSY-L'ÉVÊQUE.

---

[9] Ein Mittelsmann beim Roten Kreuz.

20. JULI 1942
Telegramm von Onkel Abraham Kalmanok[10] an Michel Epstein.
Hast du ärztliches Attest für Irène geschickt – muß sofort geschehen.
Telegrafieren.

22. JULI 1942
Michel Epstein an André Sabatier.
Ich habe von meiner Frau aus dem Lager Pithiviers einen Brief mit Datum vom letzten Donnerstag erhalten, in dem sie mir ihre wahrscheinliche Abreise an ein unbekanntes, wie ich vermute weit entferntes Ziel ankündigt. Ich habe – mit bezahltem Rückruf – dem Kommandanten dieses Lagers telegrafiert, aber noch nichts von ihm gehört. Vielleicht hätte Ihr Freund mehr Glück, vielleicht könnte er die Auskunft bekommen, die man mir verweigert? Danke für alle Ihre Bemühungen. Halten Sie mich bitte auf dem laufenden, auch mit schlechten Nachrichten. Ganz der Ihre.
Antwort:
Meinen Freund persönlich gesehen.[11] Man wird das Unmögliche tun.

SAMSTAG, 24. JULI 1942
André Sabatier an Michel Epstein.
Wenn ich Ihnen nicht geschrieben habe, so deshalb, weil ich Ihnen im Augenblick nichts Genaues mitzuteilen habe und außerstande bin, Ihnen etwas anderes zu sagen als Worte, die Ihre Angst lindern könnten. Alles Nötige ist unternommen worden. Ich habe meinen Freund wiedergesehen, und er sagte mir, daß man nur abwarten könne. Gleich nach Ihrem ersten Brief habe ich auf die französische Staatsbürgerschaft Ihrer beiden Kinder hingewiesen und nach dem zweiten auf den möglichen Abtransport aus dem Lager im Loiret. Ich warte, und dieses Warten, das bitte ich Sie mir zu glauben, fällt mir als Ihrem Freund *sehr* schwer … das heißt, daß ich mich in Ihre Lage versetze! Hoffen wir, daß ich Ihnen bald eine genaue und gute Nachricht geben kann. Ich bin mit ganzem Herzen bei Ihnen.

26. JULI 1942
Michel Epstein an André Sabatier.
Vielleicht sollte man in der Sache meiner Frau darauf verweisen, daß es sich um eine Weißrussin handelt, die nie die sowjetische Staatsbürger-

---

[10] Großonkel von Denise und Élisabeth Epstein.
[11] Der Inhalt des Briefs vom 15. Juli legt die Vermutung nahe, daß es sich um Jacques Benoist-Méchin handelt.

schaft hat annehmen wollen und die nach vielen Verfolgungen mit ihren Eltern, deren gesamtes Vermögen beschlagnahmt wurde, aus Rußland geflohen ist. Ich selbst befinde mich in der gleichen Lage, und ich glaube nicht zu übertreiben, wenn ich das, was meiner Frau und mir dort genommen wurde, auf etwa hundert Millionen Francs in Vorkriegswährung beziffere. Mein Vater war Präsident des Verbandes der russischen Banken und geschäftsführender Direktor einer der größten Banken Rußlands, der Azov-Don Handelsbank. Die zuständigen Behörden können also versichert sein, daß wir dem derzeitigen russischen Regime nicht die geringste Sympathie entgegenbringen. Mein jüngerer Bruder, Paul, war ein persönlicher Freund des Großherzogs Dimitri von Rußland, und die kaiserliche Familie, die heute in Frankreich residiert, ist häufig bei meinem Schwiegervater empfangen worden, insbesondere die Großherzöge Alexander und Boris. Andererseits weise ich Sie darauf hin, falls ich es nicht schon getan habe, daß mir die deutschen Unteroffiziere, die einige Monate bei uns in Issy verbracht haben, bei ihrem Abzug ein Papier folgenden Inhalts dagelassen haben:

O. U. den I. VII. 41

Kameraden. Wir haben längere Zeit mit der Familie Epstein zusammengelebt und sie als eine sehr anständige und zuvorkommende Familie kennengelernt. Wir bitten Euch daher, sie dementsprechend zu behandeln. Heil Hitler!

Hammberger, Feldw. 23599 A.

Ich weiß noch immer nicht, wo meine Frau sich befindet. Die Kinder sind gesund, und auch ich bin noch auf den Beinen.

Danke für alles, lieber Freund. Vielleicht wäre es sinnvoll, den Comte de Chambrun[12] und Morand von allem zu unterrichten. Alles Gute. Michel.

27. JULI 1942
? an Michel Epstein.

Gibt es im Werk Ihrer Frau, abgesehen von einer Szene in *Vin de solitude,* Passagen in Romanen, Erzählungen oder Artikeln, die sich als eindeutig antisowjetisch bezeichnen lassen?

---

[12] Comte René de Chambrun, Advokat, war der Schwiegersohn von Pierre Laval, dessen einzige Tochter Josée er geheiratet hat.

27. JULI 1942
Michel Epstein an André Sabatier.

Heute morgen habe ich Ihren Brief vom Samstag erhalten. Tausend Dank für alle Ihre Bemühungen. Ich weiß, was Sie alles tun und noch tun werden, um mir zu helfen. Ich bin geduldig und guten Muts. Hoffentlich hat meine Frau die nötige körperliche Kraft, um diesen Schlag zu verkraften! Besonders hart ist, daß sie sich wohl furchtbare Sorgen um die Kinder und mich macht und daß ich keine Möglichkeit habe, mich mit ihr in Verbindung zu setzen, da ich ja nicht einmal weiß, wo sie sich aufhält.

Anbei finden Sie einen Brief, der unbedingt dem deutschen Botschafter übermittelt werden muß, und zwar DRINGEND. Wenn Sie jemand ausfindig machen können, der ihn ihm persönlich aushändigen kann (vielleicht Comte de Chambrun, der sich, wie ich glaube, bestimmt für meine Frau interessiert), wäre es vortrefflich. Sollten Sie jedoch niemanden kennen, der geeignet ist, es RASCH zu tun, dann seien Sie doch bitte so freundlich, ihn bei der Botschaft hinterlegen oder ihn einfach zur Post bringen zu lassen. Vielen Dank im voraus. Sollte dieser Brief allerdings die bereits unternommenen Schritte behindern, dann zerreißen sie ihn, wenn nicht, liegt mir sehr daran, daß er den Adressaten erreicht.

Für mich selbst befürchte ich eine ähnliche Maßnahme. Könnten Sie, um materiellen Sorgen vorzubeugen, Mademoiselle Dumont einen Vorschuß auf die Monatszahlungen für 1943 zukommen lassen? Ich habe Angst um die Kinder.

27. JULI 1942
Michel Epstein an den deutschen Botschafter Otto Abetz.

Ich weiß, wie kühn es ist, mich direkt an Sie zu wenden. Dennoch versuche ich es, da ich glaube, daß nur Sie meine Frau retten können, und ich setze meine letzte Hoffnung auf Sie.

Erlauben Sie mir, Ihnen das folgende darzulegen: Bevor die deutschen Soldaten das von ihnen besetzte Issy verließen, haben sie mir zum Dank für das, was wir für ihr Wohlbefinden getan hatten, folgenden Brief dagelassen:

O. U. den I. VII. 41

Kameraden!

Wir haben längere Zeit mit der Familie Epstein zusammengelebt und sie als eine sehr anständige und zuvorkommende Familie kennengelernt. Wir bitten Euch daher, sie dementsprechend zu behandeln.

Hammberger, Feldw. 23599 A.

Nun ist am Montag, den 13. Juli, meine Frau verhaftet worden. S wurde ins Konzentrationslager Pithiviers (Loiret) gebracht und von dort zu einem mir unbekannten Ziel befördert.

Wie man mir sagte, wurde diese Verhaftung auf allgemeine Anweisung der Besatzungsbehörden im Hinblick auf die Juden vorgenommen.

Meine Frau, Madame Epstein, ist eine sehr bekannte Schriftstellerin, I. Némirovsky. Ihre Bücher wurden in viele Sprachen übersetzt, und mindestens zwei von ihnen – *David Golder* und *Le Bal* – auch ins Deutsche. Meine Frau wurde am 11. Februar 1903 in Kiew (Rußland) geboren. Ihr Vater war ein bedeutender Bankier. Der meine war Präsident des Zentralkomitees der Handelsbanken Rußlands und geschäftsführender Direktor der Azov-Bank. Unsere beiden Familien haben in Rußland ein beträchtliches Vermögen verloren; mein Vater wurde von den Bolschewiken verhaftet und in der Peter und Paul Festung in Petersburg gefangen gehalten. Nur unter großen Schwierigkeiten ist es uns gelungen, im Jahre 1919 aus Rußland zu fliehen, worauf wir in Frankreich Zuflucht gesucht und es nicht mehr verlassen haben. Dem allem können Sie mit Sicherheit entnehmen, daß wir für das bolschewistische Regime nichts als Haß empfinden.

In Frankreich hat sich kein Mitglied unserer Familie jemals mit Politik befaßt. Ich war Bevollmächtigter einer Bank, und meine Frau ist eine hoch angesehene Romanschriftstellerin geworden. In keinem ihrer Bücher (die im übrigen von den Besatzungsbehörden nicht verboten wurden) werden Sie ein Wort gegen Deutschland finden, und obwohl meine Frau jüdischer Rasse ist, spricht sie darin von den Juden ohne jede Zärtlichkeit. Die Großeltern meiner Frau sowie die meinen waren israelitischen Glaubens; unsere Eltern aber bekannten sich zu keiner Religion, und wir selbst sind katholisch, ebenso unsere Kinder, die in Paris geboren wurden und Franzosen sind.

Ich erlaube mir auch, Sie darauf hinzuweisen, daß sich meine Frau stets von jeder politischen Gruppierung ferngehalten hat, daß ihr seitens der Regierungen, sei es der linken oder der rechten, nie irgendeine Vergünstigung zuteil geworden ist und daß die Zeitung, an der sie als Schriftstellerin mitarbeitete, *Gringoire*, und deren Direktor H. de Carbuccia ist, sicherlich weder den Juden noch den Kommunisten gewogen war.

Schließlich leidet meine Frau seit Jahren an chronischem Asthma (ihr Arzt, Professor Vallery-Radot könnte es bezeugen), und eine Internierung in einem Konzentrationslager wäre für sie tödlich.

Ich weiß, sehr geehrter Herr Botschafter, daß Sie einer der herausragendsten Männer der Regierung Ihres Landes sind. Ich bin davon überzugt, daß Sie auch ein gerechter Mann sind. Mir scheint es nun aber ungerecht und unlogisch zu sein, daß die Deutschen eine Frau inhaftieren lassen, die, wiewohl jüdischer Herkunft, niemals – wie alle ihre Bücher beweisen – irgendeine Sympathie für das Judentum oder für das bolschewistische Regime gezeigt hat.

28. JULI 1942
André Sabatier an Comte de Chambrun.

Soeben erhalte ich einen Brief des Ehemanns der Autorin von *David Golder*, von dem ich Ihnen anbei eine Kopie schicke. Dieser Brief enthält nähere Angaben, die mir interessant zu sein scheinen. Hoffen wir, daß sie es Ihnen ermöglichen, zu einer günstigen Entscheidung zu gelangen. Ich danke Ihnen im voraus für alles, was Sie für unsere Freundin versuchen können.

28. JULI 1942
André Sabatier an Madame Paul Morand.

Gestern habe ich Monsieur Epstein in dem Sinne geschrieben, wie wir übereingekommen waren, da ich das für besser hielt, als ein Telegramm zu schicken. Heute morgen finde ich in meiner Post die Kopie. Sie enthält offensichtlich interessante Angaben.

28. Juli 1942
Michel Epstein an André Sabatier.

Ich hoffe, daß Sie meinen gestrigen Brief erhalten haben und daß der Brief an den Botschafter ihm übergeben worden ist, sei es von Chambrun oder jemand anderem, oder direkt. Dank im voraus.

Antwort auf Ihre gestrigen Zeilen: Ich glaube, daß das Kapitel in *David Golder*, in dem David mit den Bolschewiken über eine Abtretung von Ölfeldern verhandelt, wohl nicht gerade schmeichelhaft für sie ist, aber ich habe keinen *D. Golder* hier, könnten Sie nachsehen? *Les Échelles du Levant*, wovon Sie das Manuskript haben und die in *Gringoire* erschienen sind, sind eher grimmig gegenüber dem Helden, einem Quacksalber levantinischer Herkunft, aber ich erinnere mich nicht, ob meine Frau deutlich gemacht hat, daß es sich um einen Juden handelte. Ich glaube, ja.

Ich lese in Kapitel XXV von *La Vie de Tchekhov* folgenden Satz: «*Krankensaal Nr. 6* hat viel zu Tschechows Ruhm in Rußland beigetragen; dieser Erzählung wegen reklamiert die UdSSR ihn für sich und behauptet, wenn er noch lebte, würde er der marxistischen Partei angehören. Der postume Ruhm eines Schriftstellers birgt Überraschungen …» Leider sehe ich nichts anderes, und das ist wenig.

Gibt es wirklich keine Möglichkeit, über die französischen Behörden in Erfahrung zu bringen, ob meine Frau noch im Lager Pithiviers ist oder nicht? Vor zehn Tagen hatte ich dem Kommandanten dieses Lagers, mit bezahlter Rückantwort, telegrafiert und keine Antwort bekommen. Nur wissen, wo sie ist, kann das denn verboten sein? Man hat mir ja auch mitgeteilt, daß mein Bruder Paul in Drancy ist, warum darf ich nicht wissen, wo meine Frau ist? Immerhin …

Auf Wiedersehen, lieber Freund. Ich weiß nicht, warum ich auf meinen Brief an den Botschafter vertraue. Michel.

29. JULI 1942
André Sabatier an Madame Paul Morand.

Hier der Brief, von dem ich am Telefon gesprochen habe. Ich glaube, daß Sie besser als irgendwer sonst wissen, ob es angebracht ist, diesen Brief dem von seinem Verfasser gewünschten Adressaten zukommen zu lassen. Über den Inhalt kann ich mich kaum äußern, aber im Detail scheinen mir einige Sätze nicht sehr glücklich zu sein.

29. JULI 1942
Mavlik[13] an Michel Epstein.

Mein Lieber, ich hoffe, du hast meine Briefe bekommen, aber ich fürchte, daß sie verlorengegangen sind, denn ich habe an Julie geschrieben, und die Tante hatte ihren Namen am Telefon nicht richtig verstanden. Mein Lieber, ich bitte dich nochmal, durchzuhalten für Irène, für die Kleinen, für die anderen. Wir dürfen den Mut nicht verlieren, da wir gläubig sind. Ich war wahnsinnig vor Verzweiflung, aber ich habe mich wieder gefangen, ich renne den ganzen Tag herum, um Neues zu erfahren, und suche alle auf, die in derselben Lage sind. Germaine[14] ist vorgestern zurückgekommen, sobald sie alles Nötige beisammen hat, wird sie nach Pithiviers fahren. Da Sam anscheinend in Beaune-la-Rolande in der Nähe von Pithiviers ist, will sie auf jeden Fall versuchen, ihnen, Irène und ihm, Nachricht zu geben. Wir haben keine Nachrichten bekommen außer von Ania, die in Drancy ist und um Wäsche und Bücher bittet. Es gab mehrere Briefe aus Drancy, in denen die Leute sagen, daß sie gut behandelt und verpflegt werden. Mein Lieber, ich flehe dich an, verliere nicht den Mut. Das Geld hat sich wegen des falsch verstandenen Namens verspätet. Morgen besuche

---

[13] Schwester von Michel Epstein, die zur gleichen Zeit wie er verhaftet und nach Auschwitz deportiert werden sollte, wo beide vergast wurden.

[14] Eine französische Freundin von Samuel Epstein, Michels älterem Bruder.

ich Joséphine[15]. Germaine hat den Monsieur gesehen, dessen Dienstmädchen in Pithiviers ist. Ich muß auch Germaine aufsuchen, bevor sie abfährt. Sie hat ein paar Zeilen von Sam bekommen, wieder aus Drancy. Ich werde dir schreiben, wann sie abreist, aber ich möchte, daß du mir ein paar Zeilen schickst, mein Kleiner. Ich selbst halte mich irgendwie auf den Beinen, und ich hoffe wie immer. Ich umarme dich und die Kleinen mit all meiner Zärtlichkeit.

3. AUGUST 1942
Madame Rousseau (französisches Rotes Kreuz) an Michel Epstein.

Doktor Bazy[16] ist heute morgen für ein paar Tage in die freie Zone gefahren, er wird sich an Ort und Stelle um den Fall von Madame Epstein kümmern und sein Möglichstes tun, um etwas für sie zu erreichen. Da er keine Zeit hat, Ihnen vor seiner Abreise zu antworten, bat er mich, Ihnen zu sagen, daß er Ihren Brief erhalten hat und alles daransetzen wird, um Ihnen zu Hilfe zu kommen.

6. AUGUST 1942
Michel Epstein an Madame Rousseau.

Ich war froh zu erfahren, daß Doktor Bazy Schritte für meine Frau unternimmt. Ich frage mich, ob es nicht ratsam wäre, sie mit denen zu koordinieren, die bereits getan worden sind von:

1. Dem Verleger meiner Frau, Monsieur Albin Michel (die Person, die sich im besonderen darum kümmert, ist Monsieur André Sabatier, einer der Leiter des Hauses).
2. Madame Paul Morand.
3. Henri de Régnier.
4. Comte de Chambrun.

Monsieur Sabatier, dem ich eine Kopie dieses Briefes schicke, wird Ihnen alle nötigen Auskünfte geben können (Tel: Dan 87.54). Besonders quält mich, daß ich nicht weiß, wo sich meine Frau befindet (sie war am Donnerstag, den 17. Juli, im Lager von Pithiviers – Loiret, und seitdem habe ich nicht die geringste Nachricht von ihr). Ich möchte, daß sie weiß, daß unsere Kinder und ich selbst bisher noch nicht von den jüngsten Maßnahmen betroffen wurden und daß wir gesund sind. Könnte das Rote Kreuz ihr eine solche Botschaft übermitteln? Darf man ihr Päckchen schicken?

---

[15] Joséphine war Irène Némirovskys Zimmermädchen.
[16] Präsident des Roten Kreuzes.

6. AUGUST 1942
Michel Epstein an André Sabatier.
   Anbei Kopie eines Briefes, den ich an das Rote Kreuz schicke. Noch immer ohne Nachricht von meiner Frau. Das ist hart. Hat man Monsieur Abetz erreichen und ihm meinen Brief übergeben können? Michel.
   P.S. Könnten Sie mir die Adresse von Comte de Chambrun nennen?

9. AUGUST 1942
Michel Epstein an André Sabatier.
   Soeben erfahre ich aus sehr zuverlässiger Quelle, daß die im Lager Pithiviers internierten Frauen (übrigens auch die Männer und die Kinder) an die deutsche Grenze gebracht und von dort nach Osten weitertransportiert worden sind – wahrscheinlich nach Polen oder Rußland. Das soll vor etwa drei Wochen passiert sein.
   Bisher glaubte ich, meine Frau befinde sich in irgendeinem Lager in Frankreich, unter der Aufsicht französischer Soldaten. Zu wissen, daß sie sich in einem barbarischen Land befindet, unter vermutlich grauenhaften Bedingungen, ohne Geld und Verpflegung, und unter Leuten, deren Sprache sie nicht spricht, ist unerträglich. Jetzt geht es nicht mehr darum, sie mehr oder weniger schnell aus einem Lager herauszubekommen, sondern darum, ihr Leben zu retten.
   Sie werden mein Telegramm von gestern erhalten haben; ich habe Sie auf ein Buch meiner Frau aufmerksam gemacht, *Les Mouches d'automne*, das zuerst bei Kra in einer Luxusausgabe, dann bei Grasset erschienen ist. Dieses Buch ist eindeutig antibolschewistisch, und ich bedaure, daß ich nicht früher daran gedacht habe. Ich hoffe, es ist noch nicht zu spät, mit diesem neuen Beweis in der Hand bei den deutschen Behörden vorzusprechen.
   Ich weiß, lieber Freund, daß Sie Ihr Möglichstes tun, um uns zu retten, aber ich flehe Sie an, lassen Sie sich noch andere Dinge einfallen, wenden Sie sich von neuem an Morand, an Chambrun, an Ihren Freund und besonders an Dr. Bazy, den Präsidenten des Roten Kreuzes, 12, rue Newton, Tel.: KLE.84.05 (die Vorsteherin seines persönlichen Sekretariats ist Madame Rousseau, dieselbe Adresse), und machen Sie sie auf den neuen Nachweis der *Mouches d'automne* aufmerksam. Schließlich ist es unfaßbar, daß wir, die wir durch die Bolschewiken alles verloren haben, von denen, die sie bekämpfen, zum Tode verurteilt werden!
   Es ist also ein letzter Appell, den ich an Sie richte, lieber Freund. Ich weiß, es ist unverzeihlich von mir, Sie und die Freunde, die uns noch bleiben, derart über Gebühr zu beanspruchen, aber ich wiederhole es, es ist

eine Frage von Leben und Tod nicht nur für meine Frau, sondern auch für unsere Kinder, von mir ganz zu schweigen. Es ist ernst. Da ich hier allein mit den Kindern bin, fast im Gefängnis, da es mir untersagt ist, mich vom Fleck zu rühren, bleibt mir nicht einmal der Trost zu handeln. Ich kann nicht mehr schlafen und nicht mehr essen, vielleicht entschuldigt das diesen zerfahrenen Brief.

10. AUGUST 1942
Ich, der Unterzeichnete, Graf W. Kokovtzoff, ehemals Ministerpräsident und Finanzminister Rußlands, bescheinige hiermit, daß ich den verstorbenen Efim Epstein kannte, Aufsichtsrat einer Bank in Rußland, Mitglied des Komitees der Banken, dem ich in Paris vorsaß, daß er den Ruf eines untadeligen Finanziers genoß und daß sein Handeln und Fühlen eindeutig antikommunistisch waren.
[vom Polizeikommissariat beglaubigt]

12. AUGUST 1942
André Sabatier an Michel Epstein.
Ich habe Ihr Telegramm und Ihre Briefe erhalten. Ich beantworte sie, bevor ich für ein paar Wochen in die Umgebung von Paris verreise. Wenn Sie mir in der Zeit vom 15. August bis zum 15. September schreiben müssen, dann tun Sie es an die Adresse des Hauses, das es sogleich zur Kenntnis nehmen, gegebenenfalls das Notwendige veranlassen und mich sofort benachrichtigen wird. Und so weit bin ich im Augenblick: viele Schritte, bisher ohne Erfolg.
1. Keine Antwort von Comte de Chambrun, dem ich geschrieben habe. Da ich ihn nicht kenne, kann ich ihn nicht drängen, denn ich weiß nicht, ob sein Schweigen nicht das Zeichen dafür ist, daß er nicht einschreiten will. Seine Adresse: 6 bis, place du Palais-Bourbon – VIIᵉ.
2. Dagegen ist Madame P. Morand von unermüdlicher Hingabe. Sie ist überaus rührig, Ihr Brief befindet sich in ihren Händen, und sein wesentlicher Inhalt soll zusammen mit einem ärztlichen Attest von einem ihrer Freunde, der auch ein Freund der Botschaft ist, dieser Tage übermittelt werden. *Les Mouches d'automne*, die sie gelesen hat, scheinen ihr nicht dem zu entsprechen, was sie suchte: antirevolutionär, ja, aber nicht antibolschewistisch. Sie schlägt vor, daß Sie keine vereinzelten und ihrer Meinung nach sinnlosen Schritte unternehmen. Die einzige Tür, an die Sie klopfen sollten, ist – immer noch ihr zufolge – die der Israelitischen Union, die aufgrund ihrer Verzweigungen als einzige in der Lage ist, Sie über den Aufenthaltsort Ihrer Frau zu unterrichten und ihr vielleicht Nachrichten

über die Kinder zukommen zu lassen. Hier ihre Adresse: 29, rue de la Bienfaisance, VIIIᵉ.

3. Mein Freund hat mich unumwunden wissen lassen, daß all seine Schritte zu der Feststellung geführt haben, daß er nichts erreichen konnte.

4. Dieselbe, nicht minder kategorische Antwort von meinem Vater nach den Schritten, die er bei den regionalen französischen Behörden unternommen hat.

5. Ein Freund hat auf meine Bitte hin den Verfasser von *Dieu est-il français* (Friedrich Sieburg) erreicht, der versprach, sich umzusehen, nicht im Hinblick auf eine ihm zweifelhaft erscheinende Befreiung, sondern um Nachrichten von ihr zu erhalten.

6. Gestern habe ich mit dem Roten Kreuz telefoniert und dort mit der sehr liebenswürdigen und über die Sache informierten Vertreterin von Madame Rousseau gesprochen. Dr. Bazy ist zur Zeit in der nicht besetzten Zone und erkundigt sich höheren Orts danach, was zu erreichen möglich wäre. Er soll Donnerstag zurückkommen, ich werde ihn anrufen, bevor ich abreise.

Mein persönlicher Eindruck ist

1. Die Maßnahme, die ihre Frau betroffen hat, ist allgemeiner Art (allein hier in Paris hat sie anscheinend mehrere tausend Staatenlose betroffen), was zum Teil erklärt, warum es uns anscheinend unmöglich ist, eine besondere Vergünstigung zu erreichen, uns aber auch hoffen läßt, daß Ihrer Frau nichts Besonderes hat zustoßen können.

2. Die Maßnahme wurde von bestimmten deutschen Behörden ergriffen, die in diesem Bereich allmächtig sind und denen gegenüber sowohl die anderen militärischen oder zivilen deutschen Behörden als auch die französischen Behörden, sogar die höchsten, wenig Handlungsspielraum zu haben scheinen.

3. Die Reise nach Deutschland führt, so meint Madame Morand, wahrscheinlich nicht in Lager, sondern in polnische Städte, wo die Staatenlosen umgruppiert werden.

Das alles ist sehr hart, wie ich nur allzugut begreife, lieber Herr Epstein. Ihre einzige Pflicht ist es, an die Kinder zu denken und ihretwegen durchzuhalten, leicht gesagt … werden Sie erwidern. Leider! Ich habe alles getan, was ich konnte. Ich bin Ihr sehr ergebener André.

14. AUGUST 1942
Michel Epstein an Madame Cabour.

Unglücklicherweise ist Irène abgereist – wohin? Ich weiß es nicht. Ich bin in großer Angst, wie Sie sich denken können! Sie wurde am 13. Juli

484

abgeholt, und seitdem habe ich nichts mehr von ihr gehört. Ich bin hier allein mit den beiden Kleinen, um die sich Julie kümmert. Sie erinnern sich vielleicht, sie in der Avenue du Président-Wilson gesehen zu haben. Sollte ich eines Tages Nachrichten von Irène erhalten, werde ich es Ihnen sofort mitteilen. Sie wollen uns Ihre Hilfe anbieten, liebe Madame Cabour. Ich nehme sie in Anspruch, ohne zu wissen, ob das in den Bereich der machbaren Dinge fällt. Könnten Sie uns Nadel und Faden sowie Schreibmaschinenpapier besorgen? Sie würden uns den größten Gefallen tun.

20. AUGUST 1942
Michel Epstein an Madame Cabour.
    Irène wurde am 13. Juli auf Geheiß der deutschen Polizei von der Gendarmerie abgeholt und nach Pithiviers gebracht – und zwar in ihrer Eigenschaft als Staatenlose jüdischer Rasse, ungeachtet der Tatsache, daß sie katholisch ist, daß ihre Kinder Franzosen sind und daß sie nach Frankreich geflohen war, um den Bolschewiken zu entkommen, die im übrigen das Vermögen ihrer Eltern beschlagnahmt haben. Sie ist am 15. Juli in Pithiviers eingetroffen, und nach dem einzigen Brief, den ich von ihr erhalten habe, sollte sie am 17. mit unbekanntem Ziel von dort wieder abreisen. Seitdem nichts. Keine Nachricht, ich weiß nicht, wo sie ist, ja nicht einmal, ob sie noch lebt. Da ich mich nicht von hier fortbewegen darf, habe ich verschiedene Persönlichkeiten gebeten, sich einzuschalten, bisher ohne Erfolg. Wenn Sie irgend etwas tun können, tun Sie es, ich flehe Sie an, denn diese Angst ist unerträglich. Denken Sie nur, daß ich ihr nicht einmal etwas zu Essen schicken kann, daß sie weder Wäsche noch Geld hat . . Bis jetzt hat man mich hier gelassen, denn ich bin über 45 Jahre alt …

15. SEPTEMBER 1942
Michel Epstein an André Sabatier.
    Noch immer nicht das kleinste Lebenszeichen von Irène. Wie mir Madame Paul[17] riet, habe ich keine neuen Schritte unternommen. Ich zähle nur auf Sie. Ich glaube nicht, daß ich diese Ungewißheit noch lange ertragen kann. Sie hatten mir gesagt, daß Sie Nachrichten von Dr. Bazy erwarten. Ich vermute, Sie haben keine erhalten? Wenn das Rote Kreuz Irène vor dem Winter wenigstens Kleider, Geld und Lebensmittel zukommen lassen könnte.

---

[17] Ehefrau von Paul Morand, aus Sicherheitsgründen wurden die Namen nicht im Klartext erwähnt.

Wenn Sie Madame Paul sehen, sagen Sie ihr bitte, daß ich eine Karte von Mgr Ghika[18] erhalten habe, der vor sechs Monaten noch immer bei guter Gesundheit in Bukarest war.

17. SEPTEMBER 1942
André Sabatier an Michel Epstein.

Gleich nach meiner Rückkehr habe ich mit Madame Paul telefoniert und ihr gesagt, daß Sie ihren Rat befolgt haben. Alle ihre Schritte, sogar diejenigen, die sie bei der Person unternommen hat, für die Sie einen Brief verfaßt hatten, sind bisher ohne Ergebnis geblieben. «Wir stoßen gegen Mauern», hat sie mir gesagt. Madame Paul meint, um Genaues zu erfahren, müsse man warten, bis sich diese große Vermischung der Leute kanalisiert und einigermaßen stabilisiert hat.

19. SEPTEMBER 1942
Michel Epstein an André Sabatier.

Unsere Briefe haben sich gekreuzt. Ich danke Ihnen, daß Sie mir Nachricht gegeben haben, so betrüblich sie auch ist. Bitte erkundigen Sie sich doch, ob es nicht möglich wäre, daß ich mit meiner Frau den Platz tausche – ich könnte vielleicht an ihrer Stelle nützlicher sein, und sie wäre hier besser aufgehoben. Wenn das unmöglich ist, könnte man mich dann nicht zu ihr bringen – gemeinsam ginge es uns besser. Natürlich müßte ich mich über das alles mit Ihnen persönlich unterhalten können.

23. SEPTEMBER 1942
André Sabatier an Michel Epstein.

Seit dem 14. Juli habe ich mir gesagt, daß, sollte eine Reise nach Issy notwendig sein, ich sie ohne zu zögern unternähme. Ich glaube nicht, daß dies, nicht einmal jetzt, zu einer präzisen und annehmbaren Entscheidung führen könnte. Und zwar aus folgendem Grund.

Ein Austausch ist derzeit ausgeschlossen. Das ergäbe lediglich einen Internierten mehr, auch wenn das Motiv, das Sie dafür anführen, natürlich schlüssig ist. Sobald wir genau wissen werden, wo Irène ist, das heißt, sobald das alles «organisiert» ist, dann und erst dann wird es vielleicht möglich sein, diese Frage zu stellen.

Gemeinsam in einem und demselben Lager! Ebenfalls ausgeschlossen, da Frauen und Männer streng voneinander getrennt sind.

---

[18] Ein rumänischer Fürst und Bischof, der Irène Némirovsky sehr oft besuchen kam.

Das Rote Kreuz hat mich um eine Auskunft gebeten, die ich nicht geben kann und um die ich Sie meinerseits heute morgen telegrafisch gebeten habe. Ich werde sie sofort weiterleiten. Man hofft dort, auf der richtigen Spur zu sein.

29. SEPTEMBER 1942
Michel Epstein an André Sabatier.
Ich hatte Ihnen versprochen, Sie mit Bitten zu bestürmen, und ich halte mein Versprechen. Es geht um folgendes. Mein bis nächsten November gültiger Ausländerausweis muß erneuert werden. Das hängt vom Präfekten des Departements Saône-et-Loire in Mâcon ab, und ich muß ihm in den nächsten Tagen einen Erneuerungsantrag vorlegen. Ich möchte nicht, daß uns dieser Antrag weitere Scherereien verursacht. Daher bitte ich Sie um Ihre Vermittlung beim Präfekten von Mâcon. Ich genüge in jeder Hinsicht den Vorschriften, aber die für Personen meiner Kategorie ungünstigen Umstände lassen mich Ärger seitens der Kanzlei usw. befürchten. Darf ich mit Ihnen rechnen? Ich werde nichts unternehmen, bevor ich Ihre Antwort habe, aber es eilt.

5. OKTOBER 1942
André Sabatier an Michel Epstein.
Soeben erhielt ich Ihren Brief vom 29. Ich habe ihn gelesen, habe ihn lesen lassen. Kein Zweifel, meine Antwort ist eindeutig: Rühren Sie sich nicht, jeder Schritt scheint mir äußerst unvorsichtig zu sein. Ich erwarte den Besuch des Domherrn Dimnet und bin froh, mich mit ihm zu unterhalten.

12. OKTOBER 1942
André Sabatier an Michel Epstein.
Heute morgen erhielt ich Ihre Zeilen vom 8. sowie den Durchschlag des Briefes, den Sie nach Dijon geschickt haben. Ich schreibe Ihnen, um Ihnen folgendes zu sagen:
Die Papiere unserer Freundin waren völlig in Ordnung, und doch hat das nichts verhindert.
Was die Kinder betrifft, so habe ich, da sie, um Ihren Ausdruck zu verwenden, Franzosen sind, nicht den Eindruck, daß ein Klimawechsel unerläßlich ist, aber das ist nur eine Redensart. Mir scheint, daß in diesem Punkt das Rote Kreuz in der Lage wäre, Sie genauer und sicherer zu unterrichten.

19. OKTOBER 1942

Michel Epstein an André Sabatier (Gefängnis von Le Creusot).

[mit Bleistift geschrieben]

Ich bin noch immer in Le Creusot, werde sehr gut behandelt und bin bei völliger Gesundheit. Ich weiß nicht, wann wir unsere Reise fortsetzen und wo sie hingeht. Ich zähle auf Ihre Freundschaft für meine Lieben. Sie werden sie brauchen. Ich bin sicher, daß Sie sich um sie kümmern werden. Sonst kann ich Ihnen nichts sagen, außer daß ich meinen ganzen Mut zusammennehme und Ihnen die Hände drücke.

1. OKTOBER 1944

Julie Dumot an Robert Esménard.

Ich möchte Ihnen danken, daß Sie die monatlichen Zahlungen fortsetzen. Sie haben verstanden, daß ich Befürchtungen hatte. Seit sieben Monaten habe ich die Kinder abermals an verschiedenen Orten isolieren müssen. Jetzt ist der Alptraum hoffentlich vorüber. Ich habe sie geholt, um sie ins Pensionat zu geben. Meine Älteste ist in der 3. Klasse und Babet im mittleren Kurs des ersten Jahres, sie freuen sich, endlich frei sein zu können, denn Denise wird mehr Ruhe zum Lernen haben, da es ja auch um ihre Zukunft geht.

10. OKTOBER 1944

Julie Dumot an André Sabatier.

Ich habe die 15 000 F erhalten. Seit Ende Februar war ich in großer Sorge um meine Kinder. Ich mußte sie abermals verstecken. Bestimmt hat Schwester Saint-Gabriel Ihnen deshalb nicht geantwortet. Seit sieben Monaten konnten sie die Schule nicht besuchen. Jetzt hoffe ich, daß es für uns ruhiger sein wird und daß sie tüchtig arbeiten werden. Ich habe sie wieder ins Pensionat gegeben. Denise ist in die 3. Klasse zurückgekommen und Babet in den mittleren Kurs des 1. Jahres. Sie freuen sich sehr, ihre Kameradinnen und die Nonnen wiederzusehen, die mir in den schwierigen Momenten sehr geholfen haben. Ich hoffe, daß uns bis zur Rückkehr unserer Verbannten jetzt nichts mehr peinigen wird. Können die Werke aller Autoren jetzt zum Verkauf angeboten werden, oder ist der Verkauf noch nicht frei?

30. OKTOBER 1944

Robert Esménard an Julie Dumot.

Ich danke Ihnen für Ihren Brief vom 1. Oktober. Ich sehe, daß Sie noch viele grausame, angstvolle Tage durchlebt haben müssen. Nun aber macht

Ihnen das Schicksal der Kleinen keine Sorgen mehr, und sie können in aller Ruhe wieder die Schule besuchen. Wir wollen hoffen, daß dieser entsetzliche Alptraum bald vorüber ist und daß Sie in sehr naher Zukunft Nachricht von ihren Eltern erhalten werden. Wie Sie wissen, ist das einer meiner innigsten Wünsche …

9. NOVEMBER 1944
André Sabatier an Julie Dumont.

Nicht ohne Schauder habe ich von den Ängsten erfahren, die Sie vor kurzem wieder um Ihre Kinder hatten. Ich kann mich nur freuen, Sie nun vor allen Maßnahmen, wie Sie sie erwähnen, geschützt zu wissen. Es bleibt nur noch die baldige Rückkehr derer zu wünschen, die entführt worden sind.

Selbstverständlich hat Monsieur Esménard die nötigen Anweisungen gegeben, damit die verbliebenen Exemplare der Bücher von I. Némirovsky verkauft werden. Ich selbst habe mir die Frage gestellt, ob es angebracht wäre, jetzt die beiden Manuskripte, die ich von ihr besitze, zu veröffentlichen, ihren Roman *Les Biens de ce monde* und ihre Tschechow-Biographie. Monsieur Esménard und ich sind der Meinung, daß es besser wäre, mit einer solchen Veröffentlichung noch zu warten, da es gefährlich sein könnte, zu einem Zeitpunkt auf sie aufmerksam zu machen, in dem ihre Lage sie nicht vor immer noch zu fürchtenden Repressalien schützt.

27. DEZEMBER 1944
Robert Esménard an Julie Dumot.

Möge 1945 uns endlich den Frieden bringen und Ihnen ihre lieben Abwesenden zurückgeben.

1945
Albin Michel an Julie Dumot.

9000 F (Juni – Juli – August 1945)

8. JANUAR 1945
Antwort von Robert Esménard an R. Adler.

Die Karte vom 13. Oktober 1944 auf den Namen von Madame Némirovsky haben wir erhalten, doch leider konnten wir sie der Adressatin nicht nachsenden. Madame Némirovsky ist nämlich am 13. Juli 1942 in Issy, wo sie seit 1940 lebte, festgenommen, in das Konzentrationslager Pithiviers gebracht und dann im selben Monat deportiert worden. Alle Schritte, die für sie unternommen wurden, waren vergeblich, und niemand hat je etwas von ihr gehört. Glücklicherweise konnten ihre beiden kleinen Kinder dank der Aufopferung einer Freundin gerettet werden, mit der sie in der Provinz leben. Wir sind zutiefst betrübt, Ihnen dies mitteilen zu müssen.

16. JANUAR 1945
Antwort von Albin Michel an A. Shal.
   Ich danke Ihnen für die Karte vom 6. November 1944, die Sie an Madame I. Némirovsky adressiert haben. Leider ist es uns nicht möglich, ihr diese Karte nachzusenden, denn unsere Autorin und Freundin wurde uns im Laufe des Jahres 1942 entrissen und in irgendein Lager in Polen gebracht. Seither haben wir trotz den verschiedensten Schritten nie etwas über sie in Erfahrung bringen können. Ihren Mann hat einige Monate nach seiner Frau dasselbe Schicksal ereilt. Die Kinder wurden glücklicherweise rechtzeitig Freunden der Familie anvertraut, zur Zeit geht es ihnen gut. Es tut mir leid, Ihnen so traurige Nachrichten zu geben. Hoffen wir dennoch …

5. APRIL 1945
Marc Aldanov (Found for the relief of men of letters and scientists of Russia), New York, an Robert Esménard.
   Von Madame Raïssa Adler erhielten wir soeben die tragische Nachricht über Irène Némirovsky. Madame Adler hat uns ebenfalls wissen lassen, daß ihre beiden Töchter von einer ehemaligen Krankenpflegerin ihres Großvaters gerettet worden sind. Diese Krankenpflegerin, Mademoiselle Dumot, ist eine absolut vertrauenswürdige Person, doch leider ist sie völlig mittellos und kann folglich nicht für ihre Erziehung aufkommen.
   Die Freunde und Bewunderer von Madame Némirovsky in New York haben sich getroffen und überlegt, was man für die Kinder tun könnte. Leider sind sie hier weder sehr zahlreich noch begütert. Was unser Komitee betrifft, so umfaßt es heute etwa hundert Literaten und Gelehrte. Wir haben nicht genug tun können. Deshalb wenden wir uns an Sie, lieber Monsieur Esménard, um Sie zu fragen, ob Madame Némirovsky von ihren französischen Verlegern nicht einen Kredit auf ihre Autorenrechte bekommen könnte und, wenn ja, ob es Ihnen und Ihren Kollegen nicht möglich wäre, einen Teil ihrer Honorare den beiden Kindern zur Verfügung zu stellen. Wir würden Ihnen ihre Adresse schicken.

11. MAI 1945
Robert Esménard an Marc Aldanov.

Madame Némirovsky wurde leider tatsächlich im Juli 1942 verhaftet, in das Lager Pithiviers gebracht und dann deportiert. Ihr Mann hat wenige Woche später dasselbe Schicksal gehabt. Wir haben nie etwas von ihnen gehört und sind in tiefer Sorge um sie.

Ich weiß, daß Mademoiselle Dumot die beiden kleinen Mädchen gerettet hat und sie hervorragend erzieht. Und um ihr das zu ermöglichen, kann ich Ihnen sagen, daß ich Mademoiselle Dumot seit Irène Némirovskys Festnahme beträchtliche Summen überwiesen habe, die sich auf insgesamt 151 000 F belaufen, und daß ich ihr auch heute noch monatlich einen Betrag von 3000 F zukommen lasse.

1. JUNI 1945
André Sabatier an Julie Dumot.

Ich denke viel an Sie und Ihre Kinder, seit die Deportierten und die Gefangenen allmählich nach Frankreich zurückkehren. Ich nehme an, daß Sie im Augenblick nichts haben in Erfahrung bringen können, denn sonst hätten Sie mir sicher Bescheid gegeben. Auch ich habe nicht den kleinsten Hinweis bekommen. Ich habe Madame J. J. Bernard[19] gefragt, die Madame Némirovsky kannte und die augenblicklich beim Roten Kreuz die nötigen Schritte unternimmt, um etwas zu erfahren. Sollte mir irgend etwas zu Ohren kommen, werde ich Sie natürlich als erste benachrichtigen. Da ist noch eine Frage, die ich Ihnen stellen wollte: Was ist aus den Papieren geworden, die sich im Augenblick von Madame Némirovskys Verhaftung in Issy befunden haben? Ich habe gehört, daß es darunter eine fertiggestellte lange Novelle gäbe. Haben Sie den Text zufällig? Wenn ja, könnten Sie es mir bitte mitteilen, denn vielleicht könnten wir ihn in unserer Zeitschrift *La Nef* veröffentlichen.

16. JULI 1945
André Sabatier an Abbé Englebert.

Ich schreibe Ihnen in einer völlig unerwarteten Angelegenheit. Es geht um folgendes: Sicherlich kennen Sie dem Namen und Ruf nach Irène Némirovsky, eine der besten Romanschriftstellerinnen, die Frankreich in den Jahren vor dem Krieg gehabt hat. Als Israelitin und Russin wurde I. Némi-

---

[19] Frau des Schriftstellers Jean-Jacques Bernard, des Sohn von Tristan Bernard.

rovsky, ebenso wie ihr Mann, 1942 deportiert, wahrscheinlich in ein Lager in Polen; es ist uns nie gelungen, irgend etwas über sie in Erfahrung zu bringen. Noch heute herrscht totales Schweigen, und wir haben leider jede Hoffnung verloren, sie lebend wiederzusehen.

I. Némirovsky hatte in Frankreich ihre zwei kleinen Töchter, Denise und Élisabeth Epstein, der Obhut einer Freundin überlassen. Soeben habe ich die Person aufgesucht, die sich um sie gekümmert hat, und sie erzählte mir, daß es ihr gelungen sei, die beiden Mädchen als Pensionatsschülerinnen bei den Schwestern von Zion unterzubringen. Nachdem bereits Einigkeit erzielt worden war, hat sich die Mutter Oberin im letzten Moment entzogen, unter dem Vorwand, daß kein Platz mehr frei sei, was für die brave Frau, die sich um die beiden Mädchen kümmert, eine herbe Enttäuschung und großen Kummer bedeutet. Ist es Ihnen möglich herauszufinden, was genau es damit auf sich hat? Und könnten Sie sich, falls Sie ein wenig Einfluß auf diese Damen haben, dafür einsetzen, daß Denise und Élisabeth wenigstens zum Schulbeginn im Oktober bei den Schwestern von Zion aufgenommen werden?

Wir interessieren uns sehr für die beiden Kleinen, was Sie sicher verstehen werden; und für alle Fälle, selbst wenn Sie nichts ausrichten können, vielen Dank im voraus für die Aufmerksamkeit, die Sie diesem Gesuch schenken.

23. JULI 1945
Telefongespräch: Chautard (Union Européenne Industrielle et Financière) an André Sabatier.

Monsieur de Mézières in der U. E.[20] ist bereit, in Zusammenarbeit mit unserm Hause etwas für die Kinder von Irène Némirovsky zu tun.

[handschriftliche Notiz: warten, daß er sich mit uns in Verbindung setzt]
Wären bereit, monatlich 3000 F zu zahlen.

Haben ein religiöses Pensionat in der Nähe von Paris für monatlich 2000 F pro Kind gefunden.

7. AUGUST 1945
Omer Englebert an Robert Esménard.

Ich habe die Freude, Ihnen mitzuteilen, daß die kleinen Töchter der israelitischen russischen Romanschriftstellerin (jetzt kann ich mich doch

---

[20] Banque de l'Union Européenne (ehemals Banque des Pays du Nord, bei der Michel Epstein Bevollmächtigter war).

nicht mehr an ihren Namen erinnern!), für die Sie sich interessieren und die Monsieur Sabatier mir in Ihrem Namen ans Herz gelegt hat, bei den Schwestern von Zion in Grandbourg über Evry-Petit-Bourg aufgenommen worden sind. Die Mutter Oberin ließ mich soeben wissen, daß sie sich zum nächsten Schulbeginn dorthin begeben können.

29. AUGUST 1945
Julie Dumot (46, rue Pasteur in Marmande) an André Sabatier.

Ich weiß gar nicht, wie ich Ihnen für soviel Treue danken soll. Ich freue mich sehr für die Kinder, besonders für Babet, die erst 8 Jahre alt ist und ihren ganzen Unterricht noch vor sich hat. Und Denise, der es jetzt sehr gut geht, wird sich in diesem erstklassigen Haus vervollkommnen können, wie es der Wunsch ihrer Mama gewesen ist. Deshalb bin ich Ihnen sehr dankbar, daß Sie den Wunsch der Eltern erfüllt haben. Wenn Denise nicht weiter studieren kann, muß sie jedenfalls ihr Zeugnis haben, um arbeiten zu können, das alles wird sich in einigen Tagen klären. Ihr freundlicher Brief hat mich hier erreicht, wo ich mit den Kindern die Ferien verbringe. Denise ist wieder ganz gesund. Sie ist geröntgt worden, und die Aufnahme hat gezeigt, daß die Rippenfellentzündung völlig verheilt ist. Babet dagegen wird nächste Woche an den Mandeln operiert werden. Ich konnte es nicht früher machen lassen, weil der Arzt in Urlaub war, was meine Rückkehr nach Paris um 8 Tage verzögert.

Ja, Monsieur Sabatier, es war die Rede davon, daß die Société des Gens de Lettres etwas für die Kinder tun würde. Monsieur Dreyfus, dem ich meinen Fall dargelegt und erklärt hatte, daß ich mit meinen 3000 F im Monat nicht auskommen kann und daß Denise 6 Monate in Behandlung gewesen ist, hat sich bei seinem Freund, Monsieur Robert, darum bemüht, etwas für die Kinder zu tun. Ich habe es noch am selben Tag Monsieur Esménard mitgeteilt, der also Bescheid weiß. Für alle Auskünfte über mich: Tristan Bernard kennt mich seit meinem 16. Lebensjahr.

3. OKTOBER 1945
Éditions Albin Michel an Julie Dumot.

12 000 F: Sept. – Okt. – Nov. – Dez. 45

7. DEZEMBER 1945
Robert Esménard (Notiz für Mademoiselle Le Fur).

Freitag nachmittag bin ich zu Madame Simone Saint-Clair gegangen, die einem Komitee angehört, dessen Ziel es ist, den Kindern von I. Némirovsky zu Hilfe zu kommen. Einige Personen und Gruppierungen werden monatlich eine bestimmte Summe bei dem Notar hinterlegen, der bestimmt wird, sie bis zu dem Zeitpunkt entgegenzunehmen, an dem die Kinder ihr Abitur gemacht haben werden. Sobald die Ältere, Denise, es bestanden hat, wird die Angelegenheit vermutlich noch einmal erörtert werden.

Abgesehen davon werden Spenden als Grundstock für ein Kapital entgegengenommen, über das die Töchter von I. Némirovsky bei ihrer Volljährigkeit verfügen können. Eine bestimmte Summe ist bereits vorhanden, in der eine Zahlung der Banque des Pays du Nord enthalten ist, bei der Monsieur Epstein beschäftigt war, etwa 18 000 F, was mit einer bestimmten Rückwirkung 3000 F monatlich entspricht.

Mademoiselle Dumot wird durch den Notar sofort über eine Summe X verfügen, die sie für die entstandenen Kosten entschädigen soll, sowie jeden Monat über eine bestimmte Summe. Was unser Haus betrifft, so habe ich gesagt, daß ihr ab dem Datum der letzten Monatszahlung, die ich am 31. 12. 45 geleistet habe, monatlich einen Betrag von 2000 F überwiesen wird, natürlich ohne daß er mit I. Némirovskys Urheberrechten verrechnet wird. Außerdem trete ich von Madame Némirovskys Rechten monatlich eine Summe von 2000 F von dem Monat an ab, an dem ich mit den monatlichen Zahlungen begonnen habe, anders gesagt, rückwirkend ab der ersten Zahlung.

Für den zu gründenden Hilfsfond sind ausführliche Pressemitteilungen vorgesehen.

24. DEZEMBER 1945

W. Tideman an Irène Némirovsky.

Ich bin Journalist bei einer Zeitung in Leyden (Holland), der ich das Angebot gemacht habe, in Fortsetzungen einen französischen Roman oder eine französische Erzählung zu übersetzen. Soeben erhalte ich die Antwort, daß man dort prinzipiell bereit sei zu veröffentlichen, was ich ihnen vorschlage oder schicke. Ich habe sie wissen lassen, daß Rechte bezahlt werden müßten, die für einen hierzulande bereits erschienenen Roman vermutlich weit höher lägen, da die Verleger ihren Anteil beanspruchen, als für eine unveröffentlichte Novelle, bei der sie nur mit dem Autor zu verhandeln hätten. Und dabei habe ich an Sie gedacht, obwohl ich von Ihnen nur Ihre Romane kenne.

29. DEZEMBER 1945
Albin Michel an W. Tideman.

Ich habe von Ihrem an mein Büro adressierten und für I. Némirovsky bestimmten Brief Kenntnis genommen, da er der Adressatin leider nicht zugestellt werden konnte.

Madame I. Némirovsky ist nämlich im Juli 1942 verhaftet und dann vermutlich nach Polen deportiert worden. Seit dem Tag ihrer Verhaftung hat niemand jemals etwas von ihr gehört.

Nachwort

1929 faßte Bernard Grasset, von der Lektüre eines mit der Post zugeschickten Manuskripts mit dem Titel *David Golder* begeistert, augenblicklich den Entschluß, es zu veröffentlichen. Doch als er mit dem Autor einen Vertrag abschließen wollte, bemerkte er, daß dieser, da er wohl eine Ablehnung befürchtete, weder seinen Namen noch seine Adresse, sondern nur die Nummer eines Postfachs angegeben hatte. Deshalb gab er in den Zeitungen eine Kleinanzeige auf, in der er den geheimnisvollen Schriftsteller aufforderte, sich zu erkennen zu geben.

Als sich einige Tage später Irène Némirovsky bei Bernard Grasset vorstellte, fiel es ihm schwer zu glauben, daß diese dem Anschein nach so fröhliche junge Frau, die erst seit zehn Jahren in Frankreich lebte, dieses funkelnde, grausame, mutige und vor allem meisterhafte Buch geschrieben hatte. Ein Werk, das einem Schriftsteller normalerweise erst im reifen Alter gelingt. Um sich zu vergewissern, daß sie nicht nur als Namensgeberin für einen berühmten Schriftsteller gekommen war, der im Dunkeln bleiben wollte, befragte Grasset sie ausführlich über ihren Roman.

Bei seinem Erscheinen wurde *David Golder* von der Kritik einhellig begrüßt, so daß Irène Némirovsky sofort berühmt wurde. Schon bald darauf verehrten sie so verschiedene Personen wie der jüdische Schriftsteller Joseph Kessel oder Robert Brasillach, ein Monarchist der extremen Rechten und Antisemit, der die Reinheit der Prosa dieser Debütantin in der Welt der französischen Literatur lobte. Von Kindheit an hatte Irène Némirovsky, die in Kiew geboren wurde, mit ihrer Gouvernante Französisch gelernt. Außerdem sprach sie fließend Russisch, Polnisch, Englisch, Baskisch und Finnisch und verstand Jiddisch, von dem man

Spuren in ihrem 1940 geschriebenen Buch *Les Chiens et les Loups* erkennt.

Irène Némirovsky ließ sich jedoch durch ihren spektakulären Eintritt in die Welt der Literatur nicht den Kopf verdrehen. Sie wunderte sich sogar, daß man so viel Aufhebens um *David Golder* machte, den sie ohne falsche Bescheidenheit als «kleinen Roman» bezeichnete. Am 22. Januar 1930 schrieb sie einer Freundin: «Wie können Sie annehmen, ich würde meine alten Freundinnen wegen eines Buchs vergessen, über das man vierzehn Tage spricht und das dann ebenso schnell wieder in Vergessenheit gerät wie alles in Paris?»

Irène Némirovsky kam am 11. Februar 1903 in Kiew zur Welt, in dem Teil, den man heute das Yiddishland nennt. Ihr Vater, Lev Nemirovsky (mit hebräischem Namen Arieh), dessen Familie aus der ukrainischen Stadt Nemirov stammte, wurde 1868 in Elisabethgrad geboren – einer Stadt, in der 1881 die mehrere Jahre andauernde Welle der Pogrome gegen die russischen Juden aufbranden sollte. Seine Familie war erfolgreich im Getreidehandel tätig, er selbst reiste viel, bevor er dann in der Finanzwelt sein Glück machte und einer der reichsten Bankiers Rußlands wurde. Auf seiner Visitenkarte stand: Lev Nemirovsky, Präsident des Aufsichtsrats der Handelsbank von Voronej, Geschäftsführer der Unionsbank von Moskau, Mitglied des Aufsichtsrats der privaten Handelsbank von Petrograd. Er hatte ein großes Anwesen auf den Hügeln der Stadt gekauft, in einer ruhigen, von Gärten und Linden gesäumten Straße.

Irène wurde außer von ihrer Gouvernante von ausgezeichneten Hauslehrern unterrichtet. Doch da sich ihre Eltern wenig für Heim und Familie interessierten, war sie ein sehr unglückliches und einsames Kind. Ihr Vater, den sie liebte und bewunderte, war die meiste Zeit auf Geschäftsreisen oder im Kasino, wo er Unsummen verspielte. Ihre Mutter, die sich Fanny (mit ihrem hebräischen Namen Faiga) nennen ließ, hatte sie in der Absicht zur Welt gebracht, ihrem reichen Gatten gefällig zu sein. Doch die Geburt ihrer Tochter hatte sie als erstes Zeichen für den Niedergang ihrer Weiblichkeit erlebt und das Kind der Obhut seiner Amme überlassen. Fanny Nemirovsky (Odessa 1887 – Paris 1989) empfand eine Art Widerwillen gegen ihre Tochter, der sie nie auch nur die geringste Geste von Liebe schenkte. Sie verbrachte Stunden vor ihrem Spiegel, um auf das Erscheinen der ersten Falten zu lauern, sich zu schminken, sich massieren zu lassen; die übrige Zeit war sie außer Haus, auf der Suche nach außerehelichen Abenteuern. Um sich zu beweisen, daß sie noch immer jung war, weigerte sie sich, in der herangewachsenen Irène etwas anderes zu sehen als ein kleines Mädchen, und zwang sie lange, sich wie ein Schulkind zu kleiden und zu frisieren.

Wenn die Gouvernante ihre freien Tage hatte, war Irène sich selbst überlassen; sie suchte Zuflucht in der Lektüre, begann zu schreiben und widerstand ihrer Verzweiflung, indem sie einen wilden Haß auf ihre Mutter entwickelte. Diese Gewalt zwischen Mutter und Tochter ist in vielen Werken von Irène Némirovsky, zum Beispiel in *Le vin de solitude*, *Jézabel* und *Le Bal*, ein zentrales Motiv.

Als die Nemirovskys noch in Rußland wohnten, lebten sie auf großem Fuß. Jeden Sommer verließen sie die Ukraine und fuhren entweder auf die Krim oder nach Biarritz, Saint-Jean-de-Luz, Hendaye oder an die Côte d'Azur. Irènes Mutter bezog stets ein herrschaftliches Haus, während ihre Tochter und deren Gouvernante in einer Familienpension untergebracht waren.

Nach dem Tod ihrer französischen Lehrerin, ungefähr in ihrem 14. Lebensjahr, begann Irène Némirovsky zu schreiben. Sie setzte sich auf einen Diwan, ein Heft auf den Knien. Sie hatte eine Schreibtechnik erarbeitet, die sich Iwan Turgenjew zum Vorbild nahm. Wenn sie einen Roman begann, schrieb sie nicht nur die Erzählung selbst nieder, sondern auch alle unmittelbaren Gedanken, die ihr dabei kamen, ohne Auslassung oder Filterung. Jede ihrer Figuren, auch die nebensächlichsten, kannte sie sehr genau. Sie füllte ganze Hefte, um deren Physiognomie, Charakter, Erziehung, Kindheit und chronologische Lebensetappen zu schildern. Wenn dann alle Figuren derart genau beschrieben waren, unterstrich sie mit zwei Stiften, einem roten und einem blauen, die wichtigsten Züge, die sie beibehalten wollte; manchmal nur wenige Zeilen. Rasch machte sie sich an die Abfassung des Romans, verbesserte den Text und schrieb dann die endgültige Fassung.

Zur Zeit, als die Oktoberrevolution ausbrach, wohnten die Nemirovskys in Sankt Petersburg in einem schönen großen Haus. «Die Wohnung ... war so gebaut, daß der Blick vom Vestibül aus bis in die hintersten Zimmer dringen konnte; durch breite offene Türen sah man eine Aneinanderreihung weiß-goldener Salons», schreibt Irène in *Le Vin de solitude*, ein zum großen Teil autobiographischer Roman. Sankt Petersburg ist für viele russische Schriftsteller und Dichter eine mythische Stadt. Irène Némirovsky sah in ihr jedoch nur eine Folge dunkler, verschneiter Straßen, durch die ein aus den fauligen Wassern der Kanäle und der Newa emporsteigender eisiger Wind blies.

Lev Nemirovsky, den seine Geschäfte häufig nach Moskau riefen, mietete dort von einem Offizier der kaiserlichen Garde, der an die russische Botschaft abkommandiert war, eine möblierte Wohnung. Um seine Familie in Sicherheit zu bringen, ließ er sie nach Moskau kommen, doch gerade dort tobte die Revolution im Oktober 1918 fürchterlich. Während überall geschossen wurde, erforschte Irène in der Wohnung jenes gebildeten Offiziers die Bibliothek. Sie entdeckte Huysmans, Maupassant, Platon und Wilde. *Das Bildnis des Dorian Gray* war ihr Lieblingsbuch.

Das von der Straße aus nicht zu sehende Haus stand geschützt durch andere Gebäude in einem Hof. Wenn alles menschenleer war, ging Irène heimlich in diesen Hof, um Patronenhülsen aufzusammeln. Fünf Tage lang lebte die Familie in der Wohnung von einem Sack Kartoffeln, Schokolade und Sardinen. Schließlich kehrten die Nemirovskys während einer Feuerpause nach Sankt Petersburg zurück, doch als die Bolschewiken auf Irènes Vater ein

Kopfgeld aussetzten, mußte er untertauchen. Im Dezember 1918 nutzte er den Umstand, daß die Grenze noch nicht geschlossen war, und organisierte die Flucht der als Bauern verkleideten Familie nach Finnland. Irène verbrachte ein Jahr in einem aus drei Holzhäusern bestehenden Weiler inmitten von Schneefeldern. Sie hoffte, nach Rußland zurückkehren zu können. Während dieser langen Wartezeit fuhr der Vater häufig inkognito nach Rußland in dem Versuch, seine Habe zu retten.

Zum ersten Mal erlebte Irène nun eine Zeit der Heiterkeit und des Friedens. Sie wurde erwachsen und begann von Oscar Wilde inspirierte Prosagedichte zu schreiben. Als sich die Lage in Rußland immer weiter verschlimmerte und die Bolschewiken ihnen gefährlich nahekamen, gelangten die Nemirovskys nach einer langen Reise nach Schweden und verbrachten drei Monate in Stockholm.

Im Juli 1919 bestieg die Familie einen kleinen Frachter, der sie nach Rouen bringen sollte. Sie waren zehn Tage auf dem Wasser, bei furchtbarem Unwetter, das der Dramatik der letzten Szene von *David Golder* zugrunde liegt. In Paris wurde Lev Nemirovsky Leiter einer seiner Bankfilialen; auf diese Weise begann er, sein Vermögen wieder aufzubauen.

Irène Némirovsky schrieb sich in die Sorbonne ein und bestand ihre Abschlußprüfung in Literaturwissenschaft mit Auszeichnung. *David Golder*, ihr erster Roman, war indes kein bloßer Versuch gewesen. Sie hatte das, was sie «komische kleine Geschichten» nannte, der zweimal im Monat erscheinenden illustrierten Zeitschrift *Fantasio* geschickt, die sie veröffentlichte und ihr für jede Geschichte sechzig Francs zahlte. Dann versuchte sie ihr Glück bei *Le Matin*, der ebenfalls eine Geschichte von ihr herausgab. Es folgten eine Erzählung und eine Novelle bei den Œuvres libres sowie *Le Maltentendu*, ein erster Roman – 1923 im Alter von 18 Jahren geschrieben –, und ein Jahr darauf *L'Enfant génial*, eine Novelle, die dann im Februar 1926 unter dem Titel *Un enfant prodige* im selben Verlag erschien.

In Frankreich nahm Irène Némirovskys Leben eine weniger düstere Färbung an. Die Némirovskys assimilierten sich und führten in Paris das glanzvolle Leben begüterter Großbürger: Abendgesellschaften, Diners auf dem Land, Bälle, luxuriöse Sommerfrischen. Irène liebte die Bewegung, den Tanz. Sie eilte von einem Fest, von einem Empfang zum andern und warf sich nach eigenem Bekenntnis dem Vergnügen in die Arme. Spielte manchmal im Kasino. Am 2. Januar 1924 schrieb sie an eine Freundin: «Ich habe eine völlig verrückte Woche hinter mir: ein Ball nach dem anderen, und ich bin immer noch ein wenig berauscht und finde nur mühsam auf den Weg der Pflicht zurück.»

Ein andermal in Nizza: «Ich führe mich auf wie eine Irre, und ich schäme mich dafür. Ich tanze von abends bis morgens. Jeden Tag gibt es in verschiedenen Hotels sehr schicke Gala-Abende, und da mich mein guter Stern mit ein paar Gigolos beschenkt hat, amüsiere ich mich prächtig.»

Wieder aus Nizza zurück: «Ich bin nicht artig gewesen … Am Abend vor meiner Abreise gab es bei uns im Hotel Negresco einen großen Ball. Ich habe bis zwei Uhr morgens wie eine Verrückte getanzt und habe dann in eisiger Zugluft geflirtet und kalten Champagner getrunken.» Einige Tage später: «Choura hat mich besucht und mir eine zweistündige Moralpredigt gehalten: Anscheinend flirte ich zuviel, und es sei sehr schlimm, den jungen Männern derart den Kopf zu verdrehen … Wissen Sie, daß ich Henry rausgeschmissen habe, der mich neulich mit bleichem Gesicht, hervorquellenden Augen, wutentbrannter Miene und einem Revolver in der Tasche besuchen kam!»

Im Trubel einer dieser Abendgesellschaften begegnete sie Michail, genannt Michel Epstein, «einem kleinen Brünetten mit sehr dunklem Teint», der ihr bald den Hof machte. Er hatte in Sankt Petersburg ein Ingenieursdiplom in Physik und Elektrotechnik erworben und arbeitete inzwischen als Bevollmächtigter bei der Banque des pays du Nord, rue Gaillon. Sie fand ihn nach ihrem Geschmack, flirtete und heiratete ihn 1926.

Das Paar zog in der Avenue Constant-Coquelin in eine schöne Wohnung, deren Fenster auf den großen Garten eines Klosters am linken Seineufer gingen. 1929 wurde ihre Tochter Denise geboren. Als Fanny erfuhr, daß sie Großmutter geworden war, schenkte sie ihrer Tochter einen Teddybären. Ein zweites Mädchen, Élisabeth, kam am 20. März 1937 zur Welt.

Die Epsteins führten ein gutbürgerliches Leben, hatten Freunde wie Tristan Bernard und die Schauspielerin Suzanne Devoyod und verkehrten mit der Prinzessin Obolensky. Irène behandelte ihr Asthma in Badeorten. Filmproduzenten erwarben die Rechte an *David Golder*, der in einem Film von Julien Duvivier von Harry Baur dargestellt wird.

Trotz ihrer Bekanntheit sollte Irène Némirovsky, die sich in Frankreich und dessen gute Gesellschaft verliebt hatte, nie die französische Staatsbürgerschaft erhalten. Im Zusammenhang mit der kollektiven Angst vor dem Krieg und nach einem vom Aufflammen eines heftigen Antisemitismus geprägten Jahrzehnts, das die Juden als schädliche, geldgierige, kriegslüsterne, machtgierige Eindringlinge und als sowohl bürgerliche wie revolutionäre Kriegstreiber darstellte, faßte Irène Némirovsky den Entschluß, mit ihren Kindern zum Christentum zu konvertieren. Sie wurde am frühen Morgen des 2. Februar 1939 in der Kapelle Sainte-Marie in Paris von einem Freund der Familie getauft, Monseigneur Ghika, einem rumänischen Fürsten und Bischof.

Am Tag vor Ausbruch des Zweiten Weltkriegs, am 1. September 1939, brachten Irène und Michel Epstein ihre beiden kleinen Töchter nach Issy-l'Évêque im Departement Saône-et-Loire, zusammen mit ihrer Amme Cécile Michaud, die aus diesem Dorf stammte. Letztere gab die Mädchen in die Obhut ihrer Mutter, Madame Mitaine. Irène und Michel Epstein kehrten nach Paris zurück, von wo aus sie regelmäßig hin und her pendelten, um ihre Kinder zu besuchen, bis im Juni 1940 die Demarkationslinie gezogen wurde.

Die erste Judenverordnung vom 3. Oktober 1940 wies den

Juden einen minderen sozialen und rechtlichen Status zu und machte sie zu Parias. Vor allem definierte sie nach rassischen Kriterien, wer in den Augen des französischen Staats Jude ist. Die Epsteins, die sich im Juni 1941 registrieren ließen, waren sowohl Juden als auch Ausländer. Michel durfte nicht mehr in der Banque des pays du Nord arbeiten. Die Verlage «arisierten» ihr Personal und ihre Autoren, Irène konnte nicht mehr veröffentlichen. Das Ehepaar verließ Paris und zog zu seinen Töchtern ins Hôtel des voyageurs in Issy-l'Évêque, in dem auch Soldaten und Offiziere der Wehrmacht wohnten.

Im Oktober 1940 wurde ein Gesetz über «die ausländischen Staatsangehörigen jüdischer Rasse» verkündet. Es legte fest, dass sie in Konzentrationslagern interniert werden konnten oder ihren Wohnort nicht verlassen durften. Das Gesetz vom 2. Juni 1941, das die erste Judenverordnung vom Oktober 1940 ersetzte, verschärfte ihre Lage und war das Vorspiel zu ihrer Festnahme, ihrer Internierung und ihrer Deportation in die Vernichtungslager.

Ihr Taufschein war Irène und ihren Töchtern von keinerlei Nutzen. Dennoch ging die kleine Denise zur Erstkommunion. Als es Pflicht wurde, den Judenstern zu tragen, besuchte sie die Gemeindeschule mit dem gut sichtbar auf ihren Mantel genähten gelb-schwarzen Stern.

Nachdem die Epsteins ein Jahr im Hotel gewohnt hatten, fanden sie im Dorf endlich ein geräumiges Haus, das sie mieten konnten.

Michel Epstein schrieb für seine Tochter Denise ein Einmaleins in Versen. Hellsichtig zweifelte Irène Némirovsky keinen Augenblick am tragischen Ausgang der Ereignisse. Aber sie schrieb und las viel. Jeden Tag nach dem Frühstück brach sie auf. Manchmal ging sie zehn Kilometer, bis sie einen Ort fand, der ihr behagte. Dann machte sie sich an die Arbeit. Sie kehrte erst am Abend zurück. Von 1940 bis 1942 waren der Verlag Albin Michel und der Direktor der antisemitischen Zeitung *Gringoire* bereit, ihre Novellen unter zwei Pseudonymen zu veröffentlichen: Pierre Nérey und Charles Blancat.

Während des Jahres 1941/42 schrieb Irène Némirovsky, die ebenso wie ihr Mann den gelben Stern trug, in Issy-l'Évêque *La Vie de Tchekhov* und *Les Feux de l'Automne,* ein Buch, das erst im Frühjahr 1957 erscheinen sollte, und nahm eine ehrgeizige Arbeit in Angriff, die *Suite française.*

Wie üblich begann sie damit, sich Notizen über die laufende Arbeit zu machen und ihre Gedanken zur Situation Frankreichs aufzuschreiben. Sie stellte die Liste ihrer Haupt- und Nebenfiguren auf, prüfte nach, ob sie sie alle richtig eingesetzt hatte. Sie träumte von einem Buch von tausend Seiten, aufgebaut wie eine Symphonie, jedoch aus fünf Teilen bestehend. Beethovens *Fünfte Symphonie* diente als Vorbild.

Am 12. Juni 1942, wenige Tage vor ihrer Verhaftung, zweifelte sie daran, ob sie die Zeit haben würde, das große Werk zu vollenden. Sie ahnte, daß ihr nur noch wenig Zeit zu leben blieb. Aber sie fuhr fort, sich parallel zur Abfassung ihres Buchs Notizen zu machen. Sie beweisen, daß sich Irène Némirovsky keine Illusionen machte, weder über die Haltung der trägen, «hassenswerten» Masse der Franzosen gegenüber der Niederlage und der Kollaboration noch über ihr eigenes Schicksal. Oben auf die erste Seite schrieb sie:

> *Um zu tragen solch schwere Last*
> *Bedarf es, Sisyphos, deiner Kraft.*
> *Zwar fehlt mir nicht der Mut zur Tat,*
> *Doch weit ist das Ziel und die Zeit nur kurz*

Sie geißelte die Angst, die Feigheit, die Hinnahme der Demütigung, der Verfolgung und der Massaker. Doch sie war allein. Nur wenige in der Welt der Literatur und des Verlagswesens hatten sich nicht für die Kollaboration entschieden. Jeden Tag ging sie dem Briefträger entgegen, aber sie bekam keine Post. Sie versuchte nicht, sich ihrem Schicksal durch Flucht zu entziehen, beispielsweise in die Schweiz, die ab und zu Juden aus Frankreich aufnahm, vor allem Frauen und Kinder. Sie fühlte sich so verlassen, daß sie am 3. Juni ihr Testament zugunsten der Pflegemutter ihrer Kinder machte, damit diese sich weiter um ihre beiden Töchter kümmern konnte, wenn sie und ihr Mann verschwunden sein würden. Irène Némirovsky gab genaue Anweisungen, zählte alle Dinge auf, die sie gerettet hatte und die Geld einbringen könnten, um die Miete zu zahlen, das Haus zu heizen, einen Ofen zu kaufen, einen Gärtner einzustellen, der sich in der Zeit der Rationierung um den Gemüsegarten kümmern sollte; sie nannte die Adresse der Ärzte, die ihre Töchter begleiteten, beschrieb deren Diät. Kein Wort der Auflehnung. Die schlichte Betrachtung der Situation, wie sie war.

Am 3. Juli 1942 schrieb sie: «Wahrhaftig, und falls die Dinge nicht andauern und während ihres Andauerns nicht noch kompliziertter werden! Aber möge es ein Ende nehmen, ob im Guten oder im Bösen!»

Am 11. Juli 1942 arbeitete sie in einem Kiefernwald, auf ihrem blauen Sweater sitzend, «inmitten eines Meeres verfaulter, vom Gewitter der letzten Nacht durchweichter Blätter wie auf einem Floß, die Beine unter mir angewinkelt».

Am selben Tag schrieb sie dem literarischen Programmleiter bei Albin Michel einen Brief, der keinen Zweifel an ihrer Gewißheit läßt, diesen Krieg, den die Deutschen und ihre Verbündeten den Juden erklärt haben, nicht zu überleben: «Lieber Freund … Denken Sie an mich. Ich schreibe zurzeit viel. Ich denke, es wird ein postumes Werk werden. Doch auf diese Weise vergeht die Zeit.»

Am 13. Juli 1942 läuteten die französischen Gendarmen an der Tür der Epsteins. Sie kamen, um Irène festzunehmen. Am 16. Juli wurde sie im Konzentrationslager Pithiviers im Loiret interniert und am nächsten Tag mit dem Konvoi Nr. 6 nach Auschwitz deportiert. Sie wurde im Vernichtungslager Birkenau registriert; völlig geschwächt kam sie in den Krankenbau und starb am 17. August 1942.

Nach Irènes Abreise hatte Michel Epstein immer noch nicht begriffen, daß die Festnahme und die Deportation den Tod bedeuten würden. Jeden Tag erwartete er ihre Rückkehr und verlangte, daß bei jeder Mahlzeit ein Gedeck für sie auf dem Tisch lag. Verzweifelt blieb er mit seinen Töchtern in Issy-l'Évêque. Er schrieb an Marschall Pétain, daß seine Frau von zarter Gesundheit sei, und bat um die Erlaubnis, in einem Arbeitslager ihren Platz einzunehmen.

Die Antwort der Vichy-Regierung war die Verhaftung von Michel im Oktober 1942. Man internierte ihn zuerst in Le Creusot, dann in Drancy, wo sein Durchsuchungsschein darauf verweist, daß bei ihm 8500 Francs beschlagnahmt wurden. Am 6. November 1942 wurde er nach Auschwitz deportiert und bei seiner Ankunft vergast.

Gleich nachdem die französischen Gendarmen Michel Epstein festgenommen hatten, waren sie in die Gemeindeschule gegangen, um auch die kleine Denise zu holen, doch ihrer Lehrerin gelang es, sie zu verstecken.

Die französischen Gendarmen ließen sich nicht entmutigen und suchten überall hartnäckig nach den beiden Mädchen. Ihre Pflegemutter war so geistesgegenwärtig, den Judenstern von Denise' Kleidern abzutrennen und die beiden Kinder heimlich aus dem besetzten Frankreich zu schaffen. Sie versteckten sich mehrere Monate zuerst in einem Kloster, dann in Kellern in der Gegend von Bordeaux.

Als sie nach dem Krieg jede Hoffnung verloren hatten, ihre Eltern wiederzusehen, läuteten sie an der Tür ihrer Großmutter, die den Krieg in größtem Komfort in Nizza verbracht hatte, um sie um Hilfe zu bitten. Doch Fanny Nemirovsky weigerte sich, ihnen zu öffnen, und rief durch die Tür, wenn ihre Eltern tot seien, sollten sie sich an ein Waisenhaus wenden. Fanny starb im

Alter von hundertzwei Jahren in ihrer großen Wohnung in der Avenue du Président-Wilson. In ihrem Safe fand man nur zwei Bücher von Irène Némirovsky: *Jézabel* und *David Golder*.

Die Veröffentlichung der *Suite française* hat eine Geschichte, die in mehrerer Hinsicht einem Wunder gleichkommt und es verdient, erzählt zu werden: Auf ihrer Flucht nahmen die Pflegemutter und die beiden Kinder einen Koffer mit, der neben Fotos und Familienpapieren auch dieses letzte Manuskript der Schriftstellerin enthielt, geschrieben in winziger Schrift, um Tinte und das schlechte Kriegspapier zu sparen. Irène Némirovsky hatte in diesem letzten Werk ein schonungsloses Bild des schwachen, besiegten und besetzten Frankreichs gezeichnet.

Der Koffer begleitete Élisabeth und Denise Epstein von einem Zufluchtsort zum andern: Zunächst war es ein katholisches Pensionat. Nur zwei Nonnen wußten, daß die beiden kleinen Mädchen Jüdinnen waren. Man hatte Denise einen falschen Namen gegeben, aber sie konnte sich nicht an ihn gewöhnen und wurde im Unterricht oft zur Ordnung gerufen, weil sie nicht antwortete, wenn man sie aufrief. Dann kamen ihnen die Gendarmen, die verbissen nach ihnen suchten und nichts Wichtigeres zu tun hatten, als zwei jüdische Kinder den Nazis auszuliefern, auf die Spur. Die Kinder mußten das Pensionat verlassen. In den Kellern, in denen Denise mehrere Wochen verbrachte, holte sie sich eine Rippenfellentzündung; da diejenigen, die sie versteckten, nicht wagten, sie zu einem Arzt zu bringen, behandelten sie sie nur mit Kiefernharz. Als sie abermals beinahe entdeckt wurden, mußten sie wieder fliehen, samt dem kostbaren Koffer, der für alle Fälle immer bereitstand. Bevor die Kinder in einen Zug stiegen, befahl die Pflegemutter den beiden: «Versteckt eure Nasen!»

Als die Überlebenden der Konzentrationslager später nach und nach in der Gare de l'Est eintrafen, gingen Denise und Élisabeth jeden Tag dorthin. Sie trugen ein Schild mit ihren Namen und suchten auch im Hotel Lutetia, das in ein Auffangzentrum für Deportierte umgewandelt worden war. Einmal rannte Denise los, weil sie glaubte, die Gestalt ihrer Mutter auf der Straße gesehen zu haben.

Denise hatte das kostbare Album ihrer Mutter gerettet. Sie wagte nicht, es zu öffnen, es genügte ihr, es zu sehen. Zwar versuchte sie einmal, es zu lesen, aber es war zu schmerzhaft. Die Jahre vergingen.

Mit ihrer Schwester Élisabeth, die unter dem Namen Élisabeth Gille Karriere in verschiedenen Verlagen machte, faßte sie den Entschluß, das letzte Werk ihrer Mutter dem Institut Mémoire de l'Édition Contemporaine (IMEC) anzuvertrauen, um es zu retten. Doch bevor sie sich davon trennte, wollte sie es abschreiben. Mit Hilfe einer Lupe machte sie sich an die lange und schwierige Arbeit der Entzifferung. Dabei entdeckte sie, daß es sich nicht, wie sie geglaubt hatte, um bloße Notizen oder ein Tagebuch handelte, sondern um ein verstörendes Werk, ein ungemein hellsichtiges Fresko, eine lebensnahe Photographie Frankreichs und der Franzosen: Straßen während der Flucht; Dörfer voll erschöpfter, hungriger Frauen und Kinder, die darum kämpfen, auf einem einfachen Stuhl im Flur einer Landherberge schlafen zu können; mit Möbeln, Matratzen, Decken und Geschirr beladene Wagen, die mangels Benzin mitten auf dem Weg liegenbleiben; vom Pöbel angewiderte Großbürger, die versuchen, ihre Nippsachen zu retten; Flittchen, die von ihren Liebhabern im Stich gelassen werden, weil diese es eilig haben, mit ihrer Familie aus Paris zu fliehen; ein Priester, der Waisenkinder zu einem Zufluchtsort begleitet, die ihn, von allen Hemmungen befreit, schließlich umbringen; ein in einem Bürgerhaus einquartierter deutscher Soldat, der eine junge Frau vor den Augen ihrer Schwiegermutter verführt. In diesem trübseligen Gemälde bewahrt einzig ein bescheidenes Ehepaar, dessen Sohn bei den ersten Kämpfen verwundet wurde, seine Würde. Vergebens versuchen sie unter den besiegten Soldaten, die sich über die Landstraßen schleppen, und im Chaos der Militärkonvois, die die Verwundeten in die Krankenhäuser bringen, seine Spur zu finden.

Als Denise Epstein das Manuskript der *Suite française* dem Konservator des IMEC anvertraute, empfand sie einen großen Schmerz. Sie zweifelte nicht am Wert des letzten Werks ihrer Mutter; sie gab es aber keinem Verleger zu lesen, denn ihre schwerkranke Schwester Élisabeth Gille schrieb gerade *Erträumte Erinnerung*, die imaginäre Biographie ihrer Mutter – einer Mutter, die Élisabeth niemals richtig kennenlernen konnte, da sie erst fünf Jahre alt war, als Irène Némirovsky durch die Nazis ums Leben kam.

MYRIAM ANISSIMOV
Journalistin und Autorin

Danksagung

Mein Dank gilt

Olivier Rubinstein und allen Mitarbeitern der Éditions Denoël, die dieses Manuskript mit Begeisterung und Rührung angenommen haben;

Francis Esménard, Präsident und Generaldirektor des Verlags Albin Michel, der großzügigerweise damit einverstanden war, daß ein Abschnitt der Vergangenheit, den er in Verwahrung hatte, veröffentlicht wird;

Myriam Anissimov, die Verbindung zwischen Romain Gary, Olivier Rubinstein und Irène Némirovsky;

und Jean-Luc Pidoux-Payot, der das Manuskript noch einmal durchgelesen hat und mir mit seinen wertvollen Ratschlägen eine große Hilfe war.

DENISE EPSTEIN
Tochter von Irène Némirovsky

Edith Wharton

Traumtänzer
Roman
432 Seiten, btb 74465

Eine Villa am Comer See, ein Palazzo in Venedig, die
exklusiven Salons in London und Paris – hier gibt sich die
High Society der goldenen 20er Jahren des letzten Jahrhunderts
ein Stelldichein. Mittendrin das frisch verheiratete, aber
mittellose Paar Susy und Nick Lansing, die sich fröhlich von
einer Sommerfrische zur nächsten schmarotzen und mit Esprit
ihre Gönner unterhalten. Doch für ihr Luxusleben zahlen sie
einen hohen Preis, denn die Abhängigkeit von ihren reichen
Freunden hat ungeahnte Folgen für das junge Paar.

Ein altes Haus am Hudson River
Roman
624 Seiten, btb 74606

Für Vance Weston, Sohn eines Immobilienspekulanten, hält
die Zukunft ein komfortables Leben in der amerikanischen
Provinz bereit. Doch der 19-Jährige hat eigene Pläne: Vance
will nach New York und dort Schriftsteller werden. Tatsächlich
gelingt ihm in der pulsierenden Metropole der kometenhafte
Aufstieg zum Liebling der Society. Doch allzu rasch folgt
die große Ernüchterung, und Vance muss sich zwischen
kommerziellem Erfolg und seinen literarischen Grundsätzen
entscheiden. Der einzige Mensch, der ihm Orientierung bietet,
ist Héloïse, die kluge und schöne Frau seines Verlegers.